JN026806

攻略

令和**7**年度
2025年度

ネットワーク スペシャリスト

教科書

株式会社
わくわくスタディワールド
著 **瀬戸美月**

インプレス

インプレス情報処理シリーズ購入者限定特典!!

●電子版の無料ダウンロード

本書の全文の電子版（PDFファイル，令和6年度春期試験の問題＆解説を収録，印刷不可）を下記URLの特典ページでダウンロードいただけます。

加えて、本書に掲載していない過去問題＆解説（PDFファイル，印刷可）もダウンロードできます。

▼本書でダウンロード提供している過去問題&解説

・平成24年度～令和元年度の秋期試験、令和3～5年度の春期試験
（それぞれ翌年度版の書籍に収録した過去問題＆解説）

・平成23年度秋期試験（著者生解説原稿をPDF化）

※令和6年度春期試験の問題＆解説は、本書の全文PDFにて提供いたします。

※平成23年度秋期試験については、解説のみの提供になります。試験問題はIPAサイトにてご入手ください。

●スマホで学べる単語帳アプリ「でる語句200」

出題が予想される200の語句をいつでもどこでも暗記できる単語帳アプリ「でる語句200」を無料でご利用いただけます。利用方法については、下記のURLをご確認ください。

特典は、以下のURLで提供しています。

https://book.impress.co.jp/books/1124101035

※特典のご利用には、無料の読者会員システム「CLUB Impress」への登録が必要となります。

※特典のご利用は、書籍をご購入いただいた方に限ります。

※特典の提供予定期間は、いずれも本書発売より1年間です。

インプレスの書籍ホームページ

書籍の新刊や正誤表など最新情報を随時更新しております。

https://book.impress.co.jp/

はじめに

「ネットワークスペシャリストを取って転職したい」，研修でいろいろな人から聞きます。私自身，ネットワークスペシャリスト試験に合格した後に転職し，資格の効果を実感しました。半年間みっちり勉強しましたが，学習した内容は，実務にもすごく役立っています。

情報処理技術者試験の中では，ネットワークスペシャリスト試験は，前身であるオンライン情報処理技術者試験が始まった1988年（昭和63年）から数えると，35年以上もの長い歴史があります。そのため，知名度は他の試験よりも高く，評価されやすい資格でもあります。ただ，ネットワーク技術は時代に合わせてどんどん様変わりしているので，昔と今とで問われている内容はまったく異なります。インターネットの爆発的な普及があり，ネットワークは専門家だけでなく一般の人も使うようになったため，社会的にますます重要なインフラとなっています。その時々でネットワークの「今」を任される専門家を育てる資格，それがネットワークスペシャリストであるとも言えます。

本書は，わく☆すたAI（人工知能）がネットワークスペシャリスト試験の出題傾向を徹底分析し，試験合格に必要な知識をまとめたものです。また，情報の新しさにもこだわり，昔の技術よりも「現在使われている技術」を優先して掲載しています。特に，近年よく使われるようになり，試験でもよく出題される情報セキュリティ技術や仮想化・クラウド技術については，重点を置いて説明しています。また，具体的な技術だけでなく，信頼性を重視したネットワーク設計や運用管理など，普遍的な考え方について，後半で学習していきます。さらに深く理解できるようにYouTube動画による解説も用意していますので，あわせてご活用ください。

学習するときには，ポイントを暗記するだけより，周辺知識も合わせて勉強する方が記憶に残りやすく実力も付いていきます。すべてを暗記しようと頑張らなくてもいいので，気楽に読み進めていきましょう。辞書として使っていただくのも歓迎です。本書をお供にしながら，ネットワークスペシャリスト試験の合格に向かって進んでいってください。

最後に，本書の発刊にあたり，企画・編集など本書の完成までに様々な分野で多大なご尽力をいただきましたインプレスの皆様，ソキウス・ジャパンの皆様に感謝いたします。また，私のITの師匠である水岡祥二様，わくわくスタディワールドの齋藤健一様をはじめ，一緒に仕事をしていただいた皆様にも感謝いたします。

そして，いろいろとご指摘，ご教示いただいた昨年度までの読者の皆様，「わく☆すたセミナー」や企業研修での受講生の皆様のおかげで，本書を改善・完成させることができました。皆様，本当に，ありがとうございました。

令和6年7月

わくわくスタディワールド　瀬戸　美月

本書の構成

　本書は，解説を読みながら問題を解くことで，知識が定着するように構成されています。また，側注には，理解を助けるヒントを豊富に盛り込んでいますので，ぜひ活用してください。

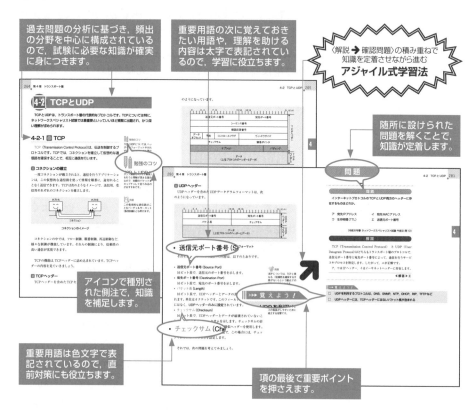

本書で使用している側注のアイコン

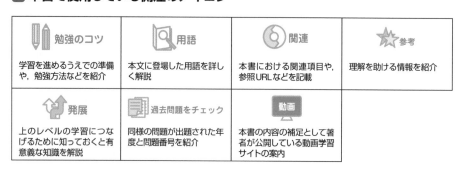

✏ 勉強のコツ	📖 用語	🎧 関連	⭐ 参考
学習を進めるうえでの準備や，勉強方法などを紹介	本文に登場した用語を詳しく解説	本書における関連項目や，参照URLなどを記載	理解を助ける情報を紹介
👆 発展	📄 過去問題をチェック	🖥 動画	
上のレベルの学習につなげるために知っておくと有意義な知識を解説	同様の問題が出題された年度と問題番号を紹介	本書の内容の補足として著者が公開している動画学習サイトの案内	

本書の使い方

　本書は，これまでに出題された問題を分析し，試験によく出てくる分野を中心にまとめています。ですから，本書をすべて読んで頭に入れていただければ，試験に合格するための知識は十分に身につきます。ただし，知識だけを問う試験ではありませんので，理解を深め，実力をつけることが大切です。そのためにも，本書を有効に活用してください。

随所に設けた問題で理解を深める

　理解を深めるために，ぜひ，随所に設けた演習問題を考えながら読み進めてください。特に，午後Ⅰや午後Ⅱの問題は，解き方を読みながら演習を行うと，効率良く勉強していただけると思います。

辞書としての活用もOK

　文章を読むのが苦手な人，特に参考書を読み続けるのがつらいという人は，無理に最初から全部読む必要はありません。過去問題などで問題演習を行いながら，辞書として必要なことを調べるといった用途に使っていただいてもかまいません。

過去問題で実力をチェック

　巻末に令和6年春試験の問題と解答解説を掲載しました。また，平成23〜令和元年の秋試験と令和3〜5年の春試験の解答解説は，本書の特典としてダウンロード可能です。学習してきたことの力試しに，そして問題演習に，ぜひお役立てください。

「試験直前対策 項目別要点チェック」を最終チェックなどに活用

　P.7〜12の「試験直前対策 項目別要点チェック」は，各項末尾の「覚えよう！」を一覧化してまとめたものです。重要な用語は色文字にしてあります。試験直前のチェックや弱点の特定・克服などにお役立てください。

◉ 本書のフォローアップ

　本書の訂正情報につきましては，インプレスのサイトをご参照ください。内容に関するご質問は，「お問い合わせフォーム」よりお問い合わせください。

●お問い合わせと訂正ページ

https://book.impress.co.jp/books/1124101035

上記のページで「お問い合わせフォーム」ボタンをクリックしますとフォーム画面に進みます。

　また，書籍以外の手段でも学べるように，ネットワーク理論などを動画で解説した内容を公開しています。本書との関連は以下のWebページにまとめてありますので，よろしければご活用ください。

徹底攻略ネットワークスペシャリスト教科書　書籍関連情報

https://wakuwakustudyworld.co.jp/blog/nwinfo/

● 試験直前対策　項目別要点チェック

　第1～9章の各項目の末尾に確認事項として掲載している「覚えよう！」をここに一覧表示しました。試験直前の対策に，また，弱点のチェックにお使いください。「覚えよう！」の掲載ページも併記していますので，理解に不安が残る項目は，本文に戻り，確実に押さえておきましょう。

第3章　インターネット層

第6章　セキュリティ

CONTENTS

目次

第4章 トランスポート層

第5章 アプリケーション層

第6章 セキュリティ

第7章 ネットワーク設計

第8章　ネットワーク管理

第9章　仮想化とクラウド

付録　令和6年度春　ネットワークスペシャリスト試験

ネットワークスペシャリスト試験 活用のポイント

クラウドの普及やIoT，情報セキュリティなど，ネットワークをとりまく状況は，時代の流れに乗って大きく変化しています。これからの時代に輝くエンジニアになるために，ネットワークスペシャリスト試験の学習をうまく活用していきましょう。

⬤ ネットワークに関するスキルは，これからの時代に必須

ネットワークスペシャリストとは，ネットワークに関係する技術の専門家であり，ネットワークを構築し，様々な分野でネットワークに関する技術支援を行います。単にネットワークに関する知識があるというだけでなく，ネットワークに関する技術を活用し，情報システム基盤の構築を行ったり，情報システムへの技術支援を行ったりする人がネットワークスペシャリストです。

また，最近のネットワーク構築は，単にネットワークケーブルを引き，機器を設定するというだけでは終わらなくなってきています。クラウドコンピューティングなどでネットワークが仮想化し，ソフトウェアを用いて設定することも増えてきました。そのため，インフラ（情報システム基盤）全体を管理するインフラエンジニアとしての活躍が求められることが多くなりました。

さらに，日々起こっているセキュリティ犯罪などに対応するため，ネットワークのセキュリティ対策も不可欠なものとなっています。ネットワークセキュリティの専門家としての役割も，求められることが多くなっています。

■ ネットワークスペシャリスト試験の対象者

ネットワークスペシャリスト試験で対象とする技術者には，次の2つのタイプがあります。

①ネットワーク設計を行う技術者

インフラ構築の中心となるネットワーク設計を主に行う技術者です。組織全体の状況を考慮して最適なネットワークを企画し，それを実現できるようにネットワーク設計を行います。

②ネットワーク管理を行う技術者

ネットワークの機器設定や運用管理，ネットワークに障害が起こったときのトラブルシューティングなどを行う技術者です。主な業務は日々の運用であり，実際にルータやスイッチなどの機器を設定し，構築および運用作業を行います。

ネットワークスペシャリストという言葉からは，②の機器を設定する技術者がイメージされやすいのですが，実際のネットワークスペシャリスト試験は，①の設計を行う技術者についての問題が中心です。②の内容が出題されることもありますので，両方の学習が必要となります。会社全体のネットワークについて，その設計段階から関わる，上位レベルのエンジニアが想定されています。

● ネットワークスペシャリスト試験のメリット

　ネットワークスペシャリスト試験は30年以上の歴史がある国家試験で，情報処理技術者試験の中でも知名度が高い試験です。また，インターネットの進歩に伴い，どんどん内容が変わっており，時流に合わせた内容が出題されています。そのため，ネットワークスペシャリスト試験に合格すると，次のようなメリットがあります。

①企業からの高い評価

　ネットワークスペシャリスト試験の合格を社員に奨励する企業が数多くあります。実際に，合格者に一時金や資格手当などを支給する報奨金制度を設ける企業や，採用の際に試験合格を考慮する企業などは多くあります。会社によって金額や優遇の度合いは違いますが，優遇する企業は実際に多く，いろいろな企業で資格取得を奨励しています。

②国家試験による優遇

　ネットワークスペシャリスト試験の合格者には，「国家試験」による科目免除などの優遇があります。有名なところでは，弁理士の試験で，科目の一部免除（理工Ⅴ（情報））が行われます。その他，サイバー犯罪捜査官や公務員試験，教員採用試験などで，受験の条件や科目免除などとして設定されています。

　情報処理技術者は公的な資格なので，国や自治体関連の仕事に就く場合には有利になることが多いです。公務員を目指す人は取得しておくと役立つ資格といえます。

③自己のスキルアップ，能力レベルの確認

　ネットワークスペシャリスト試験の内容は，現実の会社の事例をもとに作成されています。そのため，単なる知識だけでなく，試験勉強を通じて実践的な内容を学習することが可能です。特に，過去問題の演習を行うことで，実際のネットワーク技術の活用方法を知り，実務に役立てることが可能です。試験合格をゴールに学習することで，漠然とした学習よりも，モチベーションが上がりやすくなります。しっかり勉強して合格することで，IT人材としての基本的な知識や技能を身に付けることができますので，ぜひ一緒に学習していきましょう。

　それでは，ネットワークスペシャリスト試験のデータを分析した結果から，どのような出題傾向があり，何を学習すればいいのかをみていきましょう。

ネットワークスペシャリスト試験の傾向と対策

ネットワークスペシャリスト試験の傾向は，ここ数年で大きく変化してきています。単に昔の定番内容をマスターするのではなく，これからの時代を見据えて，新しいことを学習していくことも大切です。

なお，本項では試験の出題傾向の分析に，わくわくスタディワールドで開発し，現在データの学習を進めているAI（人工知能），わく☆すたAIを活用しています。

● ネットワークスペシャリスト試験の傾向

ネットワークスペシャリスト試験は午前Ⅰ試験，午前Ⅱ試験，午後Ⅰ試験，午後Ⅱ試験の4区分に分かれていて，それぞれ異なる方法で異なる力が試されます。まとめると，以下のようになります。

ネットワークスペシャリスト試験の構成

	試験時間	出題形式	出題数・解答数	合格ライン
午前Ⅰ	9:30〜10:20（50分）	多肢選択式（四肢択一）	30問・30問	60点／100点満点（18問正解）
午前Ⅱ	10:50〜11:30（40分）	多肢選択式（四肢択一）	25問・25問	60点／100点満点（15問正解）
午後Ⅰ	12:30〜14:00（90分）	記述式	3問・2問	60点／100点満点
午後Ⅱ	14:30〜16:30（120分）	記述式	2問・1問	60点／100点満点

過去5回の各試験時間での突破率と全体の合格率は，次のとおりです。

各試験時間の突破率と合格率

試験時間	令和元年秋	令和3年春	令和4年春	令和5年春	令和6年春
午前Ⅰ	56.9%	62.6%	64.1%	60.0%	54.3%
午前Ⅱ	80.9%	84.3%	86.1%	83.7%	80.5%
午後Ⅰ	45.8%	43.7%	54.2%	41.7%	55.0%
午後Ⅱ	49.2%	44.6%	47.0%	50.3%	44.3%
全体（合格率）	14.4%	12.8%	17.4%	14.3%	15.4%

※情報処理技術者試験センター公表の統計情報を基に算出

全体的に，午前Ⅱの突破率は7〜9割程度と高めです。午後はそれぞれ4〜6割前後の突破率となります。全体としての合格率は12〜18％程度となっています。午前Ⅰを免除されている受験者は半数以上（令和6年春では59.8％）ですが，午前Ⅰから受験する場合，近年の突破率は5〜7割であり，決して低いとはいえないハードルとなっています。

それでは，わく☆すたAIを用いて分析した結果を基に，それぞれの区分での出題傾向を見ていきましょう。

■ 午前 I 試験

午前 I 試験は，ネットワークスペシャリスト試験だけでなく，その他の試験（情報処理安全確保支援士，システムアーキテクト，ITストラテジスト，ITサービスマネージャ）と共通の，IT全般について選択式で問われる試験です。応用情報技術者試験の80問から抽出された30問で構成されており，全分野から出題されます。また，一度いずれかの試験の午前 I 試験で60点以上を獲得する，または応用情報技術者試験に合格すると，その後2年間は午前 I 試験が免除されます。

出題される各分野は，次のとおりです。

午前 I 試験の出題分野

分類	分野
class1	基礎理論（2進数，アルゴリズムなど）
class2	技術要素（ハードウェア，ソフトウェアなど）
class3_notsec	技術要素のセキュリティ分野以外（ネットワーク，データベースなど）
class3_sec	技術要素のセキュリティ分野
class4	開発技術（システム開発など）
class5	プロジェクトマネジメント
class6	サービスマネジメント（運用管理，監査など）
class7	システム戦略（情報システム戦略，企画など）
class8	経営戦略
class9	企業と法務（会計，法律など）

分野ごとの出題数は，次のように推移しています。

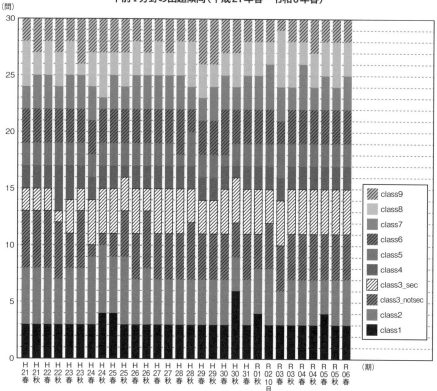

図で示したとおり，どの年度でも分野ごとでは同じくらいの割合で出題されており，前半の3分野（class1 ～ class3）からの出題が多い傾向があります。詳細な出題数は次ページのとおりです。

午前 I 試験の分野別出題数（平成 21 年春〜令和 6 年春）

期	class1	class2	class3_notsec	class3_sec	class4	class5	class6	class7	class8	class9
H21春	3	5	5	2	2	2	3	2	4	2
H21秋	3	5	5	2	2	2	3	3	2	3
H22春	3	5	5	2	2	2	3	3	3	2
H22秋	3	4	5	1	4	2	3	2	3	3
H23春	3	5	3	3	3	2	3	3	3	2
H23秋	3	5	5	2	2	2	3	3	1	4
H24春	3	5	5	2	2	2	3	3	3	3
H24秋	4	6	1	4	2	2	3	3	3	2
H25春	4	5	2	4	2	2	3	1	4	3
H25秋	3	6	4	3	1	2	3	2	3	3
H26春	3	4	4	4	2	2	3	3	3	2
H26秋	3	4	4	4	2	2	3	2	4	2
H27春	3	4	4	4	2	2	3	3	3	2
H27秋	3	4	4	4	2	2	3	3	2	3
H28春	3	4	4	4	2	1	4	3	3	2
H28秋	3	4	5	3	2	3	2	2	4	2
H29春	3	4	4	3	2	2	3	2	3	4
H29秋	3	4	4	3	2	2	3	3	2	4
H30春	3	4	4	4	2	1	4	3	2	3
H30秋	6	3	3	4	1	2	3	2	3	3
H31春	3	4	4	4	2	2	3	3	3	2
R01秋	4	4	3	4	2	2	3	3	3	2
R02 10月	3	5	4	3	2	2	3	4	2	2
R03春	3	3	4	4	2	3	2	3	5	1
R03秋	3	4	4	4	2	2	3	2	4	2
R04春	3	4	4	4	2	2	3	4	2	2
R04秋	3	4	4	4	2	2	3	2	3	3
R05春	4	3	4	4	2	2	3	3	3	2
R05秋	3	4	4	4	2	2	3	2	4	2
R06春	3	4	4	4	2	2	3	3	3	2

　特筆すべきは“セキュリティ”分野です。この分析では，セキュリティだけ，同じ技術要素分野として分類されるネットワークやデータベースから独立して集計していますが，その理由は，**セキュリティ分野だけ出題数が多い**という傾向があるからです。セキュリティ重視の方針を試験センターが公表した平成 25 年度以降は，毎回 3 〜 4 題は出題される分野ですので，しっかり対策をしておくことが望まれます。

■午前Ⅱ試験

　午前Ⅱ試験は，ネットワークスペシャリスト試験に関連する分野の知識が問われます。ネットワーク分野が中心ですが，セキュリティ，コンピュータシステム，及び開発技術の各分野からも出題されます。

　出題される各分野は，次のようになります。

午前Ⅱ試験の出題分野

分類	分野
nw1	ネットワーク方式
nw2	データ通信と制御
nw3	通信プロトコル
nw4	ネットワーク管理
nw5	ネットワーク応用
sec	セキュリティ
sys	コンピュータシステム (構成要素など)
dev	開発技術 (システム開発など)

　分野ごとの出題数は，次のように推移しています。

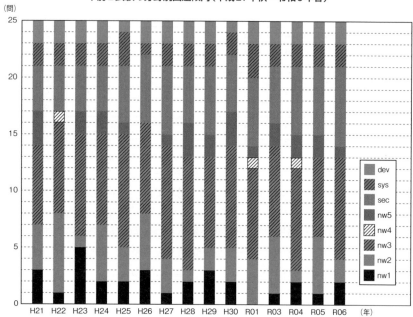

午前Ⅱ試験の分野別出題傾向（平成21年秋～令和6年春）

　午前IIは，年度によって出題数がかなり異なっています。全25問中，ネットワーク分野全体の出題数は14〜17問，セキュリティが4〜6問，残りの3〜4問がコンピュータシステム及び開発技術です。ネットワーク分野の中で年度を通じて特に出題数が多いのは通信プロトコルで，IPやTCPなど，定番のプロトコルについての出題が中心です。その他の分野としては，セキュリティ分野の出題が増えており，現在はだいたい5問程度が出題されています。詳細な出題数は以下のとおりです。

午前II試験の分野別出題数（平成21年秋〜令和6年春）

年度	nw1	nw2	nw3	nw4	nw5	sec	sys	dev
H21	3	4	7	0	3	4	2	2
H22	1	7	8	1	0	4	2	2
H23	5	1	9	0	2	4	2	2
H24	2	5	8	0	2	4	2	2
H25	2	3	10	0	1	5	3	1
H26	3	5	8	0	0	6	1	2
H27	1	3	10	0	1	6	2	2
H28	2	1	10	0	3	5	2	2
H29	3	2	8	0	2	6	2	2
H30	2	3	9	0	3	5	2	1
R01	0	4	8	1	1	6	3	2
R03	1	5	8	0	2	5	2	2
R04	2	1	9	1	2	6	2	2
R05	1	5	7	0	2	6	2	2
R06	2	2	9	0	1	7	2	2

　年度によってばらつきがあり，基本的にネットワークやセキュリティに関する各分野が出題され，「ここさえやっておけばいい」という内容は存在しません。過去問題の再出題も多いため，過去問をひととおり学習しておくことが最も安全な対策となります。

■午後Ⅰ試験

　午後Ⅰでは，記述式の問題が3問出題され，そのうち2問を選択して解答します。午後で出題される内容は，大きく分けて次の五つ（4分野＋その他）となります。

午後Ⅰ試験の出題内容

分類	分野	頻出内容
low_layer	ネットワーク下位層	物理層〜トランスポート層，MACアドレス，IPアドレスなど
high_layer	ネットワーク上位層	セション層〜アプリケーション層，HTTP，SMTPなど
security	セキュリティ	暗号化，認証，アクセス制御，FWなど
virtual	仮想化	仮想ネットワーク，OpenFlow，SDN，VDIなど
other	その他	負荷分散，設計など

　それぞれの分野が単独で出題されることもありますし，同じ問題でまとめて出題されることもあります。過去10年の問題を設問ごとに集計して，それぞれのテーマでの出題割合をまとめると，次のようになります。

午後Ⅰ試験の分野別出題割合（平成21年〜令和6年）

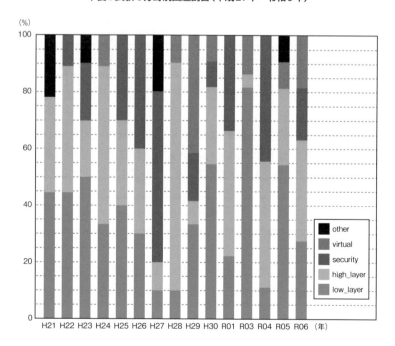

午後Ⅰ試験の分野別出題数（平成21年〜令和6年）

年度	low_layer	high_layer	security	virtual	other
H21	4	3	0	0	2
H22	4	4	1	0	0
H23	5	2	2	0	1
H24	3	5	0	1	0
H25	4	3	3	0	0
H26	3	3	4	0	0
H27	1	1	6	0	2
H28	1	8	0	1	0
H29	4	1	2	5	0
H30	6	3	1	1	0
R01	2	4	3	0	0
R03	9	1	0	1	0
R04	1	4	4	0	0
R05	6	3	0	1	1
R06	3	4	2	2	0

　全体的な傾向としては，10年前には，ネットワークの各レイヤ（階層）のプロトコルに関する出題がほとんどでしたが，近年になって，セキュリティや仮想化など，ネットワークの応用技術に関する出題が増えてきています。

　しかし，「仮想化」「セキュリティ」などと単独で出題されるわけではなく，それぞれの階層のプロトコルと組み合わせた応用問題となっています。

　具体例として，Webのセキュリティ問題があります。ネットワークスペシャリスト試験の問題では，HTTPに関する詳細が定番で出題されます。それを前提として問われ，さらにセキュリティ問題として，SSL/TLSを組み合わせたHTTPSについて問われる，といったかたちで出題されます。仮想化の例でも，まず，イーサネットやスイッチに関する内容が問われ，それを仮想化したネットワークについて問われるというかたちになっています。

　つまり，ネットワークスペシャリスト試験の問題を解くためには，基本技術としてそれぞれの階層（OSI基本参照モデルの物理層〜アプリケーション層，TCP/IPプロトコル群ではネットワークインタフェース層〜アプリケーション層）についての知識が必須です。その上でセキュリティや仮想化などの応用技術を知ることで，合格するだけの実力を身につけることができます。

　なお，分析の基となった問題内容は，次のとおりです。

午後I試験の出題テーマと設問数（平成21年～令和6年）

年度	問番号	テーマ	設問数
H21	1	ネットワークの障害解決	3
	2	メールシステムの移行	3
	3	eラーニングシステムの増強	3
H22	1	Webプロキシシステムの改善	3
	2	ネットワークの評価	3
	3	ネットワーク構成の見直し	3
H23	1	宿泊施設へのLAN導入	4
	2	メールアーカイブシステム導入	3
	3	ネットワークの再構築	3
H24	1	Webサイトの構築	3
	2	無線LANシステムの構築	3
	3	モバイル端末を利用したシステムの構築	3
H25	1	リモート接続ネットワークの検討	4
	2	端末の管理強化	3
	3	ネットワークの再構築	3
H26	1	ネットワーク構成の見直し	3
	2	ファイアウォールの障害対応	3
	3	ネットワークのセキュリティ対策	4
H27	1	シングルサインオンの導入	4
	2	ファイアウォールの負荷分散	3
	3	侵入検知・防御システムの導入	3
H28	1	電子メールシステム	3
	2	モバイルネットワークの検討	4
	3	メールサーバの更改	3
H29	1	SSL-VPNの導入	4
	2	仮想デスクトップ基盤の導入	4
	3	社内ネットワークとクラウドサービスとのネットワーク接続	4
H30	1	SaaSの導入	3
	2	ネットワーク監視の改善	4
	3	企業内ネットワーク再構築	4
R01	1	ネットワークの増強	2
	2	Webシステムの構成変更	3
	3	LANのセキュリティ対策	4
R03	1	ネットワーク運用管理の自動化	3
	2	企業ネットワークの統合	4
	3	通信品質の確保	4
R04	1	ネットワークの更改	3
	2	セキュアゲートウェイサービスの導入	3
	3	シングルサインオンの導入	3
R05	1	Webシステムの更改	4
	2	IPマルチキャストによる映像配信の導入	4
	3	高速無線LANの導入	3

年度	問番号	テーマ	設問数
R06	1	コンテンツ配信ネットワーク	3
	2	SD-WANによる拠点接続	5
	3	ローカルブレイクアウトによる負荷軽減	3

■ 午後II試験

午後IIでは，記述式の問題が2問出題され，そのうち1問を選択して解答します。

午後IIのテーマは事例解析といわれ，組織の中でのネットワーク設計や運用について出題されます。午後Iよりは問題の量が多く，内容が複雑ですが，出題される分野は同じです。

午後Iと同様，設問ごとに集計して，それぞれのテーマでの出題割合をまとめると，次のようになります。

午後II試験の分野別出題割合（平成21年〜令和6年）

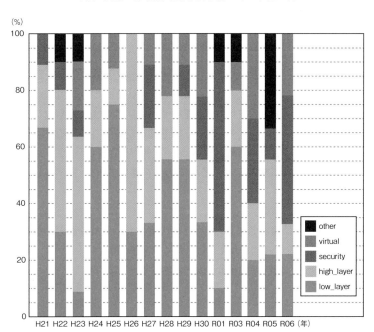

午後Ⅱ試験の分野別出題数（平成21年〜令和6年）

年度	low_layer	high_layer	security	virtual	other
H21	6	2	1	0	0
H22	3	5	1	0	1
H23	1	6	1	2	1
H24	6	2	0	2	0
H25	6	1	0	1	0
H26	3	7	0	0	0
H27	3	3	2	1	0
H28	5	2	2	0	0
H29	5	2	1	1	0
H30	3	2	2	2	0
R01	1	2	6	0	1
R03	6	2	0	1	1
R04	2	2	3	3	0
R05	2	3	1	0	3
R06	2	1	4	2	0

　全体的な傾向としては，テーマがセキュリティや仮想化などの応用技術であっても，具体的なプロトコルやパケットの動きなど，ネットワーク下位層や上位層の内容を問われる設問が多くあります。例えば，無線LANのセキュリティについて問われるときには，まず無線LANの規格IEEE 802.11に関する内容が問われ，その上で暗号化などのセキュリティについて問われます。仮想化も同様に，仮想化のプロトコルの知識は問題文に書かれていることが多く，問われるのは主にネットワーク下位層（データリンク層やネットワーク層など）のパケットの動きです。そのため，午後Ⅰと同様，基本をしっかり固めておく必要があります。

　また，問題文が長く，設問が多いため，時間内に解くにはかなりの読解力が必要です。応用的な知識は問題文に書いてあることが多いのですが，それを読みこなして時間内に解くためには，ある程度の知識を身に付けておくことが大切です。

　なお，分析の基となった問題内容は，次のとおりです。

午後Ⅱ試験の出題テーマと設問数（平成21年～令和6年）

年度	問番号	テーマ	設問数
H21	1	無線LANシステムの構築	4
	2	サーバの移設	5
H22	1	業務システムの再構築	6
	2	ヘルプデスクシステムの構築	4
H23	1	保守サービスシステムの再構築	5
	2	IT環境の改善	6
H24	1	データセンタの分散化	5
	2	ネットワークシステムの再構築	5
H25	1	無線LANの導入	5
	2	開発システムの再構築	3
H26	1	標的型メール攻撃の対策	5
	2	サービス用システムの構築	5
H27	1	ネットワーク基盤の拡張	4
	2	サービス基盤の改善	5
H28	1	ネットワークシステムの拡張	5
	2	WAN回線の冗長化設計	5
H29	1	SDNとクラウドの活用	4
	2	無線LANシステムの導入	5
H30	1	ネットワークシステムの設計	4
	2	サービス基盤の構築	5
R01	1	クラウドサービスへの移行	4
	2	ネットワークのセキュリティ対策	6
R03	1	社内システムの更改	6
	2	インターネット接続環境の更改	4
R04	1	テレワーク環境の導入	5
	2	仮想化技術の導入	5
R05	1	マルチクラウド利用による可用性向上	3
	2	ECサーバの増強	6
R06	1	データセンターのネットワークの検討	4
	2	電子メールを用いた製品サポート	5

◉ ネットワークスペシャリスト試験に向けての学習ステップ

　以上の傾向を踏まえ，また，過去の合格者の学習方法なども合わせて考えると，ネットワークスペシャリスト試験合格に向けた学習ステップは次の四つになります。

　ステップ1．IT全般についてひととおりの知識を身に付ける
　ステップ2．ネットワークの基本的な知識を身に付ける
　ステップ3．ネットワーク，セキュリティ，仮想化などがイメージできるようになる
　ステップ4．試験問題の事例に合わせて，問題が"解ける"ようになる

　現在のネットワーク技術は，インターネットの中核技術であるTCP/IPプロトコル群が基本となり，セキュリティや仮想化などの応用技術が積み重なっています。そのため，現在に通用するネットワークについてのスキルを身に付けるためには，特に次の四つのことが大切です。

　・パケットの動きをイメージできるようになること
　・OSI基本参照モデルを使いこなせるようになること
　・暗号化，認証，アクセス制御などのセキュリティ技術を身に付けること
　・仮想化されたパケットをイメージできるようになること

　これらのスキルは，"知ってる"ことと"使いこなせる"ことに大きな差があります。単に知っているだけ，理論が分かっているだけでは役に立たないのです。そのため，ひととおり知識を身に付けた後に実践してみることが大切になります。

　では，それぞれのステップでの学習方法を見ていきましょう。

■ ステップ1．IT全般についてひととおりの知識を身に付ける

　試験では午前Iに対応しますが，ネットワークの学習をするためには，ネットワークを構築するためのハードウェアやソフトウェア，コンピュータサイエンス，データベースなど，IT全般の幅広い基礎知識が必要です。すでに応用情報技術者試験に合格しているレベルであれば問題ありませんが，そうでない場合には，一度，**応用情報技術者試験の学習**を行ってみることをおすすめします。

　姉妹書『徹底攻略 応用情報技術者教科書』で学習されると万全です。一見まわり道に見えますが，基礎が分かっていると応用的な学習が進みます。試験に合格する必要は特にありませんし，午前I問題がひととおり解けるようになれば十分です。

■ ステップ2. ネットワークの基本的な知識を身に付ける

　試験では午前IIに対応しますが，ネットワーク全般についてひととおりのことは知っておく必要があります。このとき，「**パケットの構造**」や「**プロトコルの仕組み**」についてしっかり学習しておくと応用が効くようになり，試験だけでなく業務やスキルアップにも役立ちます。本書では1章から5章で定番の基本的な内容を取り扱っていますので，読み進めてみてください。ひととおり読んで本文中や巻末の午前演習問題を解けば，全体的に学習することができます。

　テキストだけの学習ではあまり身に付いたという実感がない場合は，いろいろ実践してみるのがおすすめです。具体的には，ネットワークを実際に流れているパケットを観察するパケット解析がおすすめです。コラム「パケット解析のすすめ」(P.45)にその方法を記載していますので参考にしてみてください。

■ ステップ3. ネットワーク，セキュリティ，仮想化などが
　　イメージできるようになる

　試験では主に午後Iに対応しますが，ネットワークの基本技術や応用技術は，単に覚えただけでは意味がありません。過去問演習を兼ねて，実際に問題を解きながらネットワークの動きや，セキュリティ，仮想化などをイメージしてみることが大切です。本書では，第6〜9章で応用的な内容を取り扱っていますが，午後問題の演習も合わせて行うことで，効果的に学習することができます。

　演習量の目安としては，午後Iの過去問を3〜5回分(9〜15問)解けば十分です。本書には，ダウンロード特典の付録も含め，過去12回分の解説が付属していますので，ご活用ください。

■ ステップ4. 試験問題の事例に合わせて，問題が"解ける"ようになる

　試験では主に午後IIに対応しますが，試験問題の長文を読みこなしてそれぞれの企業のネットワークの特徴をつかみ，それをもとにネットワーク設計や運用を行うには，かなりの練習が必要です。**実務経験を積むのがベストなのですが，試験問題の演習をしっかり行うことでも対応できます。**午後II問題は分量が多く，1問解くだけでも大変ですが，一つ一つ丁寧に解いていくことによって，必要な実力を身に付けることができます。

　演習量の目安としては，午後IIの過去問を3〜5回分(6〜10問)解けば十分です。本書には，ダウンロード特典の付録も含め，過去13回分の解説が付属していますので，ご活用ください。

◯ いわゆる "試験勉強" 以外の学習方法

　ネットワークスペシャリスト試験に向けた学習は，試験勉強だけしていると，"苦行" になりがちです。特に，知識を身に付ける段階では，用語がイメージできず，単に用語を暗記するだけだと大変です。

　また，過去問の出題パターンを覚える，定番の返し方を覚えるなど，ネットワークスペシャリスト試験の過去問題に特化した解法テクニックは，実務ではまったく役に立ちません。

　しかし，ネットワーク技術は実際に業務で使うものですし，きちんと身に付ければいろいろな場面で役立ちます。特に，最近の出題傾向では，過去問題とは異なる分野が出題されることも多く，解法テクニックを覚えてもなかなか合格できない状況があります。

　このようなときには，王道の学習をするのが一番です。本来，ネットワークスペシャリスト試験は，ネットワークに関する実務経験を問うための試験です。そのため，実際にネットワークにさわってみることや，試験対策ではなくネットワークを専門的に学習することが，試験にも今後の仕事にも役に立ちます。

　具体的な学習方法については，次のようなものがあります。

① シミュレーション環境でルータやスイッチを体験する

　ネットワークスペシャリスト試験に合格して実務に活用している方の中には，自分でルータやスイッチを購入して設定の学習を行った方も多いです。しかし，機器を買いそろえるのにはそれなりにお金もかかりますし，試験対策の学習としては労力がかかりすぎます。

　そこで活用できるのが，Cisco社が提供するCisco Packet TracerやOSSのGNS3など，ルータやスイッチ，ネットワーク環境をシミュレーションするソフトウェアです。Cisco社の認定試験であるCCNA（Cisco Certified Network Associate）やCCNP（Cisco Certified Network Professional）の受験勉強では定番ですが，ネットワークスペシャリスト試験でも近年は具体的なネットワーク設定が出題されることがあるので，体験する価値はあります。

② クラウド環境でサーバを実際に立ててみる

　今はクラウド化が進み，サーバだけでなく，ルータやスイッチ，ファイアウォールなどもクラウド上でいろいろと稼働させることが可能です。これらは①のシミュレーションとは異なり，実際に動くネットワーク機器なので，サーバを立ててみることでより実践的な学習となります。もちろん，クラウドや仮想化の勉強にも役立ちます。詳しくはコラム「仮想化やクラウドを体験してみよう」（P.615）にまとめておきましたので，やって

みたい方はそちらを参考にしてください。クラウド環境としては，AmazonのAWSのほかにGoogleのGCPや，MicrosoftのAzureもおすすめです。

③　専門書や雑誌を読む

　試験対策書以外のネットワーク専門の書籍や雑誌を読むことは，応用力を付ける上でとても役立ちます。5G技術やルーティング，スイッチングの専門書，クラウドサービスに関する本など，様々な専門書を読むことで，確実に実力を付けることができます。おすすめの書籍は参考文献と合わせて巻末に掲載しておきましたので，本を読むのが好きな方はそちらを参考にしてください。

　ネットワーク関連の雑誌には『日経NETWORK』（日経BP）がありますが，比較的初心者向けの内容となっています。ネットワークスペシャリスト試験対策としては，さらに，月刊『テレコミュニケーション』（リックテレコム）などで最新のトレンドを押さえておくと，新しい分野の問題が出題されても焦らずに対処することができます。

④　別のネットワーク系の資格学習を行う

　近年の出題傾向としては，従来は定番だったオンプレミスのネットワーク環境"以外"の出題が増えてきています。クラウド環境での複雑なルーティングや，5Gなどを活用したIoTなど，様々なネットワークについて出題されます。クラウドや複雑なルーティングについて，別のネットワーク系の資格で専門的に学習しておくと有利になります。

　例えば，令和5年春 午後Ⅰ 問2では，IPマルチキャストルーティングについて出題されています。初出の問題ですが，CCNPの試験範囲なので，CCNPを合わせて受験されていた方には有利な内容となっています。別の資格試験の学習を行うことで，学習の相乗効果を期待できます。

　詳しくはコラム「ネットワークスペシャリストと合わせて取るといい資格」（P.240）にまとめておきましたので，興味のある方はそちらも参考にしてみてください。

　ネットワークに関する学習は，これからの時代に向けてとても役に立つ基礎スキルとなります。ぜひ，今後の仕事やスキルアップに役立つかたちで学習を進めていきましょう。

第 1 章

ネットワーク基礎知識

ネットワークスペシャリスト試験の勉強をするにあたって，基礎を身に付けることはとても大切です。本章ではまず，ネットワークの勉強を行う上で基本となる，通信の仕組みやOSI基本参照モデル，TCP/IPプロトコルや通信方式について学びます。

また，ネットワークを学ぶにあたって必要なITインフラについても学習します。サーバやストレージ，ネットワーク機器などの基本を学ぶことによって，実際のネットワークを構築するために必要な基礎知識を身に付けます。

1-1 ネットワークとは

コンピュータネットワークは世の中の様々な場所で使われるようになり，今も進化をし続けています。ネットワークスペシャリスト試験の学習では，プライベートなネットワークからインターネットの接続まで，様々なレベルのネットワークについて全体像をつかみ，世界中の情報をネットワークで結ぶ手法や，その実践，管理などのスキルを身に付ける必要があります。

ネットワークとは

ネットワークとは，もともとは「網，網状」を意味するネット（Net）に作業（Work）という言葉が加わったもので，網の目を張りめぐらせた網細工などを指していたと言われています。これが発展して，放送局が連携して放送する放送網や，人と人とを結ぶグループなどがネットワークと呼ばれるようになったようです。

今回，私たちが学習するネットワークは，正確には**コンピュータネットワーク**と呼ばれるもので，複数のコンピュータを通信回線で接続し，データのやり取りを行えるようにしたものです。

コンピュータが普及し始めた頃は，コンピュータは1台1台，単独で使われていました。その利用形態をスタンドアロンといいます。その後，コンピュータが進化するにつれて，複数のコンピュータを互いに接続することで情報の伝達や共有を行うコンピュータネットワークが発明されました。

ネットワークの進化

初期のコンピュータネットワークは，管理者が特定のコンピュータ同士を接続しただけのものでした。このようなネットワークを私的（プライベート）なネットワークといいます。それが徐々にプライベートなネットワーク同士を接続する公共（パブリック）のネットワークへと移行していきました。その一番大きなものが，世界中のネットワークが接続されたインターネットです。

動画

IT分野についての基礎を学ぶ動画を，https://wakuwakuacademy.net で公開しています。本書では取り扱っていない基本的な内容ついて詳しく解説しています。本書の補足や基礎固めとして，よろしければご利用ください。

発展

インターネットはもともと，軍事技術の応用から発展していきました。アメリカの国防総省（DoD：United States Department of Defense）が中心となって，アメリカ西海岸の大学や研究所などの四つの拠点を結んだARPANET（Advanced Research Projects Agency Network）がインターネットの起源です。

1-1-1 🔴 通信の仕組み

コンピュータネットワークでの通信では，コンピュータとコンピュータの間で情報を伝達します。人間同士が会話をする場合には，少しぐらい言葉を間違えても相手が適切に解釈して直してくれることが多いですが，コンピュータの場合はそのような融通は利かないので，きっちり，ミスのないように相手にデータを送る必要があります。

そのために，通信を行うときには，プロトコルと呼ばれる約束ごとをきちんと決めておき，それに合わせて相手にデータを送ります。

🔴 プロトコル

プロトコルとは，コンピュータとコンピュータがネットワークを利用して通信するために決められた約束ごとです。プロトコルをきちんと決めておくことによって，メーカやCPU，OSなどが異なるコンピュータ同士でも，同じプロトコルを使えば互いに通信することができます。

人間の会話に例えると，日本語や英語などの言語がプロトコルに相当します。そして，会話を通して話の内容（データ）を相手に伝えていきます。このとき，下図のように，受け手（Bさん）が日本語を知らず英語しか分からない場合には，話し手（Aさん）はデータを英語にして相手に伝えていく必要があります。

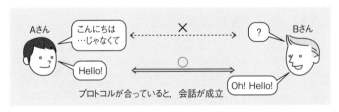

プロトコルを使った会話

コンピュータの場合は，会話の前後から意味を推測するといった高度なことはできないので，このプロトコルをしっかり決めておく必要があります。例えば，通信に障害が発生したらどうするかなど，通信中に起こりうる問題をあらかじめ考えておき，その

✏️📗 **勉強のコツ**

ネットワークの学習では，基本をしっかり押さえておくことが肝心です。
はじめての方はまず，この章で基礎知識を学習し，ネットワークの全体像をつかんでから，第2章以降の学習に進んでいきましょう。
すでにある程度知っている方は，「1-1 ネットワークとは」は飛ばしても大丈夫ですが，基礎を確認してから次に進むのもおすすめです。
また，「1-2 ITインフラ」では，ネットワークを深く理解する上で必要となるITインフラの基礎知識について記載しています。ネットワーク以外のシステムの基本に立ち返るために活用してください。

📺 **動画**

この「プロトコルの仕組み」などを学ぶ動画を公開しています。
以下にまとめていますので，参考にしてください。
https://www.wakuwaku studyworld.co.jp/blog/ nwinfo/

ときの対応なども一つ一つ決めておく必要があります。このように，コンピュータ間の通信では，**プロトコルをきめ細かく決めて，それを守ること**が大切です。

■ プロトコルの標準化

　コンピュータネットワークが広がり始めた当初は，プロトコルは各社が独自に開発していました。例えば，IBMは自社の通信技術を体系化したネットワークアーキテクチャ，SNA（Systems Network Architecture）を発表し，プロトコル群を体系化しました。しかし，このネットワークを使うためにはネットワーク上のすべての製品をIBM製にしなければならず，利用者にとって非常に不便でした。

　そこで，メーカが異なっても互いに通信できるような互換性が重要であると認識されるようになり，プロトコルの標準化の必要性が言われるようになりました。

　この問題を解決するために，国際標準化機構のISO（International Organization for Standardization）は，国際標準として**OSI**（Open Systems Interconnection：開放型システム間相互接続）と呼ばれる通信体系を策定しました。

　また，公共団体ではありませんが，大学などの研究機関やコンピュータ業界が中心となって推進してきた団体であるIETF（Internet Engineering Task Force）では，インターネットの標準である**TCP/IP**（Transmission Control Protocol/Internet Protocol）の提案や標準化作業が行われています。TCP/IPはインターネットの**デファクトスタンダード**であり，世界中で最も広く使われている通信プロトコルです。

■ プロトコルの階層化

　一つのプロトコルにいろいろな役割を詰め込みすぎると，プロトコルは複雑になりすぎてしまいます。そのため，プロトコルをいくつかの機能に分けて階層化するという考え方が提唱されました。次の節で紹介するOSI基本参照モデルは，その階層化の代表例です。

　先ほどの会話の例で階層化を説明すると，直接会話をするのではなく携帯電話を使って2人が会話をする場合ということにな

発展

プロトコルを独自のものにして別のメーカの機器とは通信できないようにすると，最もシェアの高い1位のメーカが圧倒的に有利になります。そのため，2位以下のメーカの中では早くから，メーカが異なっても互いに通信できるような互換性が大切だという認識が広まっていました。

用語

デファクトスタンダード（De facto Standard）とは，国際機関や公的機関が定めた標準ではありませんが，事実上の標準として広まっているもののことです。

ります。つまり，このとき，言語層と通信装置層という二つの階層ができるのです。

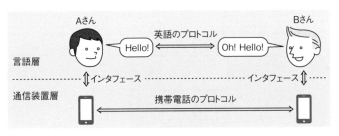

プロトコルの階層化

参考

プロトコルの階層化は，ソフトウェアを開発するときのモジュール化の概念に似ています。例えば，OSI基本参照モデルでは，第1層から第7層までのモジュールを作ってそれをつなぎ合わせれば，通信が可能です。モジュールごとに独立していれば，それを取り替えることが可能という点でも似ている概念です。

　上の図では，会話をしているのはAさんとBさんなのですが，外から見ると，Aさんは携帯電話に話しかけているように見えます。この，Aさんと携帯電話の境界となる部分のことをインタフェースといいます。インタフェースを通じて，言語層から通信装置層にデータを渡し，通信装置の階層でのプロトコルを使って，データをBさんの携帯電話に伝送します。そこからまた，インタフェースを通じて，Bさんに会話内容を伝えるのです。

　プロトコルを階層化しておくと，言語層，つまり会話をする言語を英語からフランス語に変えても，互いがフランス語を知っていれば会話は成立します。また，通信装置層，つまり通信装置を携帯電話から無線機や固定電話に変えても，両方が同時に変更すれば通信可能です。このように，プロトコルを階層化することによって，様々なプロトコルを組み合わせて通信を行うことが可能になります。

パケット

　データを送るときに，大きなデータをそのまま送ると，ネットワークに負担がかかるうえ，時間がかかって大変です。そのため，コンピュータネットワーク上では，大きなデータを**パケット**と呼ばれる小さな単位に分割して送信する**パケット交換**という手法が用いられます。

　データを送るときには，そのデータに，送信元コンピュータと宛先コンピュータの**アドレス**など，送るために必要な情報を書き込んで，ネットワークに送ります。その情報を書き込む部分がヘッ

用語

パケット交換という言葉は，パケットを交換して通信する仕組み一般を指します。以前はパケット交換網という通信サービスがありましたが，現在の通信サービスではほとんどがパケット交換を行うので，わざわざパケット交換という呼び方はしなくなっています。

用語

アドレス（Address）とは，あるものの所在を指し示す情報のことです。一般的な社会でいうと，小包などに書く差出人や送り先の住所に当たります。
コンピュータネットワークの場合は，様々な種類のアドレスがあります。例えば，LANカードなどのネットワーク機器に割り当てられるMACアドレス，コンピュータを識別するために割り当てられるIPアドレスなどです。
様々な種類があり，また付け替えも頻繁に起こるため，ネットワークスペシャリスト試験の勉強では，このアドレスについての理解が大切になります。

ダーです。パケット交換では，パケットごとにヘッダーを付けて
送り出すことによって，どのコンピュータ間の通信なのかをヘッ
ダーを見て判断することができます。

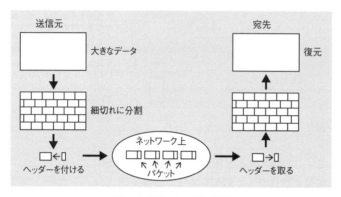

パケットを使った通信の様子

　パケット交換で正しく通信するためには，パケットの送信元と
宛先の両方で，ヘッダーの内容を解釈するためのプロトコルが同
じである必要があります。また，階層化したプロトコルでそれぞ
れのヘッダーを付けるため，複数のヘッダーが付いていることが
ほとんどです。

▶▶ 覚えよう！

☐　プロトコルは，通信の約束ごとで標準化し階層化

☐　パケットは，データを分割しヘッダーを付けて送信

コラム　人と人とを安全につなぐネットワーク

　ネットワークという言葉は，コンピュータネットワーク以外でも様々な場面で使われています。人や組織のつながりによる社会的なネットワークもありますし，鉄道路線や高速道路などの交通網のネットワークもあります。これらのネットワークの目的は，「人と人とを結びつける」ことにあります。

　コンピュータネットワークは，最初はコンピュータ同士を結んで，より便利にすることが目的でした。しかし今では，ほかのネットワークと同様に，人と人とを結ぶことが目的になってきています。

　インターネットが普及することで，FacebookなどのSNSを通じて友人などに近況を知らせたり，WebやYouTubeなどを通じて世界中の人に情報を発信したりすることができるようになりました。こうしたことが，日常生活や企業活動，学校やその他の場所での学習に大きな影響を与えています。

　筆者も，本だけでなく，Webサイトやブログ，YouTubeなどで情報を発信しています。インターネットを通じて発表することで，実際に勉強している人からのフィードバックも得ることができ，より双方向でつながることが可能になりました。もともと，この本を出版することになったのも，出版関係の方がブログを見つけてくださり，メールで連絡をくださったのがきっかけです。インターネットがなければ，この本は出来上がっていなかったと感じています。

　ただ，全世界の人がネットワークを通じて国境を越えて自由につながるということは，利便性が高まる一方，危険とつながる可能性も高くなります。世界にはいろいろな人がいますし，世界中の悪意をもった人ともつながるからです。コンピュータウイルスによる被害，インターネットを介した詐欺事件など，世界中で様々な事件が起きています。

　そのため，今日のネットワークには，人と人とを自由につなぐことだけでなく，「安全につなぐ」ことも求められます。それには，セキュリティを考慮したネットワーク設計を行うことが不可欠です。様々なネットワーク技術を活用して，人と人とを安全につなぐネットワークを構築するスキルを身に付けていきましょう。

勉強のコツ

ネットワークスペシャリスト試験の場合，ネットワーク技術を学習することはもちろん大切なのですが，それだけでは試験に合格できません。特に午後試験では，実際の会社での事例が出てきて，その会社に最適なネットワークを構築するといった設問があります。そのとき，「誰と誰がどのようなデータをやり取りしたいのか」に焦点を当てることがとても大切です。自由につながることと安全につながることはどちらも大切ですが，その重要度は，会社や扱うデータによって変わってくるからです。
ネットワークスペシャリストの午後試験では，いろいろな会社の多様な人物が登場してきます。その人物像をイメージしながらネットワークを想像していくと，より楽しく問題を解くことができます。

1-1-2 ● OSI基本参照モデル

　ネットワークでの通信に必要なプロトコルを七つの階層に分けてまとめたモデルが，OSI基本参照モデルです。OSI基本参照モデルでは，七つの階層でそれぞれ何を行うのかという役割について定義しています。実際の通信で使われるプロトコルは，この七つの階層のいずれかの役割をもっています。OSI基本参照モデルに当てはめて考えることで，プロトコルの詳細を知る前におおまかな役割について理解することができます。

参考

OSI基本参照モデルがそのまま，実際のネットワークシステムに実装されているわけではありませんが，ネットワークを設計するときの基礎になる考え方ですし，頭に入っていると様々な場面で役立ちます。ネットワークエンジニアの議論はOSI基本参照モデルを基に行われることも多いので，ネットワークエンジニアを目指すなら最初に身に付けておくべき知識といえます。

■ OSI基本参照モデルの7階層

　OSI基本参照モデルの階層は次のようになります。

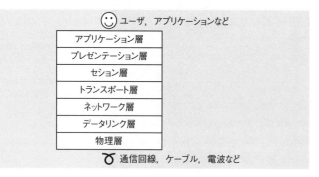

OSI基本参照モデルの7階層

　階層の一番上のアプリケーション層の上にあるのが，ユーザや，通信に関係ないアプリケーションなど，実際にデータを利用する人やシステムです。そして，一番下の物理層の下にあるのが，通信回線やケーブル，電波など，実際に電気信号を伝える物理的な媒体です。

　実際の通信では，次図のような流れで，Aさん（送信者）からBさん（受信者）にデータを届けます。

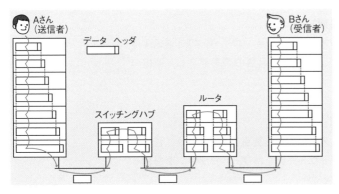

OSI基本参照モデルでのデータの流れ

　通信経路の途中には，スイッチングハブやルータなど通信を中継する機器があります。それらの機器は7階層すべての役割をもつわけではなく，その機器に必要な階層（ルータならネットワーク層まで，スイッチングハブならデータリンク層まで）の機能をもち，パケットを中継します。

各層の機能や役割

　OSI基本参照モデルの7階層それぞれの機能や役割は，以下のとおりです。

アプリケーション層（第7層）

　通信に使う**アプリケーション**（サービス）です。電子メールを送ったりホームページを表示させたりするなど，実際の通信の目的を実現させるための機能をもちます。

プレゼンテーション層（第6層）

　データの**表現**方法を，通信に適した形式にします。例えば，画像ファイルをテキスト形式に変換したり，データを圧縮したりします。

セション層（第5層）

　通信するプログラム間で**会話**を行います。データの流れる経路である**コネクション**の開始や終了を管理したり，同期をとったりします。

参考

通信機器は，上の階層（アプリケーション層など）の機能をもたないものが多いですが，下の階層の機能は必ず備えています。
例えば，ルータはネットワーク層の機能を実現する通信機器ですが，データリンク層で伝送する機能，物理層で電気信号を変換する機能を合わせて必要とします。
「下だけがつながることはあっても，上だけがつながることはない」のが，OSI基本参照モデルの基本的な考え方です。

用語

コネクションとは，通信を行う相手との間で確保する仮想的な通信路のことです。
OSI基本参照モデルでは，コネクションの確立や解放をいつ行うのかという管理はセション層で行い，実際のコネクション確立はトランスポート層で行います。

トランスポート層（第4層）

　コンピュータ内でどのアプリケーション（サービス）と通信するのかを管理します。また，通信網の品質の差を補完し，通信の信頼性を確保します。

ネットワーク層（第3層）

　ネットワーク上でデータが始点から終点まで届くように管理します。ルータなどでネットワーク間を結び，ルーティングを行ってデータを中継します。

データリンク層（第2層）

　ネットワーク上でデータが直接接続された通信機器まで配送されるように管理します。通信機器間で信号の受渡しを行います。データリンク層で作成されるパケットをフレームと呼び，このフレームが実際に通信路を流れるデータとなります。

物理層（第1層）

　物理的な接続を管理します。デジタルデータを電気信号に変換したり，光に変換したりします。

　それでは，次の問題で確認してみましょう。

問　題

　OSI基本参照モデルのトランスポート層の機能として，適切なものはどれか。

- ア　経路選択機能や中継機能をもち，透過的なデータ転送を行う。
- イ　情報をフレーム化し，伝送誤りを検出するためのビット列を付加する。
- ウ　伝送をつかさどる各種通信網の品質の差を補完し，透過的なデータ転送を行う。
- エ　ルータにおいてパケット中継処理を行う。

（平成27年秋 ネットワークスペシャリスト試験 午前Ⅱ 問3）

 過去問題をチェック

OSI基本参照モデルの階層に関する問題は，ネットワークスペシャリスト試験の午前ではあまり多く出題されませんが，午後の穴埋めなどでよく出題されます。
【OSI基本参照モデルの階層】
・平成26年秋 午後Ⅰ 問2
　設問1 空欄ウ
　（リンクLEDが消灯している場合に問題となる階層について）
・令和3年春 午後Ⅰ 問1
　設問3（1）空欄a
　（LLDPが第何層のプロトコルか）

1

解　説

OSI基本参照モデルのトランスポート層では，通信の信頼性を確保します。そのため，伝送をつかさどる各種通信網の品質の差を補完し，透過的なデータ転送を行います。したがって，ウが正解です。アとエはネットワーク層，イはデータリンク層の機能です。

≪解答≫ウ

■ 通信の例

それでは，実際の通信を例に，OSI基本参照モデルに対応してどのような処理が行われるのか見ていきましょう。

例えば，次の図のように，うさぎさんが犬くんにインターネットを通じてメールを送る場合を考えてみます。

発展

OSI基本参照モデルはあくまでもモデルなので，現実のネットワーク通信では，OSI基本参照モデルのとおりに明確に分けることができない場合も多いです。
ここでは，全体的な通信の流れを，一つ一つの階層を意識しながらつかんでいきましょう。

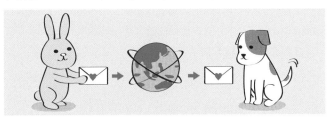

うさぎさんから犬くんにインターネットメールを送る

アプリケーション層

うさぎさんはPC上でメールソフトを立ち上げて，犬くんに向けて「だいすき」とメールを打ちます。そして，「送信」ボタンを押してメールを送信したときにデータを送るのが，アプリケーション層の役割です。具体的には，電子メールを作成するメールソフト（アプリケーション）がその役割を果たします。

アプリケーション層（メールの送信）

　アプリケーション層では，送信元がうさぎさんのメールアドレスで，宛先が犬くんのメールアドレスであることを示すヘッダーなどが付けられます。

プレゼンテーション層

　メールのデータは，そのままでは相手が読めるとは限りません。そのため，うさぎさんが書いた「だいすき」という文字を，誰もが読める「ネットワーク全体で統一された形式」に変換する必要があります。その役割を果たすのがプレゼンテーション層です。具体的には，メールを送るときの共通の形式である**MIME**形式などに変換します。

セション層

　実際にメールのデータを送信するときに，通信路を確保して，データを送信する準備を行うのがセション層です。コネクションを管理し，両方のホストの間でどのようにデータを送れば効率良くやり取りできるかといった打合せが行われます。

トランスポート層

　データを確実に相手に届けるために，通信相手との間にコネクションを確立します。具体的には，信頼性を確保するプロトコルである**TCP**（Transmission Control Protocol）を使って，コネクションの確立や切断を行います。

ネットワーク層

　ネットワーク層では，データを始点（うさぎさん）から終点（犬くん）まで届けます。そのとき，パケットを分割して「だい」と「すき」を別々に送っても，最終的に同じ場所に到達できるよう，ルータがルーティングして相手先に届けます。具体的には，宛先を見て始点から終点までのエンドツーエンドで中継するためのプロトコルとして**IP**（Internet Protocol）を使います。

 用語

MIME（Multipurpose Internet Mail Extension：多目的インターネットメール拡張）とは，様々な形式のデータを電子メールで送信するための規格です。MIMEについては，「5-2-3 その他のメール関連プロトコル」で詳しく説明します。

📝 勉強のコツ

実際のネットワークに関する勉強では，トランスポート層以下の通信についてが中心になります。TCP/IPと呼ばれているとおり，トランスポート層のTCPと，ネットワーク層のIPは，通信の中核となる大切なプロトコルです。このTCPとIPをしっかり深く理解することが，ネットワークスペシャリスト試験合格の大切なポイントです。

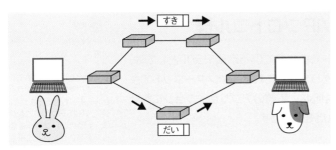

ネットワーク層（メールの伝送）

データリンク層

　データリンク層では，直接つながった機器間でデータ伝送を行います。例えば，うさぎさんのPCのLANカードから，家のルータまでのイーサネットケーブルの間での伝送などを管理します。PCからルータ，ルータから次のルータ……というかたちで，直接接続されたデータリンク間でのリンクバイリンクの通信を管理します。

物理層

　物理層では，0や1で示されているデジタルデータを通信媒体に対応した形式に変換します。例えば，イーサネットのUTPケーブルなら電圧の高低に，光ファイバのケーブルなら光の点滅に変換します。

　データを受け取った犬くんは，今度は逆に物理層の電気信号をデジタルデータにして，ヘッダーから情報を解析して元のデータを復元し，下の階層から順に変換を行います。そして最後に，メールソフトでうさぎさんからの「だいすき」というメッセージを読むことができるのです。

　このように，いろいろな役割をもつ各層が連携して役割を果たすことによって，実際の通信は成り立っています。

▶▶▶ 覚えよう！

☐　トランスポート層は，通信の信頼性を確保

☐　ネットワーク層は始点と終点のエンドツーエンド，データリンク層は隣接間のリンクバイリンク

1-1-3 ◯ TCP/IPプロトコル群

発展

OSI基本参照モデルは，ISO
が考えた，理論的なモデル
です。通信プロトコルに必
要な機能を明確に定めてい
るので，現実のプログラム
とは必ずしも対応しません。
逆に，TCP/IPプロトコル群
は，実際にプログラムを組
んで実装させることに重点
を置いてきました。そのた
め，現在動いているインター
ネット上のサービスは，ほ
とんどがTCP/IPプロトコル
群に準拠しています。

　現在のインターネットで使われている階層モデルとしては，
TCP/IPプロトコル群があります。これは，インターネットで主
に使用するTCPとIPを中心に，実際のアプリケーションに実装
することを考えて作られたモデルです。

■ TCP/IPプロトコル群とOSI基本参照モデル

　TCP/IPプロトコル群とOSI基本参照モデルとの対応関係は，
以下のようになります。

TCP/IPプロトコル群	OSI基本参照モデル
アプリケーション層	アプリケーション層
	プレゼンテーション層
	セション層
トランスポート層	トランスポート層
インターネット層	ネットワーク層
ネットワークインタフェース層	データリンク層
	物理層

TCP/IPプロトコル群とOSI基本参照モデルの対応関係

　TCP/IPプロトコル群の方が階層は少ないですが，切り口は同
じなので，TCP/IPプロトコル群のプロトコルをOSI基本参照モ
デルに対応させることができます。

■ TCP/IPプロトコル群での各層の機能や役割

　TCP/IPプロトコル群での各層の機能や役割は，以下のとおり
です。

アプリケーション層

　OSI基本参照モデルのセション層以上に対応します。アプリ
ケーションプログラムの中で実現されるそれぞれのサービスを実
行させる役割です。例えば，Webを閲覧するときには，クライ
アントにはブラウザ，サーバにはWebサーバソフトが必要です。
それらのアプリケーションが提供するサービスを実行するため

に，クライアントとサーバ間でやり取りをする際に用いられるプロトコルが，HTTP（HyperText Transfer Protocol）です。

トランスポート層

OSI基本参照モデルのトランスポート層に該当します。代表的なプロトコルに，**TCP**（Transmission Control Protocol）と**UDP**（User Datagram Protocol）の二つがあります。

インターネット層

OSI基本参照モデルのネットワーク層に該当します。代表的なプロトコルに，IP（Internet Protocol）があります。

ネットワークインタフェース層

OSI基本参照モデルの物理層とデータリンク層に該当します。厳密には，物理層に該当するものをハードウェアととらえるので，ソフトウェアで実現する部分はほとんどはデータリンク層になります。TCP/IPプロトコル群では，例えば，LANカードを導入した場合，利用するためのドライバとなるソフトウェアなどがネットワークインタフェース層に該当します。

TCP/IPプロトコル群は現在，世界で最も普及しているモデルです。そのため，本書ではこの4階層に沿って，ネットワークの知識について深く学んでいきます。

■TCP/IPプロトコル群の標準化

TCP/IPプロトコル群のプロトコルは，誰でも参加することができるIETF（Internet Engineering Task Force）という団体で決定されます。オープンであることが重視されるため，プロトコルはすべて公開されます。具体的には，プロトコルの議論は誰でも参加できるメーリングリストを通じて行われます。そして，仕様はRFC（Request For Comments）と呼ばれるドキュメントになり，インターネットで公開されます。

RFCになったドキュメントには番号が付けられます。例えば，TCPはRFC793やRFC3168，HTTP（バージョン1.1）はRFC2616です。

発展

Webやメールのサービスを実現するソフトウェアには，TCP/IPプロトコル群のアプリケーション層に該当する機能が組み込まれています。つまり，OSI基本参照モデルでいうセション層，プレゼンテーション層，アプリケーション層の三つの役割がすべて盛り込まれているのです。例えば，HTTPのセッションを確立し，プレゼンテーション層に該当するHTMLのデータを交換するなどの機能が，ブラウザという一つのアプリケーションの中に詰め込まれています。

　RFCで公開されるプロトコルは，実装することを考えて作成されています。IETFでの議論では，実際に使えるプロトコルであることに重点が置かれます。そのため，RFCに沿ったプログラムを作成することで，異なるアプリケーション間での通信が可能になるのです。

TCP/IPプロトコル群でのパケット通信

　TCP/IPプロトコル群では，各階層で送信されるデータにヘッダーと呼ばれる情報が付加されます。例えば，アプリケーション層で作成されたデータをトランスポート層のTCPに送ると，TCPヘッダーが付加されます。さらに，そのデータをインターネット層のIPに送ると，IPヘッダーが付加されます。さらに，そのデータをネットワークインタフェース層のイーサネットに送ると，イーサネットヘッダーが付加されるのです。

⭐参考

RFCはほとんどが真面目なものですが，まれに冗談で作った「ジョークRFC」と呼ばれるものがあります。インターネットではエイプリルフールの悪ふざけは伝統ということで，4月1日前後に，ジョークと思われるRFCがいくつか発行されるのです。有名なものには，伝書鳩などを使ってインターネット上でデータ伝送をするためのプロトコルを定義したRFC1149などがあります。

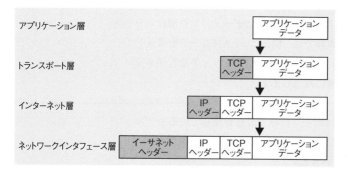

データにヘッダーが順に付加される様子

▶▶▶ 覚えよう！

☐　TCP/IPプロトコル群の仕様はRFCとして公開される

☐　各階層で，ヘッダーがデータに付加される

パケット解析のすすめ

ネットワーク上を流れるパケットは，データにヘッダーが付加されていきます。そのため，実際に通信回線上を流れているパケットは以下のような様子になります。

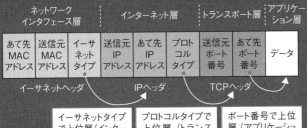

ネットワーク インタフェース層			インターネット層			トランスポート層		アプリケー ション層
あて先 MAC アドレス	送信元 MAC アドレス	イーサ ネット タイプ	送信元 IP アドレス	あて先 IP アドレス	プロト コル タイプ	送信元 ポート 番号	あて先 ポート 番号	データ

イーサネットヘッダ　　IPヘッダ　　TCPヘッダ

イーサネットタイプで上位層（インターネット層）のプロトコルが分かる	プロトコルタイプで上位層（トランスポート層）のプロトコルが分かる	ポート番号で上位層（アプリケーション層）のプロトコルが分かる

それぞれのヘッダーの内容はもう少し複雑ですが，パケットを最初から見ていくと，順番にすべての層のプロトコルが読み解けるようになっています。したがって，実際に流れているパケットをキャプチャ（採取）して解析すると，通信の様子を詳しく知ることができます。

パケットを解析するこの作業をパケット解析といいます。パケット解析では，実際のパケットを基に，通信の流れを一つ一つ解析していきます。解析してみると面白いですし，トラブルシューティングにも役立ちます。ネットワークを肌で感じることができるので，試験対策だけでない実力アップにつながります。

パケット解析の詳しい方法はここでは割愛しますが，パケット解析を実際に行うという学習方法はおすすめです。『実践 パケット解析』（オライリー・ジャパン刊）などの本を読んで，実際のトラブルシューティングでパケット解析が行われる方法を学ぶことは，実務にもとても役立ちます。

 勉強のコツ

パケット解析は，実際に流れているデジタルデータのパケットをキャプチャして，それを解析することで行います。そのときに役立つのが，パケットキャプチャ用のソフトウェアです。LANアナライザやネットワークアナライザ，プロトコルアナライザとも呼ばれます。無料のものでは，WiresharkやMicrosoft Message Analyzerなどいろいろあるので，一度自分で実験してみるのも楽しいと思います。また，プログラミング言語PythonのライブラリScapyなど，プログラムで自由にパケット解析やパケット送受信を行えるものもあるので，ネットワークプログラミングを実際に行って試してみることもできます。

ネットワークスペシャリスト試験の場合は，単に知っていることだけでなく，実践で体得した知識が大切になります。パケット解析は，そういった実践を補うツールとしても使えるのです。

1-1-4 🔵 通信方式の種類

　ネットワークを介した通信にはいろいろな方式があります。通信する方法やネットワークの種類，信頼を確保する方法など，様々な角度から分類できます。ここでは，その例をいくつか示します。

🔵 コネクション型とコネクションレス型

　ネットワーク上でデータを配送する前に，送信者と受信者の間で専用の**コネクション**を張ってから通信する方式をコネクション型といいます。コネクション型の場合には，通信の前後にコネクションの確立とコネクションの解放を行う必要があります。コネクション確立などを行わず，いつでもデータを送信する方式をコネクションレス型といいます。

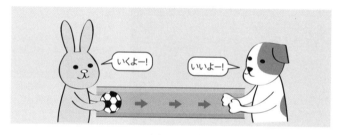

コネクション型

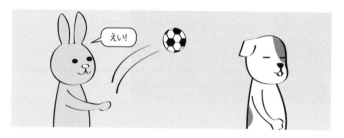

コネクションレス型

　コネクション型は，手間がかかる分遅くなりますが，確実にデータを送る方式です。また，通信路が確保されるので，パケットの形にしなくても，単純にデータを順番に送信するだけの通信も可能です。

📝 勉強のコツ

通信方式の種類は，実際に具体的なネットワーク技術を学習するときに，「この技術はどこに分類されるのかな？」と意識してみると，理解しやすくなります。例えば，イーサネットはLANですが，広域イーサネットはWANに分類されます。TCPはコネクション型ですが，UDPはコネクションレス型です。対比して学習することで，より深く印象づけることが可能です。

🔍 用語

ネットワーク技術での**コネクション**とは，コンピュータ間で通信を行うときに作られる論理的な通信路のことです。人間関係のコネクション（コネ）と同じように，2人の間でいろいろな言葉を交わし友好的な関係を作ってから，用件を実施します。

1

コネクションレス型は，通信は速く行えますが信頼性を確保できません。そのため，信頼性よりもスピードが要求される通信などに用いられます。また，コネクション型と組み合わせて通信を行うこともあります。例えば，有名なプロトコルでは，IPはコネクションレス型ですが，コネクション型のプロトコルであるTCPと組み合わせることによって，信頼性を確保しています。

◼ 回線交換とパケット交換

通信回線には，回線を完全に1対1でつなぐ回線交換と，複数のユーザで回線を共有するパケット交換の2種類があります。従来の電話などで利用されていたのが回線交換で，ユーザを1対1で接続するため，確実に一定の速度でデータを送る必要があります。パケット交換は，回線を複数のユーザで共有するため，通信速度は他の人の通信に影響されます。また，相手を区別するために宛先が必要なので，パケットにヘッダーを付けて管理します。なお，複数のユーザが一斉に送信を行ったため回線にパケットがあふれて処理できない状態を**輻輳**といい，この場合，パケットが喪失して相手に届かないことがあります。

◼ LANとWAN

LAN（Local Area Network）は，一つの施設内など，ユーザが自分で管理できる範囲のネットワークです。それに対してWAN（Wide Area Network）は，都市間や国際間など，広い範囲に及ぶネットワークです。といっても，LANとWANの違いは広さではなく，**電気通信事業者**が管理する必要があるかないかで，WANは電気通信事業者が管理しています。

LANとWAN

上の図のように，複数の拠点にあるLANを，WANを用いて接続するという形態が一般的です。

 勉強のコツ

ネットワークスペシャリスト試験では，基本的に電気通信事業者そのものよりは，そのサービスを利用する立場の会社を題材とすることが多いので，詳しく出題される技術はLANが中心になります。WANについては，利用する立場から見た特徴や，通信量や通信速度などの計算に関する出題がほとんどです。

 用語

電気通信事業者とは，電気通信サービスを提供する会社です。通信キャリアや通信事業者とも呼ばれます。電気通信事業法に基づき電気通信事業を営むので，事業に際しては電気通信事業者の登録を行うことが義務づけられています。

■ アナログとデジタル

　もともとWANは，音声などのアナログ情報を扱う電話が中心であったため，アナログ回線が用いられていました。アナログ回線で通信データなどのデジタルデータを伝送するためには，デジタルをアナログに変換する**D/A変換**（Digital/Analog変換）を行う必要があります。

　デジタル回線が登場してからは，通信データはデジタルのままで送信できるようになりました。しかし逆に，音声などのアナログデータをデジタル回線で送る必要が出てきました。このときには，アナログをデジタルに変換する**A/D変換**（Analog/Digital変換）を行います。

　A/D変換，D/A変換を行うためには，**標本化，量子化**と**符号化**という三つの作業が必要です。標本化とは，連続したデータを一定の間隔をおいてサンプリングすることです。そのサンプリングしたアナログの値をデジタルに変換することを量子化，デジタル値を2進数に変換することを符号化といいます。

　例えば，下図のような音の波があったときに，一定間隔でデータを取得することを標本化（サンプリング），それをデジタルのデータに置き換えることを量子化，それを2進数にすることを符号化といいます（量子化と符号化をまとめて符号化と呼ぶこともあります）。

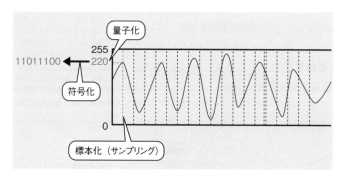

標本化，量子化と符号化

 発展

音を標本化し，符号化したデータを格納する方式の代表的なものにPCM（Pulse Code Modulation）があります。デジタル回線であるISDNでは，符号化8ビット（256段階），サンプリング周波数8kHzのPCMが用いられています。

　標本化を行うときに必要なサンプリング周波数（1秒間に必要なサンプリング数）は，**標本化定理**によって求められます。**標本化定理**とは，ある周波数のアナログ信号をデジタルデータに変

1

換するとき，それをアナログ信号に復元するためには，その周波数の**2倍**の**サンプリング周波数**が必要だという定理です。例えば，4kHzまでの音声データを復元させるためには，その倍の8kHzのサンプリング周波数が必要になります。

それでは，次の問題を解いてみましょう。

問 題

音声を標本化周波数10kHz，量子化ビット数16ビットで4秒間サンプリングして音声データを取得した。この音声データを，圧縮率1／4のADPCMを用いて圧縮した場合のデータ量は何kバイトか。ここで，1kバイトは1,000バイトとする。

　　ア　10　　　　イ　20　　　　ウ　80　　　　エ　160

(平成31年春 応用情報技術者試験 午前 問22)

解 説

標本化周波数10kHzとは，1秒間に10k回サンプリングすることです。1サンプリング当たりの量子化ビット数16ビットで4秒間サンプリングすると，圧縮率1／4なので，10［k回／秒］×16［ビット／回］×4［秒］／（4×8［ビット／バイト］）＝20［kバイト］となります。したがって，イが正解です。

≪解答≫イ

▶▶ 覚えよう！

☐　LANは自分で，WANは電気通信事業者が設営・管理する

☐　アナログデータや伝送路を使うにはデジタルへの変換が必要

1-2 ITインフラ

ここでは，ネットワークを学ぶ上で欠かせないITインフラについて解説します。基礎的な内容ですが，現代の生活になくてはならないITインフラについて理解しておくと，ネットワークの学習にもつながります。

1-2-1 ● ITインフラとは

ITインフラとは，ITを使った，産業や社会生活の基盤となる施設や設備などの全般を指します。ネットワークはITインフラの一部で，それぞれの設備をつなげるために用いられます。

■ITシステムの基盤

インフラ（Infrastructure：インフラストラクチャの略語）とは，産業や日常生活の基盤となるものです。具体的には，道路や鉄道，上下水道などの設備や，学校や病院，公園といった生活の基本となる施設など，人間の生活に必要な，ないと困る基本的な設備全体を指します。

ITインフラとは，IT（Information Technology：情報技術）を使うために必要となるインフラです。具体的には，インターネットやLAN，サーバ，OS，データベースなど，ITでシステムを構築するときに土台となるものです。ITを使うときに必要な，ないと困る基本的な設備全体がITインフラです。

インフラである道路が壊れたり鉄道が止まったりすると，生活に大きな支障が出てしまいます。そのため，定期的に点検や修理をしたり，迂回経路を確保したりするなど，インフラを止めないための日々の活動が必要となります。

ITインフラでも同様に，ネットワークがつながらなくなったりサーバが故障したりすると大変です。そのため，機器を定期的にメンテナンスしたり，迂回経路を用意しておくなど，ITインフラを止めないための日々の活動が必要です。

ITインフラをきちんと整備することで，快適にシステムを利用できるようになるのです。

勉強のコツ

ITインフラについては，実際にネットワークを設計するにあたって常に意識しておく必要があります。ネットワークスペシャリスト試験では，ITインフラの知識が前提とされることが多いため，この部分が分かっていないと問題文が理解できないこともあります。ITインフラについてひととおり学習することで，その後の勉強がスムーズに進められるようになります。

一見，回り道に思えますが，大事なところなのでしっかり理解しておきましょう。

1

◼ITインフラの構成要素

ITインフラの構成要素は，機器などのハードウェアと，機器の上で動かすソフトウェアに大別されます。

●ハードウェア

ITインフラの構成要素となるハードウェアとしては主に次のようなものがあります。

- **サーバ**

  実際にITサービスを提供する機器がサーバです。ユーザ（クライアント）からの**リクエスト**（問合せ）を受け，必要な**レスポンス**（応答）を返します。

- **クライアント（PC）**

  ITサービスを利用するためにユーザが使用する機器がクライアントです。会社などのPCはクライアントとして利用されることが一般的です。クライアントは，サーバにリクエストを行い，必要なレスポンスを受け取ります。

- **ストレージ**

  データを保存する機器がストレージです。以前はデータはサーバやクライアント内に格納されることが多かったのですが，近年は独立した装置として扱われることが一般的です。

- **ネットワーク機器**

  サーバやストレージなどをつなぐ機器です。ネットワークケーブルやスイッチ，ルータなど様々な機器があります。また，インターネットに接続するためにブロードバンドルータなどを利用します。

- **OA機器**

  プリンタやコピー機など，ITを使ったシステムで利用する機器です。以前はサーバやPCに直接接続されることが多かったのですが，近年はネットワークに接続されることが一般的になっています。

参考

ストレージやOA機器などをネットワークに接続する場合には，これらの機器のネットワーク設定が必要になります。具体的には，IPアドレスやサブネットマスクなどを設定することで機器を利用できるようになります。
ネットワークに接続されるものが増えるにつれ，より多様な場面でネットワークの知識が求められます。

- **ファシリティ**

　ファシリティとは，設備，施設，建物などを指します。ファシリティには，データセンターや，ラックや空調設備，電源設備などが含まれます。

●ソフトウェア

ITインフラで利用されるソフトウェアには次のようなものがあります。

- **OS（Operating System）**

　サーバやクライアントを動かすための基本となるソフトウェアです。サーバOSとクライアントOSは異なるものを使うのが一般的です。

- **ミドルウェア**

　OSとアプリケーションソフトウェアの中間に入るソフトウェアです。データベースを利用するために使われるDBMS（Data Base Management System）や，サーバとクライアント間で通信を行うために利用するRPC（Remote Procedure Call）などがあります。

- **アプリケーションソフトウェア**

　サーバやクライアントで動く，実際に利用するサービスを提供するためのソフトウェアです。Webサーバやブラウザなどの Webシステム用のソフトウェア，メールサーバやメールソフトなどのメールシステム用のソフトウェアなどがあります。

- **ファームウェア**

　ハードウェアを制御するプログラムです。ネットワーク機器やサーバ本体，ストレージ本体やRAIDボードなど，様々なハードウェアや部品で使われています。

過去問題をチェック

ファシリティに関する問題は，ネットワークスペシャリスト試験でときどき出題されます。

【ファシリティ】
・平成23年秋 午後I 問1
（電力線やテレビケーブル，電話回線を使ったLANについて）

1

■ITインフラと技術者の役割

　小さな会社では，ITインフラ全般を1人の技術者が管理することもあります。しかし，ITインフラの規模が大きくなりサーバの台数が増えてくると，いろいろなエンジニアが役割を分担して管理することが必要となります。

　エンジニアの中で，アプリケーションソフトウェアを開発するエンジニアのことを**システムエンジニア**といいます。サーバやOS，ミドルウェアを管理するエンジニアを**サーバエンジニア**，ネットワークを管理するエンジニアを**ネットワークエンジニア**といいます。また，サーバやネットワークなど，ITインフラ関連全般を管理するエンジニアを**インフラエンジニア**と呼ぶこともあります。

　一般的には，ITインフラに対して技術者が担当する範囲は，次のように分けられます。

発展

ネットワークも含めたITインフラ全般について理解するための書籍に，『インフラエンジニアの教科書』(C&R研究所刊)があります。実務で関わる際に基礎知識を身に付けるにはおすすめです。

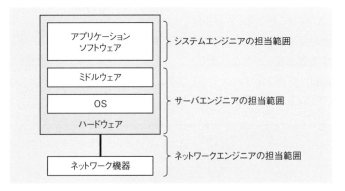

ITインフラの役割分担の例

　役割は分けられていますが，連携して仕事をすることも多いため，ひととおりの知識をもっているととても役に立ちます。

　ネットワーク機器だけでなく，それに接続するハードウェアやソフトウェアについても，基本を押さえておきましょう。

||▶▶▶ 覚 え よ う ！

- [ ] **ITインフラとは，ITシステムを利用するために必要となる基盤**
- [ ] **ファシリティとは，建物や電源設備などの施設**

1-2-2 ● サーバ

　サーバとは，ユーザ（クライアント）からのリクエストを受けてレスポンスを返すハードウェアです。サーバはITインフラの中心であり，サーバに接続するためのネットワークが構成されます。

■サーバとは

　サーバとは，特別に「サーバ用に作られた機器」を指しているわけではありません。家にある古いPCをサーバにすることもできますし，通常のクライアントPCにサーバの役割をもたせることもできます。どんなコンピュータでも，サーバとして使うことは可能です。

　現在のネットワーク上で動くアプリケーションは，クライアントサーバモデルと呼ばれる通信形式で動くものがほとんどです。クライアントサーバモデルでは，サービスを**要求する側**がクライアント，サービスを**提供する側**がサーバとなります。

　また，クライアントが最初に要求を出すパケットをリクエスト，その応答として提供するパケットをレスポンスといいます。

> **発展**
>
> TCPやHTTPなど，ネットワークの標準プロトコルのほとんどは，このクライアントサーバモデルを基本としています。
> 特にWeb系のシステムでは，リクエストとレスポンスを詳細に定義しているプロトコルが多くあるので，クライアントサーバの基本を理解しておくことが大切になります。

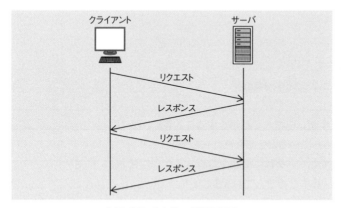

クライアントとサーバ間の通信

　サービスを用意しておき，クライアントからのリクエストにレスポンスを返すコンピュータはすべてサーバです。

■ サーバのハードウェア

単にサーバを構築するだけなら，どのようなハードウェアを使用しても問題ありません。しかし，実際にインターネットなどでサービスを提供するサーバは大量のリクエストに対応しなければならないため，その負荷に見合ったハードウェアを用意する必要があります。

サーバハードウェアには，サーバ専用に設計されたCPUなどをもつ**エンタープライズサーバ**と，通常のPCに搭載されているインテル製などのCPUを使った**IAサーバ**(Intel Architecture Server)があります。

また，サーバの形態としては，オフィスや店舗などのどこにでも置きやすい**タワー型サーバ**と，データセンターや社内サーバルームなどで利用される**ラックマウント型サーバ**があります。

ラックマウント型サーバは，ラックと呼ばれる横幅が19インチのラックに収納できる形のサーバです。

タワー型サーバ

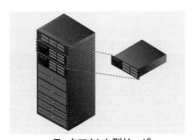

ラックマウント型サーバ

タワー型サーバは，どんな場所でも設置可能な反面，数が増えるとオフィスの領域を占有してしまいます。そのため，サーバの数が増えてくるとラックマウント型サーバを使用することが多くなります。

ラックマウント型サーバでは，サーバやスイッチ間の配線などが集中するので，ケーブルのつなぎ方にも工夫が必要になります。ケーブル群を収納し接続するための**パッチパネル**などを利用し，通信回線の接続を分かりやすくして**保守性を向上**させます。

過去問題をチェック

サーバやラック搭載機器のケーブル接続に関する問題はときどき出題されます。
【**サーバやラックのケーブル接続**】
・平成16年秋 午後Ⅰ 問2
(テクニカルエンジニア(ネットワーク)試験)
(パッチパネルを用いたネットワークケーブルの接続や，必要なケーブル長について)

　また，通常はサーバが個別に電源装置や外部へのインタフェースを備えますが，これらをサーバ間で共有することで，複数のサーバを集積して高密度化，省スペース化を実現したものに**ブレード型サーバ（ブレードサーバ）**があります。

ブレード（刀のような薄いサーバ）が集まって構成されています。1枚1枚のブレードは，抜き差し可能です。

ブレード型サーバ

■ サーバスペック

　サーバスペックとは，サーバが備えている性能のことです。一般的には，サーバスペックが高いほど値段も高くなるので，適切なサーバスペックをもつサーバを選ぶ必要があります。

　サーバスペックを決める要素としては次のようなものがあり，サービスの必要に応じて選択することが大切です。

サーバスペックの要素

要素	考慮する内容
プロセッサ	プロセッサの種類（CPU，GPUなど），クロック数（周波数），個数，コア数，キャッシュ容量，仮想化対応の有無など
メモリ	容量，転送速度，枚数，ECCの有無など
ディスク	容量，ハードディスク or SSD，回転数など
NIC	ポート数，通信速度など
保守性	保守年数，保守対応日，24時間対応など
拡張性	メモリソケット数，PCIソケット数など
信頼性	RAID構成，冗長化など

　ここで，PCI（Peripheral Component Interconnect）とは，コンピュータ内部で装置間を結ぶデータ伝送路（バス）の規格です。PCI Expressは，コンピュータのマザーボードの拡張スロットの接続規格で，PCIを発展させたものです。

　PCI Expressでは，デバイス間の高速な通信を可能にし，バージョンごとに，転送レート，後方互換性，レーン数，転送方式などが異なります。例えば，PCI Express 3.0の1レーンの片方向最大転送レートは約8GB/s（Byte per second）です。PCI

1

Express 4.0はその2倍の約16GB/sで，PCI Express 5.0はさらにその2倍の約32GB/sとなります。

■ サーバOS

　サーバOSは，サーバでの利用に適したOSです。通常使われるクライアント向けのOSでは，同時に接続できる台数などに制限があり，不特定多数のクライアントからの問合せに対応することが難しくなります。そのため，サーバではサーバ専用のOSを利用することが一般的です。

　サーバOSとしてよく使われるのはLinuxやUNIX，そしてWindowsです。クライアント用のOSとは別のバージョンで用意されていることが多く，サーバとして多くのリクエストに対応することに特化しています。

■ いろいろなシステム構成

　クライアントサーバシステムのほかにも，近年では様々なシステム構成が見られます。ここに代表的なものを示します。

①クラスタ

　複数のコンピュータを結合してひとまとまりにしたシステムです。クラスタリングともいいます。負荷分散（ロードバランス）や，HPC（High-Performance Computing：高性能計算）の手法としてよく使われます。

②シンクライアント

　ユーザが使うクライアントの端末には必要最小限の処理を行わせ，ほとんどの処理をサーバ側で行う方式です。

③ピアツーピア

　端末同士で対等に通信を行う方式です。P2Pともいいます。クライアントサーバ方式と異なり，サーバを介さずクライアント同士で直接アクセスするのが特徴です。

発展

Windowsでは，クライアントOSとしてWindows 11などが利用されていますが，サーバOSとしてはWindows Server 2022など，サーバ専用のOSが用意されています。ネットワークスペシャリスト試験では特定メーカの製品名が出題されることはないのですが，実際のOSを知っていると問題文の状況がイメージしやすくなります。

関連

シンクライアントは仮想化技術を用いて実現します。詳しくは，クライアント仮想化技術として，「9-1-1　仮想化機構」で取り上げています。

発展

ピアツーピアは，サーバへのアクセス集中が起こらないため処理を拡大しやすく，IP電話や動画配信サービスなどで応用されています。Skypeなどでも採用されています。

④分散処理システム

　複数のプログラムが並列的に複数台のコンピュータで実行され，それらが通信しあって一つの処理を行うシステムです。分散処理システムでは複数の場所で処理を行いますが，利便性の面では，利用者にその場所を意識させず，どこにあるプログラムも同じ操作で利用できることが大切です。これをアクセス透過性といいます。

⑤CDN（Contents Delivery Network）

　動画や音声などの大容量のデータを利用する際に，インターネット回線の負荷を軽減するようにサーバを分散配置する手法です。Webシステムにおいてよく用いられます。

■ スケールアウトとスケールアップ

　サーバへのアクセスが増えてくると，サーバのキャパシティ（収容できる全体の能力）を増強させる必要が出てきます。サーバのキャパシティを増やす方法には，次の2種類があります。

①スケールアウト

　スケールアウトとは，性能が足りなくなったらサーバの台数を増やすことでキャパシティを増強する方法です。Webサーバなどでよく利用される方法で，台数を増やして負荷分散させることで全体のキャパシティを大きくします。クラスタリングなどを行い，複数台のサーバを仮想的に1台に見せることで，実現が可能になります。

　逆に，サーバの台数を減らしてムダをなくすことを，**スケールイン**といいます。

②スケールアップ

　スケールアップとは，性能が足りなくなったときにそのサーバ自体を増強することです。メモリ増設やCPUなどのパーツ交換，またはサーバを新機種に入れ替えるなどしてサーバ自体の性能を上げることでキャパシティを大きくします。データベースサーバなど，二重化することでデータの不具合が起こりがちなサーバでよく利用される方法です。

逆に，サーバ自体の性能を下げることでムダをなくすことを，スケールダウンといいます。

それでは，次の問題を考えてみましょう。

問　題

スケールインの説明として，適切なものはどれか。

ア　想定されるCPU使用率に対して，サーバの能力が過剰なとき，CPUの能力を減らすこと

イ　想定されるシステムの処理量に対して，サーバの台数が過剰なとき，サーバの台数を減らすこと

ウ　想定されるシステムの処理量に対して，サーバの台数が不足するとき，サーバの台数を増やすこと

エ　想定されるメモリ使用率に対して，サーバの能力が不足するとき，メモリの容量を増やすこと

（令和5年春 高度共通 午前Ⅰ 問5）

解　説

スケールインとは，サーバの性能を下げるときに，サーバの台数を減らすことで対応する方法です。サーバの台数が過剰なときに実施します。したがって，イが正解です。

ア　スケールダウンの説明です。

ウ　スケールアウトの説明です。

エ　スケールアップの説明です。

≪解答≫イ

▶▶▶ 覚 え よ う！

☐　クライアントからのリクエストに対して，サーバがレスポンスを返す

☐　数を増やすのがスケールアウト，1台の性能を上げることがスケールアップ

1-2-3 ● ストレージ

データを記憶する装置がストレージです。ストレージには，コンピュータの内部に格納するローカルストレージと，外に置く外部ストレージがあります。いずれも，RAIDを用いることで信頼性と性能を上げることができます。

■ ストレージの種類

メモリ（主記憶装置）上に置いたデータは，電源を切ると消えてしまいます。電源を切ってもデータを保管できるように記憶しておく装置をストレージ（補助記憶装置）といいます。

ストレージには，ハードディスクやSSD（Solid State Device）のほかにも，CD-R，DVD-R，磁気テープ，SDカードなど様々な種類があります。

■ ローカルストレージと外部ストレージ

サーバで扱うストレージには，サーバの内部にディスクを格納する形のローカルストレージと，外に設置する外部ストレージの2種類があります。

ローカルストレージは，サーバに直接搭載しているディスクなどなので，高速で場所を取らない反面，搭載できるディスクの数や，他のサーバからのアクセスに制限があります。

外部ストレージはサーバの外に用意する機器で，次の三つの形態があります。

①DAS（Direct Attached Storage）

サーバにストレージを直接接続する方法です。ローカルストレージだけでは容量が足りない場合に，ディスク容量を増やすことができます。

②SAN（Storage Area Network）

サーバとストレージを接続するために専用のネットワークを使用する方法です。ファイバチャネルやIPネットワークを使って，あたかも内蔵されたストレージのように使用することができます。

（）関連

ストレージは，近年では仮想化技術を用いたストレージネットワークで扱うことが多くなっています。
詳しい技術については，「9-1-3　ストレージ」で改めて取り上げます。

用語

ファイバチャネル（FC：Fibre Channel）とは，主にストレージネットワークに使用される，ギガビット級のネットワークを構築する技術の一つです。機器の接続に光ファイバや同軸ケーブルを用います。

③NAS（Network Attached Storage）

ファイルを格納するサーバをネットワークに直接接続することで，外部からファイルを利用できるようにする方法です。

DASに比べると，SANもNASもストレージを**複数のサーバやクライアントで共有**できるので，**ストレージの資源を効率的に活用**することができます。また，物理的なストレージ数を減らせるため，バックアップなども取りやすくなります。

SANとNASの大きな違いは，サーバから見たとき，**SAN**で接続されたストレージは**内蔵のディスク**のように利用できるのに対し，**NAS**では**外部のネットワーク**にあるサーバに接続するように見えることです。図にすると，次のようなイメージになります。

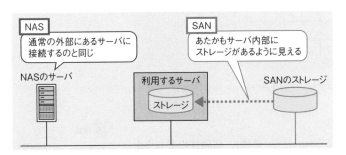

NAS

通常の外部にあるサーバに
接続するのと同じ

SAN

あたかもサーバ内部に
ストレージがあるように見える

NASのサーバ　　利用するサーバ　　SANのストレージ

ストレージ

NASとSANの違い

■ RAID（Redundant Arrays of Inexpensive Disks）

RAIDは，複数台のハードディスクを接続して全体で一つの記憶装置として扱う仕組みです。複数台のディスクを組み合わせることによって，信頼性や性能が上がります。

RAIDの代表的な種類としては，以下のものがあります。

①RAID0

複数台のハードディスクにデータを分散することで高速化したものです。これを**ストライピング**と呼びます。性能は上がりますが，信頼性は1台のディスクに比べて低下します。

発展

RAIDは「レイド」と読みます。PCショップなどでは，大きく「レイド」「RAID対応」などと書かれており，ファイルサーバなどの用途でRAID対応の機器が売られています。
NAS（Network Attached Storage）はネットワーク対応のハードディスクドライブですが，RAIDで信頼性を上げられるものも多くあります。

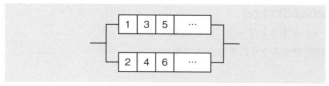

ストライピングのイメージ

②RAID1

　複数台のハードディスクに同時に同じデータを書き込みます。
これをミラーリングと呼びます。2台のディスクがあっても一方
は完全なバックアップです。そのため，信頼性は上がりますが，
性能は特に上がりません。

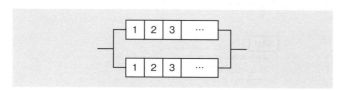

ミラーリングのイメージ

③RAID0+1，RAID1+0

　RAID0，RAID1はそれぞれ，性能（速度），信頼性のどちらか
一方しか向上しません。そこで，この二つを組み合わせて性能と
信頼性の両方を向上させる技術として，RAID0+1，RAID1+0が
考えられました。RAID0+1は，ストライピングされたディスクを
ミラーリングし，RAID1+0は，ミラーリングされたディスクをス
トライピングします。最低でもディスクが4台必要です。

🏠 発展

このように，二つのRAID
を組み合わせる方法はよ
く使われます。RAID0+1，
RAID1+0以外にも，RAID
0+5，RAID1+5，RAID
5+5，RAID0+6など，RAID
5，RAID6と組み合わせる
ものもあります。

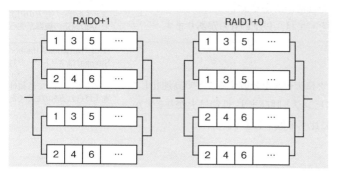

RAID0+1，RAID1+0のイメージ

④RAID3，RAID4

複数台のディスクのうち1台を誤り訂正用のパリティディスク
にし，誤りが発生した場合に復元します。下の図のように，パリティ
ディスクにほかのディスクの偶数パリティを計算したものを格納
しておきます。

関連

パリティについては，「7-2-1 符号化・データ伝送技術」で詳しく説明します。

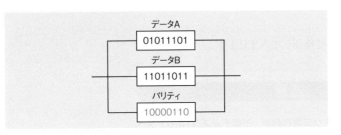

データA
01011101
データB
11011011
パリティ
10000110

パリティディスクの役割

この状態でデータBのディスクが故障した場合，データAとパ
リティディスクから偶数パリティを計算することで，データBが
復元できます。データAのディスクが故障した場合も同様に，デー
タBとパリティディスクから偶数パリティでデータAが復元でき
ます。これを**ビット**ごとに行う方式が**RAID3**，**ブロック**ごとにま
とめて行う方式が**RAID4**です。

⑤RAID5

RAID4のパリティディスクは誤り訂正専用のディスクであり，
通常時は用いません。しかし，データを分散させた方がアクセス
効率が上がるので，パリティを**ブロック**ごとに分散し，通常時に
もすべてのディスクを使うようにした方式が**RAID5**です。

発展

RAID3，RAID4は，RAID5
と信頼性が同等でも性能の
面で劣るため，RAID5が用
いられる場合がほとんどで
す。
また，RAID5はRAID1に比
べてもディスクの使用効率
が高いので，非常によく用
いられるRAID方式です。

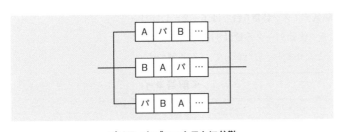

| A | パ | B | … |

| B | A | パ | … |

| パ | B | A | … |

パリティをブロックごとに分散

⑥RAID6

　RAID5では，1台のディスクが故障してもほかのディスクの排他的論理和を計算することで復元できます。しかし，ディスクは同時に2台壊れることもあります。そこで，冗長データを2種類作成することで，2台のディスクが故障しても支障がないようにした方式がRAID6です。

発展

RAID3，RAID4，RAID5では，最低でもディスクが3台必要です。RAID6ではパリティディスクに2台割り当てるため，ディスクは最低でも4台必要になります。

　それでは，問題を解いて確認してみましょう。

問題

　8Tバイトの磁気ディスク装置6台を，予備ディスク（ホットスペアディスク）1台込みのRAID5構成にした場合，実効データ容量は何Tバイトになるか。

　ア　24　　　イ　32　　　ウ　40　　　エ　48

（令和4年春 応用情報技術者試験 午前 問11）

解説

　RAID（Redundant Arrays of Inexpensive Disks）は，複数台のハードディスクを接続して全体で一つの記憶装置として扱う仕組みです。RAID5では，誤り訂正専用のパリティディスクをブロックごとに分散し，通常時にもすべてのディスクを使うようにした方式です。予備ディスク（ホットスペアディスク）1台込みのRAID5構成にした場合には，予備ディスク1台に加えて，パリティディスク1台分の計2台分は，データの格納以外に使用されます。

　そのため，8Tバイトの磁気ディスク装置6台では，6−2＝4［台］分がデータ格納に使用でき，実効データ容量は8［Tバイト／台］×4［台］＝32［Tバイト］となります。したがって，イが正解です。

《解答》イ

▐▐▶▶ **覚えよう！**

- [ ] NASはストレージが利用できるサーバ，SANはストレージ専用のネットワーク
- [ ] RAID0はストライピング，RAID1はミラーリング，RAID5は分散パリティ

1-2-4 ◉ ネットワークの構成要素

ITインフラとしてネットワークを構築するときには，ケーブルなどの通信媒体や，スイッチやルータといった機器など，様々なハードウェアが必要です。

◼ 通信媒体と機器

ネットワークを接続するときには，ケーブルなどの通信媒体が必要です。ケーブルの種類としては，**ツイストペアケーブル**（より対線）や**光ファイバケーブル**などがあります。

コンピュータとコンピュータをケーブルで直接接続すると，1対1で，しかもケーブルの届く範囲でしか通信ができません。そのため，スイッチやルータなどの**LAN間接続装置**を用いて，一度に複数台のコンピュータを接続したり，通信を増幅させて通信できる距離を増やしたりします。

関連

ツイストペアケーブルや光ファイバケーブルの種類など，LANケーブルの詳細については，「2-1-5 物理層」で詳しく学習します。

◼ ネットワークインタフェース

コンピュータやLAN間接続装置をネットワークに接続するには，ネットワークに接続するための**ネットワークインタフェース**が装備されている必要があります。

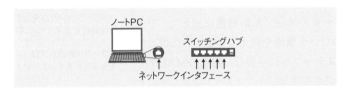

ノートPC
スイッチングハブ
ネットワークインタフェース

ネットワークインタフェース

それぞれの通信プロトコルや方式に対応したネットワークインタフェースが用意されています。また，規格が同じなら他メーカの製品とも接続が可能なように，**相互接続性**も確保されている必要があります。

発展

ネットワーク機器は製造メーカによって独自OSが採用されており，メーカごとにコマンド体系が異なります。そのため，メーカの異なるネットワーク機器を導入すると，相互接続性に問題が起こるだけでなく，設定や運用管理の手間が増大します。そうしたことを避けるため，導入するネットワーク機器のベンダは統一することが一般的です。

■LAN間接続装置の種類

　OSI基本参照モデルでは階層ごとに役割が違うので，ネットワークを接続するときに必要となる機器が異なります。それぞれの階層で必要な装置は以下のとおりです。

①リピータ（第1層　物理層）

　電気信号を増幅して整形する装置です。リピータの機能では複数の回線に中継する**ハブ**（**リピータハブ，L1スイッチ**）が一般的です。すべてのパケットを全端末に中継するので，接続数が多くなってくるとパケットの衝突が発生し，ネットワークが遅くなります。また，増幅や整形を繰り返すことでエラーが大きくなり，正常に通信されないこともあるので，**ハブの段数**（端末間に設置するハブの数）に**制限**があります。

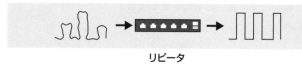

リピータ

参考

リピータハブの段数制限は，10BASE-Tでは4段，100BASE-TXでは2段です。また，ブリッジ以上では，パケットをいったん受け取ってから転送するため，この段数制限はありません。

②ブリッジ（第2層　データリンク層以下）

　データリンク層の情報（MACアドレスなど）に基づき，通信を中継するかどうかを決める装置です。ブリッジの機能で複数の回線に中継する**スイッチングハブ**（**レイヤ2スイッチ，L2スイッチ**）が一般的です。リピータの増幅，整形機能に加えて，アドレス学習機能とフィルタリング機能を備えています。送信元のMACアドレスを**アドレステーブル**に学習し，宛先のMACアドレスがアドレステーブルにある場合に，フィルタリングして，そのポートのみにデータを送信します。そのため，複数のホストが同時に通信可能です。

発展

ブリッジで区切られたネットワークの範囲を**コリジョンドメイン**といいます。リピータで中継するだけだとコリジョン（衝突）が発生する可能性があるからです。ルータで区切られたネットワークの範囲を**ブロードキャストドメイン**といいます。ブリッジは，ブロードキャストパケット（すべての端末向けのパケット）を接続されているすべての端末に転送しますが，ルータは転送しないからです。

関連

スイッチングハブについては，「2-2-1 スイッチングハブ」で詳しく学習します。

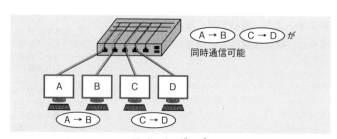

スイッチングハブ

③ルータ（第3層　ネットワーク層以下）

　ネットワーク層の情報（IPアドレス）に基づき，通信の中継先を決めて転送する装置です。ルーティングテーブルを基に中継先を決めていく動作を**ルーティング**といいます。ルータは，異なるネットワーク，異なるデータリンクを相互に接続します。スイッチングハブの機能にルーティングの機能を備えた**レイヤ3スイッチ（L3スイッチ）**もあります。

④ゲートウェイ（第4～7層　アプリケーション層以下）

　トランスポート層以上でデータを中継する必要がある場合に用います。例えば，PCの代理でインターネットにパケットを中継する**プロキシサーバ**や，電話の音声をデジタルデータに変換して送出する**VoIPゲートウェイ**などは，ゲートウェイの一種です。**ロードバランサ**（負荷分散装置）もゲートウェイの一種で，ロードバランサ機能付きのL3スイッチのことを**L4/L7スイッチ**と呼ぶこともあります。

　また，電子メールなどは，宛先に直接送るのではなく，メールサーバなどのゲートウェイを中継してやり取りを行うのが一般的です。

　それでは，次の問題で確認してみましょう。

関連

ルータは，LANとLANだけでなく，LANとWAN，WANとWANの接続など，様々な場面で利用されます。インターネット接続にも利用する，ネットワークの中核となる機器がルータです。「3-2-1　ルータ」で詳しく取り上げますが，ルータの動きをしっかり押さえることが，ネットワークを理解するカギとなります。

問題

　複数のLANを接続するために用いる装置で，OSI基本参照モデルのデータリンク層のプロトコル情報に基づいてデータを中継する装置はどれか。

ア　ゲートウェイ　　　　イ　ブリッジ
ウ　リピータ　　　　　　エ　ルータ

（平成19年秋 テクニカルエンジニア（ネットワーク）試験 午前 問48）

解説

　データリンク層のプロトコル情報に基づいてデータを中継する装置はブリッジです。したがって，イが正解です。アはトランスポート層からアプリケーション層，ウは物理層，エはネットワーク層でLANを接続する装置です。

《解答》イ

■ インテリジェント ／ ノンインテリジェント

　ネットワーク機器には，機器名に「インテリジェント」と付いているものがあります。インテリジェントは「知的な，賢い」という意味ですが，この場合は，ネットワーク管理に対応した機能などを備えていることを指します。

　例えばインテリジェントスイッチは，ネットワーク管理機能を備えており，Web接続などで各ポートの設定を変更できます。また，ネットワーク運用管理で使われるSNMPエージェントも備えており，管理者がネットワーク上から稼働状態を確認することもできます。

　ただし，インテリジェントスイッチは高価なので，単にサーバをネットワークにつなぎたいという用途には，インテリジェントではないノンインテリジェントスイッチでも十分です。

　状況に応じて適切なネットワーク機器を選択することが大切になります。

（6）関連

SNMPは，ネットワーク管理を行うプロトコルです。SNMPとエージェントについては，「5-4-2　SNMP」で詳しく取り上げます。

▶▶▶ 覚えよう !

□　リピータは物理層，ブリッジはデータリンク層，ルータはネットワーク層

□　スイッチングハブにはアドレス学習機能とフィルタリング機能がある

1-2-5 ● データセンター

データセンターは，サーバなどの機器を設置するために最適化され，高速なネットワークを備えているため，ITインフラを構築・運用するのには最適な環境です。データセンターの利用に際しては，用途に合わせて選択することが大切です。

■ データセンターとは

データセンターは，ITインフラを構築することに特化した施設です。電気や温度，ネットワーク，セキュリティ，災害対策などが十分に考慮され，信頼性の高いITインフラ運用を行うことができます。

■ データセンターの利点

自社にサーバルームを設置してITインフラを管理する場合に比べ，データセンターを利用することには次のような利点があります。

①サーバを24時間365日稼働し続けることが可能

通常のオフィスビルでは，法定点検などで毎年最低1回はサーバを停止させる必要があります。しかし，データセンターの場合は24時間365日稼働させることが可能です。また，24時間の稼働を前提としているため，設備や機器の監視，障害対応なども24時間体制で行っています。

②システム運用に適した空調設備や電源設備

空調設備がサーバに最適化されており，機器を冷却するために強力な空調が完備されています。そのため，熱暴走による故障などは起こりづらくなります。

③通常のオフィスビルよりも堅牢な災害対策

データセンターに使われる建物は，地震などの災害発生に対応するため，通常のビルよりも耐震補強に優れています。UPS（Uninterruptible Power Supply：無停電電源装置）や非常用発電機などにより，災害時の電力供給も可能です。

勉強のコツ

ネットワークスペシャリスト試験の午後では，データセンターを利用する問題だけでなく，データセンターを構築する問題も出てきます。
仮想化技術を駆使した大規模なネットワークは，データセンターで利用されることが多いものです。
午後IIでは，2問中1問がデータセンターに関する問題であることが多いので，データセンターの状況を理解しておくと役立ちます。

④アウトソーシングによるコスト削減

　データセンターはサーバ運用に特化した設備であり，様々な機能を備えています。最適な環境でありながら，複数企業のサーバを管理しており規模が大きいことから，安価にサービスを提供することが可能です。そのため，ほとんどの場合，自社でサーバを管理するよりデータセンターにアウトソーシングするほうがコストを削減できます。

■ データセンターの課題

　データセンターを利用すると，コストを安く押さえられるとともに信頼性も高くなります。しかし，データを外部に預けることになるので，セキュリティには注意が必要です。特に事故が起こった場合には，責任範囲が明確になっていないとトラブルに発展しがちです。

　事前にデータセンターのセキュリティ状況やコンプライアンス，内部統制や事業継続の観点での確認など，データセンターの業者に関するチェックを行っておくことが重要です。

■ データセンターとクラウド

　データセンターでは，クラウドサービスを提供することがあります。そのため，データセンターとクラウドは似たようなものと認識されることがありますが，指している階層が異なります。データセンターはあくまで，物理的に設置する装置や施設のことで，クラウドは仮想的に提供するサービスのことを指します。他社が提供するクラウドサービスを利用することで，他社のデータセンターの機器を必要に応じて柔軟に利用することができます。

用語

コンプライアンスとは，企業の法令遵守のことで，企業が法律をしっかり守って活動することを指します。

関連

仮想化については「9-1 仮想化」で，クラウドについては，「9-2 クラウド」で改めて詳しく取り上げます。

▶▶▶ 覚えよう！

- ☐ 　データセンターでは24時間365日の運用が可能
- ☐ 　事前にデータセンターのセキュリティの状況やコンプライアンスなどを確認する

1-3-1 ⬤ 午前問題

| 問1 | ピアツーピアシステム | CHECK ▶ □□□ |

ピアツーピアシステムの特徴として，適切なものはどれか。

ア　アカウントの管理やセキュリティの管理をすることが難しく，不特定多数の利用者が匿名で接続利用できるなどの隠蔽性が高い。

イ　サービスの提供や管理を特定のコンピュータが行い，他のコンピュータはそのサービスを利用するという，役割分担を明確にしたシステムを簡単に作成できる。

ウ　システム利用者の拡大に伴い，データアクセスの負荷がシステム全体を監視するコンピュータに集中するために，高性能なコンピュータが必要となる。

エ　目的のデータの存在場所が明確なので，高速なデータ検索や，目的とするデータの更新や削除も容易である。

| 問2 | PCI Express | CHECK ▶ □□□ |

PCI Express 3.0，PCI Express 4.0及びPCI Express 5.0を比較した記述のうち，適切なものはどれか。

ア　1レーンの片方向最大転送レートは，PCI Express 4.0はPCI Express 3.0の2倍，PCI Express 5.0はPCI Express 4.0の2倍である。

イ　PCI Express 3.0はそれ以前のPCI Express 1.1及びPCI Express 2.0と後方互換性があるが，PCI Express 4.0はそれ以前のものと後方互換性がない。

ウ　いずれも，規格上の最大レーン数は32レーンである。

エ　いずれも，シリアル転送において8b/10b変換を採用している。

問3 トランスポート層に位置するもの CHECK ▶ ☐☐☐

　IPネットワークのプロトコルのうち，OSI基本参照モデルのトランスポート層に位置するものはどれか。

　　ア　HTTP　　　　イ　ICMP　　　　ウ　SMTP　　　　エ　UDP

■ 午前問題の解説

ピアツーピアシステムとは,端末同士で対等に通信を行うシステムです。クライアントサーバシステムとは異なり,サーバを介さずクライアント同士で直接アクセスするのが特徴です。サーバでの一元管理ができないため,アカウントの管理やセキュリティの管理をすることが難しくなります。また,不特定多数の利用者が匿名で接続利用でき,隠蔽性は高くなります。したがって,**ア**が正解です。

イ,ウ,エは,クライアントサーバシステムの特徴です。

PCI Express（Peripheral Component Interconnect Express）は,コンピュータのマザーボードの拡張スロットの接続規格です。デバイス間の高速な通信を可能にし,バージョンごとに,転送レート,後方互換性,レーン数,転送方式などが異なります。

PCI Express 3.0の1レーンの片方向最大転送レートは約8GB/sです。PCI Express 4.0はそれの2倍の約16GB/sで,PCI Express 5.0はさらにその2倍の約32GB/sとなります。したがって,**ア**が正解です。

イ　PCI Express 4.0は,それ以前のバージョン（PCI Express 3.0, 2.0, 1.1）と後方互換性があります。

ウ　PCI Expressの規格上の最大レーン数は16レーンです。

エ　PCI Express 2.0までは8b/10b変換を採用していましたが,PCI Express 3.0からはより効率的な128b/130b変換が採用されています。

問3　　　　　　　　　　　　　　　　　　　　　（令和5年春 応用情報技術者試験 午前 問34）

《**解答**》**エ**

　OSI基本参照モデルのトランスポート層に位置するプロトコルの代表的なものに，UDP（User Datagram Protocol）があります。したがって，**エ**が正解です。

ア，ウ　HTTP（HyperText Transfer Protocol）とSMTP（Simple Mail Transfer Protocol）は，
　　　　セション層〜アプリケーション層のプロトコルです。

イ　ICMP（Internet Control Message Protocol）は，ネットワーク層のプロトコルです。

第2章

ネットワークインタフェース層

ネットワークインタフェース層は，TCP/IPプロトコル群の最下層で，OSI基本参照モデルの物理層とデータリンク層に当たります。物理的に接続されている回線の間での，実際のパケットの伝送を担当します。

分野は，「データリンク」「LAN間接続」「通信サービス」の三つです。データリンクにはLANとWANがあります。データリンクではLANを中心とした仕組みについて，LAN間接続ではスイッチングハブを中心とした機器について，通信サービスではWANの実例について主に学びます。

ネットワークの基本となる考え方が多く含まれていますので，しっかり理解しながら学習していきましょう。

2-1 データリンク

　ここでは，主にOSI基本参照モデルのデータリンク層に当たる通信手段やプロトコルについて学びます。データリンクの技術には，イーサネットや無線LAN，PPPなど様々なものがあります。データリンク層はネットワークの基本ともいえる層で，TCP/IPで通信を行う際の前提となります。

　なお，最も利用されているデータリンクであるイーサネットは，OSI基本参照モデルの物理層に当たる部分でも規格が定められているので，本章では物理層についても取り扱います。

■ IEEE 802委員会

　データリンクで用いる様々な技術については，IEEE（The Institute of Electrical and Electronics Engineers：米国電気電子技術者協会）で標準化が進められています。特にLAN技術については，1980年2月にプロジェクトが始まったIEEE 802委員会で標準化を行っています。イーサネットの規格はIEEE 802.3分科会で，無線LANの規格はIEEE 802.11分科会で定められています。また，認証など，LANの上位層でのプロトコルを標準化するIEEE 802.1分科会も設置されています。

> **勉強のコツ**
>
> データリンクのうち最も利用されているのがイーサネットです。イーサネットには様々な規格があり，伝送速度も100Mbps，1Gbps，10Gbpsと進化を遂げています。
> ネットワークスペシャリスト試験ではイーサネットの仕組みについて細かいところまで出題されるので，しっかり押さえておきましょう。

2-1-1 ● イーサネット

　イーサネットは，データリンクの代表ともいえる，現在最も普及している通信方式です。世界中の企業や家庭のLANで多く使われており，広域イーサネットなどWANでも利用されている，ネットワークの基本となる技術です。

■ イーサネットとは

　イーサネットは，米国のゼロックスとインテル，及び旧DECが考案した通信規格です。他のデータリンクに比べて仕組みが単純で，簡単に安く製造できるため，1980年代から爆発的に普及しました。初期のイーサネットは同軸ケーブルを用いたLANでしたが，年々発展を続け，ツイストペアケーブルや光ファイバ

関連

イーサネットの種類については，「2-1-5　物理層」で取り扱います。

ケーブルなど様々な通信媒体に対応するようになりました。また、伝送速度も当初は10Mbpsでしたが、次第に高速になり、現在では数多くの仕様があります。

媒体共有型と媒体非共有型

通信ケーブルなどの通信媒体の使い方には、複数のノードで一つの通信媒体を共有する媒体共有型と、通信媒体を共有せずに専有する媒体非共有型があります。

初期のイーサネットは媒体共有型で、一つの通信路を複数のノードで共有するので、同じ通信路を使ってデータの送信と受信の両方を行います。そのため、通信する権利をどのノードが得るかを決める仕組みが必要となります。イーサネットでは、以降で説明するCSMA/CD方式を使って通信の優先権を制御します。

最近のイーサネットでは、媒体非共有型が主流です。イーサネットスイッチなどを用いてネットワークを構築し、コンピュータとスイッチのポートが1対1で接続されると通信媒体を専有でき、媒体非共有型になります。この場合にはCSMA/CDの機構は不要で、より効率的な通信が行えます。

半二重通信と全二重通信

半二重通信とは、送信と受信を同時に行えない通信方式です。全二重通信とは、送信と受信を同時に行える通信方式です。媒体共有型のネットワークでは送信と受信が同じ経路で行われるので、半二重通信になります。媒体非共有型の通信では送信と受信を分けることができるので、全二重通信が可能になります。

スイッチなどを使う方式では、全二重通信と半二重通信の両方が可能です。ただし、スイッチ間での通信では、全二重通信にするか半二重通信にするかを互いに取り決めておく必要があります。そのため、あらかじめ通信方式を決定するオートネゴシエーションなどの仕組みが必要になります。

CSMA/CD方式

半二重通信では、一度に1組ずつしか通信できません。そのため、どの端末が通信するかを決めて、その組だけが通信するように制御する必要があります。

用語

bps（bit per second）は通信速度を表す単位で、1秒間に通信可能なビット数を示します。ビット／秒と表記することもあります。

参考

通信速度や通信量を表す単位のうち、M（メガ）は10^6を指します。10^3を示すk（キロ）や10^9を示すG（ギガ）、10^{12}を示すT（テラ）とともにネットワーク関連ではよく出てくる単位なので、覚えておきましょう。

関連

オートネゴシエーションなど、スイッチ（スイッチングハブ）の仕組みについての詳細は、「2-2-1　スイッチングハブ」を参照してください。

　イーサネットでは，どの端末が通信するかを決めるときには，「早い者勝ち」で通信路を使用します。その競争を制御する方式が**コンテンション方式（CSMA方式）**です。通信ケーブルを利用した有線のイーサネットでは，CSMA方式を改良したCSMA/CD（Carrier Sense Multiple Access with Collision Detection）方式を使用します。

　CSMA/CD方式では，次の手順で通信を管理します。

1. Carrier Sense ……… 誰も使っていなければ使用可
2. Multiple Access …… データを全員に向けて送る
3. Collision Detection … 衝突が起こったら検出して再送する

　衝突の発生を検出したら，毎回計算したランダムな時間待機をしてから再送を試みます。

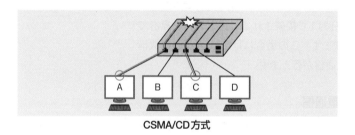

CSMA/CD方式

　それでは，次の問題を考えてみましょう。

問題

　CSMA/CAやCSMA/CDのLANの制御に共通しているCSMA方式に関する記述として，適切なものはどれか。

　ア　キャリア信号を検出し，データの送信を制御する。
　イ　送信権をもつメッセージ（トークン）を得た端末がデータを送信する。
　ウ　データ送信中に衝突が起こった場合は，直ちに再送を行う。
　エ　伝送路が使用中でもデータの送信はできる。

（令和3年春 ネットワークスペシャリスト試験 午前Ⅱ 問5）

解説

　無線LANで用いられるCSMA/CA（Carrier Sense Multiple Access with Collision Avoidance）方式や，有線LANで用いられるCSMA/CD方式に共通して用いられるCSMA方式は，キャリア信号を検出して，誰も通信していないことを確認したら，全員に向けてパケットを送る方式です。キャリア信号を検出し，データの送信を制御するので，アが正解です。

イ　トークンパッシング方式です。

ウ　衝突が起こったら再送を行うのはCSMA/CD（Collision Detection）方式の特徴ですが，衝突を検知したら，乱数で発生させた時間待機してからデータの再送を試みます。

エ　伝送路が使用中なら，端末は送信を待機します。

《解答》ア

> **参考**
> フレームの衝突時には，乱数で発生させた時間待ってから再送を行います。このとき，衝突の発生を抑えるため，2回，3回と衝突が発生したときには再送待ち時間が徐々に長くなるように乱数を制御します。

■ イーサネットヘッダー

　イーサネットのヘッダーには，宛先MACアドレスと送信元MACアドレス，そしてデータ部分に該当する上位層のプロトコルに関する情報が含まれます。イーサネットフレームのフォーマットは以下のとおりです。

宛先MACアドレス（6オクテット）	送信元MACアドレス（6オクテット）	タイプ（2オクテット）	データ（46～1500オクテット）	FCS（4オクテット）

イーサネットフレームフォーマット

　データリンク層でのデータの最大値のことを**MTU**（Maximum Transmission Unit）といい，イーサネットでのMTUは1500オクテットです。

　また，IEEE 802.3委員会で規格化されたIEEE 802.3イーサネットフレームフォーマットもあります。

> **用語**
> パケットのフォーマットなどを示すときのサイズには，オクテットがよく用いられます。1オクテットは8ビットです。1バイトとほぼ同じ意味ですが，正確に8ビットを示すときに用いられます。

宛先MACアドレス（6オクテット）	送信元MACアドレス（6オクテット）	フレーム長（2オクテット）	LLC（3オクテット）	SNAP（5オクテット）	データ（38～1492オクテット）	FCS（4オクテット）

IEEE 802.3イーサネットフレームフォーマット

二つのフレームフォーマットは，タイプ（またはフレーム長）フィールドの値で区別することができます。タイプフィールドは，上位層（ネットワーク層）に何のプロトコルのデータが含まれているかを示すフィールドです。タイプ番号の代表的なものには，次のものがあります。

代表的なタイプ番号

タイプ番号	プロトコル
0800	Internet IP （IPv4）
0806	Address Resolution Protocol （ARP）
86DD	IP version 6 （IPv6）

過去問題をチェック

イーサネットパケットのフィールドで，IPv4とIPv6を区別する問題が出題されています。
【IPv4とIPv6で異なるもの】
・令和4年春 午前Ⅱ 問10

　データリンク層は，媒体アクセス制御と論理リンク制御の二つに分けられます。論理リンク制御とは，データリンク層で共通のヘッダー制御です。**媒体アクセス制御**は，イーサネットやFDDIなどデータリンクごとに決まっているヘッダー制御です。

　IEEE 802.3イーサネットのフレームフォーマットのときには，論理リンク制御を行う**LLC**（Logical Link Control）と**SNAP**（SubNetwork Access Protocol）の二つのヘッダーに，上位層のプロトコルを示す値を格納します。イーサネット以外のデータリンクを統合して高度な機能を扱うときには，これら二つのヘッダーが必要になります。

関連

FDDIについては，「2-1-4 その他のデータリンク」で解説します。

　また，FCS（Frame Check Sequence）では，フレームにエラーがないか，壊れていないかをチェックします。FCSでは，フレーム全体を特定のビット列で割った余りを格納するCRC（Cyclic Redundancy Check）を使用します。

関連

CRCについては，「7-2-1 符号化・データ伝送技術」で詳しく扱います。

■ プリアンブル

　イーサネットフレームを送る前には，プリアンブルと呼ばれるフィールドが付けられます。プリアンブルは，通信相手のNIC（Network Interface Card）と同期をとるために使われます。プリアンブルの形式は次図のとおりです。

用語

NIC（Network Interface Card）は，コンピュータがネットワーク通信を行うために使用するハードウェアです。LANカード，ネットワークアダプタとも呼ばれます。
拡張カードで取り付ける場合と，マザーボード上に直接組み込まれている場合があります。

2

イーサネットのプリアンブル

プリアンブルでは，1と0を交互に並べて7オクテット送った後に「10101011」と，8オクテット目の末尾を1にして送ることでプリアンブルの終わりを示します。この最後の1オクテットをSFD（Start Frame Delimiter）と呼びます。

それでは，次の問題で確認してみましょう。

発展

通常のイーサネットでは末尾の2ビット「11」をSFDと呼びますが，IEEE 802.3イーサネットでは，最後の1オクテット「10101011」をSFDと呼びます。

問題

IEEE 802.3-2005におけるイーサネットフレームのプリアンブルに関する記述として，適切なものはどれか。

ア　同期用の信号として使うためにフレームの先頭に置かれる。

イ　フレーム内のデータ誤りを検出するためにフレームの最後に置かれる。

ウ　フレーム内のデータを取り出すためにデータの前後に置かれる。

エ　フレームの長さを調整するためにフレームの最後に置かれる。

（平成23年秋 ネットワークスペシャリスト試験 午前Ⅱ 問8）

解説

イーサネットフレームのプリアンブルは，イーサネットフレームが始まる前に送るフィールドです。送信先のNICがフレームと同期をとれるようにフレームの先頭に付けて送るので，アが正解です。イはFCSの説明です。ウはHDLC手順やPPPなどのフラグシーケンス，エはパディングデータの説明です。

≪解答≫ア

■MACアドレス

　MACアドレスは，同じデータリンク内でのノードを識別するために用いられるアドレスです。48ビットの長さで，一般的なNICでは，あらかじめハードウェアに割り当てられています。前半24ビット目までが機器のメーカを示すベンダ識別子で，後半はベンダ内でNICごとに一意に割り当てます。

　すべてのビットが1のアドレスをブロードキャストアドレスと呼び，同じデータリンク内のすべてのNICに向けて送信されます。ブロードキャストアドレスのフレームのことをブロードキャストフレームと呼びます。

■コリジョンドメインとブロードキャストドメイン

　イーサネットなどのネットワークでは，通信媒体を共有していて，CSMA/CD方式などによる衝突（コリジョン）が発生する範囲があります。この範囲をコリジョンドメインと呼びます。コリジョンはスイッチなどのデータリンク層以上で中継する機器を使うと発生しないので，コリジョンドメインはスイッチなどで分けられた範囲となります。

　また，ブロードキャストフレームが到達する範囲をブロードキャストドメインと呼びます。ブロードキャストアドレスはグループアドレスで，同じデータリンク内にある機器にはすべて送られますが，違うデータリンクに中継されることはありません。そのため，ブロードキャストドメインは，ルータなどのネットワーク層以上で中継する機器を使うと分けることができます。

　ブロードキャストアドレスを用いる通信は，DHCPやARPなど数多くあります。ブロードキャストドメインが大きくなりすぎるとパケットが混雑するので，ブロードキャストドメインを適切に分割することが重要です。

用語

ベンダ識別子は，従来はOUI（Organizationally Unique Identifier）と呼ばれていましたが，MA-L（MAC Addresses Large）と改称されました。それに合わせ，より少ない機器に割り当てられるアドレスとして，28ビット目まで割り当てるMA-M（MAC Addresses – Medium）や，36ビット目まで割り当てるMA-S（MAC Addresses –Small）も登場しています。MA-L，MA-M，MA-Sについてはすべて公開されており，IEEEの下記のサイトで検索，またはダウンロードが可能です。
https://regauth.standards.ieee.org/standards-ra-web/pub/view.html#registries
パケットキャプチャしたMACアドレスを見ると，機器のメーカを知ることができます。

過去問題をチェック

ブロードキャストに関する問題は，ネットワークスペシャリスト試験の定番です。午前だけでなく午後でも出題されます。午後では，SDN（Software-Defined Networking）と組み合わせて出題されることもあります。
【ブロードキャスト】
＜午前＞
・平成21年秋 午前Ⅱ 問2
・平成29年秋 午前Ⅱ 問12
・令和3年春 午前Ⅱ 問14
＜午後＞
・平成21年秋 午後Ⅰ 問1 設問3
・平成29年秋 午後Ⅱ 問1 設問2

PoE

イーサネットの配線で利用されるUTPケーブル（カテゴリ5以上）を使って電源を供給する技術を PoE（Power over Ethernet）といいます。無線アクセスポイントやIP電話機，スイッチングハブなどで利用されています。PoEの規格はIEEE 802.3afが最初で，以下のように発展しています。

PoEの規格

規格名	呼称	最大給電能力
IEEE 802.3af	PoE	15.4W
IEEE 802.3at	**PoE+**	30W
IEEE 802.3bt	PoE++	90W

また，PoEとは逆に，電力線を使って通信を行う方法のことを PLC（Power Line Communications：電力線通信）といいます。

過去問題をチェック

PoEについて，ネットワークスペシャリスト試験では以下で穴埋め問題として出題されています。
【PoE】
・平成21年秋 午後I 問1 設問1
・平成24年秋 午後I 問2 設問1
・令和5年春 午後I 問3 設問1

▶▶ 覚えよう！

☐ イーサネットフレームの前には，プリアンブルが送信される

☐ すべてのビットが1のMACアドレスはブロードキャストアドレス

2-1-2 ◯ 無線LAN

　LANには，UTPケーブルや光ファイバケーブルなどで接続する有線LANだけでなく，電波や赤外線，レーザー光線などを利用する無線LANがあります。

　無線LANではネットワークに接続するためのケーブルが不要であるため，機器を自由に配置でき，配線のためのコストを削減することができます。便利で低コストなので様々な場面に普及していますが，電波などは盗聴されやすいため，セキュリティの確保が重要になります。

■ CSMA/CA方式

　無線LANの起源は，ALOHAネットという，1970年にハワイ大学が開発した先駆的なネットワークシステムです。ハワイの島々に点在しているキャンパスを結ぶために，アマチュア無線のように電波を共有して通信を行う仕組みです。

発展

実は，ALOHAネットの方がイーサネットより古く，イーサネットはALOHAネットを参考に考案されています。無線LANの方が有線LANより先に実現されているのです。

無線LANの起源

　送信権はCSMA方式と同じく，早い者勝ちで通信を行います。しかし，無線の場合は，二つの送信局が同時に通信しようとすると混信が発生してデータが破壊されます。そのためALOHAネットでは，混信したときには手動で再送していました。

　この仕組みを改善し，衝突を避ける仕組みを取り入れたのが CSMA/CA（Carrier Sense Multiple Access with Collision Avoidance）方式です。搬送波感知（Carrier Sense）の段階で通信を検知した際，その通信の終了後すぐに送信を試みると衝突が発生しやすくなります。それを避けるため，通信終了後にランダムな長さの待ち時間をとり，しばらく待った後でデータの送信を開始します。この待ち時間を**バックオフ制御時間**といいます。

IEEE 802.11

　無線LANの規格をまとめているのは，主にIEEE 802.11分科会です。IEEE 802.11では基本的にCSMA/CA方式が使われていますが，通信速度などの違いによって多くの規格が取り決められています。代表的な規格は，下表のとおりです。

代表的な無線LANの規格

規格名	最大速度	周波数帯	世代
IEEE 802.11a	54Mbps	5GHz	
IEEE 802.11b	11Mbps	2.4GHz	
IEEE 802.11g	54Mbps	2.4GHz	
IEEE 802.11n	600Mbps	2.4GHz/5GHz	Wi-Fi 4
IEEE 802.11ac	6.9Gbps	5GHz	Wi-Fi 5
IEEE 802.11ax	9.6Gbps	2.4GHz/5GHz	Wi-Fi 6
		2.4GHz/5GHz/6GHz	Wi-Fi 6E
IEEE 802.11be	46Gbps	2.4GHz/5GHz/6GHz	Wi-Fi 7

　無線LANで使用されている代表的な技術には，次のものがあります。

① MIMO と MU-MIMO

　MIMO（Multiple Input Multiple Output）は，IEEE 802.11nで利用されている，送信側と受信側で複数のアンテナを用意して送受信を行うことで，高速化を実現する方式です。

　MU-MIMO（Multi-User MIMO）は，IEEE 802.11acなどで利用されている方式です。特定の端末に向けて電波を送るビームフォーミング技術を利用し，MIMOを発展させた機能となります。電波干渉を避けるため位相をずらして送信することで，複数の端末での同時送受信が可能となります。IEEE 802.11axでは，MU-MIMOが4ストリームから8ストリームに拡張されています。

② OFDM と OFDMA

　OFDM（Orthogonal Frequency Division Multiplexing）は，IEEE 802.11nで利用されているデジタル変調方式の一つです。隣り合う周波数の搬送波同士の位相を互いに直交させることで，周波数分割を行います。

　OFDMA（Orthogonal Frequency Division Multiple Access）は，IEEE 802.11axやIEEE 802.11be，IEEE 802.16e（モバイル

WiMAX）などで利用されている方式です。OFDMの搬送波を分割し，複数ユーザの通信を可能としています。

なお，通信規格ではなく，無線LANのセキュリティの規格にIEEE 802.11iがあります。

■ アドホックモードとインフラストラクチャモード

IEEE 802.11無線LANの動作モードには，**アドホックモード**と**インフラストラクチャモード**という二つのモードがあります。アドホックモードは，端末同士が直接通信をする形態です。これに対してインフラストラクチャモードでは，それぞれの端末が，ネットワークを統括する**アクセスポイント**を経由して通信をします。

■ アクセスポイントと無線LANコントローラ

アクセスポイントには，アクセスポイントを識別するためのIDとして**SSID**（Service Set Identifier）が設定されています。複数の無線LANクライアントで構成されるESS（Extended Service Set）の場合には，複数のアクセスポイントで同じIDを設定することができ，これを区別するためにESS-ID（Extended Service Set Identifier）と呼ぶこともあります。ただし，SSIDはアクセスポイントと1対1で対応するわけではありません。複数のアクセスポイントで同一のSSIDを利用することで，場所を移動しても無線LANを使い続けることができる**ローミング**機能を実現します。また，一つのアクセスポイントに複数のSSIDをもたせ，**VLAN**機能と合わせてVLAN-IDとSSIDを対応させることで，ネットワークを複数に分割することも可能です。さらに近年では，複数のアクセスポイントを1か所で制御するために**無線LANコントローラ**を用いることも多くなってきています。

■ 隠れ端末問題

無線LANでCarrier Sense（搬送波感知）を行うときには，有線と異なり，「アクセスポイントまでの距離は規定の範囲内だが電波が届かない」という状態が起こります。例えば次の図のように，アクセスポイントを挟んで反対側の端末には，送信している電波が届きません。このとき，一方の端末からはもう一方の端末

発展

アクセスポイントには，アクセスを管理するための**PCF**（Point Coordination Function）という仕組みがあるため，インフラストラクチャモードの方が効率的に通信を行うことができます。

関連

VLANについては，「2-2-3 VLAN」で詳しく解説します。

が隠れている状態になることから隠れ端末問題と呼ばれます。

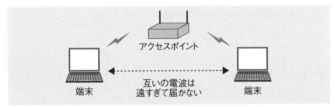

隠れ端末問題

　隠れ端末問題を解決するために使われる方式に，RTS/CTS方式があります。RTS/CTS方式では，データ通信を行う前に端末がまず**RTS**（Request To Send）という制御フレームを送信します。それを受信したアクセスポイントが，全端末に向けて**CTS**（Clear To Send）を送信します。RTSとCTSには送信抑止時間が含まれており，これらの制御フレームを受信した他の端末は，指定された時間，送信を抑止します。

■ 近距離無線通信

　近距離無線通信の仕様は，IEEE 802.11分科会から独立して設置されたIEEE 802.15で標準化されています。近距離無線通信は，スマートフォンやIoTなど，省電力での通信でよく用いられます。
　代表的なプロトコルに，次のものがあります。

① Bluetooth

　IEEE 802.15.1として規格化された，IEEE 802.11b/gなどと同じ2.4GHz帯の電波を使って通信する規格です。スマートフォンやキーボード，ヘッドフォンなどの小型機器で用いられます。一つのマスタと最大七つのスレーブで，最大8台のスター型のネットワークを構成します。

② BLE（Bluetooth Low Energy）

　Bluetooth4.0で策定された規格です。従来のBluetoothとの互換性を維持しながら，低消費電力での動作を可能にします。Bluetoothと同じ2.4GHz帯を利用します。

用語

マスタ／スレーブは通信プロトコルのモデルの一種で，ネットワークでは様々な場面で使われます。一つのハードウェアやプロセスが他のプロセスを一方的に制御する場合に用いられます。このとき，制御する側がマスタ，制御される側がスレーブです。

③ZigBee

IEEE 802.15.4として規格化された，複数のセンサを協調させるセンサネットワークを目的とする通信規格です。消費電力が少なく安価で，最大65,536個の端末間をつなぐことができます。

④Wi-SUN（Wireless Smart Utility Network）

IEEE 802.15.4gをベースに相互接続を行う無線通信規格です。途中の中継器を経由するマルチホップによる接続を使用し，500m 〜 1kmの遠距離での通信が可能です。

それでは，次の問題を考えてみましょう。

> **用語**
>
> **センサネットワーク**とは，複数のセンサ付きの無線端末が互いに協調して環境や物理的状況のデータを採取する無線ネットワークです。具体例としては，電力や温度などのモニタで複数か所を計測して節電する省エネシステムなどに利用されています。

問題

IoT向けの小電力の無線機器で使用される無線通信に関する記述として，適切なものはどれか。

- ア　BLE（Bluetooth Low Energy）は従来のBluetoothとの互換性を維持しながら，低消費電力での動作を可能にするために5GHz帯を使用する拡張がなされている。
- イ　IEEE 802.11acではIoT向けに920MHz帯が割り当てられている。
- ウ　Wi-SUNではマルチホップを使用して500mを超える通信が可能である。
- エ　ZigBeeでは一つの親ノードに対して最大7個の子ノードをスター型に配置したネットワークを使用する。

（令和元年秋 ネットワークスペシャリスト試験 午前Ⅱ 問15）

解説

IoT向けなどの小電力の無線機器で使用される無線通信の規格に，IEEE 802.15があります。IEEE 802.15.4gをベースに相互接続を行う無線通信規格には，Wi-SUN（Wireless Smart Utility Network）があります。途中の中継器を経由するマルチホップによる接続が可能で，500m 〜 1kmの遠距離での通信が可能となりま

す。したがって，ウが正解です。

ア　BLEは2.4GHz帯を利用します。

イ　IEEE 802.11acは，5GHz帯を利用します。

エ　ZigBeeはスター型以外にもメッシュ型，ツリー型など様々な
　　ネットワークトポロジーに対応できます。

《解答》ウ

▶▶▶ 覚 え よ う ！

☐　隠れ端末問題を解決するために制御パケットを送るRTS/CTS方式

☐　近距離無線通信はIEEE 802.15で，Bluetooth，BLE，ZigBee，Wi-SUN

2-1-3 🔵 PPP

PPP(Point-to-Point Protocol)は,ポイントツーポイント(1対1)で通信するためのプロトコルです。PPPはデータリンク層だけのプロトコルであるため,物理層は別に必要になります。逆に,物理層を選ばないので,電話回線や専用線,ISDN,ADSL,FTTHなど様々な媒体を用いて通信を行うことができます。

🔲 LCPとNCP

PPPは,**コネクション型**の通信です。そのため,データ通信を開始するときにPPPでコネクションを確立します。その際,認証や暗号化など,様々な処理を行います。

PPPの機能のうち,上位層に依存するプロトコルが**NCP**(Network Control Protocol),上位層に依存しないプロトコルが**LCP**(Link Control Protocol)です。

NCPでは,上位層(ネットワーク層)に関するやり取りを行います。上位層がIPのときには,**IPCP**(Internet Protocol Control Protocol)を利用します。IPCPでは,**IPアドレスの自動割当て**などを行います。

LCPでは,コネクション確立や切断,ユーザ認証を行います。最初にリンク確立フェーズでリンクを確立し,その後に認証フェーズで認証を行います。認証を行うプロトコルとしては,**PAP**と CHAP の2種類があります。PAP(Password Authentication Protocol)は,ユーザIDとパスワードで認証を行う方式です。CHAPは,次に示す方式を使用して,ネットワーク上を流れるパスワードを毎回変えるプロトコルです。

🔲 CHAP

CHAP(Challenge Handshake Authentication Protocol)は,チャレンジレスポンス方式を用いてユーザ認証を行うプロトコルです。チャレンジレスポンス方式では,サーバが毎回異なるデータを生成し,それを**チャレンジ**としてクライアントに送ります。クライアントでは,送られたチャレンジと,利用者が入力したパスワードを演算して,その結果をレスポンスとします。サーバはクライアントからレスポンスを受け取り,サーバに登録されたパ

 勉強のコツ

PPPは,PC上では「ダイヤルアップネットワーク」と呼ばれる通信方式です。現在ではそれほど使われていませんが,EAP,IEEE 802.1X,PPPoEなど,最近の通信方式の基礎になっているので,ひととおり押さえておきましょう。

発展

IPアドレスの自動割当てを行うのはDHCPだけだと思われがちですが,PPPが行うこともあります。ダイヤルアップ接続時や,ADSLやFTTH接続でのIPアドレス割当ては,PPP(またはPPPoE)が行っています。

スワードを用いて演算を行い，一致すれば認証が成立します。

CHAPは，チャレンジレスポンス方式の演算にハッシュ関数を用います。認証は次図のように行います。

発展

チャレンジレスポンス方式の認証には，ハッシュ関数だけでなく，公開鍵暗号方式や共通鍵暗号方式など，様々な方式を使用することができます。

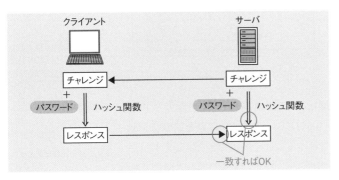

CHAP

それでは，次の問題で確認してみましょう。

問題

PPPのリンク確立後，チャレンジメッセージを繰り返し送ることができ，それに対して相手がハッシュ関数による計算で得た値を返信する。このようにして相手を認証するプロトコルはどれか。

ア　ARP　　イ　CHAP　　ウ　PAP　　エ　PPTP

（平成22年秋 ネットワークスペシャリスト試験 午前Ⅱ 問9）

解説

チャレンジメッセージを送って認証する方式で，ハッシュ関数を用いるプロトコルはCHAPなので，イが正解です。PPPのもう一つの認証プロトコルが，ウのPAPです。

アのARP（Address Resolution Protocol）はIPアドレスからMACアドレスを解決するプロトコル，エのPPTP（Point-to-Point Tunneling Protocol）はVPN接続に用いるプロトコルです。

≪解答≫イ

過去問題をチェック

PPPはネットワークの基本的な仕組みであるため，ネットワークスペシャリスト試験の午前でよく出題されます。この問以外にも以下の出題があります。
【PPP】
・平成25年秋 午前Ⅱ 問11
・平成20年秋 午前 問33
（テクニカルエンジニア（ネットワーク）試験）
【チャレンジレスポンス方式】
・平成21年秋 午前Ⅱ 問18
・平成24年秋 午前Ⅱ 問20

■ PPPのフレームフォーマット

PPPのフレームフォーマットは以下のようになります。

フラグ (1オクテット) 01111110	アドレス (1オクテット) 11111111	制御 (1オクテット) 00000011	タイプ (2オクテット)	データ (0〜1500 オクテット)	FCS (4オクテット)	フラグ (1オクテット) 01111110

PPPフレームフォーマット

この形式は，HDLCと呼ばれる形式と同じです。HDLCやPPPではフレームの区切りを「01111110」とします。これを**フラグシーケンス**と呼び，「1」を六つ並べることで区切りを表現します。そのため，途中のフレーム内部では「1」を六つ並べることは許されず，送信時に「1」が五つ連続した場合には，直後に「0」を挿入します。そして受信時に，「1」が五つ連続した後の「0」を削除して元のデータに戻します。

■ PPPoE

インターネット接続サービスを利用する際は，通信方式にイーサネットが用いられることが多くあります。しかし，イーサネットには認証機能やコネクション確立／切断機能，課金管理の機能がないため，PPPを合わせて利用することで，コネクション管理を実現します。そのためのプロトコルが，**PPPoE**（PPP over Ethernet）です。

PPPoEのフレームフォーマットは以下のようになります。PPPのフレームをイーサネットフレームでカプセル化しているかたちになっています。

イーサネット (14オクテット)	PPPoE ヘッダー (6オクテット)	PPP プロトコル (2オクテット)	データ (38〜1492 オクテット)	FCS (4オクテット)

PPPoEフレームフォーマット

▶▶▶ 覚えよう！

☐ チャレンジレスポンス方式で，毎回異なるデータでユーザ認証を行うCHAP

☐ PPPはコネクション型通信を行い，認証，コネクション管理，課金管理を行う

 用語

HDLC（High Level Data Link Control：ハイレベルデータリンク制御）は，PPPの基となったプロトコルです。HDLCプロトコルは，バイナリデータを送るために最初に開発された通信方式で，PPPの基本はHDLCと同じ形式です。HDLCは，イーサネットなど，現在のほとんどの通信手順の基本でもあります。

 過去問題をチェック

フラグシーケンスの役割についての問題が，HDLC手順として，ネットワークスペシャリスト試験で出題されています。
HDLCでもPPPでも，フラグシーケンスの役割は同じです。
【フラグシーケンスの役割】
・平成27年秋 午前Ⅱ 問6

2-1-4 その他のデータリンク

イーサネットや無線LAN，PPP以外にも様々なデータリンクが存在します。媒体共有型のネットワークでは，CSMA方式以外にも優先権を制御する仕組みがいろいろあります。

FDDI

通信媒体を共有するネットワークでの制御方式に，トークンと呼ばれる送信権をもつパケットを巡回させるトークンパッシング方式があります。トークンパッシング方式では，下図のように輪になったネットワークでトークンを回します。

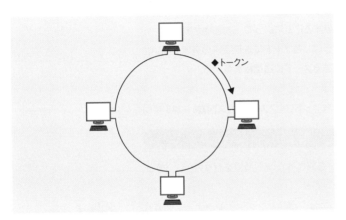

用語

トークンパッシング方式は，トークンアクセス方式とも呼ばれます。また,トークンパッシング方式で最初に実用化されたものは**トークンリング**という,UTPケーブルを用いる方式です。IEEE 802.5で規格化されていますが，現在ではあまり使われていません。

トークンパッシング方式

この方式では，衝突が発生せず，誰にでも平等に送信権が回ってくるので，ネットワークが混雑しても性能があまり低下しません。

また，データを一つずつトークンで送っているとネットワークの性能を十分に生かせないため，他の端末がトークンに付けたフレームを中継しながら，そのフレームの後に自分が送信したいフレームを付加する**アペンドトークン方式**という技法があります。

FDDI（Fiber Distributed Data Interface）は，トークンパッシング方式（アペンドトークン方式）で通信を行うデータリンクです。光ファイバやツイストペアケーブルを用いて，100Mbpsの伝送速度を実現できます。

それでは，次の問題で確認してみましょう。

問題

FDDIにおける送信権制御に関する記述として，適切なものはどれか。

ア　各ノードは，他ノードが伝送媒体に送信した信号の有無を調べ，信号がなければ送信を行う。これによって，送信競合の頻度を低減する。

イ　トークンと呼ばれる特殊な電文をノードからノードへ巡回させ，送信要求のあるノードは，トークンを受信したときに送信権を得る。

ウ　マスタコントローラは，各ノードから送信メッセージを受け取り，あて先に中継することによって，送信競合を防ぐ。

エ　マスタコントローラは，各ノードに送信要求の有無を問い合わせ，送信要求のあるノードに送信権を与える。

（平成22年秋 ネットワークスペシャリスト試験 午前Ⅱ 問6）

解説

FDDIでは，トークンを巡回させながら通信を行うので，イが正解です。

アはCSMA方式，ウ，エは，ポーリング／セレクティング方式に関する説明です。

≪解答≫イ

用語

ポーリング／セレクティング方式は，ホスト（マスタコントローラ）と端末（ノード）との間で通信を行う手順です。ホストが送信の有無を各端末に問い合わせ，端末ごとにデータを送信していきます。

■ATM

ATM（Asynchronous Transfer Mode）は，コネクション型のデータリンクです。データを「ヘッダー5オクテット＋データ48オクテット」の**53オクテットのセル**という単位に分割して，通信を行います。

■IEEE 1394

FireWire，i.Linkとも呼ばれる規格で，AV機器を結ぶLANでのデータリンクです。

■ HDMI（High-Definition Multimedia Interface）

高品質な映像と音声をデジタル伝送するための規格です。バージョン1.4では，イーサネットのフレームを伝送する規格も追加されたことで，HDMIケーブルを使ってTCP/IP通信を行うことが可能になりました。

||▶▶▶ 覚 え よ う！

☐　FDDIでは，トークンと呼ばれる送信権を回す

☐　ATMでは，53オクテットの固定長でデータを伝送

2-1-5 ● 物理層

　物理層では，ケーブルやコネクタの形状や，電気信号の送信方法を定義します。イーサネットや無線LANでは物理層とデータリンク層を両方定義していますが，PPPなど，物理層とデータリンク層を分けているプロトコルもあります。

■ イーサネットの種類

　イーサネットには，通信媒体や通信速度が異なる数多くの仕様があります。10BASEの「10」は10Mbpsの伝送速度を示します。同様に，100BASEは100Mbps，1000BASEは1000Mbps＝1Gbps，10GBASEは10Gbpsを示します。

　通信速度が同じで通信媒体が異なる場合は，リピータやハブなどで通信媒体を変換し，接続することができます。主な通信媒体にはツイストペアケーブルや光ファイバケーブルがありますが，電力線を用いて通信するPLC（Power Line Communication：電力線通信）など，他の用途のケーブルを利用する場合もあります。

　代表的なイーサネットの種類は，以下のとおりです。

主なイーサネット

イーサネットの種類	ケーブルの種類	ケーブルの最大長
10BASE2	同軸ケーブル	185m
10BASE5	同軸ケーブル	500m
10BASE-T	ツイストペアケーブル（**UTP**カテゴリ3）	100m
10BASE-F	光ファイバケーブル（**MMF**）	1000m
100BASE-TX	ツイストペアケーブル（UTPカテゴリ5／**STP**）	100m
1000BASE-SX	光ファイバケーブル（MMF）	220m／550m
1000BASE-LX	光ファイバケーブル（MMF／**SMF**）	550m／5000m
1000BASE-T	ツイストペアケーブル（UTPカテゴリ5e推奨）	100m
10GBASE-SR	光ファイバケーブル（MMF）	26m～300m
10GBASE-ZR	光ファイバケーブル（SMF）	80km
10GBASE-T	ツイストペアケーブル（UTP／**FTP**カテゴリ6a）	100m

　それでは，次の問題を解いてみましょう。

用語

UTP（Unshielded Twisted Pair cable）は，シールドなしのツイストペア（より対線）ケーブルです。家庭などでよく見かけるイーサネットケーブルはたいていUTPです。

STP（Shielded Twisted Pair cable）は，シールドされたツイストペアケーブルです。

FTP（Foil Twisted-Pair）は，ホイルツイストペアケーブルです。

MMF（Multi Mode Fiber）はマルチモード光ファイバ，SMF（Single Mode Fiber）はシングルモード光ファイバです。シングルモード光ファイバの方が単一の光を伝送するため，伝送速度が速く，伝送距離も長くなります。

問題

長距離の光通信で用いられるマルチモードとシングルモードの光ファイバの伝送特性に関する記述のうち，適切なものはどれか。

ア　シングルモードの方が伝送速度は速く，伝送距離も長い。
イ　シングルモードの方が伝送速度は速いが，伝送距離は短い。
ウ　マルチモードの方が伝送速度は速く，伝送距離も長い。
エ　マルチモードの方が伝送速度は速いが，伝送距離は短い。

（令和4年春 ネットワークスペシャリスト試験 午前Ⅱ 問2）

解説

光通信で用いられるシングルモードとは，光の伝送経路が一つの光ファイバです。光が光ファイバの中心部を通り，異なる光の干渉を受けないため，高速で長距離の伝送を行うことができます。それに対し，マルチモードは光の伝送経路が複数ある光ファイバです。多種類のデータを伝送できますが，干渉や波形の崩れが大きいため，低速で長距離の伝送には向きません。したがって，アが正解です。

≪解答≫ア

過去問題をチェック

物理層のプロトコルについては，ネットワークスペシャリスト試験の午前Ⅱでよく出題されます。
【LANケーブル】
・平成23年秋 午前Ⅱ 問1
・平成25年秋 午前Ⅱ 問1
【PLC】
・平成26年秋 午前Ⅱ 問2
【光ファイバ】
・令和4年春 午前Ⅱ 問2

2

▶▶▶ 覚えよう！

□　UTPケーブルでは，2本の導線が4対収められている

2-2 LAN間接続

　LAN間接続装置のうちデータリンク層以下で動作する装置には，リピータハブやスイッチングハブがあります。リピータハブは電気信号を整形・増幅して中継するだけですが，スイッチングハブは様々な機能を備えています。

2-2-1 ● スイッチングハブ

　スイッチングハブは，イーサネットスイッチまたは単にスイッチと呼ばれる装置で，MACアドレスを基にフレームの中継を制御します。

■ スイッチとは

　媒体非共有型のネットワークで通信パケットを転送する装置をスイッチといいます。イーサネットだけでなくATMでも採用されている方式です。

　それぞれのポート（ネットワークインタフェース）が媒体を専有しているので，ホストは送信したいときにフレームをスイッチに送ります。スイッチはフレームの宛先情報を調べて，宛先のノードが接続されているポートにだけフレームを転送します。

■ MACアドレスの学習とフィルタリング

　スイッチングハブの内部には，MACアドレステーブル（フォワーディングテーブル）と呼ばれるテーブルがあります。

　MACアドレステーブルはメモリ上にあるので，電源を入れた当初は何も掲載されていません。そこでスイッチングハブでは，MACアドレスを学習し，MACアドレステーブルにエントリ（掲載）します。そのMACアドレステーブルを参照し，必要なポートのみにフレームを転送（スイッチング）することで，不要な通信をフィルタリングすることができます。

　スイッチングハブでのMACアドレスの学習とフィルタリングの流れは，次のようになります。

✎ 勉強のコツ

スイッチングハブは，ネットワークスペシャリスト試験で特に多く扱われる分野です。信頼性を確保するためのスパニングツリープロトコル，セキュリティを確保するためのVLANなどが出題の中心になります。

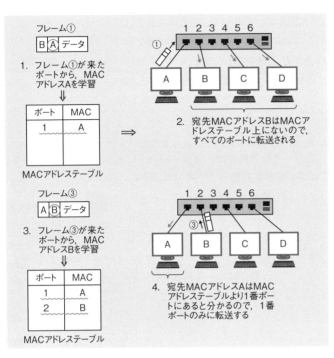

MACアドレスの学習とフィルタリング

過去問題をチェック

MACアドレスの学習について，ネットワークスペシャリスト試験では，その仕組みを理解している前提で深く考えさせる問題が午後で出題されます。

【MACアドレスの学習】
・平成21年秋 午後Ⅰ 問1 設問2
（MACアドレスがどのポートに学習されるかを問う問題）
・平成26年秋 午後Ⅱ 問2 設問3
（MACアドレステーブルの学習が引き起こす不具合について原因を問う問題）
・平成17年秋 午後Ⅰ 問4
（テクニカルエンジニア（ネットワーク）試験）
（送信元MACアドレスと宛先MACアドレスがどの機器のものになるかを考える問題）
・令和3年春 午後Ⅰ 問1 設問1
（MACアドレステーブルに何も学習されていない場合の転送経路）

　MACアドレスが学習されていないとき（上図の2の状態），スイッチングハブはすべてのポートにフレームを転送します。この転送のことを，フラッディングといいます。

　MACアドレスは，接続されている機器の数だけ学習する必要があります。スイッチングハブに多くの機器を接続すると，学習するMACアドレスの数もそれだけ多くなります。スイッチングハブに必須の二つの機能が，このアドレス学習機能とフィルタリング機能です。

■ スイッチの転送方式

　スイッチの転送方式には，ストア＆フォワード方式とカットスルー方式の二つがあります。

　ストア＆フォワード方式は，いったんフレームをすべて受け取り，FCSをチェックしてエラーがないか確認した後に転送する方式です。エラーフレームを転送しないので信頼性は向上しますが，通信速度は遅くなります。

これに対し，カットスルー方式は，宛先MACアドレスを受け取った段階で転送先を決め，最後までフレームを受け取らないうちに転送を開始します。通信遅延は少なくなりますが，エラーフレームも転送してしまうことがあり，信頼性は低下します。

■ ポートミラーリング

スイッチングハブでは，必要なポートのみにデータを転送します。しかし，障害時やネットワーク管理時には，特定のポートに流れているデータを監視する必要がある場合があります。そのようなときには，未使用のポートを，監視するポートのミラーポートとして設定します。ミラーポートとは，監視するポートに流れるデータをコピーして送信するポートのことで，これを実現する機能をポートミラーリングといいます。

全二重のポートをミラーリングする場合には，送信と受信の両方の通信がコピーされるため，すべてのフレームを受信できない場合があります。

■ オートネゴシエーション（自動ネゴシエーション）

スイッチングハブ同士を接続する場合や，スイッチングハブとサーバを接続する場合などには，互いに通信速度や通信方式を合わせておく必要があります。具体的には，**通信速度**は10Mbps，100Mbps，1Gbpsなどのうちどれにするか，通信方式は**全二重通信**か**半二重通信**のどちらにするか選択しておきます。

このとき，通信速度や全二重／半二重の選択を固定で行うのが固定モードです。固定モードの場合は，通信速度と全二重／半二重の設定を互いに揃える必要があります。

そして，この選択を自動で行う機能をオートネゴシエーション（または自動ネゴシエーション）といいます。二つの機器がいずれもオートネゴシエーションを行う場合は，両者間で調整し，最適な通信方式を選択します。

しかし，一方をオートネゴシエーション，もう一方を固定モードにしておくと，**調整がうまくいかず，不具合が発生する**ことがあります。これは，オートネゴシエーションでは，相手とのやり取りができないと半二重で通信するよう設定されるからです。

過去問題をチェック

ミラーポートについては，ネットワークスペシャリスト試験の午後で穴埋め問題として出題されています。ネットワークアナライザを使う必要がある場面でよく問われる機能です。
【ミラーポート】
・平成21年秋 午後I 問1 設問1
・平成25年秋 午後I 問2 設問1
・令和4年春 午後I 問1 設問3

過去問題をチェック

オートネゴシエーションと固定モードでの通信が失敗する事例は，以下の問で題材となっています。
【オートネゴシエーションと固定モードの通信】
・平成20年秋 午後I 問4 設問3（テクニカルエンジニア（ネットワーク）試験

オートネゴシエーションでの不具合は実務でよく起こることなので，実務経験を問う問題として出題されることがあります。

◾ Automatic（Auto）MDI/MDI-X

　UTPケーブルを利用するイーサネットのポートには，**MDI**（Medium Dependent Interface）ポートと，その信号を受信する**MDI-X**（MDI Crossover）ポートの2種類があります。通常，MDIとMDI-Xの接続には一般的なケーブル（ストレートケーブル），MDI同士やMDI-X同士の接続にはクロスケーブルを用いないと通信できません。

　近年のスイッチングハブなどでは，相手のポートタイプを判別して自分のポートタイプを自動的に変えて接続するAutomatic（Auto）MDI/MDI-X機能を備えたものが増えており，人間が判別する必要はなくなってきています。

◾ リンクアグリゲーション

　リンクアグリゲーション（LAG：Link Aggregation）は，スイッチングハブとホスト間，またはスイッチングハブ間などを複数の回線で接続し，それらを**論理的に一つに束ねる技術**です。**信頼性と性能**の両方の向上が期待できます。

　例えば，スイッチングハブ間を100MbpsのUTPケーブル2本で接続し，リンクアグリゲーションを使用すると，通信速度は200Mbpsになります。また，1本に障害が発生しても，残りのケーブルで通信を継続することが可能です。

　リンクアグリゲーションを設定する方法には，静的な設定のほかに，スイッチ間でネゴシエーションを行って動的に設定するLACP（Link Aggregation Control Protocol）があります。LACPはIEEE 802.3adで標準化されており，一部が切れた回線を自動で閉塞させるなど，ネットワークの状況に合わせた対応が可能となります。

　それでは，次の問題で確認してみましょう。

過去問題をチェック

Automatic（Auto）MDI/MDI-Xについては，ネットワークスペシャリスト試験の午前Ⅱの選択問題や午後での穴埋め問題として出題されています。
【Automatic（Auto）MDI/MDI-X】
・平成21年秋 午後Ⅰ 問1 設問1
・平成28年秋 午前Ⅱ 問1
・令和3年春 午前Ⅱ 問1

過去問題をチェック

リンクアグリゲーションに関する問題はネットワークスペシャリスト試験の午前の定番ですが，午後でもよく出題されます。
【リンクアグリゲーション】
・平成22年秋 午後Ⅱ 問2 設問2 (5)
（リンクアグリゲーションを設定することが解答となる問題）
・平成20年秋 午後Ⅰ 問4 設問4（テクニカルエンジニア（ネットワーク）試験）
（リンクアグリゲーションの導入によって期待される改善点について）
・令和元年秋 午後Ⅰ 問1 設問1
（静的LAGとLACP）
・令和3年春 午後Ⅱ 問1 設問4
（リンクアグリゲーションとスイッチのスタック機能の組合せ）
・令和5年春 午後1 問3 設問3
（リンクアグリゲーションでボトルネックが解消する理由）

問題

コンピュータとスイッチングハブ（レイヤ2スイッチ）の間，又は2台のスイッチングハブの間を接続する複数の物理回線を論理的に1本の回線に束ねる技術はどれか。

ア　スパニングツリー　　　　イ　ブリッジ
ウ　マルチホーミング　　　　エ　リンクアグリゲーション

（平成25年秋 ネットワークスペシャリスト試験 午前Ⅱ 問5）

解説

コンピュータとスイッチングハブの間や2台のスイッチングハブの間で，複数の物理回線を論理的に1本の回線に束ねる技術はリンクアグリゲーションです。したがって，エが正解です。

アのスパニングツリーについては次節で取り上げますが，物理的にループ状に接続した回線を論理的に切り離す技術です。イのブリッジは，データリンク層で中継を行うLAN間接続装置です。ウのマルチホーミングは，同一の宛先に対するパケットを複数の経路に分散させることができる機能です。

《解答》エ

■ LLDP

LLDP（Link Layer Discovery Protocol）は，スイッチングハブなどのレイヤ2機器の情報を自動的にアドバタイズ（広告）するプロトコルです。隣接する様々なベンダの機器に対して，各ポートのインタフェース情報などの自身の機器情報を送信します。これにより，ポートVLANの情報や，IP電話などの接続情報を取得でき，自動でネットワーク構成情報を把握することが可能になります。

過去問題をチェック
LLDPについては，午後問題で出題されています。
【LLDP】
・令和3年春 午後Ⅰ 問1 設問3

▶▶▶ 覚えよう！

☐　スイッチングハブは，送信元MACアドレスを学習し，MACアドレステーブルに記入
☐　リンクアグリゲーションは，論理的に束ねて信頼性と性能を向上させる

スイッチングハブは壊れやすい

　LANを中継する装置のうちリピータやリピータハブは物理層で電気信号を中継するだけなので，構造が単純であり，簡単には壊れません。しかし，スイッチングハブは，アドレス学習機能やフィルタリング機能をもち，スイッチの切替えを行います。演算を行うためのCPUや，アドレスを記憶するためのメモリは，リピータハブには不要ですが，スイッチングハブには必要です。

　そのため，スイッチングハブは，リピータハブに比べてはるかに故障しやすくなります。全体的に壊れるだけでなく，ポートごとに故障することもあります。

　スイッチングハブが故障すると，接続しているネットワーク全体に大きな影響が及びます。そのため，スイッチングハブには，スパニングツリーなど，冗長化を実現する仕組みが必要になります。

 関連

スイッチングハブの故障に対処するには，原始的な方法として「予備のスイッチングハブを用意しておく」という手段もあります。システムの停止時間がどの程度許容されるかによって，対処法を選択することになります。

2

2-2-2 ● スパニングツリー

　　ブリッジやスイッチングハブでネットワークを構成するとき
にループができると，通信に問題が生じます。スイッチは宛先
MACアドレスでフィルタリングを行うので，ブロードキャスト
フレームなど全員向けのパケットを，すべてのポートにコピー
して転送します。ループがあると永遠に転送され続けるので，
フレームが増え続けてしまいます。この状態をブロードキャス
トストームといい，フレームがネットワークを埋め尽くしてメ
ルトダウンに至ります。それを防ぐための仕組みが，スパニン
グツリーです。

■ スパニングツリーの構成

　　スパニングツリーとは，**ループをもたない，木構造**のネットワー
クのことです。スパニングツリーを構成するための方法が，スパ
ニングツリープロトコル（Spanning Tree Protocol：**STP**）です。
スパニングツリープロトコルは，**IEEE 802.1D**で定義されています。
　　スパニングツリープロトコルでは，各ブリッジは，1 〜 10秒の
間で設定した間隔で，BPDU（Bridge Protocol Data Unit）と呼
ばれるパケットを送信します。BPDUに含まれている情報には，
ブリッジIDとパスコストがあります。
　　例として，次のようなネットワークを考えます。

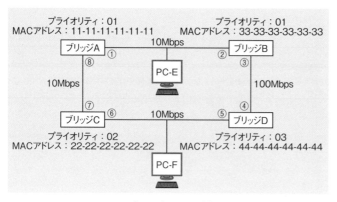

スパニングツリーの例1

用語

メルトダウンとは，不要な
パケットがネットワークを埋
め尽くし，正常な通信が不
可能になる状態のことです。
ループが構成された当初は
問題なく通信できますが，
次第に通信エラーが多くな
り，最後にメルトダウンしま
す。回復させるには，電源
を落とすか，ネットワークを
切り離す必要があります。

過去問題をチェック

BPDUについて，ネットワー
クスペシャリスト試験では，
用語を問う穴埋め問題とし
て出題されています。
【BPDU】
・平成21年秋 午後I 問1
　設問1

これらの情報を基に，スパニングツリーを構成していきます。

　最初に決めるのは，木（ツリー）の根となる**ルートブリッジ**です。ルートブリッジには，**ブリッジID**が最も小さいブリッジが選択されます。ブリッジID（8バイト）は，「**ブリッジプライオリティ（2バイト）＋MACアドレス（6バイト）**」で構成されています。したがって，ルートブリッジには，ブリッジプライオリティが最も小さい（優先度が高い）もののうち，MACアドレスの値が最も小さいものが選ばれます。前掲の図では，ブリッジID＝ブリッジプライオリティ＋MACアドレスが最も小さいものは，ブリッジAになります。

　次に，各ブリッジから**ルートブリッジに最も近いポート**である**ルートポート**を選択します。このとき，近いかどうかを判定するために，ルートブリッジからの仮想的な距離である**パスコスト**を計算します。パスコストは一般に，ブリッジ内で回線の速度ごとに決められています。例えば，10Mbpsの場合は100，100Mbpsの場合は19といったかたちです。複数の回線を通る場合は，パスコストはそれらの合計になります。

　この値を基に，前掲の図からパスコストを計算すると，ブリッジBのルートポートはパスコスト100の②，ブリッジCのルートポートはパスコスト100の⑦，そしてブリッジDのルートポートはパスコスト100＋19＝119の④になります。

　続いて，各セグメント（ブリッジAとBの間など）において，最もルートブリッジに近いポートである**代表ポート**（指定ポート）を選択します。先ほどの図での指定ポートは，ブリッジA－B間では①，ブリッジB－D間では③，ブリッジC－D間では⑥，ブリッジA－C間では⑧になります。

　そして，ルートポートにも指定ポートにもならなかったポートが，**ブロッキングポート**（非指定ポート）となります。先ほどの図では，⑤がブロッキングポートです。

　上記をまとめると，次の図のようになります。PC-EからPC-Fへの通信は，⑤がブロッキングポートになりブリッジDを経由できないので，ブリッジA－Cの経路が選ばれます。

発展

パスコストの初期値としては，リンク速度ごとに推奨値が決められています。コストが16ビットの場合，10Mbpsのときは100，100Mbpsのときは19，1Gbpsのときは4，10Gbpsのときは2が初期値になります。

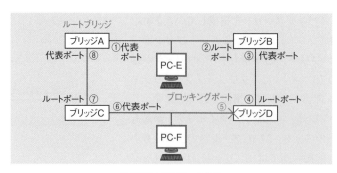

スパニングツリーの例2

それでは，次の問題を解いてみましょう。

問題

5個のノードA～Eから構成される図のネットワークにおいて，Aをルートノードとするスパニングツリーを構築した。このとき，スパニングツリー上で隣接するノードはどれか。ここで，図中の数値は対応する区間のコストを表すものとする。

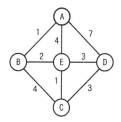

ア　AとE　　　　　イ　BとC
ウ　CとD　　　　　エ　DとE

（令和6年春 ネットワークスペシャリスト試験 午前Ⅱ 問5）

解説

スパニングツリーとは，ループをもたない，木構造のネットワークのことです。スパニングツリーを構成するための方法が，スパニングツリープロトコル（Spanning Tree Protocol：STP）です。スパニングツリーの構築では，ルートノードからスパニングツリー

過去問題をチェック

スパニングツリープロトコルの計算問題はネットワークスペシャリスト試験の午前の定番ですが，午後でもスパニングツリープロトコルについて出題されます。
【スパニングツリープロトコル】
・平成21年秋 午後Ⅱ 問2
設問4
（スパニングツリーにおいてそれぞれのポート（ルートポート，代表ポート，ブロッキングポート）がどのような状態になるかについて問う問題）
・平成24年秋 午後Ⅱ 問2
設問4
（スパニングツリープロトコルを前提に，不具合が起こる原因を問う問題）
・平成25年秋 午後Ⅱ 問1
設問2
（STPのパスコスト値を計算させ，経路を考えさせる問題）
・平成30年秋 午後Ⅰ 問2
設問3
（STPで障害が起こったときの具体的な状況を考えさせる問題）
・令和3年春 午後Ⅱ 問1
設問2
（STPのポート遷移とブリッジIDの優先度について考える問題）
・令和5年春 午後Ⅰ 問3
設問3
（スパニングツリーをリンクアグリゲーションにすると解決する問題）

プロトコルに従って，論理的に接続を切り離すブロッキングポート（非指定ポート）を決めていきます。

　図のネットワークでは，Aをルートノードとしています。ルートノードAからB～Eそれぞれのノードの中で最もルートノードに近いポートをルートポートとします。それぞれのルータごとにルートポートを選択すると，次のようになります。

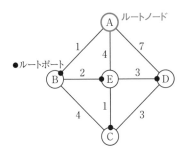

　Eのノードでは，A－Eの直接の経路でのコスト4より，A－B－Eと経由したときのコスト1＋2＝3の方が小さいので，ルートポートは左側のポートとなります。Cのノードでは，A－B－E－Cと経由するときの1＋2＋1＝4が最小のコストなので，まん中のポートがルートポートとなります。Dのポートでは，A－B－E－Dと経由するときの1＋2＋3＝6が最小のコストなので，左側のポートがルートポートとなります。

　続いて，各セグメント（AとBの間など）において，最もルートノードに近いポートである代表ポート（指定ポート）を決めます。各セグメントで代表ポートを決めると，次のようになります。

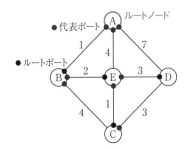

　A－B，A－E，A－Dのセグメントでは，Aの側のポートが代表ポートです。B－E，B－Cでは，Bの方がルートノードに近いので，Bの側のポートが代表ポートになります。E－C，E－Dでは，

Eの方がルートノードに近いので，Eの側のポートが代表ポートになります。C－Dでは，Cまでのコストが4，Dまでのコストが6なので，より小さいCの側のポートが代表ポートになります。

　残ったポートがブロッキングポート（非指定ポート）です。スパニングツリーでは，ブロッキングポートは論理的に切断されます。ブロッキングポートを指定すると，次のようになります。

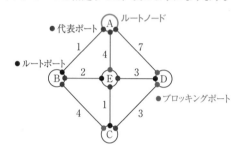

　選択肢のうち，ブロッキングポートが存在しないセグメントは，DとEの間だけとなります。したがって，エが正解です。

ア　Eの側のポートがブロッキングポートとなります。

イ　Cの側のポートがブロッキングポートとなります。

ウ　Dの側のポートがブロッキングポートとなります。

《解答》エ

■スパニングツリーでの経路変化

　スパニングツリープロトコルでは，BPDUを定期的に受信することによって障害を検知します。BPDUを最後に受信してから，設定した時間（エージングタイム）経過すると障害が発生したとみなし，再度スパニングツリーの計算を行います。

　そのため，IEEE 802.1Dのスパニングツリープロトコルでは，障害時の通信経路の切り替わりに数十秒程度の時間がかかるという問題があります。

 発展

BPDUを最後に受信してから障害発生とみなすまでの時間をエージングタイムといいます。6～40秒の任意の時間を設定でき，初期値は20秒です。

■スパニングツリーの改善

　スパニングツリープロトコルの従来の規格であるIEEE 802.1Dでは，経路が確定するまでの待ち時間が長いことや，VLANを構成する環境ではうまく対応ができないなどの問題があります。

🔗 関連

VLAN（Virtual LAN）については，次項「2-2-3　VLAN」で詳しく学習します。

そのため，発展形としての規格がいくつかあります。

① RSTP

スパニングツリープロトコル（STP）での通信の切り替わり時間を短くするために考えられたプロトコルが，RSTP（Rapid Spanning Tree Protocol）です。RSTPは，IEEE 802.1D-2004で定義されています。

RSTPでは，STPのブロッキングポートを**代替ポート**と**バックアップポート**の二つの役割に分けます。代替ポートは，通常はブロッキングポートと同じく接続されていない状態ですが，ルートポートのダウンを検知したときに，すぐにその役割を引き継いてルートポートとなります。バックアップポートも通常時は接続されてない状態ですが，代表ポート（指定ポート）のダウンを検知したときに，すぐに代表ポートを引き継ぎます。

RSTPでは，障害時の切り替わりにかかる時間は1〜3秒程度と，かなり短縮されます。

② MSTP

従来のスパニングツリーでは，VLAN対応ができませんでした。この問題を解決するために，複数のVLANごとにスパニングツリーを構成するプロトコルとして考えられたのが，MSTP（Multiple Spanning Tree Protocol）です。MSTPでは，複数のVLANをまとめた**インスタンス**という単位で，スパニングツリーを管理します。MSTPを用いることで，VLANごとにブロッキングポートを設定することが可能となり，通信に柔軟に対応できるようになります。IEEE 802.1sとして定義されていましたが，現在はIEEE 802.1Qに統合されています。

過去問題をチェック

RSTP，MSTPについては，ネットワークスペシャリスト試験で以下の出題があります。
[RSTP]
・令和3年春 午後Ⅱ 問1
　（RSTPを用いる方式）
[MSTP]
・平成24年秋 午後Ⅱ 問2
　（スパニングツリープロトコルの不具合の改善策）
・令和5年春 午前Ⅱ 問10
　（複数のVLANでスパニングツリーを実現）

■ スパニングツリー以外の冗長化技術

スパニングツリーでは，平常時に使える経路が一つだけとなり，複数の経路への負荷分散を行うことができません。回線を有効利用するため，スパニングツリーと同様に冗長化しつつ負荷分散も合わせて行うプロトコルに，次のものがあります。

① TRILL

TRILL（TRansparent Interconnection of Lots of Links）は，最短経路が複数あるときに負荷分散を行うことができるプロトコルです。仮想化技術であるFCoE（Fibre Channel over Ethernet）と相性が良いため，仮想化の環境でよく用いられています。複数の経路に負荷分散を行うため，冗長化と高速化の両方を実現できるようになります。

② スタック

スイッチのスタック機能を用いることで，ループを発生させないネットワークを構築します。複数台のスイッチをスタック用ケーブルで接続し，**1台の論理スイッチとして動作**させることができます。スイッチ間の複数の接続ケーブルをリンクアグリゲーションを用いて論理的に1本にすることや，複数のNICを**チーミング**を用いて一つの論理的なNICにすることで，ループを発生させないようにすることが可能です。

 関連

TRILLについては，「9-1-2 仮想ネットワーク」で，FCoEについては「9-1-3 ストレージ」で再度取り上げます。応用技術なので，基本をひととおり理解してから学習していきましょう。

過去問題をチェック

TRILL，スタックについては，ネットワークスペシャリスト試験で以下の出題があります。
【TRILL】
・平成25年秋 午後Ⅱ 問2
（ネットワーク仮想化技術の調査）
【スタック】
・令和3年春 午後Ⅱ 問1
（スイッチのスタック機能を用いる方式）

▶▶ 覚えよう！

- ☐ ブリッジID（プライオリティ＋MACアドレス）が最小のものがルートブリッジ
- ☐ スパニングツリーを改良したRSTP，MSTP

2-2-3 VLAN

　組織変更があったり社員の配置が変わったりする際には，ネットワーク構成も変更する必要があります。しかし，その都度，配線を物理的に変更するのはとても面倒です。そのような場面で活用できる，配線を変えずにネットワーク構成を変更するための技術がVLANです。

■ VLANとは

　VLAN（Virtual LAN）は，LANにおいて，物理的な接続形態から独立させて，仮想的なネットワークを構築する技術です。同じスイッチングハブに接続している機器を論理的に別のネットワークにすることで，**ブロードキャストドメインを分割**することができます。VLANの代表的な実現方法としては，**ポートベースVLAN**と**タグVLAN**の2種類があります。

■ ポートベースVLAN（ポートVLAN）

　ポートベースVLANは，スイッチの**ポート**ごとに，VLANの識別番号である**VLAN ID**（VID）を設定し，所属するVLANを決定する方式です。ポート1, 2, 3はVLAN-1，ポート4, 5, 6はVLAN-2といったかたちでVLANを分けることで，一つのスイッチでブロードキャストドメインを分割できます。

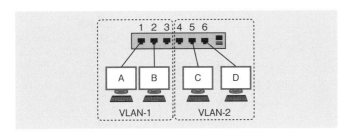

ポートベースVLANの例

■ タグVLAN

　ポートベースVLANを拡張し，異なるスイッチ間でもVLANを構築できるようにするためのものが**タグVLAN**です。タグVLANは**IEEE 802.1Q**で標準化されており，イーサネットフレー

発展

物理的な配置と論理的な配置を分けて自由に変更できるようにするのが仮想化技術です。VLANは，昔からある仮想化技術のはしりといっていい技術です。

ムの送信元MACアドレスの後にタグ情報を付加することで**12
ビットのVLAN ID（VID）**を設定します。スイッチ間でフレーム
を転送するときには，イーサネットヘッダーにVLANタグを挿入
し，その値を基に，どのVLANに転送するかを決定します。

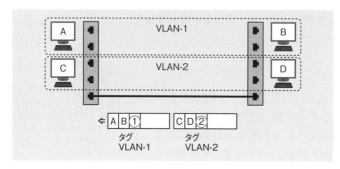

タグVLANの例

▐ レイヤ3スイッチ

　VLANを分けることによって，ネットワークの負荷を軽減させ
たり，セキュリティを向上させたりすることができます。しかし，
異なるVLAN間では直接の通信ができなくなります。VLAN間
で通信するためには，二つのVLANをルータで接続するか，ルー
タ機能を備えたスイッチである**レイヤ3スイッチ（L3スイッチ）**
を利用する必要があります。

▐ VLANの利用例

　VLANは，様々な技術の基礎になっています。ウイルス対策
のため，ウイルス感染のおそれがあるPCを隔離する**検疫ネット
ワーク**では，VLAN技術を用いて隔離を行います。また，**広域イー
サネット**で会社ごとにネットワークを分けるときの技術もVLAN
です。

過去問題をチェック

VLANについては，ネットワークスペシャリスト試験の午後問題で数多く出題されています。近年では，SDN（Software-Defined Networking）などと合わせて出題されることが増えてきています。
【VLAN】
・平成24年秋 午後Ⅱ 問1，問2
・平成25年秋 午後Ⅰ 問3
・平成26年秋 午後Ⅰ 問2
・平成29年秋 午後Ⅱ 問1，問2
・平成30年秋 午後Ⅰ 問2，午後Ⅱ 問2
・令和元年秋 午後Ⅰ 問3
・令和3年春 午後Ⅰ 問3，午後Ⅱ 問1
・令和6年春 午後Ⅱ 問1

発展

広域イーサネットでは，**タグVLAN**を用いることで，同じ通信サービス網内で会社ごとにネットワークを分けることが可能です。また，タグVLANを多重に定義し，社内でVLANを分けることも可能です。

▶▶ 覚えよう！

☐　VLANには**ポートベースVLAN**と**タグVLAN**がある

☐　VLAN間の接続には，レイヤ3相当の機器（ルータやL3スイッチ）が必要

2-3 通信サービス

通信サービスとは，通信事業者が提供するサービスです。公衆アクセス網，公衆通信サービスとも呼ばれ，WANに分類されます。通信サービスには，物理層からネットワーク層まで様々な階層のものがありますが，データリンク層が中心なので，本章でまとめて解説します。

2-3-1 通信サービスの種類

電気通信事業者が行う通信サービスは，大きく分けて，回線を単独利用する専用回線と，回線を複数で共有する交換回線の2種類があります。さらに，交換回線には，回線の切替えを行い，1対1での通信を実現する回線交換と，パケットを通信経路に流すことで複数人で回線を共有する蓄積交換があります。

蓄積交換の回線とアクセス回線

蓄積交換の場合，通信事業者が用意した回線が全国に張り巡らされています。しかし，その回線は，特定の場所に設置されているアクセスポイントまで行かないと利用できません。そのため，会社のLANをその回線に接続するためには，アクセスポイントまで別の回線を利用する必要があります。

そのときに利用する回線をアクセス回線といいます。例えば，A地点とB地点のLANを，蓄積交換の回線を用いて接続する場合は，次図のように利用します。

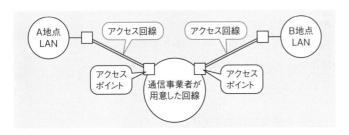

蓄積交換の回線の利用方法

> **勉強のコツ**
>
> ネットワークスペシャリスト試験の問題では，通信サービスは構築するものではなく「利用する」という立場をとっています。そこで，通信サービスについては，「どのようなサービスがあるか」と「そのサービスの特徴」を押さえておき，必要に応じて適切なサービスを選べるようにすることが重要です。

■ 通信サービス

通信サービスを分類すると次のようになります。

通信サービスの種類

通信サービス		回線の種類
専用回線		高速デジタル専用線
		ATM専用線
交換回線	回線交換	公衆電話網（アナログ電話回線）
		ISDN
		移動体通信サービス
	蓄積交換	フレームリレー
		ATM
		IP-VPN
		広域イーサネット
		インターネット接続サービス
アクセス回線		専用線
		ADSL
		FTTH

発展

インターネットは，蓄積交換の回線の一種です。ただし，通信事業者1社のみでなく，世界中で接続されたインターネット網という回線に接続するサービスです。

それぞれの回線の概要は，以下のとおりです。

①専用回線（専用線）

接続形態が必ず1対1の専用のネットワークです。高いセキュリティや接続の安定性を確保したい場合に利用します。デジタル回線での接続線のほか，ATMを利用した専用線サービスも存在します。

②電話回線

電話回線は回線交換のネットワークです。通常の固定のアナログ電話回線（公衆電話網）のほかに，デジタルな電話サービスである**ISDN**（Integrated Services Digital Network）があります。携帯電話，PHSなどの移動体通信サービスも含まれます。

③フレームリレー

パケット交換サービス（X.25）を**簡素**にして**高速化**したネットワークです。以前は64kbps ～ 1.5Mbps程度の通信速度のサービスが提供されていました。現在では広域イーサネットやIP-VPNへの移行が進み，利用者は減少しています。

④ATM（Asynchronous Transfer Mode）

パケットを**53バイト**の固定長のセルに分割し，通信する仕組みです。複数の通信機器を束ねて一つの回線で接続するTDM（Time Division Multiplexer：時分割多重化装置）という機器を利用して，通信回線の利用効率を向上させています。バックボーンネットワークで使われており，物理層にはTDM方式の**SONET/SDH**を利用することが多いです。

⑤IP-VPN

通信事業者が提供する専用の**IPネットワーク**で**VPN**（Virtual Private Network）を構築します。パケットの前にラベルを付けて通信を識別する**MPLS**（Multi-Protocol Label Switching）という技術を使います。

⑥広域イーサネット

通信事業者が提供する専用のイーサネット接続サービスです。**VLAN**を用い，他の顧客との通信を分離します。

⑦FTTH（Fiber To The Home）

高速の光ファイバを建物内に直接引き込みます。回線の終端には**ONU**（Optical Network Unit）を用いて，光と電気信号を変換します。

⑧ADSL（Asymmetric Digital Subscriber Line）

既存のアナログ回線を拡張利用し，高速なデータ通信を行います。**スプリッタ**で音声とデータを混合，分離します。

発展

SONET/SDH (Synchronous Optical Network / Synchronous Digital Hierarchy) は，光ファイバを用いた高速デジタル通信方式の国際規格です。SONETという呼び方は北米で，SDHはヨーロッパで主に用いられるため，混乱を避けるため，SONET/SDHと表記するのが一般的です。

■ 通信のバースト性

　ネットワークのトラフィックは，一定速度でずっと続いているわけではなく，ある特定のタイミングで大量にパケットが発生し，ネットワークが混雑することがあります。これを通信のバースト性と呼びます。Webやメールなどのアプリケーションは，バースト性があります。バースト性も考慮に入れ，通信サービスを選択することが大切です。

▶▶▶ 覚 え よ う！

- ☐　交換回線には，回線交換（電話線など）と蓄積交換（広域イーサネットなど）がある
- ☐　アクセス回線として，FTTH，ADSLが利用される

2-3-2 ⬤ IP-VPN

　離れた拠点間で仮想的に専用線のような回線を構築して，安全に通信する方法がVPN（Virtual Private Network）です。VPNによる通信を実現するには，通信事業者が提供しているサービスを利用する方法と，自分でインターネット上にVPNを構築する方法があります。

　VPNのうち，ネットワーク層にIPを用いる方法には2種類あります。通信事業者が提供するIP-VPNサービスを利用するIP-VPNと，IPsecを使ってインターネット上に独自にVPNを構築するインターネットVPNです。

関連
IPsecについては，「6-3-2 IPsec」で詳しく取り上げます。

▢ MPLS

　IP-VPNでは，通信事業者がIPネットワーク上にMPLS（Multiprotocol Label Switching）技術を用いてVPNを構築します。MPLSは，IPパケットにラベルと呼ばれる情報を付加して通信を制御する方法です。

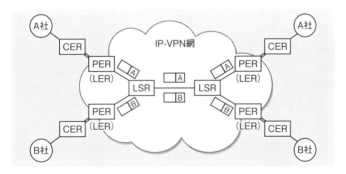

IP-VPNでのMPLS制御

　上の図では，A社の境界ルータであるA社**CER**（Customer Edge Router）から，プロバイダの境界ルータであるA社**PER**（Provider Edge Router）にパケットが送られます。そこで，A社PERは，「A社」を示すラベルをパケットに付加し，IP-VPN網に流します。MPLSではラベルを付加するルータをLER（Label Edge Router）と呼ぶので，PERはLERとなります。

　IP-VPN網内のルータは，ラベルスイッチングを行い，A社の

他の拠点LANに向けてデータを転送します。ルーティングを行わずMPLSでのスイッチングを行うこのルータをLSR（Label Switching Router）といいます。

B社の場合も同様に，B社PERで「B社」を示すラベルをパケットに付加します。通信回線はA社と共有しますが，ラベルスイッチングすることで，B社の拠点のみにデータを送ることが可能になります。

MPLSでは，宛先などの扱いが同じパケットは，どれもラベルによって同じ経路を辿ります。その道筋をLSP（Label Switch Path）といいます。LSPは**片方向のパス**なので，両方向の通信に用いるには二つのLSPが必要になります。

それでは，次の問題を解いてみましょう。

過去問題をチェック

IP-VPNのルーティングについて，午後問題でも出題されています。
【IP-VPN】
・平成30年秋 午後Ⅰ 問3 設問2

問題

MPLSの説明として，適切なものはどれか。

ア　IPプロトコルに暗号化や認証などのセキュリティ機能を付加するための規格である。

イ　L2FとPPTPを統合して改良したデータリンク層のトンネリングプロトコルである。

ウ　PPPデータフレームをIPパケットでカプセル化して，インターネットを通過させるためのトンネリングプロトコルである。

エ　ラベルと呼ばれる識別子を挿入することによって，IPアドレスに依存しないルーティングを実現する，ラベルスイッチング方式を用いたパケット転送技術である。

（令和3年春 ネットワークスペシャリスト試験 午前Ⅱ 問11）

解 説

MPLS（Multi-Protocol Label Switching）は，フレームの前にラベルと呼ばれる識別子を付加して転送を行うことで，通信の高速化や機能の追加を行う技術です。ラベルでスイッチングを行うことで，IPアドレスに依存しないルーティングを行うことが可能なので，エが正解です。

アはIPsec，イはL2TP，ウはPPTPの説明です。

≪解答≫エ

▶▶ 覚 え よ う！

□　MPLSでは，LERでラベルを付与し，LSRでラベルスイッチングする

2-3-3 ● 広域イーサネット

　広域イーサネットは，データリンク層で通信事業者が提供するVPNサービスです。イーサネット技術を用いて，離れた地域間を接続します。VLANを利用することで，回線を共有している他社と通信を分けることができます。

■ 広域イーサネットの特徴

　広域イーサネットでは，IEEE 802.1QのタグVLANを利用します。そのため，複数のスイッチを経由しても物理的な状況に影響されず，同じ契約内なら同じネットワークにすることが可能です。すべての拠点が直接つながるフルメッシュでの接続となります。

 発展

従来の蓄積交換サービスでは，フルメッシュではなく，拠点ごとに1対1で仮想パスを設定するものがほとんどでした。フレームリレー，ATMなどはパスごとに回線の契約を行います。
広域イーサネットやIP-VPNはフルメッシュ接続なので，契約は拠点ごとになります。

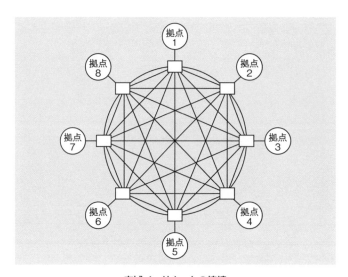

広域イーサネットの接続

■ IP-VPNと広域イーサネットの違い

　広域イーサネットの特徴は，データリンク層でのサービスであることです。IP-VPNはネットワーク層にIPを使っていますが，広域イーサネットは，ネットワーク層は何でもかまいません。そのため，ホストと端末との通信など，独自プロトコルでIPを用いないネットワークなどでも利用できます。

▣ IEEE 802.1Qトンネリング

広域イーサネットでの顧客の拠点間の通信でも，顧客がIEEE 802.1QのタグVLANを利用することがあります。複数の顧客が物理的に同じ回線でVLANを利用したときに，他の顧客のVLANに影響を与えないようにするためには，それぞれの顧客のVLAN通信を別々に扱う必要があります。そのための技術が，**IEEE 802.1Qトンネリング**です。

IEEE 802.1Qトンネリングでは，顧客のVLANタグ付きのパケットを，**さらに別のVLANタグを付ける**ことによってカプセル化します。この仕組みは，IEEE 802.1adによって標準化されています。

▣ WAN高速化装置

広域イーサネットなどのWAN回線では遠距離での通信が行われることが多いので，電気信号の送信に一定の時間がかかります。電気信号は光速で送られるためLANでは無視できる時間ですが，WANでは遅延として感じられます。

TCPなどのコネクション型の通信の場合，コネクションの要求に対する応答を1回1回待っているとそのたびに通信が行われ，遅延が発生することになります。この遅延を解消するため一度に複数のコネクションでの通信を行うなど，高速化のための手段をもつ装置がWAN高速化装置（WAS：WAN Acceleration System）です。WAN高速化装置では，コネクションの管理の他にデータ圧縮技術などを併用し，WAN回線の高速化を図ります。

過去問題をチェック
IEEE 802.1Qトンネリングについては，ネットワークスペシャリスト試験では以下の出題があります。
【IEEE 802.1Qトンネリング】
・平成25年秋 午後Ⅰ 問3
　設問2

2

過去問題をチェック
WAN高速化装置については，ネットワークスペシャリスト試験では以下の出題があります。
【WAN高速化装置】
・平成26年秋 午後Ⅰ 問1
　設問3
・平成20年秋 午後Ⅰ 問3
　設問4（テクニカルエンジニア（ネットワーク）試験）

▶▶▶ 覚 え よ う ！

☐ **広域イーサネットでは，タグVLANを用いて通信を制御**

2-3-4 🔵 無線通信技術

　無線通信技術には，無線LANだけでなくWANなど様々なものがあります。無線通信は多重化させることで，多くの接続を一度に処理することが可能になります。

🔲 主な無線通信技術

無線通信技術の代表例としては，以下のものがあります。

①携帯電話

　携帯電話の電源を入れると，自動的に電波を発信し，最寄りの基地局と通信します。電波は基地局から通信事業者の局舎に送られ，そこで音声ネットワークとデータネットワークに分けて通信を行います。

②WiMAX
ワイマックス

（Worldwide Interoperability for Microwave Access）

　広帯域の無線アクセス技術の規格の一つです。FTTHやADSLと同じく，インターネットへのアクセス回線として利用されます。モバイルWiMAXの伝送速度は75Mbpsとされており，IEEE 802.16eで標準化されています。

③公衆無線LAN

　Wi-Fi（IEEE 802.11bなど）の無線LAN技術を利用した通信サービスです。**ホットスポット**と呼ばれるエリアを様々な場所に設置し，インターネット接続を実現します。

④仮想移動体通信事業者

（MVNO：Mobile Virtual Network Operator）

　電気通信事業者のうち，モバイル通信サービスを提供する事業者が移動体通信事業者です。そのうち仮想移動体通信事業者は，無線通信回線設備を設置・運用せずに，自社ブランドで通信サービスを提供する事業者のことです。移動体通信事業者では，通信サービスを利用できるようにするためにSIMカードを提供します。

⑤LPWA（LowPower, WideArea）

バッテリ消費量が少なく，一つの基地局で広範囲をカバーできる無線通信技術です。LPWAN（Low-Power Wide-Area Network）と呼ばれることもあります。IoTでの活用が行われており，複数のセンサが同時につながるネットワークに適しています。

LPWAには次の三つの代表的な規格があり，特定省電力の無線局として免許が必要な規格もあります。

・LoRaWAN

標準化団体LoRa Allianceが策定しているオープン規格です。免許が不要な920MHz帯を利用し，10km程度の長距離でのデータ通信が可能となります。

・Sigfox

フランスのSigfox社の独自規格です。免許が不要な920MHz帯を利用しますが，LoRaWANと異なり，Sigfox社と提携したサービス事業者と契約する必要があります。

・NB-IoT

携帯電話の通信技術（LTE：Long Term Evolution）を利用するため，通信事業者の免許が必要となるLPWAです。上り62kbps，下り21kbpsと低速の通信を行います。

◼ 多重化方式

無線通信技術などで使われている多重化方式にはいくつかの種類があり，さらにそこから派生した方式があります。主な多重化方式は，以下のとおりです。

①FDM（Frequency Division Multiplexing）

周波数多重とも呼ばれ，複数のデジタル信号を異なる周波数帯で送ることで多重化する方式です。各周波数の位相を直交させ，互いに干渉しないようにしたOFDM（Orthogonal Frequency Division Multiplexing）は，無線LANやWiMAXなどで幅広く利用されています。

②TDM（Time Division Multiplexing）

時分割多重とも呼ばれ，時間を一定の長さに区切り，それを複数の通信に割り当てて順番に通信する方式です。

発展

TDMは，ホスト通信などで行われていたタイムシェアリングと同じです。タイムスライス（一定時間間隔）を区切って，複数の端末が順番に通信していきます。SONET/SDHなどではTDMを利用しています。

③CDM（Code Division Multiplexing）

　符号分割多重とも呼ばれ，複数の送信者が同一の周波数帯を共有し，それぞれに信号の異なった符号をかけ合わせることで多重化を実現する方式です。

④WDM（Wavelength Division Multiplexing）

　波長分割多重とも呼ばれ，光ファイバに波長の異なる複数の光信号を送り，多重化する方式です。

　それでは，次の問題を解いてみましょう。

用語

FDM，TDM，CDM は，**FDMA**（Frequency Division Multiplex Access），**TDMA**（Time Division Multiplex Access），**CDMA**（Code Division Multiplex Access）と呼ばれることもあります。CDMAは主に携帯電話などで使用されている方式です。

問題

　高速無線通信で使われている多重化方式であり，データ信号を複数のサブキャリアに分割し，各サブキャリアが互いに干渉しないように配置する方式はどれか。

　　ア　CCK　　　イ　CDM　　　ウ　OFDM　　　エ　TDM

（令和5年春 ネットワークスペシャリスト試験 午前Ⅱ 問2）

解説

　データ通信を複数のサブキャリア（搬送波）に分け，それを複数の周波数帯に，互いに干渉しないように配置する方式はOFDM（Orthogonal Frequency Division Multiplexing）なので，ウが正解です。

　アのCCK（Complementary Code Keying）は，4相の位相変調と符号を組み合わせることで多重化を行う方式で，IEEE 802.11bなどで利用されます。

≪解答≫ウ

▶▶▶ 覚 え よ う ！

☐　WiMAXは，広範囲な無線通信を行う，インターネットへのアクセス回線

☐　多重化の方式はTDM（時），FDM（周波数），CDM（符号のかけ算）

2-3-5 ● インターネット接続技術

インターネットに接続する際は，アクセス回線の契約が必要です。現在，国内のインターネット接続サービスとして一般的に利用されているのは，FTTHやADSL，ケーブルテレビです。

■ FTTH（Fiber To The Home）

光ファイバケーブルを自宅や会社などに直接引き込み，インターネット接続回線（アクセス回線）として利用する方法がFTTHです。光ファイバケーブルの終端としてONU（Optical Network Unit：光回線終端装置）が置かれ，光を電気信号に変換します。

FTTHでは，多重化方式の**WDM**を用いることで，1本の光ケーブルで送信と受信の両方を実現します。

■ ADSL

ADSLは，既存の公衆電話網（アナログ電話回線）を拡張して使い，データ通信用の高周波を送る方法です。通常の音声電話の低周波と，データ通信用の高周波を，**スプリッタ**と呼ばれる機器を用いて統合・分離します。

上り（自宅からインターネットまで）方向と下り（インターネットから自宅まで）方向の通信速度が大きく異なり，下り方向に比べて上り方向の通信が遅いのが特徴です。

■ 5G移動無線サービス

5Gとは第5世代の通信ネットワークで，第4世代（LTE）の後継となる，NR（New Radio）と呼ばれる移動通信ネットワークです。人が利用するモバイルネットワークだけでなく，IoTで利用するスマートメーターやセンサなどの通信や，機械の遠隔制御などのリアルタイム通信も想定されています。

過去問題をチェック

FTTHについては，光ファイバ網の構築に関する問題が出題されています。FTTHの詳しい仕組みを理解できる問題なので，一度解いてみるのもおすすめです。
【光ファイバ網の構築】
・平成19年秋 午後I 問1
（テクニカルエンジニア（ネットワーク）試験）

■ ローカル5G

　5G移動無線サービスは，モバイル通信事業者が提供するパブリックネットワークです。IoT通信などの産業用途で5Gを利用する場合には，セキュリティや通信品質確保の観点から，プライベートネットワークでの5G利用の需要が大きくなります。ローカル5Gは，プライベートで利用できる5Gで，専用周波数帯が整備されています。なお，ローカル5Gは日本独自の呼称です。

　ローカル5Gでは，企業や自治体が自分の建物や敷地内に専用周波数帯を用いて5Gネットワークを構築します。運用にあたっては，企業や自治体が個別に，ローカル5G専用の無線局免許を取得する必要があります。

　それでは，次の問題を考えてみましょう。

問題

　5G移動無線サービスの技術や機器を利用したローカル5Gが推進されている。ローカル5Gの特徴のうち，適切なものはどれか。

ア　携帯電話事業者による5G移動無線サービスの電波が届かない場所に小型の無線設備を置き，有線回線で5G移動無線サービスの基地局と接続することによって，5G移動無線サービスエリアを拡大する。

イ　携帯電話事業者による5G移動無線サービスの一つであり，ビームアンテナの指向性を利用して，特定のエリアに対してサービスを提供する。

ウ　最新の無線技術による，5GHz帯を用いた新しい高速無線LANである。

エ　土地や建物の所有者は，電気通信事業者ではない場合でも，免許を取得すればローカル5Gシステムを構築することが可能である。

（令和5年春 ネットワークスペシャリスト試験 午前II 問14）

解　説

　ローカル5Gとは，地域の企業・自治体等が自敷地内に柔軟に構築・保有が可能な5Gシステムです。電気通信事業者ではない場合でも，国の免許制度により周波数を自社の敷地内で占有できます。そのため，土地や建物の所有者は，免許を取得すればローカル5Gシステムを構築することが可能となります。したがって，エが正解です。

ア　レピーターの説明に近いですが，レピーターでは無線回線を接続します。

イ　ビームフォーミングの技術を使用して，特定のエリアに通信サービスを提供する技術です。

ウ　5GHz帯は，IEEE 802.11n/ac/axなどで使用されています。

《解答》エ

■ ケーブルテレビ

　ケーブルテレビは，通常は電波を使うテレビ放送をケーブルを使って提供するサービスです。近年は，そのケーブルを使い，テレビ放送に割り当てていない空きチャンネルを利用してインターネット接続サービスを提供しています。

　下り方向にはテレビ放送と同じ周波数帯を使い，上り方向には普段使われていない低周波数帯を利用するため，下りに比べて上りの通信速度は遅くなります。

　ケーブルテレビでデータ通信を行うための規格に，DOCSIS（ドクシス）（Data Over Cable Service Interface Specifications）があります。

▶▶▶ 覚えよう！

- ☐ ADSL，ケーブルテレビは，下りに比べて上りの通信速度がかなり遅い
- ☐ FTTHではONU，ADSLではスプリッタを利用する

2-4 演習問題

2-4-1 ○ 午前問題

問1 PLC CHECK ▶ □□□

通信技術の一つであるPLCの説明として，適切なものはどれか。

- ア 音声データをIPネットワークで伝送する技術
- イ 電力線を通信回線として利用する技術
- ウ 無線LANの標準規格であるIEEE 802.11シリーズの総称
- エ 無線通信における暗号化技術

問2 IEEE 802.1Q CHECK ▶ □□□

IPネットワークにおいてIEEE 802.1Qで使用されるVLANタグは図のイーサネットフレームのどの位置に挿入されるか。

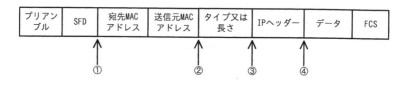

プリアンブル	SFD	宛先MACアドレス	送信元MACアドレス	タイプ又は長さ	IPヘッダー	データ	FCS
		↑①	↑②	↑③	↑④		

ア ① イ ② ウ ③ エ ④

問3 IEEE 802.11a/g/n/acで用いられる多重化方式 CHECK ▶ □□□

IEEE 802.11a/g/n/acで用いられる多重化方式として，適切なものはどれか。

ア ASK イ BPSK ウ FSK エ OFDM

2

問4 **無線LANで使用される周波数帯** CHECK ▶ □□□

日本国内において，無線LANの規格IEEE 802.11n及びIEEE 802.11acで使用される周波数帯の組合せとして，適切なものはどれか。

	IEEE 802.11n	IEEE 802.11ac
ア	2.4 GHz 帯	5 GHz 帯
イ	2.4 GHz 帯，5 GHz 帯	2.4 GHz 帯
ウ	2.4 GHz 帯，5 GHz 帯	5 GHz 帯
エ	5 GHz 帯	2.4 GHz 帯，5 GHz 帯

問5 **スパニングツリープロトコル** CHECK ▶ □□□

スパニングツリープロトコルに関する記述のうち，適切なものはどれか。

ア OSI基本参照モデルにおけるネットワーク層のプロトコルである。

イ ブリッジ間に複数経路がある場合，同時にフレーム転送することを可能にするプロトコルである。

ウ ブロードキャストフレームを，ブリッジ間で転送しない利点がある。

エ ルートブリッジの決定には，ブリッジの優先順位とMACアドレスが使用される。

問6 **Automatic MDI/MDI-X** CHECK ▶ □□□

ネットワーク機器のイーサネットポートがもつ機能であるAutomatic MDI/MDI-Xの説明として，適切なものはどれか。

ア 接続先ポートの受信不可状態を自動判別して，それを基に自装置からの送信を止める機能

イ 接続先ポートの全二重・半二重を自動判別して，それを基に自装置の全二重・半二重を変更する機能

ウ 接続先ポートの速度を自動判別して，それを基に自装置のポートの速度を変更する機能

エ 接続先ポートのピン割当てを自動判別して，ストレートケーブル又はクロスケーブルのいずれでも接続できる機能

問7　複数のVLANでのスパニングツリープロトコル　　CHECK ▶ □□□

複数のVLANを一つにまとめた単位でスパニングツリーを実現するプロトコルはどれか。

　ア　BPDU　　　　　イ　GARP　　　　ウ　MSTP　　　　エ　RSTP

問8　VLAN機能のセキュリティ効果　　CHECK ▶ □□□

VLAN機能をもった1台のレイヤ3スイッチに40台のPCを接続している。スイッチのポートをグループ化して複数のセグメントに分けたとき，スイッチのポートをセグメントに分けない場合に比べて得られるセキュリティ上の効果の一つはどれか。

　ア　スイッチが，PCから送出されるICMPパケットを同一セグメント内も含め，全て遮断するので，PC間のマルウェア感染のリスクを低減できる。

　イ　スイッチが，PCからのブロードキャストパケットの到達範囲を制限するので，アドレス情報の不要な流出のリスクを低減できる。

　ウ　スイッチが，PCのMACアドレスから接続可否を判別するので，PCの不正接続のリスクを低減できる。

　エ　スイッチが，物理ポートごとに，決まったIPアドレスをもつPC接続だけを許可するので，PCの不正接続のリスクを低減できる。

問9　ZigBee　　CHECK ▶ □□□

ZigBeeの特徴はどれか。

　ア　2.4GHz帯を使用する無線通信方式であり，一つのマスタと最大七つのスレーブから成るスター型ネットワークを構成する。

　イ　5.8GHz帯を使用する近距離の無線通信方式であり，有料道路の料金所のETCなどで利用されている。

　ウ　下位層にIEEE 802.15.4を使用する低消費電力の無線通信方式であり，センサネットワークやスマートメータなどへの応用が進められている。

　エ　広い周波数帯にデータを拡散することによって高速な伝送を行う無線通信方式であり，近距離での映像や音楽配信に利用されている。

■ 午前問題の解説

問1 (平成26年秋 ネットワークスペシャリスト試験 午前Ⅱ 問2)
《解答》イ

PLC（Power Line Communication）は，電力線を通信回線として利用する技術です。したがって，**イ**が正解です。

アはVoIP（Voice over IP），ウはIEEE 802.11（無線LAN），エはWEP（Wired Equivalent Privacy）やWPA（Wi-Fi Protected Access），WPA2などが該当します。

問2 (令和5年春 ネットワークスペシャリスト試験 午前Ⅱ 問11)
《解答》イ

VLAN（Virtual Local Area Network）は，仮想的にブロードキャストドメインを分割する仕組みで，データリンク層で実現します。IEEE 802.1Qで使用されるVLANタグは，IPネットワークにおいて，データリンク層のヘッダー部分に挿入されます。具体的には，宛先MACアドレス，送信元MACアドレスの後の②の部分です。したがって，**イ**が正解です。

問3 (令和3年春 ネットワークスペシャリスト試験 午前Ⅱ 問3)
《解答》エ

無線LANの多重化方式のうち，IEEE 802.11a/g/n/acのすべてで用いられる多重化方式には，OFDM（Orthogonal Frequency Division Multiplexing：直交周波数分割多重）があります。OFDMでは，多数の搬送波を使用するために，隣り合う搬送波が直交するようにして重ね合わせて送信することで高速化できます。したがって，**エ**が正解です。

ア　ASK（Amplitude Shift Keying：振幅偏移変調）は，搬送波の振幅を変化させる方式です。

イ　BPSK（Binary Phase Shift Keying：二位相偏移変調）は，1回の周波数変調で1ビットを伝送する方式です。

ウ　FSK（Frequency Shift Keying：周波数偏移変調）は，周波数の変化を利用してデータを伝送する方式です。

問4　　　　　　　　　　　　　　（令和5年春 ネットワークスペシャリスト試験 午前Ⅱ 問15）
《解答》ウ

　無線LANの規格のうち，IEEE 802.11nでは，2.4GHzだけでなく5GHz帯も周波数帯域として使用します。

　また，IEEE 802.11acでは，2.4GHz帯は使用せず，5GHz帯のみが周波数帯域として使用します。

　したがって，組合せが正しいウが正解です。

問5　　　　　　　　　　　　　　（令和4年春 ネットワークスペシャリスト試験 午前Ⅱ 問4）
《解答》エ

　スパニングツリープロトコルは，ループをもたない木構造のネットワークであるスパニングツリーを構成するためのプロトコルです。木構造の根となるルートブリッジを決定し，そこからの距離をもとに，ループさせずに論理的に接続を切るルートを決定します。ルートブリッジの決定には，ブリッジの優先順位がまず用いられ，優先順位が同じ場合にはMACアドレスの一番小さいものが選ばれます。したがって，エが正解となります。

ア　OSI基本参照モデルにおけるデータリンク層のプロトコルです。

イ　スパニングツリーでは，複数の経路があっても一方しか使用することができません。TRILL（TRansparent Interconnection of Lots of Links）などの新しい技術では，複数経路を同時に利用できます。

ウ　ブロードキャストフレームは，リンクを切断した場合を除き，ブリッジ間で通常どおり中継されます。

問6　　　　　　　　　　　　　　（令和3年春 ネットワークスペシャリスト試験 午前Ⅱ 問1）
《解答》エ

　Automatic MDI/MDI-Xとは，LANケーブルの差し込み口の仕様であるMDI（Medium Dependent Interface）と，MDI-X（Medium Dependent Interface Crossover）を自動判別する機能です。MDIはピンの1，2番に送信，3，6番に受信が割り当てられ，MDI-Xはピンの3，6番に送信，1，2番に受信が割り当てられているので，ネットワーク機器でどちらのタイプかを自動判定して，適切に送信・受信を行えるようにします。

　なお，ストレートケーブルはMDIとMDI-Xの接続を，クロスケーブルはMDI同士またはMDI-X同士の接続を行うためのケーブルなので，Automatic MDI/MDI-Xを利用すると，どちらのケーブルでも問題なく接続できます。したがって，エが正解です。

アはスパニングツリー，イ，ウはオートネゴシエーションの説明です。

スパニングツリーを実現するプロトコルのうち，複数のVLAN（Virtual Local Area Network）を一つにまとめたインスタンスという単位で管理するプロトコルに，MSTP（Multiple Spanning Tree Protofcol）があります。MSTPは，IEEE 802.1Sで標準化されています。したがって，**ウ**が正解です。

ア　BPDU（Bridge Protocol Data Unit）は，スパニングツリーを構成するブリッジで送信し合うパケットです。

イ　GARP（Gratuitous Address Resolution Protocol）は，割り当てたIPアドレスに重複がないかを確認するために送信する，ARP要求パケットです。

エ　RSTP（Rapid Spanning Tree Protocol）は，通信の切替わり時間が短くなるよう改善されたスパニングツリープロトコルです。

VLAN機能を利用すると，同じスイッチ内でもネットワークが分割され，ブロードキャストパケットが，違うグループのVLANには届かなくなります。そのため，別のVLANのアドレス情報などはパケットを盗聴しても取得できず，不要な流出のリスクを低減できます。したがって，**イ**が正解です。

アやエはパケットフィルタリング型ファイアウォール，ウはMACアドレスフィルタリングで実現できる内容です。

ZigBeeは，複数のセンサを協調させるセンサネットワークを目的とする近距離無線通信規格で，IEEE 802.15.4を使用します。したがって，**ウ**が正解です。

アはBluetooth，イはDSRC（Dedicated Short Range Communications），エはUWB（Ultra Wide Band：超広帯域無線）の説明です。

2-4-2 ◉ 午後問題

高速無線LANの導入に関する次の記述を読んで，設問に答えよ。

A専門学校では新校舎ビルを建設中で，その新校舎ビルのLANシステムのRFPが公示された。主な要件は次のとおりである。

・新校舎ビルは5階建てで，3階にマシン室，各階に3教室ずつ計15の教室がある。このLANシステムとして(ア)～(ケ)を提案すること
　(ア)　基幹レイヤー3スイッチ(以下，基幹L3SWという)のマシン室への導入
　(イ)　サーバ用レイヤー2スイッチ(以下，サーバL2SWという)のマシン室への導入
　(ウ)　フロア用レイヤー2スイッチ(以下，フロアL2SW という)の各階への導入
　(エ)　無線LANアクセスポイント(以下，APという)の各教室への導入
　(オ)　無線LANに接続する全ての端末(以下，WLAN端末という)について，利用者認証を行うシステム(以下，認証システムという)のマシン室への導入
　(カ)　WLAN端末用DHCPサーバのマシン室への導入
　(キ)　インターネット接続用ファイアウォール(以下，FWという)のマシン室への導入
　(ク)　新校舎ビル内LANケーブルの提供と敷設
　(ケ)　基幹L3SW，サーバL2SW，認証システム，DHCPサーバ及びFWに対する，故障交換作業及び設定復旧作業(以下，保守という)
・基幹L3SWとサーバL2SWはそれぞれ2台の冗長構成とすること
・フロアL2SWとAPはシングル構成とし，A専門学校の職員が保守を行う前提で，予備機を配備し保守手順書を準備すること
・APは各教室に1台設置し，同じ階のフロアL2SWからPoEで電力供給すること
・無線LANはWi-Fi 4，Wi-Fi 5，Wi-Fi 6のWLAN端末を混在して接続可能とし，セキュリティ規格はWPA2又はWPA3を混在して利用できること
・生徒及び教職員がノートPCを1人1台持ち込み，無線LAN接続することを前提に，事前に認証システムに利用者を登録し，接続時に認証することで無線LANに接続可能とすること。また，WebカメラなどのIoT機器を無線LANに接続できること
・1教室当たり50人分のノートPCを無線LANに接続し，4K UHDTV画質(1時間当たり7.2Gバイト)の動画を同時に再生できること。なお，動画コンテンツはA専門学校が保有する計4台のサーバ(学年ごとに2台ずつ)で提供し，A専門学校がサーバの保守を行っている。
・APの状態及びWLAN端末の接続状況(台数及び利用者)について，定常的に監視とログ収集を行い，職員が確認できること

A専門学校のRFP公示を受けて，システムインテグレータX社のC課長はB主任に提案書の作成を指示した。

〔Wi-Fi 6の特長〕
B主任は始めにWi-Fi 6について調査した。Wi-Fiの世代の仕様比較を表1に示す。

表1　Wi-Fiの世代の仕様比較

	Wi-Fi 4	Wi-Fi 5	Wi-Fi 6
無線LAN規格	IEEE802.11n	IEEE802.11ac	IEEE802.11ax
最大通信速度（理論値）	600 Mbps	6.9 Gbps	9.6 Gbps
周波数帯	2.4 GHz 5 GHz（W52/W53/W56）	5 GHz（W52/W53/W56）	2.4 GHz 5 GHz（W52/W53/W56）
変調方式	64-QAM	256-QAM	1024-QAM
空間分割多重	MIMO	MU-MIMO 4台（下り）	MU-MIMO 8台（上り／下り）
多重方式	OFDM	OFDM	OFDMA

bps：ビット／秒　　　　QAM：Quadrature Amplitude Modulation
MIMO：Multiple Input and Multiple Output　　　OFDM：Orthogonal Frequency Division Multiplexing
MU-MIMO：Multi-User Multiple Input and Multiple Output　OFDMA：Orthogonal Frequency Division Multiple Access

(1)　通信の高速化
　　Wi-Fi 6 では，最大通信速度の理論値が9.6Gbpsに引き上げられている。また，Wi-Fi 6では2.4GHz帯と5GHz帯の二つの周波数帯によるデュアルバンドに加え，①5GHz帯を二つに区別し，2.4GHz帯と合わせて計三つの周波数帯を同時に利用できる　　a　　に対応したAPが多く登場している。なお，②5GHz帯の一部は気象観測レーダーや船舶用レーダーと干渉する可能性があるので，APはこの干渉を回避するためのDFS（Dynamic Frequency Selection）機能を実装している。

(2)　多数のWLAN端末接続時の通信速度低下を軽減
　　Wi-Fi 6では，送受信側それぞれ複数の　　b　　を用いて複数のストリームを生成し，複数のWLAN端末で同時に通信するMU-MIMOが拡張されている。また，OFDMAによってサブキャリアを複数のWLAN端末で共有することができる。これらの技術によって，APにWLAN端末が密集した場合の通信効率を向上させている。

(3)　セキュリティの強化
　　Wi-Fi 6では，セキュリティ規格であるWPA3が必須となっている。個人向けのWPA3-Personalでは，PSKに代わってSAE（Simultaneous Authentication of Equals）を採用することでWPA2の脆弱性を改善し，更に利用者が指定した　　c　　の解読を試みる辞書攻撃に対する耐性を強化している。また，企業向けのWPA3-Enterpriseでは，192ビットセキュリティモードがオプションで追加され，WPA2-Enterpriseよりも高いセキュリティを実現している。

〔LANシステムの構成〕

　次にB主任は，新校舎ビルのLANシステムの提案構成を作成した。新校舎ビルの
LANシステム提案構成を図1に示す。

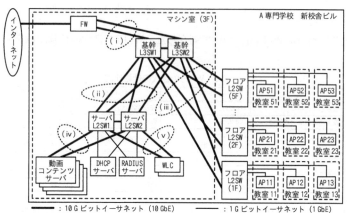

図1　新校舎ビルのLANシステム提案構成（抜粋）

　次は，C課長とB主任がレビューを行った際の会話である。

C課長：始めに，無線LANでは三つの周波数帯をどのように利用しますか。

B主任：二つの5GHz帯にはそれぞれ異なるESSIDを付与し，生徒及び教職員のノー
　　　　トPCを半数ずつ接続します。2.4GHz帯は5GHz帯が全断した場合の予備，
　　　　及び低優先の端末やIoT機器に利用します。

C課長：ノートPC1台当たりの実効スループットは確保できていますか。

B主任：はい，20MHz帯域幅チャネルを　　　d　　　によって二つ束ねた40MHz帯域幅
　　　　チャネルによって，要件を満たす目途がついています。

C課長：運用中の監視はどのように行うのですか。

B主任：WLCを導入してAPの死活監視，利用者認証，WLAN端末接続の監視など
　　　　を行い，これらの状態をA専門学校の職員がWLCの管理画面で閲覧できる
　　　　ように設定します。また，利用者認証後のWLAN端末の通信をWLCを経由
　　　　せずに通信するモードに設定します。

C課長：分かりました。では次に有線LANの構成を説明してください。

B主任：APはフロアL2SWに接続し，PoEでフロアL2SWからAPへ電力供給します。

PoEの方式はPoE+と呼ばれるIEEE802.3atの最大30Wでは電力不足のリスクがありますので，[e]と呼ばれるIEEE802.3btを採用します。

C課長：フロアL2SWとAPとの間は1Gbpsのようですが，ボトルネックになりませんか。

B主任：③ノートPCの台数と動画コンテンツの要件に従ってフロアL2SWとAPとの間のトラフィック量を試算してみたところ，1Gbps以下に収まると判断しました。

C課長：しかし，教室のAPが故障した場合，ノートPCは隣接教室のAPに接続することがありますね。そうなると1Gbpsは超えるのではないですか。

B主任：確かにその可能性はあります。それではフロアL2SWとAPとの間には[f]と呼ばれる2.5GBASE-Tか5GBASE-Tを検討してみます。

C課長：将来のWi-Fi 6E認定製品への対応を考えると，10GBASE-Tも検討した方が良いですね。

B主任：承知しました。APの仕様や価格，敷設するLANケーブルの種類も考慮する必要がありますので，コストを試算しながら幾つかの案を考えてみます。

C課長：基幹部分の構成についても説明してください。

B主任：まず，基幹部分及び高負荷が見込まれる部分は10GbEリンクを複数本接続します。そして，レイヤー2ではスパニングツリーを設定してループを回避し，レイヤー3では基幹L3SWをVRRP（Virtual Router Redundancy Protocol）で冗長化する構成にしました。

C課長：④スパニングツリーとVRRPでは，高負荷時に10GbEリンクがボトルネックになる可能性がありますし，トラフィックを平準化するには設計が複雑になりませんか。

B主任：おっしゃるとおりですので，もう一つの案も考えました。基幹L3SWとサーバL2SWはそれぞれ2台を[g]接続して論理的に1台とし，⑤サーバ，FW，WLC及びフロアL2SWを含む全てのリンクを，スイッチをまたいだリンクアグリゲーションで接続する構成です。

C課長：分かりました。この案の方が良いと思います。ほかの部分も説明してください。

B主任：WLAN端末へのIPアドレス配布はDHCPサーバを使用しますので，基幹L3SWには[h]を設定します。また，基幹L3SWのデフォルトルートは上位のFWに指定します。

C課長：⑥このLANシステム提案構成では，職員が保守を行った際にブロードキャストストームが発生するリスクがありますね。作業ミスに備えてループ対策も入れておいた方が良いと思います。

B主任：承知しました。全てのスイッチでループ検知機能の利用を検討してみます。

　その他，様々な視点でレビューを行った後，B主任は提案構成の再考と再見積りを行い，C課長の承認を得た上でA専門学校に提案した。

設問1　本文中の　　　a　　　～　　　h　　　に入れる適切な字句を答えよ。

設問2　〔Wi-Fi 6の特長〕について答えよ。

　(1)　本文中の下線①について，5GHz帯を二つに区別したそれぞれの周波数帯を表1中から二つ答えよ。また，三つの周波数帯を同時に利用できることの利点を，デュアルバンドと比較して30字以内で答えよ。

　(2)　本文中の下線②について，気象観測レーダーや船舶用レーダーと干渉する可能性がある周波数帯を表1中から二つ答えよ。また，気象観測レーダーや船舶用レーダーを検知した場合のAPの動作を40字以内で，その時のWLAN端末への影響を25字以内で，それぞれ答えよ。

設問3　〔LANシステムの構成〕について答えよ。

　(1)　本文中の下線③について，フロアL2SWとAPとの間の最大トラフィック量を，Mbpsで答えよ。ここで，通信の各レイヤーにおけるヘッダー，トレーラー，プリアンブルなどのオーバーヘッドは一切考慮しないものとする。

　(2)　本文中の下線④について，C課長がボトルネックを懸念した接続の区間はどこか。図1中の(ⅰ)～(ⅴ)の記号で答えよ。また，本文中の下線⑤について，リンクアグリゲーションで接続することでボトルネックが解決するのはなぜか。30字以内で答えよ。

　(3)　本文中の下線⑥について，A専門学校の職員が故障交換作業と設定復旧作業を行う対象の機器を，図1中の機器名を用いて3種類答えよ。また，どのような作業ミスによってブロードキャストストームが発生し得るか。25字以内で答えよ。

（令和5年春 ネットワークスペシャリスト試験 午後Ⅰ 問3）

■ 午後問題の解説

高速無線LANの導入に関する問題です。この問では，新校舎ビル建設におけるLAN商談を題材として，無線LANの知識及びLAN全体の設計能力が実務で活用できる水準かどうかが問われています。Wi-Fi 6の細かい知識が問われて難しい設問はありますが，全体的には定番の冗長化を考慮したネットワーク設計の問題です。

本文中の空欄穴埋め問題です。無線LANを中心としたLANシステムについての知識について，適切な字句を答えていきます。

空欄a

Wi-Fi 6で利用できる，5GHz帯を二つに区別し，2.4GHz帯と合わせて計三つの周波数帯について考えます。2.4GHz帯と5GHz帯の二つの周波数帯によるデュアルバンドに加え，二つに分けたもう一つの5GHz帯の周波数が加わった三つの周波数帯のことをトライバンドと呼びます。したがって解答は，**トライバンド**です。

空欄b

MU-MIMO（Multi User - Multiple-Input and Multiple-Output）で複数のストリームを生成する仕組みについて考えます。

MU-MIMOでは，送信側の機器と受信側の機器のそれぞれで複数のアンテナを用いて複数のストリームを生成し，複数の端末での同時通信を可能にします。したがって解答は，**アンテナ**です。

空欄c

辞書攻撃の仕組みについて考えます。

辞書攻撃は，利用者が指定したパスワードの解読を試みる攻撃の一つです。辞書に出てくるような一般的な単語をパスワードとして順に使用して，不正なログインを試みます。したがって解答は，**パスワード**です。

空欄d

20MHz帯域幅チャネルを二つ束ねて40MHz帯域幅チャネルにする方法について考えます。

複数のチャネルを束ねて一つの通信に使うことで，スループットを向上させる技術のことをチャネルボンディングといいます。20MHz帯域幅チャネルを二つ束ねて40MHz帯域幅チャネルにするには，チャネルボンディングを利用します。したがって解答は，**チャネルボンディング**です。

空欄e

IEEE 802.3btの呼び方について答えます。

PoE（Power over Ethernet）給電機能は，イーサネットのUTPケーブルを使用して給電する仕組みです。IEEE 802.3btは最大90Wまでの大容量の電力を供給することができ，PoE++と呼ばれます。したがって解答は，**PoE++**です。

空欄f

2.5GBASE-Tや5GBASE-Tの呼び方について答えます。

通信速度が2.5Gbpsまたは5Gbpsで有線LAN（Local Area Network）に接続できる仕組みのことを，マルチギガビットイーサネット（Multi-gigabit Ethernet）といいます。IEEE 802.3bzで2.5GBASE-T，5GBASE-Tとして規格化されています。したがって解答は，**マルチギガビットイーサネット**です。

空欄g

基幹L3SWとサーバL2SWで，2台を接続して論理的に1台にする仕組みについて答えます。

複数のスイッチ（L2SWやL3SW）を仮想的に一つのスイッチとして扱う仕組みのことを，スタックといいます。スイッチをケーブルでスタック接続すると，論理的に1台のスイッチとして扱うことができるので，設計が簡単になります。したがって解答は，**スタック**です。

空欄h

WLAN端末へのIPアドレス配布にDHCPサーバを使用するために，基幹L3SWに必要な設定を答えます。

DHCP（Dynamic Host Configuration Protocol）では，WLAN端末からのIPアドレス配布の要求に，ブロードキャストを利用します。図1のLANシステムでは，DHCPサーバは基幹L3SWを経由した別のネットワークにあり，そのままではブロードキャスト通信はできません。WLAN端末からのブロードキャストを基幹L3SWを経由してDHCPサーバに届けるためには，基幹L3SWにDHCPリレーエージェントを設定し，DHCPサーバに中継させる必要があります。したがって解答は，**DHCPリレーエージェント**です。

> **設問2**

〔Wi-Fi 6の特長〕に関する問題です。Wi-Fi 6の5GHz帯の周波数帯について，三つの周波数帯の特徴や利用する利点，レーダーの干渉に関する問題について考えていきます。

(1)

本文中の下線①「5GHz帯を二つに区別し，2.4GHz帯と合わせて計三つの周波数帯を同時に利用」について，5GHz帯を二つに区別したそれぞれの周波数帯と，三つの周波数帯を同時に利用できることの利点について考えていきます。

2

周波数帯

　5GHz帯を二つに区別したそれぞれの周波数帯を表1中から二つ答えます。

　トライバンドに対応したAPでは，5GHzを「W52/W53」と「W56」の二つに分けて使用できます。したがって解答は，**W52/W53，W56**です。

利点

　三つの周波数帯を同時に利用できることの利点を，デュアルバンドと比較して30字以内で答えます。

　トライバンドで三つの周波数帯を同時に利用できると，二つの周波数帯が利用できるデュアルバンドと比べ，より多くのWLAN端末を接続できます。WLAN端末が増えることによる混雑も緩和されるため，安定した通信が可能です。したがって解答は，**より多くのWLAN端末が安定して通信できる**，です。

(2)

　本文中の下線②「5GHz帯の一部は気象観測レーダーや船舶用レーダーと干渉する可能性があるので，APはこの干渉を回避するためのDFS（Dynamic Frequency Selection）機能を実装している」について，気象観測レーダーや船舶用レーダーと干渉する可能性がある周波数帯と，検知した場合のAPの動作やWLAN端末への影響を考えていきます。

周波数帯

　気象観測レーダーや船舶用レーダーと干渉する可能性がある周波数帯を表1中から二つ答えます。

　5GHz帯の三つの周波数W52，W53，W56のうち，W52が最も一般的に使用される周波数帯で，気象観測レーダーや船舶用レーダーの干渉を受けません。W53とW56は，外部レーダーの干渉を受ける可能性があるため，DFS機能を利用します。したがって解答は，**W53，W56**です。

動作

　気象観測レーダーや船舶用レーダーを検知した場合のAPの動作を40字以内で答えます。

　DFSによって定期的にレーダー検知を行い，レーダーが検知されると，APは検知したチャネルを停止します。検知したチャネル以外の別のチャネルに遷移して電波を送出し，通信を再開します。したがって解答は，**検知したチャネルの電波を停止し，他のチャネルに遷移して再開する**，です。

影響

　気象観測レーダーや船舶用レーダーを検知したときのWLAN端末への影響を25字以内で答えます。

　レーダーを検知したとき，APは検知したチャネルでの電波をいったん停止します。そのため，APの接続断や通信断が発生します。レーダーが検知されたときのみの不定期な動作

なので，WLAN端末では，APとの接続断や通信断が不定期に発生することになります。したがって解答は，**APとの接続断や通信断が不定期に発生する**，です。

〔LANシステムの構成〕に関する問題です。LANシステムのトラフィック量の試算や，冗長接続の方法，作業ミスの可能性などについて考えていきます。

(1)

本文中の下線③「ノートPCの台数と動画コンテンツの要件に従ってフロアL2SWとAPとの間のトラフィック量を試算」について，フロアL2SWとAPとの間の最大トラフィック量を，Mbpsで答えます。

問題本文の冒頭の段落で，「1教室当たり50人分のノートPCを無線LANに接続し，4K UHDTV画質（1時間当たり7.2Gバイト）の動画を同時に再生できること」という要件があります。このトラフィック量を計算すると，次の式となります。

$$\frac{50\,[人] \times 7.2\,[G バイト／時・人] \times 10^9\,[バイト／G バイト] \times 8\,[ビット／バイト]}{3,600\,[秒／時]}$$

$$= 800 \times 10^6\,[ビット／秒] = 800\,[Mbps]$$

したがって解答は，**800**です。

(2)

本文中の下線④「スパニングツリーとVRRPでは，高負荷時に10GbEリンクがボトルネックになる可能性があります」について，C課長がボトルネックを懸念した接続の区間と，リンクアグリゲーションで接続することでボトルネックが解決するのはなぜかについて考えていきます。

区間

C課長がボトルネックを懸念した接続の区間を，図1中の（ⅰ）～（ⅴ）の記号で答えます。

スパニングツリーは，スイッチでのパケットのループを防ぐために，特定のイーサネットポートをブロックするプロトコルです。VRRPは，ルータの冗長化のためのプロトコルで，一つのルータがマスタルータとして稼働し，その他のルータはバックアップルータとして待機します。VRRPを利用して基幹L3SW1と基幹L3SW2を冗長化すると，片方のL3SWはバックアップルータとして稼働しなくなるため，通信がマスタルータ経由の10Gビットイーサネットケーブルに集中します。サーバL2SW1とサーバL2SW2を含めたスパニングツリーでのブロッキングも合わせると，（ⅱ）の区間では，4本の10Gビットイーサネットケーブルのうち，特定の1本だけ使われるようになる可能性があります。そのため，全体で10Gビット分の通信しかできず，ボトルネックとなる可能性が考えられます。したがって解答は，（ⅱ）です。

理由

　本文中の下線⑤「サーバ，FW，WLC及びフロアL2SWを含む全てのリンクを，スイッチをまたいだリンクアグリゲーションで接続」について，リンクアグリゲーションで接続することでボトルネックが解決するのはなぜかを，30字以内で答えます。

　スパニングツリーの代わりにリンクアグリゲーションを使用すると，同じリンクとなったイーサネットケーブルに，通信を均等に割り当てます。そのため，平常時にリンク本数分の大域を同時に利用できるようになり，ボトルネックが解消すると考えられます。したがって解答は，**平常時にリンク本数分の帯域を同時に利用できるから**です。

(3)

　本文中の下線⑥「このLANシステム提案構成では，職員が保守を行った際にブロードキャストストームが発生するリスクがあります」について，A専門学校の職員が故障交換作業と設定復旧作業を行う対象の機器と，ブロードキャストストームが発生し得る作業ミスについて考えていきます。

機器

　A専門学校の職員が故障交換作業と設定復旧作業を行う対象の機器を図1中の機器名を用いて3種類答えます。

　問題本文の冒頭の段落の要件に，「フロアL2SWとAPはシングル構成とし，A専門学校の職員が保守を行う前提で，予備機を配備し保守手順書を準備すること」とあるので，APとフロアL2SWはA専門学校の職員が故障交換作業と設定復旧作業を行います。また，「動画コンテンツはA専門学校が保有する計4台のサーバ（学年ごとに2台ずつ）で提供し，A専門学校がサーバの保守を行っている」とあるので，動画コンテンツサーバはA専門学校の職員が保守します。したがって解答は，**AP，フロアL2SW，動画コンテンツサーバ**です。

作業ミス

　どのような作業ミスによってブロードキャストストームが発生し得るかを，25字以内で答えます。

　ブロードキャストストームは，スイッチで同じネットワーク内のケーブルがループ状態で接続される状態になると起こります。ループ状態になるような誤接続や設定ミスで，ブロードキャストストームが発生すると考えられます。具体的には，二つのスイッチ間でケーブルを2本接続し，リンクアグリゲーションの設定を行わなかった場合などです。したがって解答は，**ループ状態になるような誤接続や設定ミス**です。

解答例

出題趣旨

> 無線LANデバイスは今や社会に広く浸透しており，企業や家庭では有線に代わって端末接続方法として利用されることが多い。今後もリッチコンテンツの増加やIoTデバイスの普及などに伴って，無線LAN技術の進化が想定される。無線LANの設計・導入には，電波周波数帯やセキュリティ対策などの無線LAN特有の知識を必要とし，さらに，無線LAN利用を前提とした場合に考慮すべき有線LAN設計の注意点も存在する。
>
> 本問では，新校舎ビル建設におけるLAN商談を題材として，無線LANの知識及びLAN全体の設計能力が実務で活用できる水準かどうかを問う。

設問1

a　トライバンド　　　　b　アンテナ　　　　c　パスワード

d　チャネルボンディング　　e　PoE++　　　f　マルチギガビットイーサネット

g　スタック　　　　　　h　DHCPリレーエージェント

設問2

(1)　**周波数帯**　・W52/W53　　・W56

利点

| より多くのWLAN端末が安定して通信できる。 | (22字) |

(2)　**周波数帯**　・W53　　・W56

動作

| 検知したチャネルの電波を停止し，他のチャネルに遷移して再開する。 | (32字) |

影響

| APとの接続断や通信断が不定期に発生する。 | (21字) |

設問3

(1)　800

(2)　**区間**　（ii）

理由

| 平常時にリンク本数分の帯域を同時に利用できるから | (24字) |

2

(3) **機器** ・AP ・フロアL2SW ・動画コンテンツサーバ

作業ミス

| ル | ー | プ | 状 | 態 | に | な | る | よ | う | な | 誤 | 接 | 続 | や | 設 | 定 | ミ | ス | （19字）

採点講評

　問3では，新校舎ビル建設におけるLAN導入を題材に，無線LAN技術の基礎知識，及び有線も含めたLANの概要設計について出題した。全体として正答率は平均的であった。

　設問1では，正答率は全体的にやや低く，特にaとfが低かった。本設問の内容のほとんどは無線LAN製品に実装されている技術仕様であり，公開されている情報である。提案時における方式選択の際に必要となるので，是非知っておいてもらいたい。

　設問2は，全体的に正答率は高かったものの，(1)ではトライバンドの利点に関する理解が不十分な解答が散見された。無線LANの設計において，端末の接続性及び通信の安定性を確保するためには，電波周波数帯の種類と特性を理解して適切に利用することが重要なので，是非とも理解を深めてほしい。

　設問3では，(1)の正答率がやや低く，桁の誤りも散見された。端末当たりのスループットや，認証やDHCPも含めたトラフィックの流れと流量を把握することは，LANの全体設計に必要である。計算式自体は単純なので，落ち着いて計算してもらいたい。

ネットワークスペシャリストと合わせて取るといい資格

ネットワークスペシャリスト試験は，インフラエンジニアをはじめとした，ITインフラを扱う技術者に向けた試験です。ただ，国家試験であるため，それぞれの機器の詳細ではなく，各メーカー（シスコなどの機器メーカー）の機器に依存しない全般的な知識が問われる傾向があります。そのため，それぞれの機器を扱う専門の資格（ベンダ資格）を合わせて取得すると，相乗効果が期待できます。

ネットワークスペシャリストと合わせて取得することが最も多いベンダ資格は，シスコが実施するシスコ技術者認定試験です。アソシエイトレベル（経験1〜3年）のCCNA（Cisco Certified Network Associate）があり，その上にプロフェッショナルレベル（経験3〜5年）のCCNP（Cisco Certified Network Professional），エキスパートレベル（経験7年〜）のCCIE（Cisco Certified Internetwork Expert）と続きます。また，CCNP以上のレベルでは，エンタープライズやデータセンター，サービスプロバイダ，セキュリティなど，様々なキャリアパスに合わせて試験が実施されます。

ネットワークスペシャリスト試験は，一般的にはCCNPと同等か少し難しいレベルの試験です。そのため，CCNAやCCNPの勉強と並行して学習すると，重なる部分も多く効果的です。また，ネットワークスペシャリスト試験とCCNPに合格した後，CCIEを目指して学習する方も多いです。CCIEはラボ試験（実地試験）もあり，希少価値のある資格なので，インフラエンジニアが次のステップとして目標とするには最適な試験です。

また，近年では，クラウドとの組合せでネットワークを構築することも多いので，クラウド関連の資格を取得する人も増えてきています。特に，AWS（Amazon Web Service）認定試験は，受験者も増えており，組み合わせて取得すると役に立ちます。AWS認定には様々な試験区分とレベルがありますが，高度なネットワーキングに関する専門試験としては，AWS certified Advanced Networking Specialtyがあります。

IT関連の国家試験のうち，ネットワークスペシャリスト試験と内容が近い試験としては，情報処理安全確保支援士試験があります。この試験に合格すると，国家資格の情報処理安全確保支援士として登録できますし，登録しなくても今後の活用が期待できますので，キャリアパスが広がります。

ネットワークスペシャリスト試験だけでなくいろいろな資格試験の学習をして，知識を広げていきましょう。

第 **3** 章

インターネット層

インターネット層は，TCP/IPプロトコルの中心となる層で，OSI基本参照モデルのネットワーク層にあたります。インターネットの通信で，IPを中心に，始点から終点までのエンドツーエンドの伝送を提供します。

本章で学ぶ分野は，「IP」と「ルーティング」の二つです。IPでは，インターネット上のプロトコルであるIPと，そこで使用する住所であるIPアドレスの仕組みについて学びます。ルーティングでは，IPでパケットを中継する仕組みと，それを行う機器であるルータについて学んでいきます。

最新技術を習得する上でも，IPについてしっかり理解しておくことは不可欠です。

3-1 IP

近年の通信において，OSI基本参照モデルのネットワーク層では，IP（Internet Protocol）が使われることがほとんどです。TCP/IPプロトコル群の中心となるIPは，その名のとおり，インターネットの中核となるプロトコルです。現在使われているバージョンは，IPv4（Internet Protocol version 4）が主流ですが，新しいバージョンであるIPv6（Internet Protocol version 6）の利用も徐々に広がっています。

3-1-1 IPの役割

IPの役割は，パケットを目的のホスト（ノード）まで届けることです。エンドツーエンド（始点から終点まで）の通信を実現します。

改めて「ネットワーク」とは

第１章でネットワークについていろいろ学びました。「ネットワーク」という言葉は様々な場面で使われますが，インターネット技術を語るときにはもう少し厳密な使い方をします。

具体的には，インターネットなどにおいて，OSI基本参照モデルのネットワーク層で接続される，**ルータで分けられた範囲**がネットワークです。OSI基本参照モデルのデータリンク層が同じ部分が，一つのネットワークとなります。ブロードキャストドメイン＝ネットワークという位置付けともいえます。

リンクバイリンクとエンドツーエンド

データリンク層では，同じデータリンク，同じネットワーク内の直接接続された機器同士で通信を行います。この通信のことを**リンクバイリンク**と呼びます。これに対してネットワーク層では，ネットワークを越えて，直接接続されていない機器同士の通信を実現させるために，ネットワーク間の転送を行います。そして，送信ホストから受信ホストまでの**エンドツーエンド**の通信を実現します。

データリンク層とネットワーク層の違いを示すと，次の図のようになります。

> **勉強のコツ**
>
> IPアドレスの仕組みと，その変換についてが，一番の出題ポイントです。
> サブネットマスクやCIDRなど，ネットワークアドレスを分割・統合する仕組みや，NATなどのアドレス変換を行う仕組みをきちんと理解しておくことが大切になります。さらに，VRRPでIPアドレスが引き継がれる仕組みなどもよく出題されます。
> なるべく手を動かしながら，実際に計算を行って感覚をつかんでいきましょう。

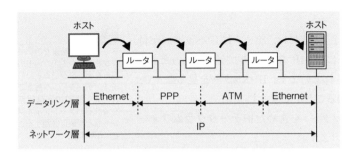

データリンク層とネットワーク層の通信の違い

データリンク層での通信を行うアドレス，例えばMACアドレスなどは，データリンクが変わるごとに毎回付け替えます。これに対し，ネットワーク層での通信を行うIPアドレスは，基本的に始点から終点まで同じです。

■ IPの三つの役割

IPの役割は，次の三つです。

①IPアドレスでの識別

IPでは，IPアドレスを使って通信相手を識別します。ネットワークに接続されているすべてのホストのうち，通信を行うホストを見つけるために使用されます。

②経路制御 (ルーティング)

ルーティングは，宛先ホストまでパケットを届けるため，パケットを順番に転送するための仕組みです。個々のルータが宛先IPアドレスをチェックして，次に転送を行うルータを決定します。

③IPパケットの分割と再構築

データリンクごとに異なる最大転送単位 (MTU：Maximum Transmission Unit) に合わせてパケットを分割します。分割されたパケットは，宛先のホストで一つにまとめられます。

■IPヘッダー

　IPを利用して通信を行うときには，データにIPヘッダーが付けられます。IPヘッダーには，IPプロトコルで通信を行うときに必要になる情報が格納されています。IPヘッダーを見ることで，IPプロトコルの機能を知ることができます。

　IPヘッダー（IPv4ヘッダー）を含めた**IPデータグラムフォーマット**は，次のようになります。

用語
ネットワーク層までのデータが格納されたパケットのことをデータグラムといいます。データリンク層まで含んだ，実際の通信経路を流れるパケットを示すフレームと明確に区別するときに用います。

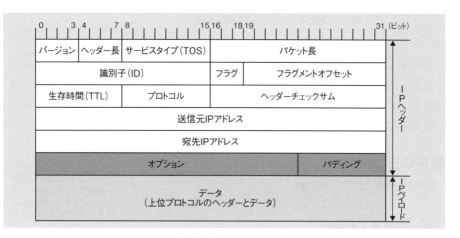

IPデータグラムフォーマット

　それぞれのフィールド（項目）の内容は，以下のとおりです。

- **バージョン**（Version）

　4ビットで構成される，IPヘッダーのバージョン番号です。IPv4の場合は4，IPv6の場合は6になります。

- **ヘッダー長**（IHL：Internet Header Length）

　IPヘッダーの大きさを表します。単位は4オクテットで，オプションなしのIPパケットの場合は5（4オクテット×5＝20オクテット）になります。

- **サービスタイプ**（TOS：Type Of Service）

　IPサービスの品質を表します。通信パケットの**優先度**を制御します。**DSCP**（Differentiated Services Code Point）フィールドとECN（Explicit Congestion Notification）フィールドとして再定義がなされています。ECNはネットワークの輻輳通知で，DSCP

はDiffServと呼ばれる品質制御で利用されます。

- **パケット長** (Total Length)

  パケット全体（IPヘッダー＋データ）のオクテット長です。

- **識別子** (ID：Identification)

  フラグメント（分割パケット）を復元する識別子です。

- **フラグ** (Flags)

  パケットの分割に関する制御を指示するフラグです。

- **フラグメントオフセット** (FO：Fragment Offset)

  フラグメントが元データのどの位置にあったかを示します。

- **生存時間** (TTL：Time To Live)

  中継できるルータの個数を示します。ルータを通過するたびに1ずつ減らし，0になったらパケットを破棄します。

- **プロトコル** (Protocol)

  IPヘッダーの次のヘッダーのプロトコルを示します。代表的なプロトコル番号は以下のとおりです。

関連

DiffServについては，「5-4-4 コンテンツ配信」で詳しく説明します。

用語

フラグメントとは，断片を意味し，一つの大きなデータをいくつかに分割したときの，一つ一つの断片を指します。フラグメントオフセットでは，断片化したデータが大きなデータの中でどの位置に該当するかを示す値を格納しています。

代表的なプロトコル

プロトコル番号（10進数）	プロトコル
1	ICMP
6	TCP
17	UDP
41	IPv6
50	ESP
51	AH
112	VRRP

関連

プロトコル番号の最新情報の一覧は，以下に掲載されています。
https://www.iana.org/assignments/protocol-numbers/

- **ヘッダーチェックサム** (Header Checksum)

  IPヘッダーが壊れていないかどうか確認するための誤り検出符号であるチェックサムを表します。

- **送信元IPアドレス** (Source Address)

  送信元のIPアドレスを表します。

- **宛先IPアドレス** (Destination Address)

  宛先のIPアドレスを表します。

- **オプション** (Options)

  可変長で，オプションがあるときに使われます。

- **パディング** (Padding)

  オプションを32ビットの倍数にするための詰め物です。

- データ (Data)

  上位層のヘッダーも含めたデータです。

  それでは，次の問題で確認してみましょう。

問 題

IPv4のIPヘッダに含まれるものはどれか。

ア　あて先MACアドレス　　イ　あて先ポート番号
ウ　シーケンス番号　　　　エ　生存時間（TTL）

（平成18年秋 テクニカルエンジニア（ネットワーク）試験 午前 問22）

解 説

　IPv4のIPヘッダには，中継できるルータの個数を示す生存時間
（TTL）のフィールドがあります。したがって，エが正解です。
　アのあて先MACアドレスはEthernetヘッダに，イのあて先ポー
ト番号とウのシーケンス番号はTCPヘッダに含まれます。

《解答》エ

‖ ▶▶ 覚 え よ う ！

- ☐　IPの役割は，IPアドレスでの識別，ルーティング，パケットの分割
- ☐　IPヘッダーにあるのは，TOS，TTL，プロトコル，送信元／宛先IPアドレスなど

3-1-2 ◯ IPアドレス

IPアドレスは，ホストやルータがインターネットで通信するときに必要となるアドレスです。ネットワーク層では，IPアドレスを使うことでホストやルータを特定し，パケットを中継できます。ネットワークスペシャリスト試験の学習では，このIPアドレスを理解することが重要です。

■ IPアドレスの仕組み

IPアドレス（IPv4アドレス）は，32ビットで表される数字です。実際の通信では2進数のビット列（0と1だけ）で表現されています。ただ，そのままだと人間には分かりにくいため，32ビットを8ビットずつの四つの組に分けて10進数に直し，その境目にピリオドを入れることで表現します。例えば，次のようなかたちで2進数を10進数に直します。

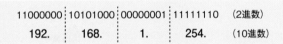

11000000	10101000	00000001	11111110	（2進数）
192.	168.	1.	254.	（10進数）

IPアドレスの例

IPアドレスは32ビットなので，インターネットに接続できるホストの理論的な最大数は，$2^{32}=4,294,967,296$（約43億）になります。しかし実際には，IPアドレスはホストごとではなくNICごとに割り振られます。また，ルータは二つ以上のネットワークを接続する機器なので，ネットワークごと，つまり，**ルータのポートごとにIPアドレス**をもちます。その上，IPアドレスは，次に示すネットワークアドレスとホストアドレスに分割されるため，実際に割り当てることができるIPアドレスは，43億個よりもさらに少なくなります。

■ ネットワークアドレスとホストアドレス

IPアドレスは，ネットワークアドレスとホストアドレスに分けられます。ネットワークアドレスとは，ネットワークごとに割り当てられるアドレスです。同じデータリンクには同じネットワークアドレス，異なるデータリンクには異なるネットワークアドレ

発展

IPアドレスはNICごとに割り当てられるため，例えば1台のPCで有線LANと無線LANの両方を使う場合には，IPアドレスは二つ割り当てられます。
また，仮想NICなどでトンネリングする場合にも，新たにIPアドレスが割り振られます。

3

スを割り当てることによってネットワークを区別します。同じネットワーク内で重ならないようにホストごとに割り当てるアドレスを**ホストアドレス**といいます。

ネットワークアドレスとホストアドレス

ネットワークアドレスとホストアドレスを設定すると、ネットワーク全体で1台を特定できるようにIPアドレスが割り当てられます。**ルータはネットワークアドレスを基に**、パケットを適切なネットワークに転送します。ルータなどでネットワークアドレスを記述する場合には、**ホストアドレスの部分のビットはすべて0にすること**で実現します。

■ クラス

IPができた当初は、IPアドレスは**クラスA**、**クラスB**、**クラスC**、**クラスD**という四つのクラスに分割されていました。そして、クラスごとにネットワークアドレスとホストアドレスの長さが決められていました。各クラスのネットワークアドレス、ホストアドレスのビット数、先頭ビット、ネットワークアドレスの範囲は、以下のとおりです。

クラスと先頭ビット、ネットワークアドレスの関係

クラス	ネットワークアドレス	ホストアドレス	先頭ビット	ネットワークアドレスの範囲
クラスA	8ビット	24ビット	0	0.0.0.0 〜 127.0.0.0
クラスB	16ビット	16ビット	10	128.0.0.0 〜 191.255.0.0
クラスC	24ビット	8ビット	110	192.0.0.0 〜 223.255.255.0
クラスD	32ビット	なし	1110	224.0.0.0 〜 239.255.255.255

2進数で表したときの先頭ビットを見ると、クラスを識別することができます。先頭ビットが0ならクラスA、1ならそれ以外です。2ビット目まで含めて10ならクラスB、3ビット目までの値が110ならクラスC、4ビット目までの値が1110ならクラスDです。

割り当てられないIPアドレス

IPアドレスを割り当てる際,ホストアドレスでは,すべてのビットを0にすることやすべてのビットを1にすることはできません。

すべてのビットが0のアドレスは,ネットワークアドレスそのものを表す場合に使われます。また,**すべてのビットが1のアドレスは,ブロードキャストアドレス**として使われます。ブロードキャストアドレスとは,同一ネットワークのすべてのホストにパケットを送信するためのアドレスです。

割り当てられるホストアドレスの最大数は,このネットワークアドレスとブロードキャストアドレスの**二つ分を引いた数**になります。例えば,クラスCの場合,ホストアドレスは8ビットなので,$2^8 - 2 = 254$台が,接続できる最大ホスト数になります。

参考

クラスC以外のクラスで割り当てられるホストアドレスの最大数は,クラスAが$2^{24} - 2 = 16,777,214$台,クラスBが$2^{16} - 2 = 65,534$台になります。

サブネットマスク

クラスが決まると,ネットワークアドレスとホストアドレスが決まります。ネットワークアドレスは,クラスAなら8ビット,クラスBなら16ビット,クラスCなら24ビットです。したがって,ネットワークアドレスを1,ホストアドレスを0として,クラスごとにネットワークアドレスの範囲を示すと,以下のようになります。

参考

サブネットとは逆に,複数のクラスを統合して一つのネットワークにすることを**スーパーネット**といいます。

クラスA	11111111	00000000	00000000	00000000
(10進数)	255.	0.	0.	0.
クラスB	11111111	11111111	00000000	00000000
(10進数)	255.	255.	0.	0.
クラスC	11111111	11111111	11111111	00000000
(10進数)	255.	255.	255.	0.

クラスごとのネットワークアドレスの範囲

クラスBのネットワークの場合,そのまま使うと,一つのネットワークに$2^{16} - 2 = 65,534$台のホストを接続できます。しかし,例えばイーサネットで接続されている一つのネットワークに6万台以上もつなぐということは,あまり現実的ではありません。クラスAだと1,677万台以上なので,さらに大変です。そのため,これらのIPアドレスをそのまま使うとネットワークにムダが出て

しまいます。

　そこで，クラスA，クラスB，クラスCのネットワークのホストアドレス部分をさらに分割し，**サブネットワーク**と呼ばれる複数のネットワークに分割する方法が考えられました。これがサブネットマスクです。

　サブネットマスクでは，ネットワークアドレスをサブネットで拡張します。例えば，172.16.100.138のIPアドレスで，サブネットで拡張して26ビットがネットワークアドレスとなった場合には，次のようになります。

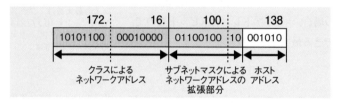

IPアドレス

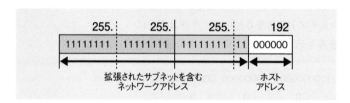

サブネットマスク

　そして，ネットワークアドレスは，ホストアドレスをすべて0にしたアドレスになります。

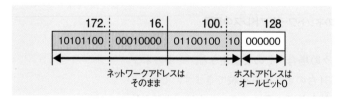

ネットワークアドレス

　次の問題で，サブネットマスクを考えてみましょう。

過去問題をチェック

サブネットマスクの計算問題は、ネットワークスペシャリスト試験の午前の定番で、午後でも基礎となります。この問題のほかにも、以下の出題があります。
【サブネットマスクの計算】
・平成26年秋 午前Ⅱ 問10
・平成27年秋 午前Ⅱ 問13, 問14
・平成29年秋 午前Ⅱ 問12
・平成30年秋 午前Ⅱ 問10
・令和6年春 午前Ⅱ 問12

問題

可変長サブネットマスクを利用できるルータを用いた図のネットワークにおいて、全てのセグメント間で通信可能としたい。セグメントAに割り当てるサブネットワークアドレスとして、適切なものはどれか。ここで、図中の各セグメントの数値は、上段がネットワークアドレス、下段がサブネットマスクを表す。

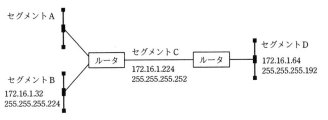

	ネットワークアドレス	サブネットマスク
ア	172.16.1.0	255.255.255.128
イ	172.16.1.128	255.255.255.128
ウ	172.16.1.128	255.255.255.192
エ	172.16.1.192	255.255.255.192

（令和3年春 ネットワークスペシャリスト試験 午前Ⅱ 問10）

解説

すべてのセグメント間で通信可能とするためには、それぞれのサブネットワークにおいて、サブネットアドレス及びIPアドレスの範囲がすべてのセグメントで重ならないようにします。そのため、ネットワークアドレスとサブネットマスクをもとに、すでに割り当てられているセグメントB, C, Dにおいて、IPアドレスの割当て範囲を考えて円グラフで図示すると、次のようになります。

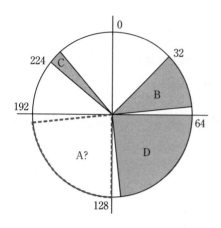

・セグメントB：172.16.1.32 ～ 172.16.1.63
・セグメントC：172.16.1.224 ～ 172.16.1.227
・セグメントD：172.16.1.64 ～ 172.16.1.127

　セグメントAは，解答の選択肢を見る限り，サブネットマスクが255.255.255.128か255.255.255.192の2種類しかなく，最低でも，255.255.255.192で割り当てられる，64個のIPアドレスが連続で確保できる範囲が必要です。そうなると，上の割当て範囲では，172.16.1.128 ～ 172.168.1.191の部分しか空いていません。したがって，セグメントAに割り当てるサブネットワークアドレスとしては，ネットワークアドレスは172.16.1.128，サブネットマスクは255.255.255.192なので，ウが正解となります。

≪解答≫ウ

　以前は，組織のネットワーク内でサブネットマスクを統一する必要がありました。しかし，それでは部署によって必要な台数が大きく違うときに，IPアドレスを効率的に割り当てることができません。そこで，組織内の部署ごと，サブネットごとにネットワークアドレスを変えられるようにする仕組みとしてVLSM（Variable Length Subnet Mask）が考案されました。VLSMを使用することによって，部署ごとに必要なホスト数の分だけサブネットを割り当てることが可能になります。

◻ CIDR

ネットワークアドレスを分割するサブネットも，統合するスーパーネットも，クラスを基準に分割・統合を行います。しかし，クラスにとらわれずにIPアドレスを使用できれば，さらに柔軟にIPアドレスを割り当てることが可能になります。

そこで，IPアドレスのクラス分けを廃止して，必要なだけIPアドレスを配布できるようにする仕組みが考案されました。それが，CIDR（Classless Inter-Domain Routing）です。

CIDRでは，可変長のネットワークアドレスの部分を，IPアドレスの後に"/"（スラッシュ）を付け，その後にプレフィックスと呼ばれるネットワークアドレスのビット数を示すことで表現します。この表現方法をCIDR表記といいます。例えば，先ほどの，IPアドレスが172.16.100.138でサブネットマスクが255.255.255.192の場合には，先頭から26ビットがネットワークアドレスなので，次のようなかたちで表現します。

プレフィックス
172.16.100.138／26

CIDR表記の例

この場合のプレフィックスやネットワークアドレスは，クラスにとらわれずにネットワークを表すものなので，クラスでのネットワークアドレスにサブネットマスクを加えたものであるとも言えます。また，CIDRを適用することによって，IPアドレスを有効利用できるだけでなく，経路情報を集約すること（**アドレス集約**）も可能になります。

◻ アドレス集約

CIDRを使用するメリットの一つに，複数のネットワークアドレスを集約できることがあります。ルーティングを行う際，複数のネットワークアドレスを一つに集約することによって経路情報を減らすことが可能です。

次の問題で，アドレス集約を行ってみましょう。

発展

1990年代半ばまでは，組織へのIPアドレスの割当てはクラス単位で行われていました。このとき，クラスAは1,677万台と数が多すぎ，クラスCは254台しか接続できないので，多くの企業はクラスBの割当てを希望しました。その結果，クラスBのアドレスが不足したためCIDRが考案されたという経緯があります。

過去問題をチェック

CIDRについては，次の出題があります。
【CIDR】
・令和元年秋 午前Ⅱ 問6
・令和6年春 午前Ⅱ 問12

参考
ネットワークアドレスを表現するときには，ホストアドレスの部分はすべてのビットが0になります。

問題

10.8.64.0/20，10.8.80.0/20，10.8.96.0/20，10.8.112.0/20の四つのサブネットを使用する拠点を，他の拠点と接続する。経路制御に使用できる集約したネットワークアドレスのうち，最も集約範囲が狭いものはどれか。

ア　10.8.0.0/16　　　　イ　10.8.0.0/17
ウ　10.8.64.0/18　　　エ　10.8.64.0/19

（令和5年春 ネットワークスペシャリスト試験 午前Ⅱ 問12）

解説

10.8.64.0/20，10.8.80.0/20，10.8.96.0/20，10.8.112.0/20の四つのサブネットの3バイト目（17～24ビット目）の部分を2進数に直すと，次のようになります。

サブネット	3バイト目
10.8.64.0/20	01000000
10.8.80.0/20	01010000
10.8.96.0/20	01100000
10.8.112.0/20	01110000

四つのサブネットに共通しているのは，最初の「01」の部分のみなので，先頭から18ビット目までです。そのため，10.8.64.0/18とすると，四つのサブネットをすべて集約することができます。したがって，ウが正解です。

≪解答≫ウ

■ ブロードキャストアドレス

ブロードキャストアドレスは，同一ネットワークのすべてのホストにパケットを送信するためのアドレスで，ホストアドレスの部分のビットをすべて1にすることで表現します。

例えば，172.16.0.0/20のネットワークで，ネットワークアドレスを2進数で表現すると，次のようになります。

10進数	2進数	
172.16.0.0	10101100 00010000 00000000 00000000	

ネットワークアドレス　　ホストアドレス

ネットワークアドレスの2進表記

　ここで，ホストアドレス部分のビットをすべて1にすると，ブロードキャストアドレスになります。

ブロードキャストアドレス	10101100 00010000 0000**1111 11111111**
	172.　　　16.　　　15.　　　255

ブロードキャストアドレス

　したがって，172.16.0.0/20のネットワークでのブロードキャストアドレスは，172.16.15.255になります。

　それでは，次の問題でブロードキャストアドレスを計算してみましょう。

問題

　ネットワークアドレス192.168.10.192/28のサブネットにおけるブロードキャストアドレスはどれか。

ア　192.168.10.199　　　イ　192.168.10.207
ウ　192.168.10.223　　　エ　192.168.10.255

（令和3年春 ネットワークスペシャリスト試験 午前Ⅱ 問14）

解説

　ネットワークアドレス192.168.10.192を2進数に直すと，以下のようになります。

ネットワークアドレス	192.　　　168.　　　10.　　　192
	11000000 10101000 00001010 1100<span></span>0000

　ここで，プレフィックスは/28で，先頭から28ビットがネットワークアドレス，残りの4ビットがホストアドレスになります。ホストアドレスの部分をすべて1にし，もう一度10進数に直すと，以下のようになります。

ブロードキャストアドレス	11000000	10101000	00001010	1100 1111
	192.	168.	10.	207

　したがって，イの192.168.10.207が正解です。

《解答》イ

■ IPマルチキャストアドレス

　IP（IPv4）の通信は，通信相手の数によって，**ユニキャスト**，**ブロードキャスト**，そして**マルチキャスト**の3種類に分類されます。

　ユニキャストは，相手を一つのホストに限定した1対1の通信です。ブロードキャストは，同一ネットワーク内のすべてのホストを相手にした全員向けの通信です。そして，マルチキャストは，必要としている**グループのみ**にパケットを送信する仕組みです。

　IPv4でのIPマルチキャストアドレスでは，クラスDのIPアドレスを使用します。先頭ビットが1110で始まるアドレスで，224.0.0.0 ～ 239.255.255.255までの範囲になります。

　それでは，次の問題を考えてみましょう。

　過去問題をチェック

マルチキャストについては，次のような問題があります。
【マルチキャスト】
・平成28年秋 午前Ⅱ 問8
・平成30年秋 午後Ⅰ 問3
　設問3
・令和4年春 午前Ⅱ 問13
・令和5年春 午後Ⅰ 問2
・令和6年春 午前Ⅱ 問7

問題

　IPv4のIPマルチキャストアドレスに関する記述として，適切なものはどれか。

　ア　127.0.0.1はIPマルチキャストアドレスである。

　イ　192.168.1.0/24のネットワークのIPマルチキャストアドレスは192.168.1.255である。

　ウ　IPマルチキャストアドレスの先頭の4ビットは1111である。

　エ　IPマルチキャストアドレスの先頭の4ビットを除いた残りの28ビットは，受信するホストのグループを識別するために利用される。

（令和6年春 ネットワークスペシャリスト試験 午前Ⅱ 問7）

関連

マルチキャストの詳細や，マルチキャストルーティングについては，「3-2-5 マルチキャストルーティング」で取り扱います。

解 説

IPv4のIPマルチキャストアドレスは、特定のホストグループに対してパケットを配信するためのアドレスです。マルチキャストアドレスにはクラスDのIPアドレスが使用されます。アドレス範囲は224.0.0.0 〜 239.255.255.255で、2進数での先頭の4ビットは1110となっています。マルチキャストアドレスの先頭の4ビットを除いた残りの28ビットは、受信するホストのグループを識別するために利用されます。したがって、エが正解です。

ア　127.0.0.1は、自分自身を示すループバックアドレスとして使用されるIPアドレスです。

イ　192.168.1.255は、ローカルネットワーク (192.168.1.0/24) 内のすべてのホストにパケットを配信するブロードキャストアドレスです。

ウ　IPv4のマルチキャストアドレスの先頭4ビットは1110です。

≪解答≫エ

■ ルーティング

パケットを世界中に配送するときに利用されるのが、IPアドレスです。そして、IPアドレスを基に、「この宛先IPアドレスは、このルータやホストに送り出す」ということを判断し、パケットを送出したり転送したりします。その判断の基となるのが、ルーティングテーブル（経路制御表）です。ホストやルータは、このルーティングテーブルを基に、パケットの送信先、転送先を決めていきます。

ルーティングテーブルでは、**ネットワークアドレス**を基に、パケットを送信するホストや、次のルータを決めていきます。そのとき、ルーティングテーブルに一致するネットワークアドレスが複数ある場合には、ネットワークアドレスの**プレフィックスが長い方**が選択されます。例えば、送りたいホストの宛先IPアドレスが172.16.10.1で、途中のルータでのルーティングテーブルに、172.16.10.0/16と172.16.10.0/24の二つのネットワークアドレスに対する経路制御情報があった場合には、プレフィックスが24ビットの172.16.10.0/24の方を選択します。この選び方のことを**最長一致法**（ロンゲストマッチ）といいます。

 関連
ルーティングについては、「3-2-1　ルータ」で詳しく取り上げます。

 発展
特別なIPアドレスの一つに**ループバックアドレス**があります。これは、同じコンピュータ内で通信したい場合に利用されます。IPv4のループバックアドレスは**127.0.0.0/8の範囲**です。通常は**127.0.0.1**がよく用いられます。このループバックアドレスは、localhostというホスト名で表されることもあります。

 過去問題をチェック
最長一致法について、ネットワークスペシャリスト試験では、転送するルータを選択する問題が出題されています。
【最長一致法】
・平成28年秋 午前Ⅱ 問13

■ デフォルトゲートウェイ

　すべてのネットワークやサブネットについての情報をルーティングテーブルに掲載すると，情報量が多くなりすぎます。そのため，ルーティングテーブルに登録されていないIPアドレスの場合の転送先として**デフォルトルート**が設定されます。デフォルトルートは，ルーティングテーブルでは0.0.0.0/0またはdefaultと記述します。

　PCの場合は，自分が所属するネットワーク以外にパケットを送信する際には，PCのデフォルトルートであるデフォルトゲートウェイが用いられます。デフォルトゲートウェイは，他のネットワークと通信するときの既定のルータで，PCに自動または手動で設定されます。

■ グローバルアドレスとプライベートアドレス

　インターネットでは，すべてのホストやルータにユニークなIPアドレスを割り当てる必要があります。しかし，IPv4のIPアドレスは32ビットしかなく，最大でも約43億個です。インターネットが急速に普及してきたおかげでIPアドレスが大量に必要になり，単純に1台ずつ割り当てているとIPアドレスが枯渇するおそれが出てきました。

　そこで，インターネットに直接接続しないネットワークのために，そのネットワーク内でのみユニークであるプライベートアドレス（プライベートIPアドレス）が考案されました。そして，インターネットに接続するルータにおいて，**プライベートアドレス**と，インターネットで利用可能なグローバルアドレスを変換するアドレス変換（NAT）を用いて，インターネットとの通信を可能にします。

　プライベートアドレスには任意のIPアドレスを割り振ることができますが，間違ってインターネットに接続した場合などに問題が起こる可能性があります。そのため，プライベートアドレスとして使用できるIPアドレスの範囲が，あらかじめ決められています。

　プライベートアドレスの範囲は次のように，クラスA，クラスB，クラスCのアドレスごとに決められています。

発展

実際，IPアドレスを国際的に統括する団体IANAのIPv4アドレスの在庫は，2011年2月3日に枯渇しました。
日本のIPアドレスを管理する団体JPNICでも，IPv4アドレスがなくなったため，通常の割当てを終了しています（下記サイト参照）。
https://www.nic.ad.jp/ja/ip/ipv4pool/

関連

NATについては，「3-1-5 NAT」で詳しく取り上げます。

プライベートアドレスの範囲

クラス	IPアドレスの範囲	CIDR表記
クラスA	10.0.0.0 ～ 10.255.255.255	10/8
クラスB	172.16.0.0 ～ 172.31.255.255	172.16/12
クラスC	192.168.0.0 ～ 192.168.255.255	192.168/16

■ グローバルアドレスの割当て

インターネットで通用するIPアドレスであるグローバルアドレスは全世界でユニークでなければならないので，世界中で管理されています。それを世界的に調整する機関がICANN（The Internet Corporation for Assigned Names and Numbers）です。ネットワークを識別する名前であるドメイン名も，ICANNが管理しています。

ICANNの下部組織にIANA（Internet Assigned Numbers Authority）があり，そこで実際にIPアドレスを割り振っています。割り振るのは地域ごとのインターネットレジストリで，日本はアジア太平洋地域の**APNIC**（Asia Pacific Network Information Center）に含まれます。そこから，日本の割当て機関であるJPNIC（Japan Network Information Center）が，**ISP**（Internet Service Provider）にIPアドレスを割り当てます。私たちがインターネットに接続する場合には，ISPからIPアドレスの割当てを受けるのが一般的です。

関連

ドメイン名については，「5-3-1 DNS」で詳しく取り上げます。

||▶▶▶ 覚 え よ う ！

- [ ] ホストアドレスがオールビット0はネットワーク，オールビット1はブロードキャスト
- [ ] プライベートアドレスは，10/8, 172.16/12, 192.168/16の3種類

PCに設定する四つのIPアドレス

　普段私たちが使っているPCには，次の四つのIPアドレスを設定する必要があります。

- ・IPアドレス
- ・サブネットマスク
- ・デフォルトゲートウェイ
- ・DNSサーバ

　IPアドレスは，そのPC（ホスト）のIPアドレスです。サブネットマスクと組み合わせることによって，ネットワークアドレスとホストアドレスを知ることができます。

　デフォルトゲートウェイは，他のネットワークと接続するときに使用する既定のルータです。ホストが通信を行う際には，宛先IPアドレスのネットワークアドレスを調べて，ネットワークアドレスが同じ場合には直接通信しますが，異なる場合にはデフォルトゲートウェイを経由します。

　また，実際に通信を行うときには，IPアドレスを直接指定するのではなく，ホスト名やドメイン名が使用されることがほとんどです。そのため，ホスト名，ドメイン名をIPアドレスに変換するために，DNS（Domain Name System）サーバに問い合わせる必要があります。このDNSサーバのIPアドレスを指定しておくことで，DNSでの名前解決が可能になります。

　これら四つのIPアドレスはすべて必要であり，いずれかが欠けても正常な通信ができません。ネットワークスペシャリスト試験の午後問題では，これらのアドレスの不備が障害の原因になるような状況が多いので，常にどのように設定されているのかを意識しておきましょう。

関連

DNSサーバについては，「5-3-1　DNS」で詳しく取り上げます。

過去問題をチェック

PCのデフォルトゲートウェイやサブネットマスクに関する問題は，ネットワークスペシャリスト試験の午後の定番です。

【デフォルトゲートウェイの設定変更】
・平成23年秋　午後Ⅱ　問2
　設問6（1）

3-1-3 ICMP

IPを補助するためのプロトコルにICMP（Internet Control Message Protocol）があります。IPで通信するときに必要になる，ネットワークが正常な状態であるかを確認することや，異常が発生したときにその状況を把握してトラブルシューティングを行うことなどのために，ICMPを利用します。

■ ICMPパケットフォーマット

ICMPの機能はICMPヘッダーを見るとよく分かります。まずはICMPパケットの構造を見ていきましょう。

ICMPヘッダーとICMPのパケットフォーマットは次のようになっています。

ICMPパケットフォーマット

それぞれのフィールドの内容は以下のとおりです。

- タイプ（Type）

1バイトで，ICMPメッセージの種類を示します。代表的なタイプは次のとおりです。

ICMPパケットフォーマットのタイプ

タイプ（10進数）	内容
0	**エコー応答**（Echo Reply）
3	**到達不能**（Destination Unreachable）
4	始点抑制（Source Quench）
5	**リダイレクト**（Redirect）
8	**エコー要求**（Echo Request）
9	ルータ広告（Router Advertisement）
10	ルータ請願（Router Solicitation）
11	**時間超過**（Time Exceeded）

発展

ICMPはIPと同じネットワーク層のプロトコルですが，IPの上位層に位置し，IPを使って通信します。IPヘッダーでプロトコル番号が1番のとき，データ部がICMPになります。

発展

ICMPの詳細な内容は，以下で公開されています。
https://www.iana.org/assignments/icmp-parameters/

過去問題をチェック

ICMPリダイレクトパケットについては，ネットワークスペシャリスト試験では次の出題があります。
【ICMPリダイレクト】
・平成24年秋 午後Ⅱ 問2 設問1，2

PCのデフォルトゲートウェイの設定が間違っていたときに，ルータが正しいゲートウェイを知らせるためにも，ICMPリダイレクトパケットが利用されます。

　タイプ8のエコー要求メッセージと**タイプ0**のエコー応答メッセージは一緒に使われ，通信したいホストやルータにIPパケットが到達するかどうかを確認します。

　タイプ3の**到達不能メッセージ**は，ルータがIPパケットを宛先に配送できなかった場合に，送信元に到達できなかった理由を知らせるメッセージです。このメッセージでは，次の表のように，到達できなかった理由を示します。例えば，ネットワークの経路情報をもっていない場合にはコード0のNetwork Unreachable，ホストに到達できなかった場合にはコード1のHost Unreachableが示されます。また，ホストに到達したにもかかわらず，サービスを行うポート番号に到達できなかった場合にはコード3のPort Unreachableとなります。

到達不能メッセージの主なコード

コード（10進数）	内容
0	ネットワーク到達不能 (Network Unreachable)
1	ホスト到達不能 (Host Unreachable)
3	ポート到達不能 (Port Unreachable)
4	フラグメンテーションが必要 (Fragmentation Needed and Don't Fragment was Set)
5	ソースルーティングが失敗 (Source Route Failed)
9	送信先ネットワーク拒否 (Communication with Destination Network is Administratively Prohibited)

　タイプ4の**始点制御メッセージ**は，フロー制御を行うためのメッセージです。例えば，ルータがパケットを処理できる限界まで受け取ってしまったときに，送信元に対して，もう少しゆっくり送ってほしいという要求を出すときに使います。

　タイプ5の**リダイレクトメッセージ**は，ルーティングに関する正しい情報を伝えるためのメッセージです。ルータが受け取ったIPパケットの送信先がそのルータで処理するのに適切でない場合に，より適切なルータに送信するように通知します。

　タイプ9の**ルータ広告メッセージ**と**タイプ10**の**ルータ請願メッセージ**は一緒に使われ，自身が接続しているネットワークのルータを見つけます。

　タイプ11の**時間超過メッセージ**は，IPパケットのTTL（生存時間）が0になったときに通知されます。IPパケットの場合，

TTLが0になると破棄されるので，送信元にパケットが破棄
されたことを通知します。
- **コード (Code)**

1バイトで，タイプメッセージごとの詳細な内容を示します。
例えば，タイプ3の到達不能メッセージの場合，代表的なもの
には前ページの表「到達不能メッセージの主なコード」のような
コードがあります。
- **チェックサム (Checksum)**

ICMPヘッダーを含むICMPメッセージ全体の誤りをチェック
するためのチェックサムです。
- **データ (Data)**

タイプごとに，必要な内容を記述します。

■ ICMPの種類

ICMPの種類は，大きく分けて二つあります。障害対策などで
診断を行うために情報の問合せを行う**情報メッセージ**と，エラー
が起きたときにエラー通知を行う**エラーメッセージ**です。

情報メッセージは，エコー要求／応答メッセージやルータ請
願／広告メッセージなどで，要求と応答がペアになっています。

エラーメッセージは，到達不能メッセージや時間超過メッセー
ジなどで，エラーが発生した場合に通知されます。

それでは，次の問題を考えてみましょう。

過去問題をチェック

ICMPのメッセージについ
ては，次の出題があります。
[ICMPのメッセージ]
・平成24年秋 午前Ⅱ 問10
・令和元年秋 午前Ⅱ 問19

問題

IPv4におけるICMPのメッセージに関する説明として，適切なものはどれか。

ア　送信元が設定したソースルーティングが失敗した場合は，Echo Replyを返す。

イ　転送されてきたデータグラムを受信したルータが，そのネットワークの最適なルータを送信元に通知して経路の変更を要請するには，Redirectを使用する。

ウ　フラグメントの再組立て中にタイムアウトが発生した場合は，データグラムを破棄してParameter Problemを返す。

エ　ルータでメッセージを転送する際に，受信側のバッファがあふれた場合はTime Exceededを送り，送信ホストに送信を抑制することを促す。

（令和4年春 ネットワークスペシャリスト試験 午前Ⅱ 問6）

解説

ICMPのメッセージのうち，タイプ5のICMP Redirectメッセージは，データグラムを受信したルータが，今後は他のルータを使うよう，そのネットワークに最適なルータ（ゲートウェイ）を通知します。したがって，イが正解です。

ア　ソースルーティングが失敗した場合には，タイプ3のICMP Destination Unreachableメッセージのコード5，Source Route Failedを返します。

ウ　タイムアウトが発生した場合には，タイプ11のICMP Time Exceededメッセージを返します。

エ　受信側のバッファあふれの場合は，タイプ4のSource Quenchメッセージを送り，送信ホストに送信の制御を促します。

≪解答≫イ

■ ping

ICMPを利用したソフトウェアの代表的なものにping（Packet INternet Groper）があります。pingは，相手先のホストにパケットが到達可能かどうかを調べるツールで，UNIXやWindowsなど，IPが実装されているOSではほとんどの場合，標準で用意されています。

pingでは，相手先に対して**ICMPエコー要求メッセージ**（タイプ8）を送信します。相手先から**ICMPエコー応答メッセージ**（タイプ0）が返ってくれば，正常な通信が可能だということが判明します。

■ traceroute

ICMP時間超過メッセージ（タイプ11）を利用したソフトウェアにtracerouteがあります。TTLを1から順に増やしながらUDPパケットを送信し，途中でパケットを破棄したルータにICMP時間超過メッセージを無理矢理返させます。そうすることによって，通過するルータのIPアドレスを一つずつ知ることができます。

■ ICMPv6（ICMP version 6）

IPv6でのICMPをICMPv6と表現します。IPv6ではIPv4に比べ，ICMPの役割が非常に大きくなります。特に大きいのが，IPv6では，IPアドレスからMACアドレスを調べる仕組みが，ARP（Address Resolution Protocol）からICMP近隣探索メッセージに変更されることです。

また，ICMPv6では，タイプを**エラーメッセージ**と**情報メッセージ**の二つに明確に分けています。タイプ0～127までがエラーメッセージ，タイプ128～255までが情報メッセージになっています。

発展

通常のPC（Windows）では，コマンドプロンプトを用いてpingコマンドを利用します。
> ping ホスト名
または
> ping IPアドレス
のかたちで相手先を指定し，到達できるかどうかを確認します。
tracerouteは，Windowsではtracertコマンドになります。

過去問題をチェック

pingを利用する問題は，ネットワークスペシャリスト試験の午後の定番です。
【ping】
・平成22年秋 午後Ⅱ 問1 設問5
・平成30年秋 午後Ⅰ 問2 設問1
・令和4年春 午後Ⅱ 問2 設問4

tracerouteについても，以下の出題があります。
【traceroute】
・令和3年春 午後Ⅰ 問1 設問2（tracerouteで表示されるIPアドレス）
・平成17年秋 午後Ⅰ 問4 設問1（穴埋め問題）（テクニカルエンジニア（ネットワーク）試験）

過去問題をチェック

ICMPv6について，ネットワークスペシャリスト試験では以下の出題があります。
【ICMPv6】
・平成26年秋 午前Ⅱ 問9
・令和5年春 午前Ⅱ 問1
・令和6年春 午前Ⅱ 問6

▶▶▶ 覚えよう！

☐　ICMPの役割は，IPを補助して，ネットワークの動作確認とエラー報告を行うこと

☐　pingで，相手先にIPパケットが到達するかを確認する

3-1-4 ◯ ARP

IPアドレスが分かれば通信相手を特定できるので，IPパケットを送信することができます。しかし，実際にデータリンクを利用して通信するためには，IPアドレスだけでなく，データリンクで使用するためのMACアドレスが必要になります。

◻ ARPとは

ARP（Address Resolution Protocol）は，IPアドレスからMACアドレスを求めるためのプロトコルです。宛先ホストのIPアドレスを手がかりに，次に送るべき機器のMACアドレスを調べます。

送信元IPアドレスと宛先IPアドレスを比較して，宛先IPアドレスが**同じネットワーク上にあるときには**，その**宛先IPアドレス**のMACアドレスを調べます。そして，宛先IPアドレスが**違うネットワーク上にあるときには**，次に送るルータのIPアドレスからMACアドレスを調べます。

ARPはIPv4でのみ使用されるプロトコルで，IPv6ではARPの代わりにICMPv6の近隣探索メッセージが利用されます。

◻ ARPパケットフォーマット

ARPのパケットフォーマットを次に示します。

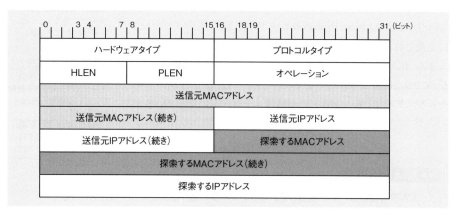

ARPパケットフォーマット

> **◻◻ 勉強のコツ**
>
> ARPについては，ネットワークスペシャリスト試験の午後問題で頻繁に問われます。
> ARPの仕組みを知ることと，その原理から実現できることの両方を押さえておく必要があります。具体的には，ARPの応用例を知っておくと役に立ちます。IPアドレスの重複を確認する，スイッチングハブのMACアドレステーブルを更新するなど，様々な場面でARPは使われています。

それぞれのフィールド（項目）の内容は，以下のとおりです。

- **ハードウェアタイプ（Hardware Type）**

16ビットで，どのようなデータリンクを使用しているかを示します。イーサネットの場合は，1です。

- **プロトコルタイプ（Protocol Type）**

16ビットで，ネットワーク層のプロトコルについて示します。Ethernetフレームのタイプフィールドと同じ値で，IPの場合には0800（16進数）になります。

- **HLEN（Hardware Length）**

8ビットで，ハードウェアアドレスの長さ（バイト）を示します。MACアドレスの場合は，6（バイト）です。

- **PLEN（Protocol Length）**

8ビットで，プロトコルアドレス（ネットワーク層のアドレス）の長さ（バイト）を示します。IPアドレスの場合は，4（バイト）です。

- **オペレーション（Operation）**

16ビットで，**ARP要求パケット**か**ARP応答パケット**かを示します。ARP要求パケットの場合は1，ARP応答パケットの場合は2です。

- **送信元MACアドレス**

48ビットで，送信元MACアドレスを示します。ARP応答パケットでは，**ここにARP要求パケットで求めていたMACアドレスが設定**されて返されます。

- **送信元IPアドレス**

32ビットで，送信元IPアドレスを示します。

- **探索するMACアドレス**

48ビットで，探索するMACアドレスを示します。ARP要求パケットではここが分からないので，通常は**0が設定**されています。ARP応答パケットでは，ここにあて先のMACアドレスが設定されます。

- **探索するIPアドレス**

32ビットで，ARP要求パケットでは，**探索するIPアドレス**を示します。ARP応答パケットでは，宛先（要求パケットの送信元）のIPアドレスが設定されます。

発展

ARPは，IP以外のプロトコルにも対応できるように，プロトコルタイプやPLENを用いて汎用性をもたせています。しかし実情では，ARPはIPプロトコルの補完に使われています。

ARPの仕組み

ARPを使って相手のIPアドレスからMACアドレスを知るためには，**ARP要求パケット**を送り，その返答として**ARP応答パケット**を受け取ります。

例えば，IPアドレスが172.20.0.1であるホストAが，同じネットワークにあるIPアドレス172.20.0.2のホストBのMACアドレスが知りたいときには，次のようになります。

まず，ホストAからARP要求パケットとして，探索するIPアドレスに172.20.0.2を設定してパケットを送ります。このとき，172.20.0.2のホスト（ホストB）はどこにいるのか分からないため，全員向けにパケットをブロードキャストします。

発展

ARP要求パケットはブロードキャストパケットなので，スイッチでフィルタリングされず，ネットワーク全体に届きます。
また，通信の最初に発信されるパケットもARP要求パケットであることがほとんどです。
そのため，しばしばこのARP要求パケットがブロードキャストストーム（「2-2-2 スパニングツリー」を参照）となります。

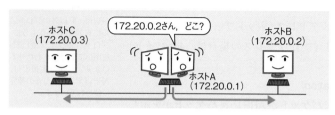

ARP要求パケット

そして，ARP要求パケットを受け取ったホストのうち，探索するIPアドレスに該当するホストは，そのMACアドレスをホストAに返答します。ホストBは，172.20.0.2は自分のIPアドレスだと分かったので，自分のNICに割り当てられているMACアドレス，00-01-29-00-F0-8DをARP応答パケットとして返答します。このときのパケットは，ホストAにだけ届けばいいので，ユニキャストになります。

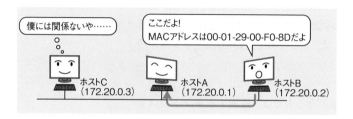

ARP応答パケット

ARP応答パケットで受け取ったMACアドレスは，コンピュータ内のARPテーブルに登録され，数分間キャッシュされます。ARPテーブルにはIPアドレスとMACアドレスの関連が登録され，一度ARPの処理が行われると，数分間はARPの再問合せは行われません。

発展

ARPテーブルは自分のPCで確認することができます。コマンドプロンプトで，
> arp -a
と打ち込んで実行すると，そのPCのARPテーブルの内容を表示することができます。

■ IPアドレスとMACアドレス

なぜ，通信にはIPアドレスとMACアドレスの両方が必要なのでしょうか？　ARPの仕組みを見れば，その理由が分かります。

MACアドレスは，同じネットワーク，同じデータリンクでのみ通用するアドレスです。一方，IPアドレスは，全世界のネットワークでユニークなアドレスです。

IPアドレスは，ネットワークアドレスとホストアドレスを使用します。そのため，同一ネットワークなら同じネットワークアドレス，異なるネットワークなら異なるネットワークアドレスになっています。

しかしMACアドレスは，世界中でユニークなアドレスではあるのですが，メーカーごとに設定されます。そして，同じメーカーで作った機器は様々な場所で使用されるので，MACアドレスだけでネットワークを特定することはできません。

そのため，IPアドレスでネットワークを探し，MACアドレスで同じネットワーク内で通信を行う，といった使い分けが行われます。

ここで，IPアドレスが172.20.0.1/24のホストAから，IPアドレスが172.20.1.1/24のホストDに通信する場合を考えてみます。

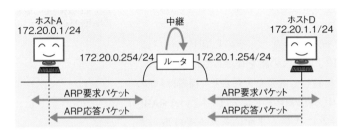

異なるネットワーク間で通信する際のARPパケット

　　ホストAの172.20.0.1/24のネットワークアドレスは172.20.0.0,ホストDの172.20.1.1/24のネットワークアドレスは172.20.1.0なので，異なるネットワークアドレスであることが分かります。異なるネットワークアドレスの場合にはパケットをいったんルータに中継してもらう必要があるため，**ルータのMACアドレスを調べて**そこに送ります。異なるネットワークに送るための既定のルータであるデフォルトゲートウェイのIPアドレスは，ホストに設定されています。前ページの図の例では，ホストAのデフォルトゲートウェイは172.20.0.254なので，**172.20.0.254のIPアドレスに向けたARP要求パケット**をブロードキャストします。ルータは，ARP応答パケットを送信し，ホストAとの間で通信を開始します。そして，ホストAからのIPパケットを受け取り，ホストDに転送します。

　　ホストDに送るために，ルータは，ホストDがあるネットワークに向けてホストDのIPアドレス，つまり**172.20.1.1のIPアドレスに向けたARP要求パケット**をブロードキャストします。そして，ホストDからARP応答パケットを受け取ることで，ホストDとルータ間の通信が可能になり，ホストAから受け取ったIPパケットを転送します。

　　このように，送信元と宛先のIPアドレスを基にネットワークを判断することによって，ルータを越えた異なるネットワーク間での通信が可能になります。

■RARP

　　RARP（Reverse Address Resolution Protocol）は，ARPの逆で，MACアドレスからIPアドレスを取得するためのプロトコルです。組込機器などで，IPアドレスを保持しておくハードディスクがない場合などに用いられます。

　　RARPでは，RARPサーバを用意し，そのRARPサーバに，機器のMACアドレスとIPアドレスの組を登録しておきます。

　　ネットワークに機器を接続して電源を入れると，機器は「私のMACアドレスは○○です。私のIPアドレスは？」という**RARPリクエスト**をネットワークに送信します。それを受け取った**RARPサーバ**は，登録してあるMACアドレスとIPアドレスの組を参照して，「君のIPアドレスは△△だよ」というRARPレスポンスを返します。

📖 過去問題をチェック

ルータ越えを行う通信でのARPパケットについては，ネットワークスペシャリスト試験の午後問題で頻繁に登場します。
【ARPパケット】
・平成21年秋 午後Ⅱ 問2 設問3
（〔障害事例1〕として，ARP要求パケットとARP応答パケットの様子から障害の原因を探る問題）

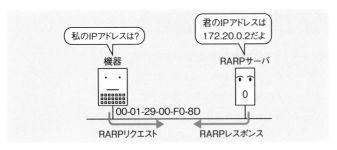

RARPのパケットの様子

　RARPレスポンスを受け取った機器は，受け取ったIPアドレスを機器に設定します。

　それでは，次の問題を解いてみましょう。

問題

　図のような2台のレイヤ2スイッチ，1台のルータ，4台の端末からなるIPネットワークで，端末Aから端末Cに通信を行う際に，送付されるパケットの宛先IPアドレスである端末CのIPアドレスと，端末CのMACアドレスとを対応付けるのはどの機器か。ここで，ルータZにおいてプロキシARPは設定されていないものとする。

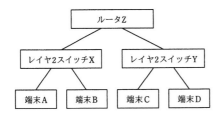

ア　端末A　　　　　　　イ　ルータZ
ウ　レイヤ2スイッチX　　エ　レイヤ2スイッチY

（平成30年秋 ネットワークスペシャリスト試験 午前Ⅱ 問6）

解説

　端末Aと端末Cの通信は，ルータZを経由する，異なるネットワーク間での通信となります。そのため，端末Aから端末Cに通信を行う際には，まず端末AがルータZに向けてパケットを送ります。このとき，ARP（Address Resolution Protocol）を用いて，まずルータZのIPアドレスに対応するMACアドレスを取得し，そのMACアドレスを宛先にしてパケットを送ります。

　次に，ルータZが中継したパケットを端末Cに送ります。ルータZは端末CのMACアドレスを知るために，ARPを用いて，端末CのIPアドレスに対応するMACアドレスを取得し，そのMACアドレスを宛先にしてパケットを送ります。

　そのため，端末CのIPアドレスと，端末CのMACアドレスとを対応付けるのは，ARPを用いてそれを検索して取得したルータZとなります。したがって，イが正解です。

≪解答≫イ

■ プロキシARP

　VLSMやCIDRに対応していない機器は，クラスでしかネットワークアドレスを判断できません。このような旧型の機器の場合，別のネットワークを同じネットワークと勘違いして，宛先ホストに向けて直接，ARP要求パケットを出すことがあります。

　このような場合には，ルータが代理でARP応答パケットの返信を行い，ルータがいったん，その機器からのパケットを受け取って別のネットワークに中継することができます。この仕組みをプロキシARP（Proxy ARP），または**代理ARP**といいます。

過去問題をチェック

プロキシARPについては，ネットワークスペシャリスト試験では以下の出題があります。
【プロキシARP】
・平成25年秋 午後Ⅱ 問1 設問4（3）
・平成19年秋 午後Ⅱ 問2 設問5（テクニカルエンジニア（ネットワーク）試験）

3

■ ARPの利用場面

　ARPは処理がとても単純なため，IPアドレスからMACアドレスを知るという本来の目的以外にも様々な場面で使用されます。ここでは，ARPの利用例を示します。

①IPアドレスの重複確認

　DHCP（Dynamic Host Configuration Protocol）などでIPアドレスを割り当てるときに，そのIPアドレスがすでに使用されていないかを確認します。その際，割り当てようとするIPアドレスに向けてARP要求パケットを送ることで，そのIPアドレスを使用しているホストがないかどうかをチェックします。このような，自分自身のIPアドレスや使用予定のIPアドレスを設定して送信するARP要求パケットのことをGratuitous ARP（GARP）と呼びます。

②スイッチングハブのMACアドレステーブル変更

　ARP要求パケットを送信し，その送信元MACアドレスをスイッチに学習させることで，MACアドレステーブルを更新することができます。VRRPでは，ルータが切り替わったときのスイッチの更新のために，切り替わったルータを送信元とするARP要求パケットを送ってアドレステーブルを書き換えます。

③ネットワーク監視

　IPアドレスを基にネットワークの生存確認を行う場合には，通常はpingを用います。しかし，同一ネットワーク内で単に応答があるかどうかを確認したいときには，ARPを生存確認に使うこともあります。目的の機器に向けてARP要求パケットを送り，その応答があることで機器が動いていることを確認できます。

 過去問題をチェック

Gratuitous ARPに関しては，ネットワークスペシャリスト試験では以下の出題があります。
【Gratuitous ARP】
・平成28年秋 午前Ⅱ 問6
・平成25年秋 午後Ⅱ 問1 設問4（2）
（Gratuitous ARPの名称とその目的を答えさせる問題）
・平成26年秋 午後Ⅰ 問2 設問1
（ARPテーブルを更新する手段としてのGratuitous ARPについて）
・平成20年秋 午後Ⅱ 問1 設問3（テクニカルエンジニア（ネットワーク）試験）
（VRRPでのL3SWのアドレス学習の切替えをGratuitous ARPやRARPを利用して行う方法について）
・令和元年秋 午後Ⅰ 問1 設問1

▶▶▶ 覚 え よ う！

- [ ] ARP要求パケットの送信先は，同一NWなら宛先ホスト，違うNWなら次のルータ
- [ ] IPアドレスからMACアドレスを知るのがARP，その逆がRARP

3-1-5 NAT

NAT（Network Address Translation）は，ネットワークアドレスの変換を行う技術です。IPヘッダーに含まれるIPアドレスを別のIPアドレスに変換します。ローカルなネットワークではプライベートIPアドレスを使用し，インターネットに接続するときにグローバルIPアドレスに変換するための技術として開発されました。

現在では，IPヘッダーだけでなくTCPヘッダーやUDPヘッダーのポート番号も付け替えるNAPT（Network Address Port Translation）が主流です。

■ NATの仕組み

NATを利用するときには，途中のNAT対応ルータでIPアドレスを付け替えます。例えば，下図のように，IPアドレスが192.168.0.1のホストAがインターネットに接続する場合を考えてみます。

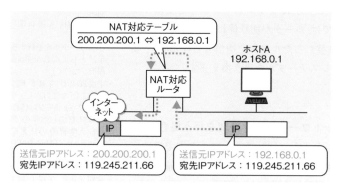

NAT

NAT対応ルータの内部には，アドレス変換のためのNAT対応テーブルが作られます。ホストAから最初にインターネットに向けてパケットが送られたときにNAT対応テーブルを作成し，プライベートIPアドレスである192.168.0.1を，グローバルIPアドレスである200.200.200.1に変換します。

IPアドレスの変換だけを行うNATでは，一度に一つのIPアドレスで通信を行うことができるホストは1台のみです。

発展

NATには，あらかじめNAT対応テーブルを書き込んでおいて固定的にIPアドレスを割り当てる静的NATもあります。

通常のNAT（動的NAT）では，通信のあったホストに対してIPアドレスを割り当てるので，時間が重ならなければ複数台のホストがインターネットと通信可能になります。

■ NAPTの仕組み

NATだけでは，一度に2台以上のホストがインターネットと通信することはできません。そこで，一つのIPアドレスでポート番号を変えることで，複数台のホストの同時接続を可能にしたのがNAPTです。

例えば下図のように，IPアドレスが192.168.0.1のホストAと，192.168.0.2のホストBがインターネットに接続する場合を考えてみます。

用語

NAPTはIPマスカレードと呼ばれることもあります。もともとはLinuxにおけるNAPTの実装例であり，マスカレード（仮面舞踏会）で本来の自分のIPアドレスを隠すところからきています。

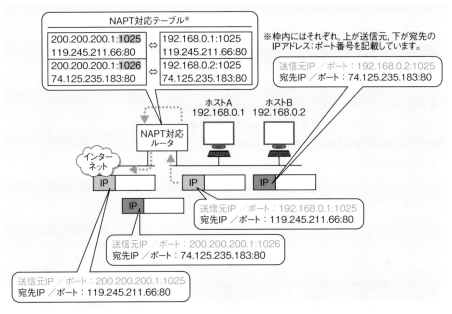

NAPT

NAPT対応ルータの内部に，アドレス変換のためのNAPT対応テーブルが作られます。IPアドレスだけでなくポート番号も合わせて，宛先IPアドレス，宛先ポート番号，送信元IPアドレス，送信元ポート番号，プロトコル（TCPかUDPか）の五つが登録され，それらのすべてが一致するものを同じ通信として扱い，アドレス変換を行います。

ホストAから最初にインターネットに向けてパケットが送られたときにNAPT対応テーブルを作成し，プライベートIPアドレスである192.168.0.1のポート番号1025を，グローバルIPアドレ

用語

最近はNAPT技術を使うことがほとんどなので，NAPTのことを指してNATと呼ぶ場合もあります。

スである200.200.200.1のポート番号1025に変換します。そして
次に，ホストBからインターネットに向けてパケットが送られた
ときに，NAPT対応テーブルを作成し，プライベートIPアドレ
スである192.168.0.2のポート番号1025を，グローバルIPアドレ
スである200.200.200.1のポート番号1026に変換します。

　このように変換することで，一つのIPアドレスで一度に複数
の接続が可能になります。

　それでは，次の問題を考えてみましょう。

問題

　TCP，UDPのポート番号を識別し，プライベートIPアドレス
とグローバルIPアドレスとの対応関係を管理することによって，
プライベートIPアドレスを使用するLANの複数の端末が，一つ
のグローバルIPアドレスを共有してインターネットにアクセスす
る仕組みはどれか。

　　ア　IPスプーフィング　　　イ　IPマルチキャスト
　　ウ　NAPT　　　　　　　　　エ　NTP3

（平成19年秋 テクニカルエンジニア（ネットワーク）試験 午前 問36）

解説

　プライベートIPアドレスを使用する複数の端末が，ポート番号
で区別することによって一つのグローバルIPアドレスを共有する
仕組みは，NAPTです。したがって，ウが正解です。
　アのIPスプーフィングは，IP通信で送信者のIPアドレスを詐
称してなりすましを行うセキュリティ攻撃です。イのIPマルチキャ
ストは，クラスDのIPアドレスを用いた，IPでマルチキャストを
行う仕様です。エのNTP3は，時刻同期を行うプロトコル，NTP
（Network Time Protocol）のバージョン3です。

≪解答≫ウ

過去問題をチェック
NAPT（IPマスカレード）に
ついては，ネットワークス
ペシャリスト試験の午前だ
けでなく午後でもよく出題
されます。
【NAPT】
・平成26年秋 午後Ⅰ 問2
　設問1
　（FWの機能として名称を
　問う穴埋め問題）

■NATの問題点

NATやNAPTでは，変換テーブルを使ってIPアドレスなどを付け替えます。そのため，NATやNAPTを使用すると次のような問題が起こります。

1. **NAT（NAPT）の内側のサーバに接続できない。**
2. **NAPTは，ポート番号のないアプリケーションやポート番号が変化するアプリケーションで利用できない。**
3. **変換処理のオーバヘッドでルータに負荷がかかる。**

NAT（NAPT）の内側では通常，プライベートIPアドレスを用います。そのため，クライアントがインターネット上のサーバに接続する場合には問題がないのですが，インターネットからNAT（NAPT）の内側に接続しようとするときはそのままでは通信できません。これは，インターネット上で，プライベートIPアドレスを用いて送信先を指定することができないからです。そのため，家庭内サーバや**P2P**での通信などで問題が起こってきます。解決するには，**NATトラバーサル**（次ページ参照）などを利用してNATを通過させる方法をとる必要があります。

また，NAPTでは，ポート番号を変化させます。そのため，VPNで使用するIPsecなど，ポート番号が暗号化されて見えないプロトコルの場合，アドレス変換での不具合が起こります。また，FTPなど，通信の途中でポート番号を複数使い変化させるプロトコルでは，その対応が難しくなります。

さらに，NAT（NAPT）対応ルータは，通常のルータに比べて，NAT（NAPT）対応テーブルを作成してアドレスを付け替える分だけ余計に負荷がかかります。そのため，通信が遅延する，ルータに負荷がかかりすぎて通信に障害が発生するなどの可能性が高くなります。

 過去問題をチェック

NATの応用例としてNAT444について，ネットワークスペシャリスト試験で出題されています。
【NATの応用（NAT444）】
・平成27年秋 午後Ⅱ 問2 設問2
このような応用でも使われている技術の基本は同じなので，NATやNAPTについて理解しておくと解答を導くことができます。

 用語

P2P（Peer to Peer）とは，対等の者同士が通信をする方式です。
P2Pでは，クライアントとサーバのように，通信する方向が決まっていないため，外部から内部，内部から外部の双方向の通信が発生します。

 関連

P2Pについては，「5-4-4 コンテンツ配信」で詳しく説明します。

 関連

IPsecについては「6-3-2 IPsec」で，FTPについては「5-4-1 FTP」で詳しく取り扱います。

■NATトラバーサル技術

　通常の方法ではNAT（NAPT）を越えられないときには，NATトラバーサル（**NAT越え**）が必要になります。基本的には，NAT（NAPT）を前提にアプリケーションなどで対応することで，NATトラバーサルを実現します。

　例えば，IPsecではポート番号がないのでNATを越えることはできません。そこで，NATトラバーサルを実現させるために，IPsecで必要なパケット（IKE：鍵交換，ESP：暗号化パケット，など）をすべて通過させるために，ルータに IPsec パススルー機能を搭載します。

　また，P2Pの機器などが外部と接続するため，NATルータに付けられているグローバルIPアドレスを機器に伝える働きをする **UPnP**（Universal Plug and Play）という仕組みが利用されることもあります。

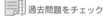
過去問題をチェック

NAT（NAPT）が関係する不具合についての問題は，ネットワークスペシャリスト試験の午後の定番です。障害発生も多いため，様々なかたちで出題されています。
【NAT（NAPT）の不具合】
・平成22年秋　午後Ⅱ　問2　設問3（4）
（モバイルルータに必要な設定として，NATトラバーサル（またはIPsecパススルー）を答えさせる問題）
・平成20年秋　午後Ⅱ　問1　設問1（3）（テクニカルエンジニア（ネットワーク）試験）
（IPsec-VPNでNATトラバーサル方式が必要な理由について）

▶▶▶ 覚えよう！

- ☐　**NAPTでは，IPアドレス＋ポート番号の組で，アドレス変換を行う**
- ☐　**NAT（NAPT）は不具合が起こりやすいので，NATトラバーサル技術が必要**

3-1-6 ⬤ VRRP

VRRP（Virtual Router Redundancy Protocol：仮想ルータ冗長プロトコル）は，ルータの冗長化を行うためのプロトコルです。VRRPでは仮想ルータという考え方を利用して，複数台のルータを1台のルータとして扱います。

◻ デフォルトゲートウェイの二重化

PCに設定するIPアドレスの一つにデフォルトゲートウェイがあります。デフォルトゲートウェイは，他のネットワークに接続するときに経由するルータで，通常は一つのIPアドレスを設定します。

例えば，下図のようなネットワークでPCのデフォルトゲートウェイを192.168.0.254に設定すると，他のネットワークに行くためのすべてのパケットはルータ1を経由します。

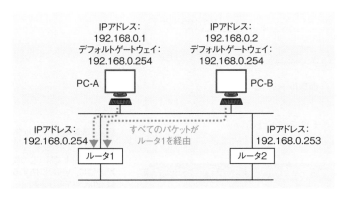

デフォルトゲートウェイで起こる問題

ルータ1の障害時の予備にルータ2を用意しておいても，すぐに切り替えることはできません。PCではデフォルトゲートウェイの設定は自動的に変更されないため，手動で切り替える必要があるからです。これにはとても手間がかかるので，実用上，現実的ではありません。そのため，PCのデフォルトゲートウェイの設定を変更することなくデフォルトゲートウェイを自動的に切り替えられる仕組みが開発されました。その仕組みが，VRRPです。

■ VRRPとは

　VRRPとは，仮想ルータを使って冗長化を行うプロトコルです。複数のルータ間で，仮想のIPアドレス，MACアドレスをもつ仮想ルータを設定し，その仮想ルータをPCのデフォルトゲートウェイとします。

　下図のようなイメージで，PCは**仮想ルータ**と通信を行うつもりでパケットを送信します。しかし実際には，通常時にはマスタルータであるルータ1，ルータ1の故障時にはバックアップルータであるルータ2がパケットを受け取り，ルーティングを行います。

参考

VRRPはデフォルトゲートウェイの二重化に使われるので，それが設定される機器はルータとは限りません。ファイアウォールやレイヤ3スイッチなど，ネットワーク層以上で中継する機器では，VRRPの設定は可能です。

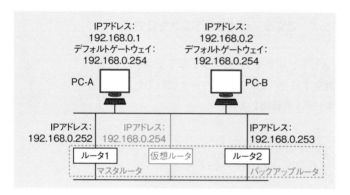

仮想ルータ

　それでは，次の問題を考えてみましょう。

過去問題をチェック

ネットワークスペシャリスト試験の午前Ⅱでは，この問題の他に，VRRPに関する以下の出題があります。
【VRRP】
・平成27年秋 午前Ⅱ 問12
・令和元年秋 午前Ⅱ 問10
（デフォルトゲートウェイの障害回避に用いるプロトコルとしてVRRPを選択する問題）

問題

　同一のLANに接続された複数のルータを，仮想的に1台のルータとして見えるようにして冗長構成を実現するプロトコルはどれか。

　　ア　ARP　　イ　OSPF　　ウ　RSTP　　エ　VRRP

（平成21年秋 ネットワークスペシャリスト試験 午前Ⅱ 問16）

3

解説

　複数のルータを，仮想的に1台のルータ（仮想ルータ）として見えるようにして冗長構成を実現するプロトコルは，VRRPです。したがって，エが正解です。

　アのARPはIPアドレスからMACアドレスを求めるプロトコル，イのOSPFはリンク状態を基にルーティングを行うプロトコル，ウのRSTP（Rapid Spanning Tree Protocol）は，通信の切替わり時間が短くなるよう改善されたスパニングツリープロトコルです。

⑥関連
OSPFについては，「3-2-3 OSPF」で詳しく取り扱います。

≪解答≫エ

◾ VRRPの仕組み

　冗長化を行いたい複数のルータでVRRPを動作すると，**マルチキャストアドレスでVRRP広告**（VRRPアドバタイズメント）を交換します。そして，複数のルータのうち，VRRP広告に含まれるプライオリティ値が最も大きいルータが優先されて**マスタルータ**になります。マスタルータは，通常時に仮想ルータ宛てのパケットを処理するルータです。そして，それ以外のルータが**バックアップルータ**になります。バックアップルータは，マスタルータの障害時に役割を引き継ぐルータです。マスタルータは1台ですが，バックアップルータは複数台存在することがあります。

　マスタルータはバックアップルータに定期的にVRRP広告を送信します。VRRP広告は死活監視情報（ハートビート）も兼ねており，VRRP広告を受け取ることで，相手のルータが正常に動いていることを確認できます。

🏠発展
VRRP広告メッセージは，マルチキャストアドレス224.0.0.18で送信されます。ローカルマルチキャストアドレスなので，ルータで中継はされません。そのため，VRRPで同じ仮想ルータを構成するルータは，同じネットワークに接続されている必要があります。

📑過去問題をチェック
VRRPについての問題はネットワークスペシャリスト試験の午後の定番で，様々なかたちで出題されています。
【VRRP】
・平成23年秋 午後Ⅱ 問2 設問2
・平成25年秋 午後Ⅱ 問1 設問2
・平成26年秋 午後Ⅰ 問1 設問2
・平成30年秋 午後Ⅰ 問2 設問2
・令和元年秋 午後Ⅰ 問1 設問1
・令和3年春 午後Ⅱ 問1 設問1
・令和4年春 午後Ⅱ 問2 設問1
・令和5年春 午後Ⅱ 問1 設問2

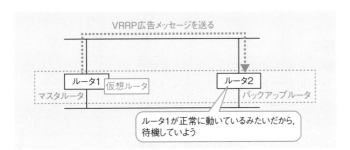

VRRP広告で，正常稼働を確認

　そして，マスタルータからVRRP広告が届かなくなると，バックアップルータはマスタルータが故障したと判断し，速やかに仮想IPアドレス，仮想MACアドレスを引き継いでマスタルータとなり，仮想ルータの役割を担います。

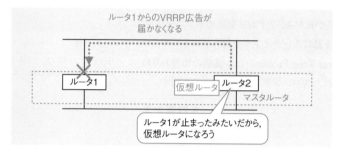

障害発生時のマスタルータの切替え

　仮想ルータには，仮想IPアドレスだけでなく仮想MACアドレスも設定されています。これらの設定をバックアップルータが引き継ぐことで，PCではまったく意識せずに，通信を行う物理ルータを切り替えることができます。

　VRRPによって障害時にルータが切り替わると，スイッチングハブは，仮想ルータが接続されている物理ポートを学習し直します。VRRP広告やGratuitous ARPで送信元MACアドレスを学習し直すことで，MACアドレスとルータが接続されているポートの対応関係を切り替えるのです。

■ 複雑なVRRP

　VRRPは，複雑なネットワーク構成においても用いられます。その際に使われる仕組みには，次のようなものがあります。

①複数の仮想ルータを設定

　VRRPグループID（VRID）を複数設定して使い分け，**複数の仮想ルータを設定**することが可能です。複数の仮想ルータを使い分けて正常時のデフォルトゲートウェイを振り分けることで，**負荷分散**を実現します。例えば，次のようなネットワークで，PC-Aは仮想ルータ1，PC-Bは仮想ルータ2をデフォルトゲートウェイとして設定します。そして，仮想ルータ1のマスタルータ

をルータ1, 仮想ルータ2のマスタルータをルータ2に設定します。

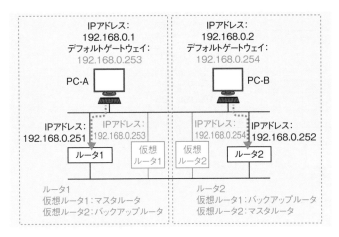

複数の仮想ルータを設定する例

　そうすると, 実際に通常時に物理的に接続するルータは, PC-Aではルータ1, PC-Bではルータ2となります。これにより, 通常時の負荷が分散されるとともに, 障害発生時にはバックアップルータに切り替わることで冗長化も実現できます。

　また, VLANを利用する場合に, それぞれのVLANに仮想ルータを設定すると, VLANごとにデフォルトゲートウェイを分けることも可能です。

②複数のインタフェースで同期

　複数のインタフェースでVRRPを構成している際, 一方のインタフェースが故障したら, もう一方のインタフェースも切り替える必要がある場合があります。そのようなときには, VRRPトリガ (またはVRRPトラッキング) を使用して, マスタルータを連動して切り替えることができます。

　例えば, 次のように, ルータ1, ルータ2がともに二つのインタフェースに接続されている場合を考えてみます。

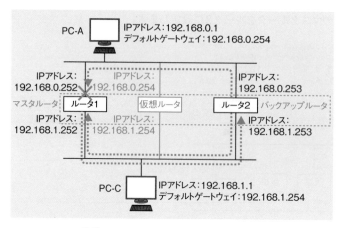

複数のインタフェースに接続されている例

　このとき，ルータ1の192.168.0.252側のインタフェースが故障したとします。すると，ルータ1は，192.168.0.0のネットワーク（上側のネットワーク）にはVRRP広告を出さなくなるので，ルータ2で故障を検出してルータ2がマスタルータとなり，仮想ルータの動作を引き継ぎます。しかし，ルータ1のもう一方の192.168.1.252側のインタフェースは正常なので，VRRP広告を出し続けます。そうすると，192.168.1.0のネットワーク（下側のネットワーク）では，ルータ1がマスタルータのままです。

　その状態で，PC-CからPC-Aにパケットを送信すると，PC-Cはルータ1にパケットを送ることになります。しかし，上側のインタフェースが故障しているので，上のネットワークに正常に中継できません。このようなときには，全体でルータ1の故障と見なす必要があります。

　ここで利用される機能が**VRRPトリガ**です。VRRPトリガでは，あらかじめ**監視対象インタフェース**と**障害検出時のプライオリティ値**を設定しておきます。例えば，監視対象インタフェースに，ルータ1の上側（192.168.0.252）と下側（192.168.1.252）を両方設定しておき，**一方の障害を検出したらもう一方のインタフェースのプライオリティ値を下げます**。そうすることによって，もう一方のインタフェースでもマスタルータとバックアップルータが切り替わり，正常に通信することが可能になります。

　過去問題をチェック

VRRPトリガを利用したネットワークの切替えについて，ネットワークスペシャリスト試験では以下の出題があります。
【VRRPトリガ】
・平成23年秋 午後Ⅱ 問2
　設問2（4）

■ VRRPバージョン3

VRRPの最新のバージョンは，RFC5798で定義されているバージョン3です。バージョン2までとは異なり，バージョン3ではIPv4とIPv6の両方をサポートしています。バージョン2とバージョン3の併用はできないため，ルータではどちらかのバージョンを選択して設定を行う必要があります。

3

||▶▶ 覚 え よ う ！

- ☐ VRRPでは，VRRP広告をやり取りし，マスタルータとバックアップルータを決める
- ☐ VRRPトリガは，監視対象インタフェースの故障により，関連するプライオリティ値を下げる

VRRPとSTP

　VRRPは，ネットワークスペシャリスト試験の午後Ⅱでは定番として出てきます。また，VRRPはしばしばSTP（スパニングツリープロトコル）と組み合わせて出題されます。

　VRRPは，デフォルトゲートウェイを冗長化する仕組み，つまりネットワーク層でのプロトコルです。そして，STPはスイッチを冗長化する仕組み，つまりデータリンク層でのプロトコルです。

　スイッチを二重化しないと，スイッチが故障したときに対応できませんが，そのままつなぐとループが発生してしまうので，スパニングツリーを構成する必要があります。

　同様に，デフォルトゲートウェイを二重化しないとルータが故障したときに対応できませんが，単に2台のルータを接続しても障害時に自動的に切り替わることはありません。そのため，仮想ルータを設定して，自動的にバックアップルータに切り替わる仕組みが必要になります。

　ネットワークスペシャリスト試験では，「障害が起こったときにどうするか」ということが大きなテーマになります。特に午後Ⅱでは，大規模なネットワークの事例で，実際の障害時のシミュレーションを行います。そのため，VRRPとSTPの出番が多くなるのです。

　冗長化の方法には，ほかにもアクティブスタンバイ方式（通常時に，一方がアクティブに動作し，もう一方がスタンバイする方式）や，負荷分散装置の障害時に通信を振り分けないようにする仕組みなどもあります。また，近年ではSTPに代わってTRILLやスタック機能などの代替プロトコルが出題されることも増えてきています。単にプロトコルを知るだけでなく，どのような場面で使うかも押さえておきましょう。

3-1-7 ◯ IPv6

IPv6（Internet Protocol version 6）は，IPv4のIPアドレス枯渇問題を根本的に解決するためのプロトコルです。IPアドレスの長さをIPv4の32ビットから128ビットにすることによって，事実上無限のIPアドレスを手に入れることができます。

しかし，IPv4からIPv6への移行は，インターネットに接続するすべてのホストやルータを変更する必要があるため，大変な手間がかかります。そのため普及には時間がかかっていますが，徐々に移行が進んでいます。

◻ IPv6の特徴

IPv6の主な特徴としては，次のものがあります。

①IPアドレスが事実上無限

IPアドレスが128ビットなので，2^{128}個ものIPアドレスを利用できます。

> 発展
>
> 2^{128}個＝3402823669209 3846346337460743176 8211456個
> ＝約340澗（かん）個です。澗は兆の3乗です。
> 有限な数ですが，事実上無限といっていいほどの大きな数になります。

②ルータの負荷を軽減

IPヘッダ長を固定で40オクテットとし，ルータでの分割処理やチェックサムをなくすことで，ルータの負荷を軽減させます。

③プラグ＆プレイ機能

DHCPサーバがなくても，IPアドレスを自動的に割り当てることができます。

④セキュリティ機能（IPsec）

認証機能や暗号化機能，なりすまし防止策などを提供するセキュリティ機能であるIPsecを標準でサポートします。

> 関連
>
> IPsecについては，「6-3-2 IPsec」で詳しく学習します。

⑤ルーティングテーブルの集約

IPアドレスをISPごとに大きく割り当て，ISPがそれを細かくして計画的に配布することによって，ルーティングテーブルがあまり大きくならないようにします。

3

それでは，次の問題を考えてみましょう。

問題

IPv6においてIPv4から仕様変更された内容の説明として，適切なものはどれか。

ア　IPヘッダのTOSフィールドを使用し，特定のクラスのパケットに対する資源予約ができるようになった。

イ　IPヘッダのアドレス空間が，32ビットから64ビットに拡張されている。

ウ　IPヘッダのチェックサムフィールドを追加し，誤り検出機能を強化している。

エ　IPレベルのセキュリティ機能（IPsec）である認証と改ざん検出機能のサポートが必須となり，パケットを暗号化したり送信元を認証したりすることができる。

（平成27年秋 ネットワークスペシャリスト試験 午前Ⅱ 問9）

解説

IPv6では，IPレベルのセキュリティ機能（IPsec）のサポートが必須となりました。そのため，パケットを暗号化したり送信元を認証したりすることができます。したがって，エが正解です。なお，2020年現在のIPv6では，**IPsecのサポートは必須ではありません**。

アのTOSフィールドは，IPv4にも備わっている機能です。IPv6でもトラフィッククラスとして残されています。イのアドレス空間は，128ビットに拡張されました。ウのチェックサムフィールドについては，IPv6では廃止されており，パフォーマンスの向上を優先しています。

《解答》エ

過去問題をチェック

IPv6に関する問題は，ネットワークスペシャリスト試験の午前Ⅱの定番です。
【IPv6】
・平成24年秋 午前Ⅱ 問13，問14
・平成26年秋 午前Ⅱ 問1
・平成29年秋 午前Ⅱ 問8
・令和4年春 午前Ⅱ 問10
午後でも出題があります。
・平成24年秋 午後Ⅱ 問2

発展

IPv6でのセキュリティ機能（IPsec）は以前のRFC4294では必須でしたが，RFC6434では「推奨」と上書きされています。
そのため，IPv6でIPsecを利用しないことも可能です。

■ IPアドレスの表記法

IPv6ではIPアドレスが128ビットであるため，IPv4アドレスと同じように8ビットずつ区切って10進数で書き表すと，数字が16個も並ぶことになります。

そのため，IPv6のIPアドレスは，128ビットのIPアドレスを**16ビットごとに区切り**，それをコロン（：）で区切って16進数で表します。さらに，0が続く場合には0を省略し，**コロンを二つ続けて**（::）表すことができます。ただし，コロンを二つ続けて0を省略できるのは**1か所に限られ**ます。

IPv6によるIPアドレスの表記例を次に示します。

- **2進数による表現**

  1111111010000000 0000000000000000 0000000000000000
  0000000000000000 0010100100110011 0000110011110111
  0011001001011100 1000101101001010

- **16進数による表記例**

  FE80:0:0:0:2933:CF7:325C:8B4A
  ↓　0を省略
  FE80::2933:CF7:325C:8B4A

■ IPv6アドレスのアーキテクチャ

IPv6では，IPv4のクラスと同じように，IPアドレスの先頭ビットのパターンでIPアドレスのアーキテクチャ(構造)を区別します。

IPアドレスアーキテクチャ

IPアドレス アーキテクチャ	先頭ビット	ネットワークアドレス
未指定アドレス	0000 … 0000 (128ビット)	::/128
ループバックアドレス	0000 … 0001 (128ビット)	::1/128
ユニークローカル アドレス	1111 110	FC00::/7
リンクローカル ユニキャストアドレス	1111 1110 10	FE80::/10
マルチキャストアドレス	1111 1111	FF00::/8
グローバルユニキャスト アドレス	その他すべて	その他すべて

未指定アドレスと**ループバックアドレス**は，特殊なアドレスです。未指定アドレスは，まだIPアドレスが割り当てられていないことを示すためのアドレスです。また，ループバックアドレスは，IPv4の127.0.0.1と同様，自分自身を表すIPアドレスです。

その他のアドレスには，以下のようなものがあります。

①グローバルユニキャストアドレス

全世界で一意に決まる，インターネットでの通信に使えるアドレスです。IPアドレスのフォーマットは，次のように決められています。

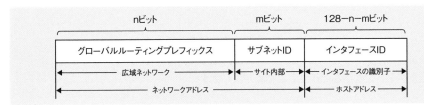

グローバルユニキャストアドレスフォーマット

現在のIPv6フォーマットでは，n = 48，m = 16，128 − n − m = 64ビットが使われています。上位64ビットがネットワークアドレス，下位64ビットがホストアドレスです。インタフェースの識別子には通常，**64ビット版のMACアドレス**が格納されます。MACアドレスを通信相手に知られたくないときには，一時アドレスをランダムに生成することもあります。

②リンクローカルユニキャストアドレス

同じデータリンク内でのみ使えるアドレスです。ルータでは中継されません。IPアドレスのフォーマットは，次のように決められています。

リンクローカルユニキャストアドレスフォーマット

発展

64ビット版MACアドレスは，IEEEでEUI-64として定義されています。
また，64ビット版のMACアドレスは，通常の48ビットのMACアドレスから自動生成できます。具体的には，48ビット版のMACアドレスを24ビットごとに分け，そのまん中に，16進数で"FFFE"となるビットを入れます。そして，最初から7ビット目のU/Gビットを反転させると完成です。

③ユニークローカルアドレス

　インターネットとの通信を行わない場合に使用するアドレスです。ルータで中継は行いますが，企業内ネットワークなど，特定のネットワーク内のみでの使用を想定しています。IPアドレスのフォーマットは，次のように決められています。

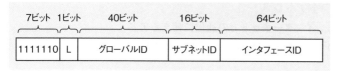

ユニークローカルアドレスフォーマット

　ユニークローカルアドレスは，ネットワークを統合しても重ならないように，グローバルIDをランダムに決定して，できるだけ一意なアドレスとなるようにする必要があります。

④マルチキャストアドレス

　複数のノードに向けて送信する場合に使用するアドレスです。先頭が$(FF)_{16} = (11111111)_2$で始まります。IPv4のブロードキャストアドレスのような役割をもつマルチキャストアドレスに，**オールノードマルチキャストアドレス**（FF02::1）があります。

■ エニーキャストアドレス

　IPv6では，複数のノードに向けて送信するマルチキャストアドレスのほかに，複数のノードの中で，ネットワーク上で最も近いノードに配信するためのエニーキャストアドレスがあります。
　エニーキャストアドレスは，特別なIPv6アドレスとして定義されているわけではありません。複数のインタフェースで同じエニーキャストアドレスを設定しておきます。送信先IPアドレスとしてエニーキャストアドレスが指定されると，ネットワーク上で最も近いとルーティングプロトコルが判断するインタフェースにパケットが送信されます。

■ IPv4との共存技術

　現時点でのインターネットの主流はIPv4なので，IPv6でネットワークを構成する場合には，相互に通信するための手法が必要になります。IPv4とIPv6の共存のための技術としては，以下のものがあります。

①トンネリング

　IPv4ネットワーク上でIPv6パケットをルーティングするための方式です。ルータ間で自動トンネリングを行う**6to4**や，あるサイト内のローカルIPv4ネットワークでIPv6通信を実現する**Teredo**や**ISATAP**などの技術があります。

②デュアルスタック

　IPv4とIPv6の二つの異なるプロトコルスタックを同時に動作させ，共存させる仕組みです。

③IPv4/IPv6トランスレーション

　IPv6からIPv4への通信，IPv4からIPv6への通信を，トランスレータを用いて取りもつ方法です。アプリケーションごとに送信元の代理となりトランスレータが通信を行う**Proxy方式**や，アドレスやポート番号を変換することで相互に通信する**NAT-PT方式**，トランスポート層でセッションを横取りしてTCPやUDPでの通信を行う**TCP Relay方式**などがあります。

過去問題をチェック

トランスレータを用いたIPv4接続とIPv6接続の共存について，ネットワークスペシャリスト試験では以下の出題があります。
【IPv4接続とIPv6接続の共存】
・平成24年秋 午後Ⅱ 問2 設問3

用語

6to4では，IPv4のグローバルアドレスに対してユニークなIPv6アドレスを割り当てて，IPv4ネットワークを通じてカプセル化したIPv6パケットを転送します。IPv6アドレスは，
2002:<IPv4アドレス>::/48
のかたちで割り当てます。
ISATAP（Intra-Site Automatic Tunnel Addressing Protocol）でも，IPv4アドレスを基に，次のような形でISATAPインタフェース識別子が作られます。
::5EFE: <IPv4アドレス>
そして，これを用いて，リンクローカルユニキャストアドレスが作られます。

|||▶▶▶ 覚 え よ う ！

- [ ]　IPv6では，固定長ヘッダーにし，分割処理，チェックサムをやめて，ルータの負荷を軽減
- [ ]　IPv6－IPv4共存技術は，トンネリング，デュアルスタック，トランスレータ

3-1-8 ◉ モバイルIP

モバイルIPは，ホストが接続しているネットワークが変わっても，IPアドレスが変わらないようにする仕組みです。モバイルIPを用いることで，移動するホストで通信を継続させることができます。

◉ モバイルIPとは

モバイルIPは，スマートフォンやタブレット，モバイルPCなど，移動しながら使用するホストでネットワークの接続を続けられるようにするための仕組みです。通信中に異なるネットワークに移動してもIPアドレスを変えないことで，処理を継続させることができます。

過去問題をチェック

モバイルIPについては，ネットワークスペシャリスト試験で以下の出題があります。
【モバイルIP】
・平成25年秋 午後Ⅱ 問1
　設問4

◉ モバイルIPの仕組み

モバイルIPでは，ノートPCやスマートフォンなどの移動するホストのことを**移動ホスト**（MH：Mobile Host）といいます。

移動ホストが移動しないときに使用する，本来稼働すべきネットワークをホームネットワークといいます。ホームネットワークには，移動ホストと通信相手のホストとの通信を仲介する**ホームエージェント**（HA：Home Agent）が設置されます。移動ホストには，ホームネットワークで**ホームアドレス**と呼ばれるIPアドレスが付与されます。

移動しないときには，移動ホストはホームアドレスを用いて，直接通信を行います。

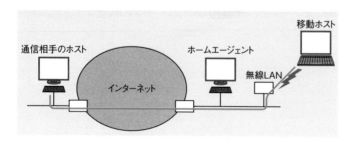

移動しないときには直接通信

　移動ホストが他のネットワークに移動すると，ホームエージェントが通信を中継します。移動先のネットワークには，移動ホストをサポートするための**外部エージェント**（FA：Foreign Agent）があり，ホームエージェントとの間でトンネリング通信を行います。外部エージェントは，移動ホストが移動する可能性のあるすべてのネットワークで必要です。

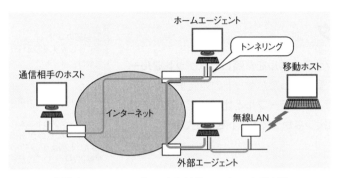

移動時はホームエージェントと外部エージェントが中継

　移動ホストは，外部エージェントが送出するAdvertisement（広告）メッセージを受信し，自分がどのネットワークにいるのかを判別します。ホームネットワーク以外への移動を検出すると，移動ホストは外部エージェントに対して自身のホームアドレスを通知します。外部エージェントは，移動ホストが自分の管理するネットワークにあることを，**気付アドレス**（転送先のIPアドレス，外部エージェントのIPアドレスでもある）とともにホームエージェントに通知します。これによりホームエージェントは，移動ホストへの通信を気付アドレスに転送し，通信を継続させることが可能になります。

▶▶ 覚 え よ う ！

☐　**モバイルIPでは，ネットワークを移動しても同じIPアドレスでの通信が可能**

☐　**移動ホストが移動先で通信するために，ホームエージェントと外部エージェントが必要**

3-2 ルーティング

インターネットとは，世界中のネットワークがルータで接続されたものです。パケットを正しく宛先に届けるために，宛先IPアドレスを基に，ルータはパケットを適切なネットワークに転送します。ルータが行うこの処理を，ルーティング（経路制御）といいます。

3-2-1 ● ルータ

ルータは，ルーティングテーブルを参照してパケットをルーティングする機器です。受け取ったパケットの宛先IPアドレスを確認し，それをルーティングテーブルと比較して，次に送信すべきルータ，または直接つながったホストを決定します。

■ ルータの機能

ルータは，OSI基本参照モデルの**ネットワーク層**までの接続を行う機器です。

ルータの基本機能は，次の四つです。

①異なるネットワークの接続

ルータでは，異なるネットワーク間の中継を行います。ネットワークが異なるとデータリンクも異なることが多いため，ルータでは接続するすべてのデータリンクに対応します。例えば，家庭用のブロードバンドルータでは，家庭内のイーサネットとFTTHなどの通信業者のWANサービスを中継します。

②IPパケットの転送

宛先IPアドレスを基に，ルーティングテーブルを参照して，適切なネットワークにIPパケットを転送します。

③IPパケットの選別

受け取ったIPパケットに対して，パケットフィルタリング機能を用いて不適切なパケットを破棄したり，QoS機能を用いて，優先して転送するパケットを区別したりします。

📝 **勉強のコツ**

ネットワークスペシャリスト試験は，ネットワーク設計が中心の試験です。そのため，ルータの実機の設定など，細かいことは出題されません。
ルーティングプロトコルにはどのようなものがあるか，また，どのようにパケットが転送されていくのかといった仕組みを中心に概要を理解しておきましょう。

🔖 **関連**

パケットフィルタリングについては「6-2-3　アクセス制御技術」で，QoSについては「7-1-3　信頼性設計技術」で取り扱います。

④ルーティングテーブルの管理

ルーティングプロトコルを動作させることによって，ルーティングテーブルが最新の状態になるよう管理します。

これらの基本機能以外にも，ネットワークアドレス変換機能（**NAT ／ NAPT**）や，IPアドレスを自動で割り当てるための**DHCP機能**，無線LANの**アクセスポイント機能**など，ルータによって様々な機能が付加されています。

■スタティックルーティングとダイナミックルーティング

ルーティングテーブルを作る方法は，大きく二つあります。**スタティックルーティング**と**ダイナミックルーティング**です。

スタティックルーティングは，静的（手動）で固定的にルーティングテーブルを設定する方法です。これに対し，ダイナミックルーティングでは，動的（自動）にルーティングテーブルを作成します。自動的にルーティングテーブルを作成するためには，ルーティングプロトコルを動作させ，他のルータからルーティングに必要な情報を取得します。

■デフォルトルートとホストルート

ルーティングを行う際，すべてのネットワークの情報をルーティングテーブルにもつとムダが多くなります。そのため，どの経路情報にもマッチしない場合の経路として**デフォルトルート**を設定します。デフォルトルートは，0.0.0.0/0またはdefaultと設定します。

また，特定のホスト，一つのIPアドレスだけを特別にルーティングしたいときには，**ホストルート**を設定します。ホストルートは，「IPアドレス/32」のかたちで表されます。例えば，192.168.0.1のサーバだけ経路情報を変更したい場合には，192.168.0.1/32をルーティングテーブルに設定します。

■ルーティングプロトコル

ダイナミックルーティングでは，ルータ同士で自分が知っているネットワーク情報を教え合うことによって，ルーティングテーブルを作成していきます。この教え合う方法が**ルーティングプロ**

3

トコルです。

ルーティングプロトコルには，経路を制御する範囲や経路制御アルゴリズムによって様々なものがあります。

■ 経路を制御する範囲

ルーティングに関するルール（**ルーティングポリシ**）を決めて，それを適用して運用する範囲をAS（Autonomous System：自律システム）といいます。具体的には，ISPや地域ネットワークが挙げられます。このAS内で利用されるルーティングプロトコルがIGP（Interior Gateway Protocol）です。また，AS間の経路制御に利用されるのがEGP（Exterior Gateway Protocol）です。ルーティングプロトコルは，大きくこの二つの範囲に分けて利用されています。

■ 経路制御アルゴリズム

経路制御のアルゴリズムはいくつかありますが，代表的なものは**距離ベクトル型**と**リンク状態型**の二つです。

距離ベクトル型は，距離（メトリック）と方向によって目的のネットワークへの経路を決定する方法です。距離には，通過するルータの数（ホップ数）などが用いられます。簡単に設定できますが，ルーティングテーブルが安定するまでに時間がかかる，経路にループが生じやすくなるなどの問題があります。距離ベクトル型の応用として，ASの並びを利用した経路ベクトル型があります。

リンク状態型は，ルータがネットワーク全体のリンク状態を理解してルーティングテーブルを作成する方法です。各ルータが対象範囲内のすべてのルータに関する情報をもち，各ルータの情報が同じになれば，正しい経路制御が行われます。ルータの設定やリンク状態の計算が複雑なので，ルータに高いCPU能力と大きなメモリ資源が必要になります。その分，ネットワークが複雑になっても正しい情報をもつことができ，安定した経路制御を実現できるという利点があります。

■ 主なルーティングプロトコル

現在使われている主なルーティングプロトコルには，次のようなものがあります。

主なルーティングプロトコル

ルーティングプロトコル	方式	適応範囲	下位プロトコル
RIP	距離ベクトル型	IGP	UDP
RIPv2	距離ベクトル型	IGP	UDP
EIGRP	距離ベクトル型 ＋リンク状態型	IGP	RTP
OSPF	リンク状態型	IGP	IP
BGP	経路ベクトル型	EGP	TCP

EIGRP（Enhanced Interior Gateway Routing Protocol）は，Cisco社独自のプロトコルで，トランスポート層にRTP（Reliable Transport Protocol）を利用することでIP以外のプロトコルにも対応し，距離ベクトル型とリンク状態型の両方の特徴を併せ持っています。

その他のプロトコルの詳細については，次節以降で説明します。

■ レイヤ3スイッチ

レイヤ3スイッチ（L3スイッチ）は，ネットワーク層までのデータを転送するスイッチです。ルータと機能的に重複する部分が多く，その区別はあいまいになってきています。

基本的に，多くのプロトコルに対応し，主にソフトウェアで処理を行うものがルータ，イーサネットを中心に対応し，主にハードウェアで処理を行うものがレイヤ3スイッチです。

■ インタフェース（NIC）

ルータには，ネットワークとの接続ポートとなるインタフェースがあります。インタフェースとは，NIC（Network Interface Card）やネットワークアダプタとも呼ばれ，ネットワークに接続するための接続ポートです。ルータでは，ネットワークごとにインタフェースがあり，ルーティングを行うことでパケットを中継します。

インタフェースには，物理的なインタフェースだけでなく，仮想化を利用した仮想インタフェース（または論理インタフェー

発展

ルーティングには，厳密に言えばルーティング対象プロトコル（ネットワーク層）とルーティングプロトコル（ネットワーク層～トランスポート層以上）の両方が関係してきます。表に示した主なルーティングプロトコルのルーティング対象プロトコルはIPで，IPはネットワーク層のプロトコルとなります。ルーティングプロトコル自体は，IPやTCP，UDPのパケットで情報をやり取りするので，トランスポート層～アプリケーション層のプロトコルとなります。

ス）があります。ルータ内に仮想インタフェースをもつことで，物理的なネットワーク接続に縛られない柔軟なネットワークを構成できます。

　ループバックインタフェースは，機器を表すための仮想インタフェースです。ループバックインタフェースには**ループバックアドレス**となるIPアドレスを設定し，機器へのアクセスを可能とします。ループバックアドレスは，PCなどで自身を指すときには127.0.0.0/8（IPv4の場合）を設定しますが，ネットワーク機器では通常のユニキャストアドレスを設定します。具体的な使用例としては，ルータの中の仮想インタフェースにループバックアドレスを設定し，ルータ自身を指すことで，特定の物理インタフェースの障害時にもルータへの接続が可能となります。

■ マルチキャストルーティング

　マルチキャストルーティングは，マルチキャストの通信を行うために，通常のルーティングとは別に行うルーティングです。マルチキャストグループを管理し，ルータ同士でマルチキャストグループの情報をやり取りします。

関連
マルチキャストルーティングについての詳細は，「3-2-5 マルチキャストルーティング」で取り扱います。

▶▶▶ 覚えよう！

- ☐ スタティックルーティングは手動，ダイナミックルーティングは自動
- ☐ AS内でのルーティングを行うIGP，AS間でのルーティングを行うEGP

3-2-2 ◯ RIP

RIP（Routing Information Protocol）は，LANで最も広く利用
されているルーティングプロトコルです。距離ベクトル型であ
り，ホップ数（ルータの数）を用いて，選択する経路を決定します。

◻ RIPの仕組み

3

RIPでは，自分の知っている経路制御情報を**30秒**に1回，ネッ
トワーク上にブロードキャストします。そして，他のルータから
受け取った経路情報は，距離に1を足してから，次の機会にブロー
ドキャストします。

例えば，次のようなネットワークの場合を考えます。

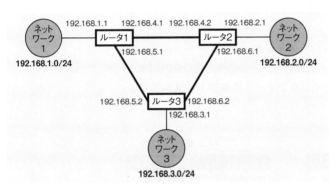

RIPを設定したネットワーク①

まずは初期設定として，それぞれのルータに直接接続されてい
るネットワークの情報，距離ベクトルデータベースを設定します。

ルータ1

NWアドレス	方向	距離
192.168.1.0	192.168.1.1	0

ルータ2

NWアドレス	方向	距離
192.168.2.0	192.168.2.1	0

ルータ3

NWアドレス	方向	距離
192.168.3.0	192.168.3.1	0

　そして，その情報に距離を一つ足して，各ルータに直接接続
されているネットワーク全体にブロードキャストします。

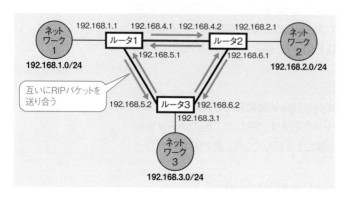

RIPを設定したネットワーク②

　各ルータは，受け取った情報を距離ベクトルデータベースに
書き加えます。このとき，方向には，その情報を含むRIPパケッ
トが送られてきた**送信元インタフェースのIPアドレス**が設定さ
れます。

ルータ1

NWアドレス	方向	距離
192.168.1.0	192.168.1.1	0
192.168.2.0	192.168.4.2	1
192.168.3.0	192.168.5.2	1

ルータ2

NWアドレス	方向	距離
192.168.2.0	192.168.2.1	0
192.168.1.0	192.168.4.1	1
192.168.3.0	192.168.6.2	1

ルータ3

NWアドレス	方向	距離
192.168.3.0	192.168.3.1	0
192.168.1.0	192.168.5.1	1
192.168.2.0	192.168.6.1	1

　さらに**30秒後**，もう一度RIPパケットを送り合うと，距離ベ
クトルデータベースは次のようになります。

ルータ1

NWアドレス	方向	距離
192.168.1.0	192.168.1.1	0
192.168.2.0	192.168.4.2	1
192.168.3.0	192.168.5.2	1
192.168.3.0	**192.168.4.2**	**2**
192.168.2.0	**192.168.5.2**	**2**

ルータ2

NWアドレス	方向	距離
192.168.2.0	192.168.2.1	0
192.168.1.0	192.168.4.1	1
192.168.3.0	192.168.6.2	1
192.168.3.0	**192.168.4.1**	**2**
192.168.1.0	**192.168.6.2**	**2**

ルータ3

NWアドレス	方向	距離
192.168.3.0	192.168.3.1	0
192.168.1.0	192.168.5.1	1
192.168.2.0	192.168.6.1	1
192.168.2.0	**192.168.5.1**	**2**
192.168.1.0	**192.168.6.1**	**2**

　この距離ベクトルデータベースから，各ネットワークに対して最も距離が小さい経路を抜き出すと，**ルーティングテーブル**が完成します。

ルータ1

NWアドレス	次のルータ
192.168.1.0	192.168.1.1
192.168.2.0	192.168.4.2
192.168.3.0	192.168.5.2

ルータ2

NWアドレス	次のルータ
192.168.1.0	192.168.4.1
192.168.2.0	192.168.2.1
192.168.3.0	192.168.6.2

ルータ3

NWアドレス	次のルータ
192.168.1.0	192.168.5.1
192.168.2.0	192.168.6.1
192.168.3.0	192.168.3.1

　このように作成されたルーティングテーブルは，障害発生時にも臨機応変に対応できます。RIPでは，パケットが6回（180秒）来なかった場合には，接続が切れたと判断し，距離ベクトルデータベースから該当する情報を削除します。また，パケットがループし続けないよう，ホップの最大数は15とし，これを超えた場合には破棄します。

　例えば，先ほどのネットワークで，ルータ1とルータ3の間の経路に障害が発生したときには，距離ベクトルデータベースから

 発展

距離ベクトルデータベースに登録した経路情報は，すべてほかのルータに転送されるわけではありません。その情報をもらったルータには渡さない，という方法がとられます。これを**スプリットホライズン**といいます。スプリットホライズンの動作のおかげで，ルーティング情報のループを減らすことができます。

ルータ1からルータ3，ルータ3からルータ1に送られる情報を削除します。そうすることで，ルーティングテーブルには迂回経路が正しく設定されることになります。

■RIPで経路変更時の情報伝達

RIPでは，経路が変更されたとき，それを速やかに伝えるために様々な工夫がなされています。

例えば，次のような方法があります。

- ルートポイズニング

経路が切れたと判断したとき，その情報を流さないのではなく，通信不能を示す距離16を流すことで障害を伝える

- ポイズンリバース

到達不能な経路情報を受信した場合，その経路情報をそのまま同じインタフェースから隣接ルータに通知する

- トリガードアップデート

経路が変化したとき，30秒待たずにすぐに次のルータに伝搬する

発展

ポイズンリバースの動作は，スプリットホライズンよりも優先されます。このことによって，ループを回避することが可能になります。

■RIP2

RIP2は，RIPのバージョン2で，RIPの改良版です。RIPと比べて，主に次の点が改善されています。

①サブネットマスク対応

RIPでのネットワークアドレスはクラスのみで判断されますが，RIP2ではサブネットマスクに対応し，可変長のネットワークアドレスをルーティングできるようになりました。

②マルチキャスト使用

RIPのパケットをブロードキャストではなくマルチキャスト（224.0.0.9）で送ることで，トラフィックを軽減させました。

③認証

　自分が認識できるパスワードをもっているRIPパケットのみを受容し，他を無視するという認証の仕組みが使えるようになりました。

　それでは，次の問題を考えてみましょう。

過去問題をチェック

RIPについて，ネットワークスペシャリスト試験では以下の出題があります。
【RIPv2での経路制御】
・平成17年秋 午後I 問4
　設問3（テクニカルエンジニア（ネットワーク）試験）
【RIPとRIP2の仕様】
・令和4年春 午前II 問11
・平成18年秋 午前 問30
　（テクニカルエンジニア（ネットワーク）試験）
【RIP-2とOSPFを比較】
・平成29年秋 午前II 問3
・令和6年春 午前II 問4
【RIPの最大ホップ数】
・平成26年秋 午前II 問11
【RIPのIPv6対応】
・令和6年春 午前II 問14

問　題

　IPv4ネットワークにおいて，交換する経路情報の中にサブネットマスクが含まれていないダイナミックルーティングプロトコルはどれか。

　　ア　BGP-4　　イ　OSPF　　ウ　RIP-1　　エ　RIP-2

（令和4年春 ネットワークスペシャリスト試験 午前II 問11）

解　説

　ダイナミックルーティングプロトコルのうち，RIP（Routing Information Protocol）は，ホップ数（ルータの数）を用いて選択する経路を決定する，LANで広く利用されているルーティングプロトコルです。従来のRIP-1（RIP version 1）と改良版のRIP-2（RIP version 2）の2種類があり，RIP-1で対応していなかったサブネットに，RIP-2で対応しました。サブネットを利用しないため，RIP-1では，交換する経路情報の中にサブネットマスクが含まれていません。したがって，ウが正解です。

ア　BGP-4（Border Gateway Protocol version 4）は，AS間を接続するときに利用されるプロトコルです。サブネットに対応しています。

イ　OSPF（Open Shortest Path First）は，リンク状態型のルーティングプロトコルです。サブネットに対応しています。

≪解答≫ウ

■ RIPng

RIPng（Routing Information Protocol next generation）は，IPv6対応のRIPバージョンです。RIPngはRIPと同様にホップ数を使用してルート計算を行いますが，FF02::9（全RIPngルータのIPv6マルチキャストアドレス）を利用してルーティング情報を交換します。RIPと異なり，IPv6のネットワーク環境に特化した設計がされています。

▶▶▶ 覚えよう！

- ☐ 経路情報変更を早くするポイズンリバース，トリガードアップデート
- ☐ RIP2はサブネット対応，マルチキャストで送信，認証機能を追加

3-2-3 🔲 OSPF

OSPF（Open Shortest Path First）は，リンク状態型のルーティングプロトコルです。ネットワークのリンク状態をすべてのルータで共有することにより，ループがあるネットワークでも安定した経路制御を可能にします。

発展
OSPFにもOSPFv1, OSPFv2とバージョンがありますが，一般にOSPFといえば，現在使われているバージョンの**OSPFv2**のことを指します。

🔲 OSPFの機能

OSPFでは，すべてのルータがネットワークのトポロジー（接続状態）を完全に把握し，それを基に経路制御を行います。具体的には，下図のようにルータ間でネットワークのリンク状態を交換します。そこからネットワークのトポロジー情報を把握し，そのトポロジー情報に基づいてルーティングテーブルを作成します。

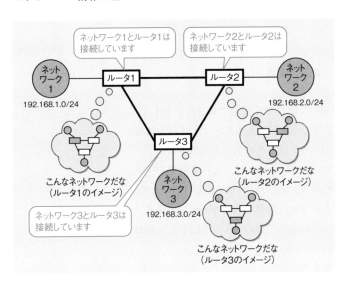

OSPFのイメージ

こうすることで各リンクに重み（コスト）をつけることができ，コストの合計が最も小さい経路が選択されます。

また，最小のコストの経路が複数ある場合には，複数の経路に分散させる，ECMP（Equal Cost Multi-path）機能を利用することができます。

　なお，OSPFでは，すべてのルータ間で経路情報が交換されるわけではなく，指名ルータが決められ，そのルータを中心に経路制御情報が交換されます。

　また，ルータの台数が増え，トポロジーの情報が大きくなりすぎると，計算が大変になります。それを防ぐため，OSPFではエリアというグループに分けて管理します。

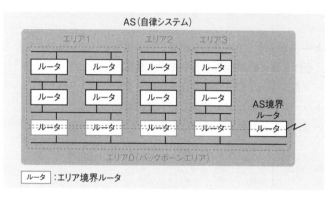

エリアの概念

　エリアは，必ずバックボーンエリアに接続されます。そして，バックボーンエリアと各エリアの境界にあるルータがエリア境界ルータです。各エリア内のルータは，そのエリア内のトポロジー情報だけをもっており，エリア外については，エリア境界ルータからの距離しか分かりません。このようにエリアを分けることで，経路制御情報を減らすことができ，処理の負荷が軽くなります。

　また，AS（自律システム）の境界で他のASと接続する役割のルータを**AS境界ルータ**といいます。

　それでは，次の問題を考えてみましょう。

問題

二つのルーティングプロトコルRIP-2とOSPFを比較したとき，OSPFだけに当てはまる特徴はどれか。

ア 可変長サブネットマスクに対応している。
イ リンク状態のデータベースを使用している。
ウ ルーティング情報の更新にマルチキャストを使用している。
エ ルーティング情報の更新を30秒ごとに行う。

(令和元年秋 ネットワークスペシャリスト試験 午前Ⅱ 問3)

解説

RIP-2（Routing Information Protocol-2）は，距離ベクトル型ルーティングプロトコルで，ルータのホップ数をもとにルーティングします。OSPF（Open Shortest Path First）は，リンクステート（状態）型ルーティングプロトコルで，リンク状態のデータベースを使用します。したがって，イが正解です。

ア，ウはどちらにも当てはまります。エは，RIP-2だけに当てはまります。

≪解答≫イ

■LSA

LSA（Link State Advertisement）とは，OSPFルータ間で交換されるリンク状態情報です。LSAにはいくつかのタイプがあり，代表的なものは次のとおりです。

LSAの主なタイプ

タイプ	名称	作成ルータ	内容
1	Router-LSA	全OSPFルータ	エリア内部に，自ルータのリンク情報を通知する
2	Network-LSA	指名ルータ	エリア内部に，自エリアのネットワーク情報を通知する
3	Network-Summary-LSA	指名ルータ	エリア内部に，他エリアのネットワーク情報を通知する
4	ASBR-Summary-LSA	エリア境界ルータ	エリア内部に，AS境界ルータの情報を通知する
5	AS-External-LSA	AS境界ルータ	全体に，非OSPFネットワークの経路情報を通知する

OSPFルータは，LSAによってネットワーク内のリンク情報を集め，LSDB（Link State DataBase）を構築します。

■ SPFアルゴリズム

OSPFで使われている最適経路を決定するためのアルゴリズムを，SPF（Shortest Path First），またはダイクストラ法といいます。次の問題で，実際に取り組んでみましょう。

問題

図のようなネットワークで，SPFアルゴリズムを使ってノード①からノード⑥への最適経路を計算したときの経路はどれか。ここで，図中の数字はコストを表す。

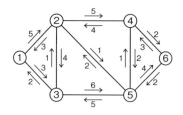

ア　①－②－④－⑥　　　　イ　①－②－⑤－④－⑥
ウ　①－③－②－⑤－④－⑥　エ　①－③－⑤－④－⑥

（平成20年秋 テクニカルエンジニア（ネットワーク）試験 午前 問32）

📋 過去問題をチェック

OSPFに関する問題は，ネットワークスペシャリスト試験 午前，午後両方での定番です。この問題の他に以下の出題があります。
【OSPF】
・平成23年秋 午前Ⅱ 問2（LSA），問5（OSPFのコスト計算）
・平成27年秋 午前Ⅱ 問4（OSPFの仕様）
・令和元年秋 午前Ⅱ 問2（OSPFのコスト設定），問3（OSPFの特徴）
・令和3年春 午後Ⅰ 問2（OSPFの経路制御），午後Ⅱ 問2（OSPFとBGPの併用）
・令和4年春 午後Ⅱ 問1 設問5（OSPFのコスト計算）
・令和5年春 午前Ⅱ 問3（OSPFの経路選択方式）
・令和6年春 午前Ⅱ 問14（OSPFのIPv6対応），午後Ⅰ 問2（OSPFのLSAのタイプ），午後Ⅱ 問1（OSPFのルーティング設定）

解説

　SPFでは，始点ノードから各ノードまでの最短距離とその経路を①～⑥まで順に確定させていきます。今回は，始点はノード①なので，始点ノードまでのコストは0，それ以外のノードまでの距離は不明（無限大：∞）です。

　次のような表を作ると理解しやすいでしょう。

	①	②	③	④	⑤	⑥
コスト	0	∞	∞	∞	∞	∞
前ノード	－					
確定	未	未	未	未	未	未

　現在，コストが最も小さいノードは①なので，そのノードを確定させます。そして，①から接続する線があるすべてのノードについてコストを計算すると，次のようになります。

	①	②	③	④	⑤	⑥
コスト	0	5	3	∞	∞	∞
前ノード	－	①	①			
確定	確	未	未	未	未	未

　同様に，次にコストが小さいノードであるノード③を確定させて，③から接続する線があるすべてのノードについてコストを計算します。このとき，②へのコストは，①→②だと5ですが，①→③→②だと3＋1＝4で，よりコストが小さいので，その値で更新します。⑤への経路も設定します。

　今度はノード②を確定させ，④への経路を設定し，⑤のコスト値と経路を更新します。

　次にノード⑤を確定させ，⑥への経路を設定し，④のコスト値と経路を更新します。

　最後にノード④を確定させ，⑥のコスト値と経路を更新します。未確定のノードが一つのみになったら，SPFアルゴリズムは終了です。

　最終的に，表は次のようになります。

関連

経路制御は「アルゴリズム」なので，アルゴリズム問題が出題される応用情報技術者（ソフトウェア開発技術者）試験などでもときどき出題されます。
平成18年春 ソフトウェア開発技術者 午後Ⅰ 問5で，ダイクストラ法で最短距離を求めるアルゴリズムが出題されています。SPFのアルゴリズムを正確に知るためにはおすすめの問題です。

	①	②	③	④	⑤	⑥
コスト	0	4	3	6	5	8
前ノード	―	③	①	⑤	②	④
確定	確	確	確	確	確	未

　ここから，ノード⑥への経路を求めます。表より，⑥の前は④，④の前は⑤，⑤の前は②，②の前は③，③の前は①になります。これを逆に並べると，①－③－②－⑤－④－⑥となり，ウが正解です。

―――――――――――――――――――――――――――――――――

≪解答≫ウ

◼ OSPF仮想リンク

　OSPFのエリアでは，必ずすべてのエリアがバックボーンエリアに接続されます。バックボーンエリアとなるエリア0は一つのネットワークであり，他のエリアはエリア0に直接接続する必要があります。しかし，ネットワークの拡大などで複数のOSPFネットワークが接続された場合には，エリア0に直接接続できないことがあります。

　そのような場合には，OSPF仮想リンクの接続設定を行うことで，直接接続できないエリアとエリア0の間の接続を行うことが可能となります。

◼ OSPFのバージョン

　OSPFには主に，バージョン2（OSPFv2）とバージョン3（OSPFv3）の二つが存在します。それぞれの特徴は次のとおりです。

・OSPFv2（RFC 2328 OSPF version 2）

　IPv4アドレスを使用してルーティングテーブルを作成し，リンク情報を交換します。OSPFv2では，シンプルな認証方法（平文テキストやMD5）が使用されます。

・OSPFv3（RFC 5340 OSPF for IPv6）

　IPv6ネットワーク用に設計されたバージョンです。IPv6アドレスを使用してルーティングテーブルを作成します。IPsecを使用したセキュリティが導入されており，より強固な認証と暗号化

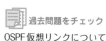
過去問題をチェック
OSPF仮想リンクについては，午後で次の出題があります。
【OSPF仮想リンク】
・令和3年春 午後Ⅰ 問2 設問4

が可能です。

　OSPFv3では，IPv6に加えてIPv4もサポートするIPv4/IPv6
デュアルスタックに対応しています。

▶▶▶ 覚 え よ う !

- □ OSPFでは，エリアを用いて，ルータが管理する経路情報を減らす
- □ OSPFでは，SPFアルゴリズムで，トポロジーからルーティングテーブルを作成

3

3-2-4 BGP

BGP（Border Gateway Protocol）は，AS間を接続するときに利用されるプロトコルで，EGPに分類されます。

発展

BGPにもいくつかバージョンがありますが，一般にBGPといえば，現在使われているバージョン**BGP-4**（BGP version 4）を指します。

BGPとは

BGPとは，AS間で利用されるルーティングプロトコルです。BGPでは，インターネット全体をカバーするように経路制御を行います。そのためBGPでは，経路制御の基準は通過するASの数になります。

次のようなネットワークを例に考えてみます。AS（Autonomous System：自律システム）にはそれぞれAS番号が割り当てられています。

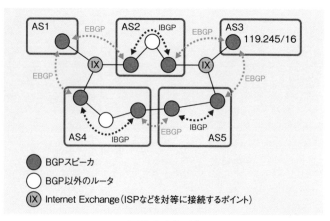

BGPのイメージ

BGPスピーカとは，BGPの経路制御情報を発信するルータです。BGPのコネクションを確立し，互いにBGPの情報を交換します。なお，BGPには，AS間でBGP情報をやり取りする**eBGP**（external BGP）と，AS内でBGP情報をやり取りする**iBGP**（internal BGP）の2種類があります。

例えば，119.245/16のネットワークがあるAS3に，AS1のネットワークから接続する場合を考えます。上の図で，AS1からAS3に行く経路は二つなので，AS経路リストは次のようになります。

```
                ┌── AS1－AS2－AS3        ┌─────────────────────┐
 ┌─────────┐    │                       │通過するASの数が少ないので，│
 │119.245/16│───┤                       │こちらを選択             │
 └─────────┘    │                       └─────────────────────┘
                └── AS1－AS4－AS5－AS3
```

このように，通過する経路のリストで経路制御を行うプロトコルを**経路ベクトル型**（パスベクタ**方式**）といいます。

それでは，次の問題を考えてみましょう。

━━━━━━━━━━━━━━━━━━━━━━━

問 題

　ルーティングプロトコルであるBGP-4の説明として，適切なものはどれか。

　　ア　自律システム間で，経路情報に付加されたパス属性を使用し，ポリシに基づいて経路を選択するパスベクタ方式のプロトコルである。

　　イ　全てのノードが同一のリンク状態データベースを用い，コストが最小となる経路を最適経路とするプロトコルである。

　　ウ　到達可能な宛先アドレスまでのホップ数が最小となる経路を，最適経路とするプロトコルである。

　　エ　パケットが転送される経路のノードを，送信元ノードが明示的に指定するプロトコルである。

（令和元年秋 ネットワークスペシャリスト試験 午前Ⅱ 問5）

解 説

　BGP-4は，自律システム（AS）間においてパスベクタ方式で経路を選択するプロトコルです。したがって，アが正解です。イはOSPF，ウはRIP，エはスタティックルーティングの説明です。

────────────────────────────

《解答》ア

過去問題をチェック

BGPの経路制御については，午後でも出題されています。
【BGP】
・平成17年秋 午後Ⅰ 問4
　設問4（テクニカルエンジニア（ネットワーク）試験）
　（同じASを複数回登録することでメトリック値を増やす方法について）
・平成29年秋 午後Ⅰ 問3
　設問1，設問3
　（BGPとOSPFによる経路情報の交換の検討）
・平成30年秋 午後Ⅰ 問3
　設問3
　（BGPとOSPFによる経路情報のやり取り）
・令和3年春 午後Ⅱ 問2
　設問1〜3
　（iBGP，eBGP と OSPF による経路制御）
・令和6年春 午後Ⅰ 問2
　設問2（経路情報とAS番号）
・令和6年春 午後Ⅱ 問1
　設問4（MP-BGPの利用）

■ BGPの仕組み

　AS間でやり取りを行うeBGPでは，AS間で対抗して設置され
ているピア（またはネイバー）と呼ばれるルータ間で経路情報を
やり取りします。BGPはTCP上で動くプロトコルなので，相手
のルータとの間にTCPコネクションを確立します。定期的なルー
ティングを行わず，変更が発生したときのみ差分アップデートを
行います。また，CIDRに対応しており，ルートの集約などによっ
て柔軟なルーティングが可能です。

　BGPでは，次の4タイプのメッセージを交換します。

過去問題をチェック

BGPの仕組みについては，
ネットワークスペシャリス
ト試験では以下の出題があ
ります。
【ルートリフレクション】
・平成23年秋　午前Ⅱ　問15
【iBGPとeBGPのルーティ
ング】
・令和3年春　午後Ⅱ　問2
　設問2，3
【BGPで交換されるメッ
セージ】
・令和5年春　午後Ⅱ　問1
　設問2
【BGPの経路選択】
・令和6年春　午後Ⅰ　問1
　設問2
【MP-BGPとiBGP】
・令和6年春　午後Ⅱ　問1
　設問4

BGPで交換されるメッセージ

タイプ	名称	説明
1	OPEN	BGP接続開始時に，ピアのAS番号などの情報を交換する
2	UPDATE	経路の追加や削除時に，経路情報の交換に利用する
3	NOTIFICATION	ピアに対してエラーを通知する際に利用する
4	KEEPALIVE	生存確認を行い，BGP接続を維持するために利用する

■ BGPでの経路制御

　BGPでは，UPDATEメッセージに含まれる経路情報にパスア
トリビュートを付加することによって，経路制御を行います。代
表的なBGPパスアトリビュートには，次のようなものがあります。

代表的なBGPパスアトリビュート

タイプコード	パスアトリビュート	説明
2	AS_PATH	経路情報がどのASを経由してきたのかを示すAS番号の並び
3	NEXT_HOP	宛先ネットワークアドレスへのネクストホップのIPアドレス
4	MULTI_EXIT_DISC	自身のAS内に存在する宛先ネットワークアドレスの優先度（メトリック）
5	LOCAL_PREF	外部のASに存在する宛先ネットワークアドレスの優先度

　最短経路の選択は，次のようなアルゴリズムで行われます。

最適経路選択アルゴリズムの仕様

評価順	説明
1	LOCAL_PREFの値が最も大きい経路情報を選択する
2	AS_PATHの長さが最も短い経路情報を選択する
3	ORIGINの値でIGP, EGP, Incompleteの順で選択する
4	MED（MULTI_EXIT_DISC）の値が最も小さい経路情報を選択する
5	eBGPピアで受信した経路情報，iBGPピアで受信した経路情報の順で選択する
6	NEXT_HOPが最も近い経路情報を選択する
7	ルータIDが最も小さい経路情報を選択する
8	ピアリングに使用するIPアドレスが最も小さい経路情報を選択する

　最適経路の選択は，表中の評価順に行われます。例えば，同じ宛先ネットワークアドレスの経路情報が二つあった場合には，最初にLOCAL_PREFの値を評価し，値に違いがあれば最も大きい値をもつ経路情報を選択し，評価を終了します。値に違いがなければ，次のAS_PATHの長さの評価に進みます。

◼ eBGP

　AS間でやり取りを行うeBGPでは，相手ルータと**eBGPピア**が確立されたあと，一度だけ自身がもっているすべてのルーティングテーブルを交換します。ピア間で交換されるのは，インターネット全体の経路を表すフルルートと呼ばれる情報です。その後は，追加情報，差分情報のみを相手ルータにアップデートします。eBGPピアに経路情報を広告するときには，NEXT_HOPを自身のIPアドレスに書き換えて送信します。

◼ iBGP

　AS内でやり取りを行うiBGPでは，AS内の**すべてのBGPルータ**との間で**iBGPピア**（iBGPセッション）を確立します。この形態をフルメッシュといいます。しかし，iBGPでネットワークを構築すると，ルータの数が増えるにつれセッションの数が膨大になってしまいます。この問題を解決するための方法の一つに，ルートリフレクションがあります。ルートリフレクションでは，ルータをクラスタリングし，ルートリフレクタとなるルータと，そのクライアントとなるルートリフレクタクライアントの2種類に分けます。そして，ルートリフレクタは，クライアントが発行した

すべてのアップデート情報を受信し，それをほかのクライアント
に配布します。こうすることで，iBGPセッションの数を減らす
ことができます。

MP-BGP

　MP-BGP（Multiprotocol Extensions for BGP-4）は，RFC
4760で定義されている，BGPの拡張です。異なるネットワーク
プロトコル間のルーティング情報を交換するために設計されて
います。IPv4だけでなく，IPv6やMPLS（Multiprotocol Label
Switching），VPN（Virtual Private Network）などの異なるプ
ロトコルをサポートします。

BGP anycast

　エニーキャスト（anycast）とは，複数のインタフェースに同じ
IPアドレスを割り当てることです。BGP anycastでは，単一の
IPアドレスを地理的に分散した複数のノードに配置し，最も近
いノードにトラフィックをルーティングします。

　BGP anycastでは，エニーキャスト用のASを構築し，さまざ
まなASの下に接続します。エニーキャスト用のIPアドレスブロッ
クを受け取ったASは，AS_PATH属性の最も短いASを選択し
ます。

　BGP anycastにより，高可用性，低遅延，負荷分散，DDoS防
御が実現されます。そのため，DNSやCDNなどの重要なインフ
ラに広く利用されています。

RTBH

　RTBH（Remotely Triggered Black Hole）は，ネットワーク
内で特定のトラフィックを迅速に止めるための技術です。RFC
5635で定義されており，ネットワーク管理者がリモートでトリ
ガーを設定し，特定のIPアドレスへのトラフィックをブラック
ホールにリダイレクト（ドロップ）します。特にDDoS攻撃の緩和
に有効で，不正なトラフィックがネットワークに侵入する前に効
果的に排除できます。

用語

IPネットワークで使用する
ブラックホールとは，永久
的に破棄するための転送場
所のことです。null0などの
Nullインタフェースが使用
されます。

■ BGP Flowspec

BGP Flowspecは，BGPを拡張して，ネットワークトラフィックの詳細な制御とフィルタリングを実現する技術です。RFC 8955（Dissemination of Flow Specification Rules）で定義されています。BGP Flowspecでは，IPアドレスだけでなく，ポート番号，プロトコルタイプ，パケットサイズなどさまざまな条件をフローとして定義し，トラフィックを制御することができます。DDoS攻撃の対策や，セキュリティポリシーに基づいたトラフィック制御を行うことが可能です。

▶▶ 覚えよう！

☐ BGPは，通過するASの数が少ない方を選ぶ経路ベクトル型のプロトコル

☐ eBGPでは，対抗するAS間でピア。iBGPでは，すべてのルータ間でピア

3-2-5 ● マルチキャストルーティング

マルチキャストルーティングは，マルチキャスト通信を転送するための仕組みです。IGMPやPIMといったプロトコルを利用して実現します。

■ マルチキャストとは

通信は，宛先の数に対応して，ユニキャスト，マルチキャスト，ブロードキャストに分けられます。1対1の通信がユニキャスト，ネットワーク全体向けの通信がブロードキャストです。マルチキャストでは，特定のグループを指定し，そのグループだけにパケットを送信します。

マルチキャストでは，マルチキャスト専用のIPアドレスとMACアドレスを使用して，グループに向けてデータを送受信します。ブロードキャストの場合は，宛先MACアドレスはFF-FF-FF-FF-FF-FF（16進表記）のブロードキャストアドレスが使用されます。ブロードキャストの通信を受信した端末では，一度受信処理を行い，データを取り出した結果で，自身に必要があるかどうかを判定する必要があります。これに対し，マルチキャストの通信では，MACアドレスで自分の所属するグループ宛てかどうかを判定できるので，効率的に不要なパケットを破棄できます。

■ マルチキャストアドレス

マルチキャストでは，使用されるIPアドレスやMACアドレスの範囲が次のように決まっています。

① マルチキャストIPアドレス

マルチキャストIPアドレスには，先頭4ビットが「1110」で始まるクラスDのIPアドレスを使用します。このうち，あらかじめ用途が予約されているアドレスや範囲（スコープ）は次のとおりです。

3

主なマルチキャストアドレス

アドレス	内容
224.0.0.1	サブネット内のすべてのシステム
224.0.0.2	サブネット内のすべてのルータ
224.0.0.5	OSPFルータ
224.0.0.6	OSPF指名ルータ
224.0.0.9	RIP2ルータ
224.0.0.12	DHCPサーバ／リレーエージェント
224.0.1.1	NTP（Network Time Protocol）

主なマルチキャストIPアドレスの範囲（スコープ）

範囲名	アドレス範囲	内容
リンクローカル マルチキャストアドレス	224.0.0.0 ～ 224.0.0.255	同一リンク内のみでのマルチキャストとなり，ルータで中継されない
グローバル マルチキャストアドレス	224.0.1.0 ～ 238.255.255.255	組織やインターネット上でマルチキャストデータを送信する際に使用する
管理スコープアドレス	239.0.0.0 ～ 239.255.255.255	ローカルで使用する，プライベートIPアドレス

② マルチキャストMACアドレス

　マルチキャストMACアドレスは，マルチキャストIPアドレスを変換して求めます。先頭の25ビットが「00000001 00000000 01011110 0」と決められており，残りの23ビットに，マルチキャストIPアドレスの下位23ビットをそのまま流用します。例えば，224.100.0.1の場合は，次のように計算されます。

アドレス	上位2バイト	下位4バイト
224.100.0.1		11100000 01100100 00000000 00000001
先頭25ビット	00000001 00000000 01011110 0	
マルチキャストMACアドレス	00000001 00000000 01011110	01100100 00000000 00000001

　16進表記に直すと，01-00-5E-64-00-01となります。下位23ビットしか使用しないため，異なるマルチキャストIPアドレスで，マルチキャストMACアドレスが重複することがあります。そのため，マルチキャストMACアドレスが重複しないようにマルチキャストIPアドレスを使用することが推奨されます。

■ IGMP

　IGMP（Internet Group Management Protocol）は，マルチ
キャストによる通信において，通信を管理するためのプロトコ
ルです。IPv4ではIGMPという独自のプロトコルですが，IPv6
では，ICMPv6の機能の一つであるMLD（Multicast Listener
Discovery）があるので，IGMPは利用しません。

　IGMPの主な役割は，次の二つです。

・**最寄りのルータにマルチキャストグループに参加したいと伝
えるために，受信したいマルチキャストアドレスを通知する**

　ルータは，マルチキャストグループに参加したいホストがいる
ことを知ってマルチキャストアドレスを受け取ると，他のルータ
にもその情報を伝えます。マルチキャストパケットの経路を決め
る際には，PIM（Protocol-Independent Multicast）などのマルチ
キャスト用のルーティングプロトコルが利用されます。

・**IGMPスヌーピングに対応したスイッチングハブに，ルータに
通知した受信したいマルチキャストアドレスを通知する**

　スイッチングハブは，通常はユニキャストアドレスのフィルタ
リングにしか対応していないので，マルチキャストアドレスのフ
レームはフラッディングします。ここで，IGMPスヌーピングと
呼ばれる，マルチキャストフレームに対応したスイッチングハブ
を用いると，マルチキャストフレームのフィルタリングが可能に
なり，ネットワークの負荷を下げることができます。

過去問題をチェック
【IGMP】
・平成20年秋 午前 問30
（テクニカルエンジニア
（ネットワーク）試験）
・令和5年春 午後Ⅰ 問3

　IGMPには，現在三つのバージョンが存在します。それぞれの
概要は，次のとおりです。

① IGMPv1

　マルチキャストグループへ参加する際，受信するホストが
IGMPメンバーシップレポートというメッセージをマルチキャス
トアドレス宛てに送信します。最寄りのルータがそれを受け取
り，IGMPテーブルにマルチキャストアドレスと，ルータのイン
タフェースの対応を記録します。最も基本的なバージョンで，現
在ではほとんど使用されることはありません。

② IGMPv2

バージョン1の機能にいくつかの機能が追加されたバージョン
です。グループへの参加だけでなく，維持・離脱の動作に変更
が加えられています。

③ IGMPv3

バージョン2の機能にセキュリティを高める機能が追加された
バージョンです。マルチキャストグループへの送信者（ソース）
のIPアドレスを指定することにより，不正な送信者からのマル
チキャストの受信を防ぐことができます。

▣ PIM

PIM（Protocol-Independent Multicast）は，IGMPで得た情報
をもとに，ディストリビューションツリーを作成するプロトコル
です。ディストリビューションツリーとは，マルチキャスト用の
ルーティング情報で，マルチキャスト通信は，ディストリビュー
ションツリーに従って送信されます。

PIMは，大きく次の二つに分類されます。

① PIM-DM

PIM-DM（Dense Mode）は，プッシュ型のマルチキャストルー
ティングプロトコルです。送信元ツリーを作成し，マルチキャス
ト通信で隣接するルータへ転送します。

② PIM-SM

PIM-SM（Sparse Mode）は，プル型のマルチキャストルーティ
ングプロトコルです。送信元ツリーだけでなく，RP（Rendezvous
Point）と呼ばれるルータを経由して，共有ツリーを作成して配布
します。PIM-SMから派生したモードにSSM（Source Specific
Multicast）があり，IGMPv3を利用して，効率的にマルチキャス
トルーティングを実現します。

▶▶▶ 覚 え よ う ！

- ☐ マルチキャストMACアドレスは，マルチキャストIPアドレスから生成
- ☐ IGMPとPIMで，マルチキャストルーティングを実現

3-3 演習問題

3-3-1 ● 午前問題

問1 ホストのIPアドレスとして有効なもの CHECK ▶ □□□

ネットワークを構成するホストのIPアドレスとして用いることができるものはどれか。

- ア　127.16.10.255/8
- イ　172.16.10.255/16
- ウ　192.168.255.255/24
- エ　224.168.10.255/8

問2 デフォルトゲートウェイの障害回避プロトコル CHECK ▶ □□□

IPネットワークにおいて，クライアントの設定を変えることなくデフォルトゲートウェイの障害を回避するために用いられるプロトコルはどれか。

- ア　RARP
- イ　RSTP
- ウ　RTSP
- エ　VRRP

問3 アドレス集約 CHECK ▶ □□□

IPv4アドレスが192.168.10.0/24 ～ 192.168.58.0/24のネットワークを対象に経路を集約するとき，集約した経路のネットワークアドレスのビット数が最も多くなるものはどれか。

- ア　192.168.0.0/16
- イ　192.168.0.0/17
- ウ　192.168.0.0/18
- エ　192.168.0.0/19

3

問4　ブロードキャストアドレス　　　　　　　　　　　　CHECK ▶ □□□

ネットワークアドレス192.168.10.192/28のサブネットにおけるブロードキャストアドレスはどれか。

ア　192.168.10.199　　　　　　　　　イ　192.168.10.207

ウ　192.168.10.223　　　　　　　　　エ　192.168.10.255

問5　ルーティング　　　　　　　　　　　　　　　　　CHECK ▶ □□□

図のようなルータ6台から成るネットワークにおいて，宛先IPアドレス 10.100.100.1 のIPパケットをルータYから受け取ったルータZは，どのルータに転送するか。ここで，ルータZは次に示すルーティングテーブルを用い，最長一致法（longest-match algorithm）によってルーティングするものとする。

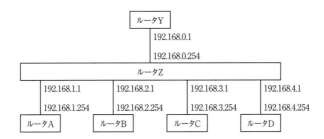

〔ルータZのルーティングテーブル〕

宛先アドレス	サブネットマスク	ネクストホップ
10.0.0.0	255.0.0.0	192.168.1.254
10.64.0.0	255.224.0.0	192.168.2.254
10.96.0.0	255.252.0.0	192.168.3.254
10.128.0.0	255.128.0.0	192.168.4.254
0.0.0.0	0.0.0.0	192.168.0.1

ア　ルータA　　　　イ　ルータB　　　　ウ　ルータC　　　　エ　ルータD

問6 IPv6でのMACアドレス解決プロトコル   CHECK ▶ □□□

　PCなどがIPv6で通信を開始する際，IPv6アドレスに対応するMACアドレスを解決するために使用するプロトコルはどれか。

ア　ARP　　　　　　イ　DHCPv6　　　ウ　ICMPv6　　　エ　RARP

問7 OSPF   CHECK ▶ □□□

　OSPFに関する記述のうち，適切なものはどれか。

ア　経路選択方式は，エリアの概念を取り入れたリンクステート方式である。
イ　異なる管理ポリシーが適用された領域間の，エクステリアゲートウェイプロトコルである。
ウ　ネットワークの状態に応じて動的にルートを変更することはできない。
エ　隣接ノード間の負荷に基づくルーティングプロトコルであり，コストについては考慮されない。

問8 OSPFとRIPのIPv6対応   CHECK ▶ □□□

　OSPFとRIPのIPv6対応に関する記述のうち，適切なものはどれか。

ア　OSPFはバージョン2で対応している。
イ　OSPFはバージョン3で対応している。
ウ　RIPはバージョン1で対応している。
エ　RIPはバージョン2で対応している。

3

問9 **OSPFコスト** CHECK ▶ □□□

図は，OSPFを使用するルータa～iのネットワーク構成を示す。拠点1と拠点3の間の通信はWAN1を，拠点2と拠点3の間の通信はWAN2を通過するようにしたい。xとyに設定するコストとして，適切な組合せはどれか。ここで，図中の数字はOSPFコストを示す。

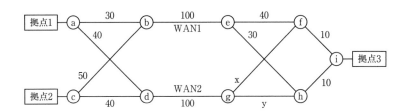

	x	y
ア	20	20
イ	30	30
ウ	40	40
エ	50	50

問10 **AS間の経路制御プロトコル** CHECK ▶ □□□

インターネットにおいて，AS（Autonomous System）間の経路制御に用いられるプロトコルはどれか。

ア BGP イ IS-IS ウ OSPF エ RIP

■ 午前問題の解説

問1　　　　　　　　　　　　　（令和6年春 ネットワークスペシャリスト試験 午前Ⅱ 問13）

《解答》イ

　ネットワークを構成するホストのIPアドレスとして用いることができるのは，クラスA～クラスCまでの，グローバルIPアドレスまたはプライベートIPアドレスに割り当てられているアドレスです。具体的には，クラスAは1.0.0.0～126.255.255.255，クラスBは128.0.0.0～191.255.255.255，クラスCは192.0.0.0～223.255.255.255となります。

　アの127.16.10.255/8は，クラスAのアドレスですが，127.0.0.1～127.255.255.255の範囲内となり，自分自身を表すループバックアドレスとして定義されています。そのため，ホストのIPアドレスとして用いることはできません。

　エの224.168.10.255/8は，クラスD（224.0.0.0～239.255.255.255）のIPアドレスです。クラスDのIPアドレスは，マルチキャストアドレスなので，ホストのIPアドレスとしては使用できません。

　また，ネットワークのネットワークアドレス（ホスト部分のビットがすべて0）と，ブロードキャストアドレス（ホスト部分のビットがすべて1）は，ホストのIPアドレスとして用いることはできません。選択肢のIPアドレス（イ，ウ）を2進数に直してホストアドレス部分に下線を引くと，次のようになります。

```
イ  172. 16. 10.255    10101100 00010000 00001010 11111111
ウ  192.168.255.255    11000000 10101000 11111111 11111111
```

　ウはホスト部分のビットがすべて1なのでブロードキャストアドレスとなり，ホストのIPアドレスとしては使用できません。したがって，**イ**が正解です。

問2　　　　　　　　　　　　　（令和元年秋 ネットワークスペシャリスト試験 午前Ⅱ 問10）

《解答》エ

　IPネットワークにおいて，仮想ルータを用いてデフォルトゲートウェイを二重化するプロトコルにVRRP（Virtual Router Redundancy Protocol）があります。二重化することで，クライアントの設定を変えることなくデフォルトゲートウェイの障害を回避することが可能となるので，**エ**が正解です。

- ア　RARP（Reverse Address Resolution Protocol）は，機器のMACアドレスからIPアドレスを取得するプロトコルです。
- イ　RSTP（Rapid Spanning Tree Protocol）は，高速でスパニングツリーを計算するプロ

トコルです。

ウ　RTSP（Real Time Streaming Protocol）は，リアルタイム性のあるデータの配布を制御するプロトコルです。

問3　　　　　　　　　（令和4年春 ネットワークスペシャリスト試験 午前Ⅱ 問9）
《解答》ウ

IPv4アドレスが192.168.10.0/24 ～ 192.168.58.0/24のネットワークを対象に，集約した経路のネットワークアドレスのビット数が最も多くなるように経路を集約することを考えます。二つのネットワークアドレスを2進数で表すと次のようになります。

```
192.168.10.0  →  11000000 10101000 00001010 00000000
192.168.58.0  →  11000000 10101000 00111010 00000000
                                  /18
```

両方に共通のビットは，上の色線の左，先頭から18ビット目までなので，プレフィックス長は/18です。このときのネットワークアドレスは192.168.0.0/18となるので，**ウ**が正解です。

問4　　　　　　　　　（令和3年春 ネットワークスペシャリスト試験 午前Ⅱ 問14）
《解答》イ

ネットワークアドレス192.168.10.192を，2進数で8桁ごとに表してみると，次のようになります。

11000000 10101000 00001010 11000000

プレフィックスは/28で，先頭から28ビット，つまり，

11000000 10101000 00001010 1100

までがネットワークアドレス，残りの4ビットの0000がホストアドレスです。ブロードキャストアドレスは，ホストアドレスの部分をすべて1にしたアドレスなので，

11000000 10101000 00001010 11001111

となります。この2進数を10進数のIPアドレスに変換すると，192.168.10.207となります。したがって，**イ**が正解です。

　　　　　　　　　（平成28年秋 ネットワークスペシャリスト試験 午前Ⅱ 問13）
《解答》ア

　宛先IPアドレスの10.100.100.1は2進数で（00001010 01100100 01100100 00000001）となり，先頭からサブネット長（サブネットマスクの1のビット数分）がネットワークアドレスなので，〔ルータZのルーティングテーブル〕の各行に当てはめると，次のようになります。

・1行目のサブネットマスク 255.0.0.0 （サブネット長8ビット）では，10.100.100.1のネットワークアドレスは10.0.0.0になり，条件に当てはまります。
・2行目のサブネットマスク 255.224.0.0 （サブネット長11ビット）では，10.100.100.1のネットワークアドレスは10.96.0.0になり，宛先アドレスと異なります。
・3行目のサブネットマスク 255.252.0.0 （サブネット長14ビット）では，10.100.100.1のネットワークアドレスは10.100.0.0になり，宛先アドレスと異なります。
・4行目のサブネットマスク 255.128.0.0（サブネット長9ビット）では，10.100.100.1のネットワークアドレスは10.0.0.0になり，宛先アドレスと異なります。
・5行目のサブネットマスク 0.0.0.0 （サブネット長0ビット）では，10.100.100.1のネットワークアドレスは0.0.0.0になり，条件に当てはまります。

　1行目と5行目が当てはまりますが，最長一致法でルーティングを行うので，よりサブネット長の長い（8ビット）1行目のネクストホップ192.168.1.254が次のルータとして選ばれます。図より，192.168.1.254のIPアドレスが割り振られているルータはルータAです。したがって，アが正解です。

　　　　　　　　　（令和5年春 ネットワークスペシャリスト試験 午前Ⅱ 問1）
《解答》ウ

　IPv4においては，IPアドレスからMACアドレスを取得するプロトコルは，ARP（Address Resolution Protocol）です。しかしIPv6では，MACアドレスの解決に，ICMPv6（Internet Control Message Protocol for IPv6）を使用します。ICMPv6では，ICMPのネットワーク接続確認やエラー通知の機能に加えて，近隣探索メッセージを使用したIPv6アドレス解決機能があります。したがって，ウが正解です。
ア　IPv4で，MACアドレスを解決するプロトコルです。
イ　IPv6で，IPアドレスを自動割当てするプロトコルです。
エ　IPv4で，MACアドレスからIPアドレスの解決を行うプロトコルです。

問7　(令和5年春 ネットワークスペシャリスト試験 午前Ⅱ 問3)
《解答》ア

　OSPF (Open Shortest Path First)は，リンクステート方式のダイナミックルーティングプロトコルです。ルータの台数が増えたときに情報が多くなりすぎないように，OSPFではエリアというグループに分けて管理します。したがって，**ア**が正解です。

イ　BGP (Border Gateway Protocol)などの，AS (Autonomous System：自律システム)間を接続するときに利用されるルーティングプロトコルに関する記述です。

ウ　スタティックルーティングに関する説明です。

エ　RIP (Routing Information Protocol)などの，距離ベクトル型のルーティングプロトコルに関する記述です。

問8　(令和6年春 ネットワークスペシャリスト試験 午前Ⅱ 問14)
《解答》イ

　OSPF (Open Shortest Path First)とRIP (Routing Information Protocol)はどちらもルーティングプロトコルです。OSPFはバージョン3でIPv6をサポートし始めました。したがって，**イ**が正解です。

ア　OSPFのバージョン2ではまだIPv6をサポートしていません。

ウ，エ　RIPはバージョン1やバージョン2ではIPv6をサポートしていません。RIPng (RIP next generation)というバージョンで初めてIPv6をサポートしました。

問9　(令和元年秋 ネットワークスペシャリスト試験 午前Ⅱ 問2)
《解答》イ

　拠点1から拠点3への通信には，次の四つの経路があります。

①拠点1－a－(30)－b－WAN1(100)－e－(40)－f－(10)－i　コスト合計 180
②拠点1－a－(30)－b－WAN1(100)－e－(30)－h－(10)－i　コスト合計 170
③拠点1－a－(40)－d－WAN2(100)－g－(x)－f－(10)－i　コスト合計 150＋x
④拠点1－a－(40)－d－WAN2(100)－g－(y)－h－(10)－i　コスト合計 150＋y

　ここで，WAN1を通るためには，WAN1を通る最小コストである②の170が選択される必要があります。つまり，150＋x，150＋yはともに170より大きくなる必要があります。同様に，拠点2から拠点3への通信も，次の四つの経路があります。

①拠点2 − c − (50) − b − WAN1 (100) − e − (40) − f − (10) − i　コスト合計 200

②拠点2 − c − (50) − b − WAN1 (100) − e − (30) − h − (10) − i　コスト合計 190

③拠点2 − c − (40) − d − WAN2 (100) − g − (x) − f − (10) − i　コスト合計 150 + x

④拠点2 − c − (40) − d − WAN2 (100) − g − (y) − h − (10) − i　コスト合計 150 + y

　ここで，WAN2を通るためには，③か④のどちらかが選ばれる必要があります。つまり，WAN1を通る最小コストである190よりも，150 + x，150 + yのどちらかが小さくなる必要があります。まとめると，170 < 150 + x，150 + y < 190なので，20 < x，y < 40となり，当てはまるのは**イ**の x = 30，y = 30になります。

問10　（令和4年春 ネットワークスペシャリスト試験 午前Ⅱ 問3）

《解答》ア

　経路制御に用いられるプロトコルは，AS（自律システム）内で利用されるIGP（Interior Gateway Protocol）と，AS間の経路制御に利用されるEGP（Exterior Gateway Protocol）に分けられます。選択肢のうちEGPに分類されるのは，通過するASの数を基準に経路を決定するBGP（Border Gateway Protocol）のみです。したがって，**ア**が正解です。

イ　IS-IS（Intermediate System to Intermediate System）は，リンク状態型のルーティングプロトコルです。IGPに分類されます。

ウ　OSPF（Open Shortest Path First）は，リンク状態型のルーティングプロトコルです。IGPに分類されます。

エ　RIP（Routing Information Protocol）は，距離ベクトル型のルーティングプロトコルです。IGPに分類されます。

3-3-2 ◯ 午後問題

> 問題 　企業ネットワークの統合 　　　　　　　　　　CHECK ▶ □□□

企業ネットワークの統合に関する次の記述を読んで，設問1〜4に答えよ。

　D社は，本社及び三つの支社を国内にもつ中堅の商社である。D社の社内システムは，クラウドサービス事業者であるG社の仮想サーバでWebシステムとして構築されており，本社及び支社内のPCからインターネット経由で利用されている。このたびD社は，グループ企業のE社を吸収合併することになり，E社のネットワークをD社のネットワークに接続（以下，ネットワーク統合という）するための検討を行うことになった。

〔D社の現行のネットワークの概要〕
　D社の現行のネットワークの概要を次に示す。

(1)　PCは，G社VPC（Virtual Private Cloud）内にある仮想サーバにインターネットを経由してアクセスし，社内システムを利用する。VPCとは，クラウド内に用意されたプライベートな仮想ネットワークである。

(2)　本社と支社間は，広域イーサネットサービス網（以下，広域イーサ網という）で接続している。

(3)　PCからインターネットを経由して他のサイトにアクセスするために，ファイアウォール（以下，FWという）のNAPT機能を利用する。

(4)　PCからインターネットを経由してVPC内部にアクセスするために，G社が提供している仮想的なIPsec VPNサーバ（以下，VPC GWという）を利用する。

(5)　FWとVPC GWの間にIPsecトンネルが設定されており，PCからVPCへのアクセスは，FWとVPC GWの間に設定されたIPsecトンネルを経由する。

(6)　社内のネットワークの経路制御には，OSPFを利用しており，OSPFプロトコルを設定している機器は，ルータ，レイヤ3スイッチ（以下，L3SWという）及びFWである。

(7)　本社のLANのOSPFエリアは0であり，支社1〜3のLAN及び広域イーサ網のOSPFエリアは1である。

(8)　FWにはインターネットへの静的デフォルト経路を設定しており，①全社のOSPFエリアからインターネットへのアクセスを可能にするための設定が行われている。

　D社の現行のネットワーク構成を図1に示す。

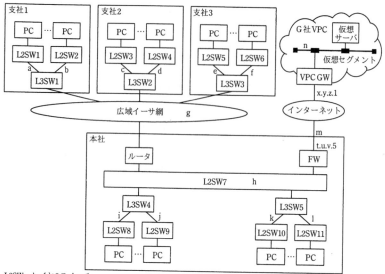

注記1　a～nは、セグメントを示す。
注記2　t.u.v.5及びx.y.z.1は、グローバルIPアドレスを示す。

図1　D社の現行のネットワーク構成

D社の現行のネットワークにおける各セグメントのIPアドレスを表1に示す。

表1　D社の現行のネットワークにおける各セグメントのIPアドレス

セグメント	IPアドレス	セグメント	IPアドレス
a	172.16.0.0/23	h	172.17.0.0/25
b	172.16.2.0/23	i	172.17.2.0/23
c	172.16.4.0/23	j	172.17.4.0/23
d	172.16.6.0/23	k	172.17.6.0/23
e	172.16.8.0/23	l	172.17.8.0/23
f	172.16.10.0/23	m	t.u.v.4/30
g	172.16.12.64/26	n	192.168.1.0/24

　G社は、クラウドサービス利用者のためにインターネットからアクセス可能なサービスポータルサイト（以下、サービスポータルという）を公開しており、クラウドサービス利用者はサービスポータルにアクセスすることによってVPC GWの設定ができる。D社では、VPC GWとFWに次の項目を設定している。

・VPC GW設定項目：VPC内仮想セグメントのアドレス（192.168.1.0/24）、IPsec VPN
　認証用の事前　　a　　、FWの外部アドレス（t.u.v.5）、D社内ネットワークアドレ
　ス（172.16.0.0/16, 172.17.0.0/16）

・FW設定項目：VPC内仮想セグメントのアドレス（192.168.1.0/24），IPsec VPN認証用の事前　　a　　，VPC GWの外部アドレス（x.y.z.1），D社内ネットワークアドレス（172.16.0.0/16，172.17.0.0/16）

〔OSPFによる経路制御〕

　OSPFは，リンクステート型のルーティングプロトコルである。OSPFルータは，隣接するルータ同士でリンクステートアドバタイズメント（以下，LSAという）と呼ばれる情報を交換することによって，ネットワーク内のリンク情報を集め，ネットワークトポロジのデータベースLSDB（Link State Database）を構築する。LSAには幾つかの種別があり，それぞれのTypeが定められている。例えば，　　b　　LSAと呼ばれるType1のLSAは，OSPFエリア内の　　b　　に関する情報であり，その情報には，　　c　　と呼ばれるメトリック値などが含まれている。また，Type2のLSAは，ネットワークLSAと呼ばれる。OSPFエリア内の各ルータは，集められたLSAの情報を基にして，　　d　　アルゴリズムを用いた最短経路計算を行って，ルーティングテーブルを動的に作成する。さらに，OSPFには，②複数の経路情報を一つに集約する機能（以下，経路集約機能という）がある。D社では，支社へのネットワーク経路を集約することを目的として，③ある特定のネットワーク機器で経路集約機能を設定している（以下，この集約設定を支社ネットワーク集約という）。支社ネットワーク集約がされた状態で，本社のL3SWの経路テーブルを見ると，a〜gのそれぞれを宛先とする経路（以下，支社個別経路という）が一つに集約された，　　e　　/16を宛先とする経路が確認できる。また，D社では，支社ネットワーク集約によって意図しない④ルーティングループが発生してしまうことを防ぐための設定を行っているが，その設定の結果，表2に示すOSPF経路が生成され，ルーティングループが防止される。

表2　ルーティングループを防ぐOSPF経路

設定機器	宛先ネットワークアドレス	ネクストホップ
f	g	Null0

注記　Null0はパケットを捨てることを示す。

〔D社とE社のネットワーク統合の検討〕

　D社とE社のネットワーク統合を実現するために，情報システム部のFさんが検討することになった。Fさんは，E社の現行のネットワークについての情報を集め，次のようにまとめた。

・E社のオフィスは，本社1拠点だけである。

・E社の本社は，D社の支社1と同一ビル内の別フロアにオフィスを構えている。

・E社の社内システム（以下，E社社内システムという）は，クラウドサービス事業者であるH社のVPC内にある仮想サーバ上でWebシステムとして構築されている。
・E社のPCは，インターネットVPNを介して，E社社内システムにアクセスしている。
・E社のネットワークの経路制御はOSPFで行っており全体がOSPFエリア0である。
・E社のネットワークのIPアドレスブロックは，172.18.0.0/16を利用している。

　情報システム部は，Fさんの調査を基にして，E社のネットワークをD社に統合するための次の方針を立てた。
(1)　ネットワーク統合後の早急な業務の開始が必要なので，現行ネットワークからの構成変更は最小限とする。
(2)　E社のネットワークとD社の支社1ネットワークを同一ビルのフロアの間で接続する（以下，この接続をフロア間接続という）。
(3)　フロア間接続のために，D社の支社1のL3SW1とE社のL3SW6の間に新規サブネットを作成する。当該新規サブネット部分のアドレスは，E社のIPアドレスブロックから新たに割り当てる。新規サブネット部分のOSPFエリアは0とする。
(4)　両社のOSPFを一つのルーティングドメインとする。
(5)　H社VPC内の仮想サーバはG社VPCに移設し，統合後の全社から利用する。
(6)　E社がこれまで利用してきたインターネット接続回線及びH社VPCについては契約を解除する。

　Fさんの考えた統合後のネットワーク構成を図2に示す。

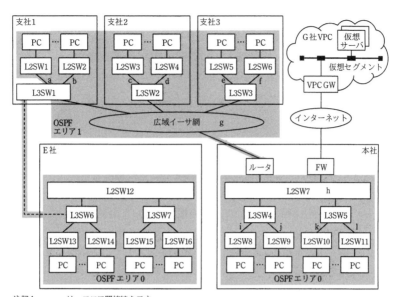

図2　Fさんの考えた統合後のネットワーク構成

Fさんは、両社間の接続について更に検討を行い、課題を次のとおりまとめた。

・フロア間を接続しただけでは、OSPFエリア0がOSPFエリア1によって二つに分断
　されたエリア構成となる。そのため、フロア間接続を行っても⑤E社のネットワー
　クからの通信が到達できないD社内のネットワーク部分が生じ、E社からインター
　ネットへのアクセスもできない。

・下線⑤の問題を解決するために、⑥NW機器のOSPF関連の追加の設定(以下、フ
　ロア間OSPF追加設定という)を行う必要がある。

・フロア間接続及びフロア間OSPF追加設定を行った場合、D社側のOSPFエリア0
　とE社側のOSPFエリア0は両方合わせて一つのOSPFエリア0となる。このとき、
　フロア間OSPF追加設定を行う2台の機器はいずれもエリア境界ルータである。また、
　OSPFエリアの構成としては、OSPFエリア0とOSPFエリア1がこれらの2台のエ
　リア境界ルータで並列に接続された形となる。その結果、D社ネットワークで行わ
　れていた支社ネットワーク集約の効果がなくなり、本社のOSPFエリア0のネットワー
　ク内に支社個別経路が現れてしまう。それを防ぐためには、⑦ネットワーク機器へ
　の追加の設定が必要である。

・E社のネットワークセグメントから仮想サーバへのアクセスを可能とするためには、

FWとVPC GWに対してE社のアドレスを追加で設定することが必要である。

　これらの課題の対応で，両社のネットワーク全体の経路制御が行えるようになることを報告したところ，検討結果が承認され，ネットワーク統合プロジェクトリーダにFさんが任命された。

設問1　本文中の　　a　　〜　　e　　に入れる適切な字句を答えよ。

設問2　本文中の下線①について，設定の内容を25字以内で述べよ。

設問3　〔OSPFによる経路制御〕について，(1) 〜 (4)に答えよ。

　(1)　本文中の下線②について，この機能を使って経路を集約する目的を25字以内で述べよ。

　(2)　本文中の下線③について，経路集約を設定している機器を図1中の機器名で答えよ。

　(3)　本文中の下線④について，ルーティングループが発生する可能性があるのは，どの機器とどの機器の間か。二つの機器を図1中の機器名で答えよ。

　(4)　表2中の　　f　　，　　g　　に入れる適切な字句を答えよ。

設問4　〔D社とE社のネットワーク統合の検討〕について，(1) 〜 (3)に答えよ。

　(1)　本文中の下線⑤について，到達できないD社内ネットワーク部分を，図2中のa〜lの記号で全て答えよ。

　(2)　本文中の下線⑥について，フロア間OSPF追加設定を行う必要がある二つの機器を答えよ。また，その設定内容を25字以内で述べよ。

　(3)　本文中の下線⑦について，設定が必要なネットワーク機器を答えよ。また，その設定内容を40字以内で述べよ。

（令和3年春 ネットワークスペシャリスト試験 午後Ⅰ 問2）

■午後問題の解説

　企業ネットワークの統合に関する問題です。この問では,OSPFプロトコルによるルーティング設計とIPsecトンネリングによるクラウド接続を題材に,ネットワーク設計と構築に必要な基本的スキルが問われています。OSPFについてかなり細かいことまで聞かれるため,難易度が高めの問題となります。

3

設問1

　本文中の空欄穴埋め問題です。〔D社の現行のネットワークの概要〕及び〔OSPFによる経路制御〕について,本文を完成させていきます。

空欄a

　VPC GW設定項目とFW設定項目の両方に含まれる,IPsec VPN認証用の項目を答えます。IPsecでは,接続する機器を認証するために,事前共有鍵を用意します。二つの機器間で同じ事前共有鍵を設定することで,正当な機器同士の接続であることを確認できます。したがって,解答は**共有鍵**です。

空欄b

　OSPF（Open Shortest Path First）のLSAタイプのうち,当てはまるものを答えます。Type1のLSAは,ルータLSAと呼ばれ,OSPFエリア内の全ルータに関する情報を通知します。したがって,解答は**ルータ**です。

空欄c

　Type1のLSAに含まれるメトリック値の名称を答えます。Type1のLSAに含まれる情報にはコスト（コスト値）があり,コストはリンク（インタフェース）の帯域幅をもとに,自動的に計算されます。各リンクごとに手動で設定することも可能です。したがって,解答は**コスト**です。

空欄d

　OSPFで,最短経路計算に用いられるアルゴリズムを答えます。OSPFでは,最短経路計算にダイクストラアルゴリズムを利用します。ダイクストラアルゴリズムでは,宛先ネットワークへのコスト合計を算出し,その合計が最も小さくなる経路を選択します。したがって,解答は**ダイクストラ**です。

空欄e

　一つに集約されたネットワークアドレスを答えます。空欄eの前に,「a～gのそれぞれを宛先とする経路（以下,支社個別経路という）が一つに集約された」とあり,表1のa～gを並べると,次のようになります。

a　172.16.0.0/23

b　172.16.2.0/23

c　172.16.4.0/23

d　172.16.6.0/23

e　172.16.8.0/23

f　172.16.10.0/23

g　172.16.12.64/26

空欄eの後に/16とあり、16ビットのネットワークアドレスでまとめると、a〜gの先頭16ビットは10進数で172.16です。そのため、ホストアドレスを0にしたネットワークアドレスは、172.16.0.0となります。したがって、解答は **172.16.0.0** です。

設問2

本文中の下線①「全社のOSPFエリアからインターネットへのアクセスを可能にするための設定」について、設定の内容を答えます。

図1「D社の現行のネットワーク構成」より、インターネットは本社のネットワークから、FWを経由して接続します。〔D社の現行のネットワークの概要〕(7)に、「本社のLANのOSPFエリアは0であり、支社1〜3のLAN及び広域イーサ網のOSPFエリアは1である」とあります。OSPFエリア0がバックボーンエリアなので、本社のルータがバックボーンエリアのエリア境界ルータとなります。そのため、全社のOSPFエリアのデフォルトルートを本社のFWにすることで、本社を経由して全社のOSPFエリアからインターネットへのアクセスが可能となります。したがって、解答は、**OSPFへデフォルトルートを導入する**、です。

設問3

〔OSPFによる経路制御〕に関する問題です。OSPFでの経路制御の仕組みや、ルーティングループを防ぐ方法について問われています。

(1)

本文中の下線②「複数の経路情報を一つに集約する機能」について、この機能を使って経路を集約する目的を答えます。

設問1の空欄eで考えたように、セグメントa〜gのIPアドレスは、172.16.0.0/16に集約できます。このように集約することで7行のルーティングテーブルが1行となり、ルーティングテーブルサイズを小さくすることができます。したがって、解答は、**ルーティングテーブルサイズを小さくする**、です。

3

(2)

本文中の下線③「ある特定のネットワーク機器で経路集約機能を設定している」について、経路集約を設定している機器を図1中の機器名で答えます。

支社へのネットワーク経路を集約することを目的として設定する機器を図1で考えると、OSPFエリア0とエリア1のエリア境界ルータとなる本社のルータが最適です。したがって、解答は**ルータ**となります。

(3)

本文中の下線④「ルーティングループが発生してしまうことを防ぐための設定」について、ルーティングループが発生する可能性があるのは、どの機器とどの機器の間かを答えます。

ルーティングループは、ネットワーク層の転送経路での論理的な循環で、OSPFルータ同士では、アルゴリズムでルーティング情報を交換するためルーティングループは発生しません。しかし、〔D社の現行のネットワークの概要〕(8)に、「FWにはインターネットへの静的デフォルト経路を設定しており」とあり、FW設定項目に、「D社内ネットワークアドレス(172.16.0.0/16, 172.17.0.0/16)」とあります。つまり、FWで宛先ネットワークアドレスが支社に向けた172.16.0.0/16のパケットを受け取った場合、それを静的に内部ネットワークに転送し、ルータに返すことになります。ここでルーティングループが発生します。したがって、解答は**FW**と**ルータ**の間です。

(4)

表2中の空欄穴埋め問題です。表2のルーティングループを防ぐOSPF経路について、適切な字句を答えます。

空欄f

ルーティングループを防ぐOSPF経路を設定する設定機器を答えます。ルーティングループは、ルータとFWの間でのループを防ぐため、パケットを捨てます。ルータの方で不要な転送をやめることで、ルーティングループを防ぐことができます。したがって、解答は**ルータ**です。

空欄g

ルーティングループを防ぐために設定する宛先ネットワークアドレスを答えます。ルーティングループが起こる宛先は、OSPFエリア1への転送となる集約したネットワークアドレス172.16.0.0/16です。したがって、解答は**172.16.0.0/16**となります。

設問4

〔D社とE社のネットワーク統合の検討〕に関する問題です。ネットワーク統合による、エリアを中心としたOSPFの設定変更について問われています。

(1)

本文中の下線⑤「E社のネットワークからの通信が到達できないD社内のネットワーク部分が生じ」について,到達できないD社内ネットワーク部分を,図2中のa〜lの記号ですべて答えます。

〔D社とE社のネットワーク統合の検討〕に,「フロア間を接続しただけでは,OSPFエリア0がOSPFエリア1によって二つに分断されたエリア構成となる」とあります。そのため,E社のOSPFエリア0からD社のOSPFエリア1への接続は可能ですが,E社のOSPFエリア0とD社のOSPFエリア0の間での通信はできません。図2では,h, i, j, k, lがD社のOSPFエリア0のネットワークとなり,E社のOSPFエリア0との通信ができない部分となります。したがって,解答は**h, i, j, k, l**です。

(2)

本文中の下線⑥「NW機器のOSPF関連の追加の設定(以下,フロア間OSPF追加設定という)を行う必要がある」について,フロア間OSPF追加設定を行う必要がある二つの機器と,その設定内容を答えます。

機器

OSPFでは,全てのエリアがエリア0に直接接続している必要があります。しかし,エリア0に直接接続できないエリアが発生した場合には,OSPF仮想リンクの技術を導入することで2台のエリア境界ルータ間に論理リンクを確立させてエリア0へ到達させることができます。図2のエリア境界ルータとなるのは,支社1のL3SW1と本社のルータなので,この二つの機器にOSPF仮想リンクを設定します。したがって,フロア間OSPF追加設定を行う必要がある二つの機器は,**L3SW1, ルータ**です。

設定内容

二つの機器の設定内容を答えます。支社1のL3SW1と本社のルータに,OSPF仮想リンクの接続設定を行うことで,E社とD社のOSPFエリア0が,同じエリアとして接続を行うことが可能となります。したがって,解答は,**OSPF仮想リンクの接続設定を行う**,です。

(3)

本文中の下線⑦「ネットワーク機器への追加の設定が必要である」について,設定が必要なネットワーク機器と,その設定内容を答えます。

機器

設問1〜3で,本社のルータでは172.16.0.0/16に集約したルーティング情報を設定しました。しかし,L3SW1は今までエリア境界ルータではなく,支社の個別経路のみが設定されています。L3SW1は,OSPFエリア1のエリア境界ルータとなるので,172.16.0.0/16全体の情報を管理する必要があります。したがって,設定が必要なネットワーク機器は**L3SW1**です。

設定内容

L3SW1では，エリア境界ルータとしてOSPFエリア1のルーティング情報全体を管理する必要があります。具体的には，OSPFエリア1の支社個別経路を172.16.0.0/16に集約することで，172.16.0.0/16全体の情報を管理できます。したがって，設定内容は，**OSPFエリア1の支社個別経路を172.16.0.0/16に集約する**，です。

解答例

出題趣旨

OSPFは，IPネットワークにおいて動的経路制御を行うためのルーティングプロトコルとして多く使われている。動的経路制御を利用した環境において安定したネットワーク運用を行うためには，ルーティングプロトコルを正しく理解することが重要である。また，近年において，クラウド内環境と企業内環境間をVPNで接続して，クラウド環境を自社内環境と同様に利用する形態もよく見られる。

本問では，OSPFプロトコルによるルーティング設計とIPsecトンネリングによるクラウド接続を題材に，ネットワーク設計と構築に必要な基本的スキルを問う。

設問1

a 共有鍵　　　b ルータ　　　c コスト
d ダイクストラ　e 172.16.0.0

設問2

OSPFへデフォルトルートを導入する。 （19字）

設問3

(1) ルーティングテーブルサイズを小さくする。 （20字）
(2) ルータ
(3) ルータ と FW の間
(4) f ルータ　　　g 172.16.0.0/16

設問4

(1) h, i, j, k, l
(2) **機器** ルータ L3SW1
   設定内容 OSPF仮想リンクの接続設定を行う。 （18字）

(3)　機器　L3SW1

設定内容

| O | S | P | F | エ | リ | ア | 1 | の | 支 | 社 | 個 | 別 | 経 | 路 | を | 1 | 7 | 2 | . | 1 | 6 |
| . | 0 | . | 0 | / | 1 | 6 | に | 集 | 約 | す | る | 。 | (35字) |

採点講評

　問2では，企業におけるネットワーク統合を題材に，OSPFを利用した経路制御の基本について出題した。全体として，正答率は低かった。

　設問2は，正答率が低かった。OSPFでのデフォルト経路の取扱いは，企業内ネットワークからインターネットを利用するような一般的なネットワーク構成において必要な基本事項なので，よく理解してほしい。

　設問4(2)は，正答率が低かった。OSPF仮想リンクは，初期構築段階では想定外であったネットワーク統合を後から行う場合などに役立つもので，OSPFネットワーク設計の柔軟性を増すための有用な技術である。その動作原理や活用パターンについて是非理解してほしい。

　設問4(3)は，正答率が低かった。特に，エリアボーダルータ(ABR)ではないルータを誤って解答する例が多く見られた。OSPFルータの種別とその見分け方，種別ごとの役割と動作を正しく理解した上で，本文中に示されたABRにおけるネットワーク集約に関する記述をきちんと読み取り，正答を導き出してほしい。

第4章

トランスポート層

トランスポート層は，インターネット層と共にTCP/IPプロトコルの中核となる層です。アプリケーションにデータを配送し，通信に信頼性を提供します。

本章で学ぶことは二つ，トランスポート層の役割と，トランスポート層の二つのプロトコルであるTCPとUDPについてです。信頼性を確保するプロトコルがTCP，信頼性より高速な通信を優先するプロトコルがUDPです。

ネットワークスペシャリスト試験では，TCPの信頼性確保の仕組みについて深い理解を問われる問題が数多く出題されていますので，一つ一つの仕組みを丁寧に理解しておきましょう。

4-1 トランスポート層の役割

トランスポート層は，ネットワーク層と並んで，インターネットでの通信の中核となる階層です。ネットワーク層の代表的なプロトコルはIPだけでしたが，トランスポート層では，TCPとUDPの2種類が使われます。

4-1-1 ◉ トランスポート層のサービス

それでは，トランスポート層の役割とプロトコルについて説明します。

■ アプリケーションにデータを配送

トランスポート層の一番の役割は，通信するアプリケーションに適切にパケットを渡すことです。コンピュータの内部で動いている様々なアプリケーションのうち，どのアプリケーションにデータを渡せばよいかを判断して渡します。

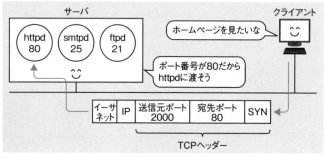

トランスポート層

クライアントは，宛先ポート番号にサーバ内の目的のプログラムに対応するポート番号を設定して，送信します。例えば，ホームページを表示するためにWebサーバでHTTPプロトコルによる通信を行いたい場合には，宛先ポート番号に80番を設定します。この番号はウェルノウンポート番号といい，プロトコルごとにあらかじめ決められています。送信元ポート番号は，クライアント内で他のプログラムと重ならないように，OSが適当に割り振ります。

📘 勉強のコツ

トランスポート層でも特にTCPは，ネットワークスペシャリスト試験で最も深く問われる項目です。
TCPヘッダーの値やコネクション確立の方法などについて，午前Ⅱ～午後Ⅱまで様々な場面で詳細に問われます。
学習する量はそれほど多くないので，実際のパケットをイメージしながら確実に押さえておきましょう。

⭐ 参考

httpd, smtpd, ftpdなどは，UNIXシステムでのプログラムです。httpdはWebサーバ，smtpdはメール（SMTP）サーバ，ftpdはFTPサーバになります。

■ トランスポート層のプロトコル

トランスポート層のプロトコルには，TCP（Transmission Control Protocol）とUDP（User Datagram Protocol）があります。

TCPは**コネクション型**のプロトコルです。通信相手との間に事前にコネクションを確立することで，信頼性のある通信を提供できます。

また，切れ目なくデータを送ることができる**ストリーム型**の通信を実現します。これは，TCPがもつ順番制御の機能によるもので，TCPでは順番制御を行い，複数のパケットを送った順に管理することで，区切りのないデータ転送を可能にしています。

TCPでは，信頼性を確保するために，順番制御のほかに再送制御やフロー制御など，多くの機能を備えています。

UDPは**コネクションレス型**のプロトコルです。一つのパケットだけでデータを送る**データグラム型**の通信を提供します。パケットの到達確認など，細かい処理はアプリケーションに任せます。そのため，通信時の負荷があまりかからず，高速で通信を行うことが可能です。

■ TCPとUDPの用途の違い

TCPは信頼性が高いので，通信パケットが確実に届くことを要求されるアプリケーションに向いています。しかし，様々な制御を行うため，そのぶん負荷がかかり，処理が遅くなります。

逆に，UDPは信頼性は低いですが，高速に通信を行えるので，リアルタイム性が要求されるアプリケーションに向いています。そのため，音声配信や動画配信など，途中のパケットが失われても一部が乱れるだけで大きな影響がないアプリケーションには，UDPが利用されています。

また，**TCP**は**1対1でのコネクション確立**を行う必要があるので，ユニキャストでしか通信できません。マルチキャストやブロードキャストを行う通信でトランスポート層を使用する場合には，**UDP**で通信する必要があります。

そのため，ブロードキャストでIPアドレスの割当てを行うDHCPや，マルチキャストでルータの情報をやり取りするRIPなどは，トランスポート層にUDPを使います。

このように，アプリケーションごとにTCPとUDPのどちらを

発展

トランスポート層の役割の説明には，「TCPが提供する」または「**信頼性のある通信**」などといった内容が含まれることがよくあります。
これは，トランスポート層では，アプリケーションを識別しつつ，場合によっては信頼性のある通信を提供する役割を担うということです。

4

参考

IP電話などで音声データを伝送するRTP（Real-time Transport Protocol）なども，UDPを使用します。

利用するかが決められていて，目的に合わせて使い分けられて
います。

■ ポート番号

　トランスポート層で通信を行うためには，送信元と宛先の両方
のポート番号が必要です。

　クライアントサーバモデルでは，サーバ側では一般に，どのポー
ト番号を使うかはアプリケーションごとに決められています。こ
のポート番号が，**ウェルノウンポート番号**です。ウェルノウンポー
ト番号には，0 ～ 1023までの数字が割り当てられています。た
だし，データベースサーバなど，それ以外の数字が割り当てら
れるサーバや，ポート番号が変化するプロトコルなどもあります。

　クライアント側では通常，OSが動的に割り当てます。クライ
アントがサービスを要求するときに，1024番以上の空いている
ポート番号を適当に割り当てます。ポート番号が異なることで，
別の通信であると識別されます。なお，最近のOSでは，動的に
割り当てるポート番号は49152 ～ 65535です。

■ ウェルノウンポート番号とサービス

　代表的なウェルノウンポート番号を次表に示します。太字は，
その中でも特によく使われるものです。TCPとUDPでは，同じ
ポート番号でも別の目的に使われることがあるので，ウェルノウ
ンポート番号は，TCP，UDPそれぞれで決められています。

 発展

サーバ側のポート番号が通
常と違う場合は，ファイア
ウォールなどでのアクセス
制御で問題が生じることが
あります。
例えば，FTPではコネクショ
ンを二つ確立する必要があ
りますが，このような場合
のネットワークの設定につ
いても，ネットワークスペ
シャリスト試験の出題ポイ
ントです。

TCPの代表的なウェルノウンポート番号

ポート番号	サービス	説明
20	ftp-data	File Transfer [Default Data]
21	ftp	File Transfer [Control]
22	ssh	SSH Remote Login Protocol
23	telnet	Telnet
25	smtp	Simple Mail Transfer Protocol
53	domain	Domain Name Server
80	http	World Wide Web HTTP
110	pop3	Post Office Protocol version 3
143	imap	Internet Message Access Protocol
179	bgp	Border Gateway Protocol
443	https	http protocol over TLS/SSL
587	submission	Message Submission
989	ftps-data	ftp data over TLS/SSL
990	ftps	ftp control over TLS/SSL
993	imaps	imap4 protocol over TLS/SSL
995	pop3s	pop3 protocol over TLS/SSL

UDPの代表的なウェルノウンポート番号

ポート番号	サービス	説明
53	domain	Domain Name Server
67	bootps	Bootstrap Protocol Server (DHCP)
68	bootpc	Bootstrap Protocol Client (DHCP)
69	tftp	Trivial File Transfer Protocol
123	ntp	Network Time Protocol
161	snmp	SNMP
162	snmptrap	SNMP trap
520	router	RIP
546	dhcpv6-client	DHCPv6 Client
547	dhcpv6-server	DHCPv6 Server

 関連

登録されているウェルノウ
ンポート番号の最新情報は,
以下に掲載されています。
https://www.iana.org/
assignments/service-
names-port-numbers/
service-names-port-
numbers.xhtml

過去問題をチェック

ポート番号については,
ネットワークスペシャリス
ト試験では以下の出題があ
ります。
ポート番号を完璧に覚えて
おく必要はありませんが,
よく使われるものは知って
おくと便利です。
【ポート番号】
・平成21年秋 午後Ⅰ 問2
 設問1
 (SMTPやPOP3Sのポート
 番号に関する穴埋め問題)
・平成25年秋 午後Ⅰ 問1
 設問3
 (DNSのポート番号に関
 する穴埋め問題)
・平成28年秋 午前Ⅱ 問10
 (TCPとUDP両方のヘッ
 ダに存在するもの)
・令和4年春 午後Ⅰ 問3
 設問1 (DNSのプロトコ
 ルとポート番号)

▶▶▶ 覚えよう！

☐ TCPは信頼性を提供してユニキャスト, UDPは高速性を提供

☐ TCPの80番はHTTP, 443番はHTTPS, FTPは20, 21番, SUBMISSIONは587番

4-2 TCPとUDP

TCPとUDPは，トランスポート層の代表的なプロトコルです。TCPについては特に，ネットワークスペシャリスト試験では最重要といっていいほど頻繁に出題され，かつ深い理解が求められます。

4-2-1 TCP

TCP（Transmission Control Protocol）は，伝送を制御するプロトコルです。TCPでは，コネクションを確立して仮想的な通信路を確保することで，相互に通信を行います。

コネクションの確立

一度コネクションが確立されると，通信を行うアプリケーションは，この仮想的な通信路を使って情報を順番に，途切れることなく送信できます。TCPは次のようなイメージで，送信用，受信用それぞれのコネクションを確立します。

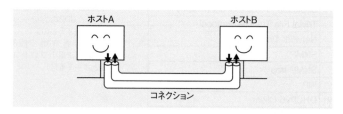

コネクションのイメージ

コネクションの中では，フロー制御，順番制御，再送制御など，様々な制御が機能しています。それらの制御により，信頼性の高い通信が実現できます。

TCPの機能は，TCPヘッダーに詰め込まれています。TCPヘッダーの内容を見ていきましょう。

TCPヘッダー

TCPヘッダーを含めたTCPセグメントのフォーマットは，次

勉強のコツ

TCPとUDPについては，ヘッダーのフォーマットやそれぞれの役割についても押さえておく必要があります。さらに，「どことどこにコネクションが張られるのか」など，TCP通信の実例についても理解しておくことが大切です。
ダンプ解析（パケット解析）を行うと理解が深まる部分なので，実際のパケットをキャプチャして見てみるのがおすすめです。

用語

この仮想的な通信路のことをバーチャルサーキット（仮想回線）とも呼びます。

のようになっています。

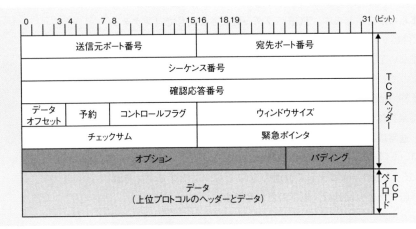

TCPセグメントフォーマット

それぞれのフィールド(項目)の内容は，以下のとおりです。

- **送信元ポート番号 (Source Port)**

  16ビット長で，送信元のポート番号を示します。

- **宛先ポート番号 (Destination Port)**

  16ビット長で，宛先のポート番号を示します。

- シーケンス番号 **(Sequence Number)**

  32ビット長で，**順序番号**(シーケンス番号)を示します。シーケンス番号では，送信したデータの位置を表します。コネクション確立時に初期値がランダムに決められ，SYNパケットで受信ホストに伝えます。転送したバイト数を初期値に加算していきますが，SYNパケットやFINパケットは，データを含んでいなくても1バイト分と数えられます。

- 確認応答番号 **(Acknowledgement Number)**

  32ビット長で，確認応答番号を示します。確認応答番号は，**次に受信すべきデータのシーケンス番号**です。確認応答番号から1を引いたシーケンス番号までのデータを正常に受信したことを知らせます。ACK番号，受信確認番号，肯定応答番号と呼ばれることもあります。

用語

セグメントとは，「一部分」のことです。TCPでは，コネクション確立を行ってデータをストリーム型で流すので，一つのパケットは，その全体のストリームの一部になります。そのため，TCPのパケットはセグメントと呼ばれます。

- **データオフセット (Data Offset)**

　4ビット長で，TCPのデータがTCPパケットのどの部分から始まるのかを示します。TCPヘッダーの長さと同じで，4オクテット（32ビット）単位でTCPヘッダー長を示します。オプションを含まないTCPヘッダーの場合，TCPヘッダーの長さは20オクテットなので，データオフセットは「5」となります。

- **予約 (Reserved)**

　将来の拡張のために用意されている4ビット長のフィールドです。通常は「0」にしておく必要があります。

- コントロールフラグ **(Control Flag)**

　8ビット長で，1ビットずつ別の意味をもつフラグです。それぞれのフラグの位置は，以下のとおりです。

0	1	2	3	4	5	6	7	(ビット)
C W R	E C E	U R G	A C K	P S H	R S T	S Y N	F I N	

コントロールフラグの位置

各フラグの役割

フラグ	役割
CWR (Congestion Window Reduced)	IPヘッダーのECNフィールドとともに使用されるフラグ。輻輳ウィンドウを小さくしたことを通信相手に伝える。
ECE (ECN-ECHO)	IPヘッダーのECNフィールドとともに使用されるフラグ。相手からこちら側に向かうネットワークが輻輳していることを通信相手に伝える。
URG (Urgent Flag)	このビットが1の場合，緊急に処理すべきデータが含まれていることを示す。緊急を要するデータの格納場所は，緊急ポインタを使用して示す。
ACK (Acknowledgement Flag)	このビットが1の場合，確認応答番号のフィールドが有効であることを示す。コネクション確立時の最初のSYNパケット以外は，必ず1でなければならない。
PSH (Push Flag)	このビットが1の場合，受信したデータをすぐに上位のアプリケーションに渡す必要がある。0の場合には，すぐに渡さずバッファリングすることが許される。
RST (Reset Flag)	このビットが1の場合，コネクションが強制的に切断される。何らかの異常が検出された場合に使用するフラグ。
SYN (Synchronize Flag)	コネクションの確立に使われる。このビットが1の場合，コネクションの確立を要求するとともに，シーケンス番号に格納されている数字でシーケンス番号を初期化する。
FIN (Fin Flag)	このビットが1の場合，以後送信するデータがないことを示す。通信が終了し，コネクションを切断したい場合に使用する。

用語

輻輳とは，パケットが集中して混雑している状態です。パケットが集中しすぎると，通信エラーが多くなり，通信が成立しにくくなります。

発展

URGビットや緊急ポインタが使用される具体例としては，ブラウザで読込みを中止した場合や，コマンド実行中に[Ctrl]＋[C]キーで中断した場合などが挙げられます。

- ウィンドウサイズ (Window)

16ビット長で，ウィンドウサイズを示します。ウィンドウサイズとは，一度に受信できるデータ量です。確認応答番号で示した位置から，受信可能なオクテット数を示します。TCPでは，ここに示されているデータ量を超えて送ることは許されません。

- チェックサム (Checksum)

16ビット長で，TCPヘッダーとデータが破壊されていないことを保証するためのチェックサムを示します。チェックサムの計算時には，IPアドレスも含むTCP疑似ヘッダーを使用します。TCPでは，チェックサムは省略できません。

- 緊急ポインタ (Urgent Pointer)

コントロールフラグのURGビットが1の場合に有効になる，緊急を要するデータの格納場所を示すポインタです。データ領域の先頭から，この緊急ポインタで示されている数値分のオクテット数のデータが緊急を要するデータになります。

- オプション (Options)

オプションは，TCPによる通信の性能を向上させるために設定します。最大セグメント長 (MSS：Maximum Segment Size) を決定することや，セグメントが「歯抜け状態」で届いたときに複数の確認応答を返すことができる選択確認応答 (SACK：Selective ACKnowledgement) を利用することなどが可能です。

代表的なオプションを以下に示します。

発展

IPヘッダー，TCPヘッダー，UDPヘッダーにはそれぞれチェックサムフィールドがあります。
IPヘッダーのチェックサムはIPヘッダー部分だけが対象ですが，TCP, UDPヘッダーのチェックサムは，データ部分も含みます。

用語

歯抜け状態とは，途中のセグメントがところどころ消失して，全体的につながっていない状態のことです。

主なオプション

タイプ	バイト長	意味
0	-	End of Option List
1	-	No-Operation
2	4	Maximum Segment Size
4	2	SACK Permitted
5	N	SACK

コネクション管理

TCPは，コネクション型の通信を行います。そのために必要なのは，通信相手との間で通信を始める前にコネクション確立を行うことと，通信が終わった後にコネクション解放を行うことです。通信の流れとしては，次のようになります。

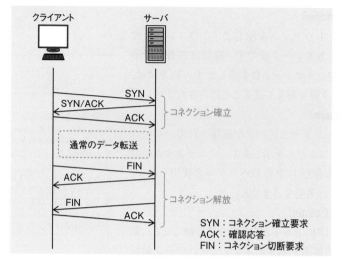

コネクション確立とコネクション解放

　クライアントは，最初のパケットでコントロールフラグのSYNを立てて，コネクション確立を要求します。サーバは，SYNに対する確認応答（ACK）を返信するとともに，サーバからもコネクション確立要求（SYN）を返します。その後，サーバからのSYNに対する確認応答（ACK）を返して，コネクション確立が完了します。この三つのパケットでのコネクション管理のことを，3ウェイハンドシェイクと呼びます。

　コネクション解放時は，今後送るデータがなくなった方から，FINフラグを立てたパケットを送り，コネクション切断要求を行います。そして，FINに対する確認応答（ACK）を返します。もう一方は，すぐにFINを返す必要はなく，自分が送るデータがなくなったら相手にFINを送ります。そして，そのFINに対する確認応答（ACK）が返ってきたら，コネクションを解放します。つまり，パケットとしては全部で四つ必要です。

　それでは，次の問題を考えてみましょう。

📰 **過去問題をチェック**

TCPの3ウェイハンドシェイクでのコネクション確立を用いてネットワークを監視する方法に関して，ネットワークスペシャリスト試験では以下の出題があります。
【3ウェイハンドシェイク】
・平成21年秋 午後Ⅰ問3
　設問1 (2)
　採点講評で3ウェイハンドシェイクについて触れられています。
・令和4年春 午後Ⅱ問2
　設問4 (1)
　3ウェイハンドシェイクの2番目のパケットについて穴埋めで問われています。

問 題

TCPのコネクション確立方式である3ウェイハンドシェイクを表す図はどれか。

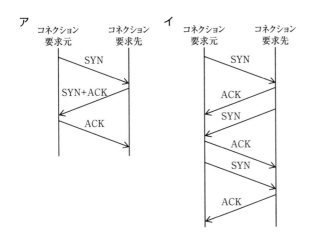

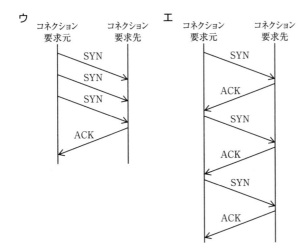

（平成30年秋 情報処理安全確保支援士試験 午前Ⅱ 問18）

解説

TCPの3ウェイハンドシェイクでは，最初にコネクション要求元からSYNパケットを送ります。その後，コネクション要求先は，SYN，ACKの両方のフラグを1（ON）にしたSYN＋ACKパケットを返します。さらに，コネクション要求元からACKパケットを返したら，コネクションの確立です。したがって，アが正解です。

≪解答≫ア

信頼性を提供する仕組み

TCPには，信頼性を提供するために，パケットの喪失や重複，順序の入れ替わりなどを適切に管理および処理するための仕組みがあります。それがシーケンス番号と確認応答番号の組合せです。

最初にSYNパケットを送るときに，ランダムに決めた初期値を設定したシーケンス番号を，通信相手に送ります。相手は，そのパケットを受け取ったら確認応答（ACK）を返し，次に受け取るべきデータのシーケンス番号を確認応答番号として返します。図にすると，次のようなイメージです。

過去問題をチェック

シーケンス番号を用いて，パケットの到着順に矛盾がないか確認するという方法について，ネットワークスペシャリスト試験で出題されています。
【シーケンス番号によるパケット到着順の確認】
・平成22年秋 午後I問3 設問1（穴埋め問題）

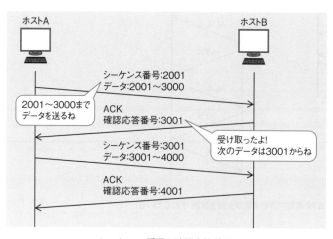

シーケンス番号と確認応答番号

　シーケンス番号に対応する確認応答番号を受け取れない場合，ホストはもう一度，同じシーケンス番号のパケットを送ります。これをTCPの再送機能といいます。また，シーケンス番号と確認応答番号でのやり取りは，双方向で行います。クライアントとサーバの両方でそれぞれ，シーケンス番号と確認応答番号の組を管理します。このとき，実際のデータがなくても，SYNパケットとFINパケットは1バイトのデータとして取り扱われます。

　それでは，次の問題を考えてみましょう。

 過去問題をチェック

TCPの信頼性確保の手段としての再送機能に関する問題が，ネットワークスペシャリスト試験で出題されています。
【TCPの再送機能】
・平成26年秋 午後I問2 設問(2)

問題

　クライアントとサーバ間で3ウェイハンドシェイクを使用し，次の順序でTCPセッションを確立するとき，サーバから送信されたSYN/ACKパケットのシーケンス番号Aと確認応答番号Bの正しい組合せはどれか。

順序	パケット	パケットの送信方向	シーケンス番号	確認応答番号
1	SYN	クライアントからサーバ	11111	なし
2	SYN/ACK	サーバからクライアント	A	B
3	ACK	クライアントからサーバ	11112	22223

	A	B
ア	11111	22222
イ	11112	22223
ウ	22222	11112
エ	22223	11111

（平成23年秋 ネットワークスペシャリスト試験 午前II 問12）

過去問題をチェック

TCPのSYNパケットの信頼性確認で，シーケンス番号と確認応答番号を合わせて検証するSYNフラッド攻撃の対策技術の問題が，ネットワークスペシャリスト試験で出題されています。
【SYNフラッド攻撃対策】
・令和元年秋 午後II 問2 設問4

なお，SYNフラッド攻撃については，「6-2-4 セキュリティ攻撃」でも取り上げています。

解説

　シーケンス番号と確認応答番号の関係は，図示すると次のようなつながりになります。

SYNパケット（1バイト）を受け取って，
次のデータの要求確認を行うので+1

順序	パケット	シーケンス番号	確認応答番号
1	SYN	11111	なし
2	SYN/ACK	A	B
3	ACK	11112	22223

要求された確認応答番号＝
次に送るシーケンス番号

　順序1のSYNに対する確認応答が順序2のパケットです。SYN
に対するACKを返していて，SYNパケットは1バイトと数えられ
るので，シーケンス番号11111に対する確認応答番号（B）は11112
になります。

　同じように，順序2のSYNに対する確認応答が順序3のパケッ
トです。順序3の確認応答番号が22223で，これはSYNパケット
の1バイトについての受信を含めたものなので，順序2で送ったパ
ケットのシーケンス番号（A）は，1バイト分引いて22222であるこ
とが予想できます。

　なお，要求された確認応答番号と，次に送るデータのシーケン
ス番号は同じです。したがって，Aは22222，Bは11112で，ウが
正解となります。

《解答》ウ

■ ウィンドウ制御

　シーケンス番号と確認応答番号を使って，1パケットずつ確認
応答（ACK）を行っていると，パケットの往復時間（ラウンドト
リップ時間）が長くなってしまい，通信速度が落ちます。そのた
めTCPでは，ウィンドウという概念を使って，一度に複数のパケッ
トを送れるようにしました。

　確認応答を待たずに送信できるデータの大きさがウィンドウ
サイズです。例えば，ウィンドウサイズが4000で，1パケットで
1000ずつデータが送られる場合，4パケットを同時に送ることが
できます。

過去問題をチェック

ウィンドウ制御について，
ネットワークスペシャリス
ト試験では以下の出題があ
ります。
【ラウンドトリップ時間と
ウィンドウサイズ】
・平成22年秋 午後Ⅰ問1
設問1 (1)
【ウィンドウサイズ】
・平成28年秋 午前Ⅱ 問12

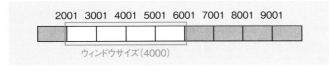

ウィンドウサイズ(4000)

ウィンドウのイメージ

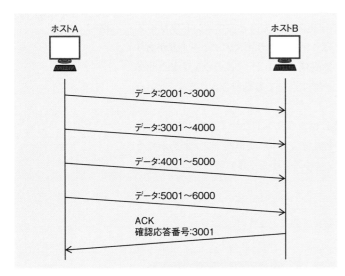

複数のパケットを一度に送信（確認応答は1パケット分のみ）

発展

パケットは基本的に光速で送信されるため，ラウンドトリップ時間は，LANでは特に問題になることはありません。しかし，遠距離間のWANでは無視できない時間がかかることがあり，それが遅延の原因にもなります。そのため，WAN高速化装置などでは，複数の確認応答をまとめて行うなど，TCPのラウンドトリップ時間の影響を少なくする工夫がなされています。

そこで，上の図のように，確認応答パケットが一つ返ってくると，ウィンドウをずらし，次のパケットを送ります。ウィンドウをずらすこの仕組みを，**スライディングウィンドウ**といいます。

確認応答完了

ウィンドウサイズ(4000)

スライディングウィンドウのイメージ

このような，すべての確認応答を待たずに次のパケットを送信する仕組みによって，通信を効率化しています。

■ フロー制御

送信ホストが受信ホストの都合を考えずに大量のデータパケットを送ると，受信ホストが受信しきれない場合があります。また，ネットワークが混雑してデータが途中で失われる危険もあります。そのため，TCPではフロー制御を行い，送信するデータ量を調節します。

そのために利用される仕組みは，先ほどのウィンドウサイズです。TCPのヘッダーにはウィンドウサイズのフィールドがありますが，これを使うことで受信ホストが，「このウィンドウサイズまでのパケットなら，一度に送っても処理しきれます」ということを通知できます。

通信に余裕があるときには，ウィンドウサイズを大きくして，高スループットでの通信を実現します。受信バッファがあふれそうなときには，ウィンドウサイズを小さくしてデータの送信量を抑制します。

それでは，次の問題を考えてみましょう。

過去問題をチェック

パケットの再送によるウィンドウサイズの縮小について，ネットワークスペシャリスト試験で出題されています。

【パケットの再送によるウィンドウサイズの縮小】
・平成22年秋 午後1 問2
　設問3（4）

問題

ネットワークの制御に関する記述のうち，適切なものはどれか。

ア　TCPでは，ウィンドウサイズが固定で輻輳（ふくそう）回避ができないので，輻輳が起きると，データに対してタイムアウト処理が必要になる。

イ　誤り制御方式の一つであるフォワード誤り訂正方式は，受信側で誤りを検出し，送信側にデータの再送を要求する方式である。

ウ　ウィンドウによるフロー制御では，応答確認があったブロック数だけウィンドウをずらすことによって，複数のデータをまとめて送ることができる。

エ　データグラム方式では，両端を結ぶ仮想の通信路を確立し，以降は全てその経路を通すことによって，経路選択のオーバヘッドを小さくしている。

（令和元年秋 ネットワークスペシャリスト試験 午前Ⅱ 問11）

解説

　ウィンドウによるフロー制御では，応答確認があったブロック数だけウィンドウをずらす仕組みを使って，複数のデータをまとめて送ることができます。したがって，ウが正解です。

ア　ウィンドウサイズは変更可能なので，輻輳制御時には，ウィンドウサイズを小さくして対応します。

イ　フォワード誤り訂正方式は，受信側で誤りを検出しますが，それを送信側に再送要求することなく，受信側で誤り訂正符号などを用いて訂正する方式です。

エ　データグラム方式は，通信路を確立せず一つ一つのパケットを独立して送る方式です。

≪解答≫ウ

発展

パケットの交換方式には，**データグラム方式**と仮想回線方式（バーチャルサーキット方式）の2種類があります。UDPやIPのように，コネクションレス型で一つ一つのパケットを独立して送る方式がデータグラム方式です。TCPのように，コネクションを確立し，仮想の回線を構築してから送る方式が仮想回線方式です。

4

▣ 輻輳制御

　<ruby>輻輳<rt>ふくそう</rt></ruby>制御とは，通信回線に許容量を超える通信が発生して輻輳状態になることを防ぐための制御です。輻輳状態では通信エラーが発生してしまうため，通信量を減らす必要がありますが，減らしすぎると効率が下がるので，適切な通信量に調整するための輻輳制御アルゴリズムが重要になってきます。

　輻輳制御も，フロー制御と同様にウィンドウサイズを使って行います。通信の最初はウィンドウサイズを1セグメント（1MSS）に設定してデータパケットを送信し，徐々に2セグメント，4セグメントと大きくしていきます。このアルゴリズムのことをスロースタートといいます。

▣ 輻輳制御アルゴリズム

　TCPでの輻輳制御アルゴリズムは，初期のアルゴリズムから改善されてきています。古くからある輻輳アルゴリズムは**Lossベース**と呼ばれるもので，途中でタイムアウトなどでパケットロスが起こったら，通信量を減らします。その後，**Delayベース**と呼ばれる，パケットロスの前に遅延発生を観測し，通信量を調整する手法が考え出されました。Delayベースでは，パケットのRTT（Round Trip Time）を観測し，送信量を制御します。

用語

MSS（Maximum Segment Size）とは，TCPの1パケットで送れる最大セグメント長です。通常は，IPでの最大パケット長MTU（Maximum Transmission Unit：最大転送単位）から，TCPヘッダーの大きさ分（20バイト）を引いた値になります。

2016年にGoogle社が公開したTCPの輻輳制御アルゴリズムである BBR（Bottleneck Bandwidth and Round-trip propagation time）は，さらに改善されたアルゴリズムです。BBRでは，RTTに加えて，ボトルネック帯域（通信途中でボトルネックとなっている部分）の速度を知ることで，通信量をより正確にコントロールできます。そのため，従来のアルゴリズムに比べ，スループットを大幅に向上させています。BBRは，TCPだけでなく，新しいトランスポート層プロトコルであるQUICでも採用予定です。

■ TCPコネクションの範囲

TCPコネクションは，基本的に通信を行う相手との間で確立します。この「通信を行う相手」というのは，最終的な目的の相手とは限らず，通信データをやり取りし，データの伝送を行う相手となります。

例えば，ホストAからホストBにメールを送る場合には，TCPコネクションを確立する相手は，ホストBではなく，メールを中継するホストAに設定されたメールサーバAになります。そして，メールサーバAが，ホストBのメールボックスがあるメールサーバBに転送し，その後，ホストBがメールサーバBにメールを取りに行きます。

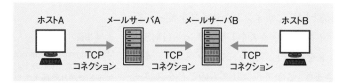

メール送信時のTCPコネクション

プロキシサーバやSIP中継サーバなど，**アプリケーション層レベルでの中継**を行う場合にも，TCPコネクションはクライアントと中継するサーバ，中継するサーバとサーバとの間でそれぞれ確立されます。

それでは，次の問題を考えてみましょう。

関連

メールの送信時の流れについては，「5-2　メール関連のプロトコル」で詳しく取り扱います。

過去問題をチェック

TCPコネクションの範囲について，ネットワークスペシャリスト試験では以下の出題があります。
【TCPコネクションの範囲】
・平成22年秋 午後Ⅰ問1 設問3
（TCPコネクションがどこにいくつ張られるかを図示する問題）
・平成20年秋 午後Ⅱ 問2 設問3（テクニカルエンジニア（ネットワーク）試験）
（TCPコネクションの張り方の違いによる中継方式の選択についての問題）

問 題

図は，組織内のTCP/IPネットワークにあるクライアントが，プロキシサーバ，ルータ，インターネットを経由して組織外のWebサーバを利用するときの経路を示している。この通信のTCPコネクションが設定される場所はどれか。

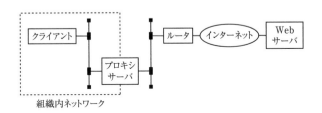

組織内ネットワーク

ア　クライアントとWebサーバの間，クライアントとプロキシサーバの間

イ　クライアントとプロキシサーバの間，プロキシサーバとWebサーバの間

ウ　クライアントとプロキシサーバの間，プロキシサーバとルータの間，ルータとWebサーバの間

エ　クライアントとルータの間，ルータとWebサーバの間

（平成18年秋 テクニカルエンジニア（ネットワーク）試験 午前 問24）

解 説

　クライアントとWebサーバ間のTCPコネクションは，通常は直接，クライアントとWebサーバの間で確立されます。しかし，Web通信をプロキシサーバ経由で行う場合には，中継するプロキシサーバとの間に，クライアントがコネクション確立を要求します。したがって，TCPコネクションの範囲は，「クライアントとプロキシサーバの間，プロキシサーバとWebサーバの間」となり，イが正解です。

≪解答≫イ

▶▶▶ 覚えよう！

☐　TCPはシーケンス番号と確認応答番号で信頼性提供，ウィンドウサイズでフロー制御

☐　コネクション確立は，SYN，ACK/SYN，ACKの3ウェイハンドシェイク

TCPは働き者

トランスポート層で信頼性のある通信を提供するTCPには様々な機能があり，複雑な処理を実現しています。次項で紹介するUDPが怠け者というわけではありませんが，TCPでのパケットのやり取りを見ていると，「こんなにいろいろなことをしていたのか！」と驚くほど，TCPは多くの処理を一度にこなしてくれています。

ネットワークスペシャリスト試験，特に午後試験では，このTCPの仕組みについて深く問われます。3ウェイハンドシェイクを理解しておくのはもちろんのこと，確認応答の役割やウィンドウサイズの調整，コントロールフラグによる通信制御など，知識をベースにした深い理解を問う問題が数多く出題されています。

TCPについてしっかり学習し，それぞれの機能を正確に理解しておくと，他の通信での応用的な問題にも対応できます。例えば，ウィンドウサイズの仕組みを知っておくと，毎回確認応答せずにまとめて応答する仕組みなどは理解しやすいです。これは実際，WAN高速化装置でも使用されている手法です。「なぜその技術が必要なのか」というところから押さえておくと，いろいろ応用が利くようになります。

ネットワークスペシャリスト試験では，いろいろなことを知っているよりも，TCP/IPの中核の仕組みを理解していることの方が合否に大きく影響します。本章と第3章の内容は確実に理解しておきましょう。

 過去問題をチェック

TCPの仕組みを理解した上で考える問題は，ネットワークスペシャリスト試験の午後でよく出題されています。

【TCPの理解を問う問題】
・平成26年秋 午後Ⅰ 問1
　設問3
　（TCPのラウンドトリップ時間を理解した上でWANの高速化を考える問題）
・平成30年秋 午後Ⅱ 問1
　設問2
　（TCPの再送機能を理解した上で，メッセージの消失を防げない理由を考える問題）

4-2-2 ⬤ UDP

　UDP（User Datagram Protocol）は，TCPとは違い，コネクションの確立を行わず，単純な通信を提供します。アプリケーションから要求があったデータを特に制御せず，そのまま通信回線に流します。

⬛ UDPの特徴

　UDPでは，TCPで行っているフロー制御や順番制御などの制御は一切行われません。そのため，ネットワークが混雑していても要求があればそのまま送り，データの再送も行いません。そのような信頼性を確保するには，すべてアプリケーションやユーザが考慮する必要があります。

　逆に，処理が簡単で相手の都合を考慮しないため，高速な通信が可能になります。特に，送信するパケット量が少ない場合には，コネクション確立のパケットを送る時間などの影響が割合的に大きくなり，より高速化を実感できます。

　以下に，UDPのプロトコルの特徴とその特徴を利用する上位層プロトコルの例を示します。

UDPのプロトコルの特徴とその特徴を利用する上位層プロトコルの例

プロトコルの特徴	例
アプリケーション層で信頼性を確保するもの	TFTP（簡易なファイル転送プロトコル）
通信パケットが小さいもの	DNS, SNMP, NTP
信頼性よりリアルタイム性が重視されるもの	RTPなどの動画や音声のストリーム配信
マルチキャスト，ブロードキャストの配信が必要なもの	DHCP, RIP

過去問題をチェック

次世代の通信方式において，通信の高速化のためにTCPではなくUDPを利用する事例が出てきています。ネットワークスペシャリスト試験では以下の出題があります。
【UDPによる高速化】
・平成27年秋 午後Ⅱ 問1 設問3
（TCPの通信をUDPに置き換える高速化手法について，その効果を問う問題）

4

■ UDPヘッダー

UDPヘッダーを含めたUDPデータグラムフォーマットは，次のようになっています。

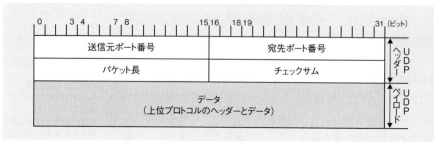

UDPデータグラムフォーマット

それぞれのフィールド（項目）の内容は，以下のとおりです。

- **送信元ポート番号（Source Port）**
  16ビット長で，送信元のポート番号を示します。
- **宛先ポート番号（Destination Port）**
  16ビット長で，宛先のポート番号を示します。
- **パケット長（Length）**
  16ビット長で，UDPヘッダーとデータの長さの合計が格納されます。単位はオクテットです。このフィールドは，TCPヘッダーにはなく，**UDPヘッダーのみに設定**されています。
- **チェックサム（Checksum）**
  16ビット長で，UDPヘッダーとデータが破壊されていないことを保証するためのチェックサムを示します。チェックサムの計算時には，IPアドレスも含んだUDP疑似ヘッダーを使用します。
  UDPではチェックサムは省略可能で，この場合には，チェックサムのフィールドに0を設定します。

それでは，次の問題を考えてみましょう。

発展

UDPについては，TCPと異なる，「信頼性を確保する手段がない」という観点での問題が多く出されます。その欠点から，UDPはセキュリティ攻撃によく利用されます。例えば，DNSキャッシュポイズニングやDNSリフレクタ攻撃などは，DNSがトランスポート層にUDPを利用していて，IPアドレスの偽装がしやすいために成立する攻撃です。

問題

インターネットプロトコルのTCPとUDP両方のヘッダーに存在するものはどれか。

ア　宛先IPアドレス　　　イ　宛先MACアドレス
ウ　生存時間（TTL）　　　エ　送信元ポート番号

（令和6年春 ネットワークスペシャリスト試験 午前Ⅱ 問10）

解説

TCP（Transmission Control Protocol）と UDP（User Datagram Protocol）はどちらもトランスポート層のプロトコルで，送信元ポート番号と宛先ポート番号によって，通信を行うサービスやプロセスを特定します。したがって，エが正解です。

ア，ウはIPヘッダー，イはイーサネットヘッダーに存在します。

≪解答≫エ

▶▶▶ 覚えよう！

☐　UDPを利用するプロトコルは，DNS，SNMP，NTP，DHCP，RIP，TFTPなど
☐　UDPヘッダーには，TCPヘッダーにはないパケット長が含まれる

4-2-3 ● その他のトランスポート層　プロトコル

インターネット上のトランスポート層プロトコルでは，主に
TCPとUDPが使われてきました。最近は，TCPとUDP以外に
もいくつかのトランスポート層プロトコルが実用段階に入って
います。特にQUICは，TCPに変わる新しいプロトコルとして
注目を集めています。

■ QUIC

QUICはGoogle社が提案し，IETFでRFC9000として標準
化されたトランスポートプロトコルです。HTTP/3と合わせて
Web通信に利用することを目的に開発されています。

現在のWeb通信はトランスポート層にTCPを用いることが通
常です。TCPはコネクション管理を行うため信頼性の高い通信
が可能ですが，コネクション管理による遅延が大きく，また暗号
化の機能などはありません。QUICは，UDPを使用し，TCPを
パワーアップさせるプロトコルです。

QUICは，次の機能を提供します。

①認証，暗号化

QUICは，内部に認証と暗号化の機能をもちます。具体的には，
TLS（Transport Layer Security）とQUICが統合され，QUIC
のパケットにTLSのメッセージを格納して送信します。TLSを
用いて認証を行い，鍵交換で鍵を生成して暗号化を行います。

TCPの上位層でTLSを利用した場合と異なり，アプリケーショ
ンデータだけでなく，再送制御に関する情報や制御メッセージも
暗号化されます。そのため，コネクションの切断やパケットの再
送を外部から検知することができなくなり，攻撃の足がかりを与
えにくくできます。

参考

QUICは，最初にGoogle社
が提唱したときには「Quick
UDP Internet Connections」
の略でしたが，標準化され
た現在のQUICは，「QUIC is
a name, not an acronym」
とあり，何かの略語ではな
いとされています。

関連

HTTP/3については，「5-1-1
HTTP」で詳しく説明します。

②低遅延なコネクション管理

TCPでは，パケットロスが発生した場合，再送を要求して回復した後でアプリケーションにデータを渡します。QUICでは，パケットをロスしても，受信したデータをアプリケーションに渡して処理を進めることができます。

③再送処理の効率化

TCPでは，パケットをロスした場合にはパケット全体を再送します。QUICでは再送制御を効率化しており，ロスしたパケットに含まれていたデータのうち，再送する必要があるもののみを，新しいパケット番号を付与して送り直します。

④多重化

ストリームとは，アプリケーションデータごとに送受信を行う通信路です。TCPは1コネクションで一つのストリームを取り扱いますが，QUICでは1コネクションで複数のストリームを同時に扱うことができます。

■ TLS

TLS（Transport Layer Security）は，TCPの上でアプリケーション層のパケットを暗号化，認証するプロトコルです。QUICでは，パケット内部で使用されます。

HTTPと合わせてWebで使用することが最も多いですが，アプリケーションとは独立しているため，他のプロトコルと組み合わせることも可能です。

関連
TLSの具体的な仕組みについては，「6-3-1 TLS」で改めて取り上げます。

▶▶▶ 覚えよう！

☐ **QUICでは，UDPを使って低遅延の通信を実現する**

☐ **QUICは，TLSを内部にもち，コネクション管理も暗号化する**

TLSはOSI基本参照モデルの何層に該当？

　よく質問されることに、「TLSはOSI基本参照モデルの何層に該当しますか？」というものがあります。インターネット上のサイトには、TLSをセション層と説明しているものもあり、議論は分かれるところです。厳密には、TLSは「TCP/IPプロトコル群でのトランスポート層に該当」するプロトコルで、OSI基本参照モデルに当てはめたときの階層には決まった定義はありません。

　TLS（Transport Layer Security）は名前のとおり、トランスポート層でのセキュリティプロトコルです。前身がSSL（Secure Sockets Layer）なので、セション層と考えることも可能です。実際に行う内容は、トランスポート層のTCPの上で、アプリケーション層のデータ全体を暗号化します。そのため、「トランスポート層とアプリケーション層の間」というのが感覚的に妥当なところではあります。

　しかし、トランスポート層のプロトコルにQUICが登場し、QUICではTCPと違い、QUICの中でTLSを利用します。上位層ではないので、トランスポート層にQUIC＋TLSの両方が含まれることになります。

　「何層に該当？」ということを意識することは、ネットワークを理解する上でとても大切です。ただ、新しいプロトコルはOSI基本参照モデルにぴったり当てはまらないことも多いので、人によって違う意見となることがあります。階層の考え方は理解しつつ、でもこだわりすぎない形で学習を進めていきましょう。

4-3 演習問題

4-3-1 ○ 午前問題

問1 **TCPデータの最大長** CHECK ▶ □□□

IPv4ネットワークでTCPを使用するとき，フラグメント化されることなく送信できるデータの最大長は何オクテットか。ここでTCPパケットのフレーム構成は図のとおりであり，ネットワークのMTUは1,500オクテットとする。また，（ ）内はフィールド長をオクテットで表したものである。

MACヘッダ (14)	IPヘッダ (20)	TCPヘッダ (20)	データ	FCS (4)

ア 1,446 イ 1,456 ウ 1,460 エ 1,480

問2 **TCPの輻輳制御アルゴリズム** CHECK ▶ □□□

ネットワークで利用されるアルゴリズムのうち，TCPの輻輳制御アルゴリズムに該当するものはどれか。

ア BBR（Bottleneck Bandwidth and Round-trip propagation time）
イ HMAC（Hash-based Message Authentication Code）
ウ RSA（Rivest-Shamir-Adleman cryptosystem）
エ SPF（Shortest Path First）

問3 **UDPを使用するプロトコル** CHECK ▶ □□□

UDPを使用するプロトコルはどれか。

ア DHCP イ FTP ウ HTTP エ SMTP

問4 TCPのシーケンス CHECK ▶ □□□

　ホストAからホストBにTCPを用いてデータを送信するとき，TCPセグメントのシーケンス番号と受信確認番号（肯定応答番号）に関する記述のうち，適切なものはどれか。

ア　AがBからの応答を待たずに，続けて送信する場合のシーケンス番号は，直前に送信したTCPセグメントのシーケンス番号と送信データのオクテット数の和である。

イ　Aは，送信するTCPセグメントのシーケンス番号と受信確認番号を0から1ずつ増加させ，最大値65,535に達すると0に戻す。

ウ　Bが受信したTCPセグメントにおいて，受信確認番号がシーケンス番号より小さい場合は，そのTCPセグメントはエラー後に再送されたものである。

エ　Bは，受け取ったTCPセグメントのシーケンス番号を受信確認番号として応答する。

■ 午前問題の解説

問1　（令和5年春 ネットワークスペシャリスト試験 午前Ⅱ 問5）
《解答》ウ

　MTU（Maximum Transmission Unit）とは，データリンク層のネットワークで送信することができるデータの最大長です。MACヘッダは含まず，ネットワーク層のIPヘッダ以降のパケットで，一度に送れる最大長がMTUとなります。MTU内には，IPヘッダ，TCPヘッダを含むので，これらを引いた残りがデータ部分で送れる最大長となります。具体的には，1,500 − (20 + 20) = 1,460 [オクテット]がデータの最大長です。したがって，**ウ**が正解となります。

　なお，ここで計算したサイズのことをMSS（Maximum Segment Size）といいます。

問2　（令和5年春 ネットワークスペシャリスト試験 午前Ⅱ 問4）
《解答》ア

　ネットワークで利用される選択肢のアルゴリズムのうち，輻輳制御アルゴリズムに該当するのは，BBR（Bottleneck Bandwidth and Round-trip propagation time）です。BBRは，2016年にGoogle社が公開した，TCPの輻輳制御アルゴリズムで，従来のアルゴリズムに比べ，スループットを大幅に向上させています。したがって，**ア**が正解です。

イ　メッセージ認証コードにハッシュ関数を用いたアルゴリズムで，送信されたデータの内容の完全性を確認するのに利用されます。

ウ　公開鍵暗号方式のアルゴリズムで，暗号化や認証に利用されます。

エ　最短経路検索のアルゴリズムで，OSPF（Open Shortest Path First）で利用されています。

問3　（平成29年秋 ネットワークスペシャリスト試験 午前Ⅱ 問10）
《解答》ア

　UDPはTCPと異なり，一度に複数の相手と通信を行うことが可能です。DHCP（Dynamic Host Configuration Protocol）は，ホストにIPアドレスなどの情報を設定するためのプロトコルですが，最初にDHCPサーバを見つけるためにブロードキャスト通信を行います。そのため，1対1での通信を行うTCPではなく，UDPを使う必要があります。したがって，**ア**が正解です。

　イ，ウ，エは，TCPでの通信が可能で，信頼性が必要とされるプロトコルなので，UDPは使用しません。

問4 （令和6年春 ネットワークスペシャリスト試験 午前Ⅱ 問9）

《解答》ア

　TCP（Transmission Control Protocol）では，送信したデータの位置を表すシーケンス番号と，次に受信すべきデータのシーケンス番号を示す受信確認番号（確認応答番号）を使用し，データが正常に送受信されていることを確認します。ホストAがホストBに対してデータを連続して送信する場合，新しいTCPセグメントのシーケンス番号は，前のTCPセグメントの最後のデータの次の番号になります。そのため，前のシーケンス番号に送信したデータのオクテット数の和が，新しいシーケンス番号となります。したがって，**ア**が正解です。

イ　シーケンス番号は，TCPの接続確立時にランダムに初期化され，その後は送信されるデータのオクテット数に応じて増加します。シーケンス番号は32ビットのため，最大値は65,535ではなく，約43億です。

ウ　受信確認番号は，ホストBが次に期待するTCPセグメントのシーケンス番号を示すため，受信確認番号がシーケンス番号より小さいという状況は基本的に起こりません。

エ　ホストBは，次に期待するTCPセグメントのシーケンス番号を受信確認番号として応答します。

第 5 章

アプリケーション層

アプリケーション層は，それぞれのアプリケーション特有のプロトコルを扱う層で，OSI基本参照モデルでは，セション層，プレゼンテーション層，アプリケーション層に当たります。

アプリケーション層で主に使われるプロトコルは，Web関連のプロトコル，メール関連のプロトコル，アドレス・名前解決のプロトコルの三つなので，本章ではこれらについて詳しく学びます。さらに，その他の様々なプロトコルについても，概要や使用方法などを学びます。

多くの種類のプロトコルがありますが，それぞれのアプリケーションに特有の機能について一つ一つ理解していきましょう。

5-1 Web関連のプロトコル

WebまたはWWW（World Wide Web）は，インターネット上で参照できる情報提供の仕組みです。複数のテキストを相互に関連づけて表現するハイパーテキストのデータを公開することで，情報の存在場所を意識することなく，世界中の情報に次々とアクセスできます。

5-1-1 ◯ HTTP

Webページを記述するハイパーテキストを表現するためのデータ形式はHTML（HyperText Markup Language）です。そして，そのHTMLをやり取りするためのプロトコルがHTTP（HyperText Transfer Protocol）です。

📖 勉強のコツ

Web関連では，HTTPプロトコルの詳細や，プロキシサーバでの中継について頻繁に出題されます。
通信プロトコルの流れや，プロキシサーバで中継したときのコネクションについて，しっかり理解しておきましょう。

■ HTTPによる通信の流れ

HTTPでは，基本的に次のような流れで，クライアントとWebサーバ間の通信を行います。

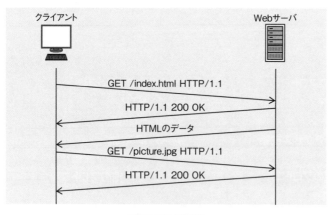

HTTPによる通信

🔖 関連

HTTP1.1についてはRFC 2616で公開されています。HTTPの詳細やすべてのオプションを知りたい場合は，そちらを参照してください。

HTTPでは，クライアントのリクエスト（要求）に対してサーバがレスポンス（応答）を返すというのが典型的なやり取りです。上の図の例では，「GET /index.html」で，index.htmlというHTMLが欲しいということをクライアントがサーバに要求してい

ます。それに対してサーバは「200 OK」と，要求を受け入れることを応答し，それからHTMLのデータをクライアントに送ります。また，ほかにpicture.jpgという画像データが欲しいときには，改めてGETコマンドを発行し，サーバに要求します。

　以前のバージョンであるHTTP1.0では，一つのリクエスト－レスポンスをやり取りするたびにTCPコネクションを確立／切断していましたが，現行のHTTP1.1では，1回のTCPコネクションで複数のリクエスト－レスポンスをやり取りすることが可能です。

過去問題をチェック

HTTPの通信シーケンスでのGETリクエストの位置について，ネットワークスペシャリスト試験で出題されています。
【HTTPの通信シーケンスでのGETリクエストの位置】
・平成22年秋 午後Ⅰ問1
　設問1（2）

■HTTPメッセージ

　HTTPの通信でやり取りされるメッセージは，**クライアントからサーバへのリクエスト**と，**サーバからクライアントへのレスポンス**の2種類です。

①リクエスト

　リクエストメッセージは，メソッドを記述するリクエストラインとリクエストヘッダー（または一般ヘッダーなど），およびメッセージボディの三つで構成されます。1行目のリクエストラインは，次の形式で構成されます。

　　　　メソッド　　　リクエストURI　　　HTTPバージョン

　HTTPバージョンは，HTTP1.1の場合は「HTTP/1.1」となります。

②レスポンス

　レスポンスメッセージは，**ステータスコード**を記述するステータスラインとレスポンスヘッダー（または一般ヘッダーなど），およびメッセージボディの三つで構成されます。1行目のステータスラインは次の形式で構成されます。

　　　　HTTPバージョン　　ステータスコード　　説明句

用語

URI（Uniform Resource Identifier）は資源を指す識別子で，RFC3986として定義されています。ホームページのアドレスなどに使われている表記法で，
http://ホスト名:ポート番号/パス?問合せ内容#部分情報
といったかたちでWeb以外でも利用されます。

　HTTPヘッダーには，リクエストヘッダーやレスポンスヘッダーのほかに一般ヘッダーやエンティティヘッダーがあります。

メソッドやステータスコード，そしてリクエストヘッダーやレスポンスヘッダーで記述する内容には主に次のものがあります。

- メソッド

　代表的なメソッドには，以下のものがあります。

HTTPリクエストの主なメソッド

メソッド	説明
GET	指定したURIのデータを取得
HEAD	メッセージヘッダーだけを取得
POST	指定したURIにデータを登録
CONNECT	プロキシにトンネル接続の確立を要求

　このうちGETとHEADは必ずサポートしなければならないメソッドです。

- ステータスコード

　代表的なステータスコードには，以下のものがあります。

HTTPレスポンスの主なステータスコード

コード	説明句	説明
100	Continue	暫定的に受入中
200	OK	リクエスト成功
304	Not Modified	文書は更新されていない
401	Unauthorized	ユーザ認証が必要
404	Not Found	見つからなかった
500	Internal Server Error	内部サーバエラー

　ステータスコードは，100番台は正常に処理中，200番台は正常に受理したことを示します。そして，300番台はさらに動作が必要なもの，400番台は間違ったリクエストなどにより処理できないもの，500番台はサーバのエラーを示すコードです。

- リクエストヘッダー

　リクエストヘッダーで，クライアントはサーバにリクエストやクライアント自身に対する追加情報を渡します。リクエストヘッダーで送られるパラメータとしては主に以下のものがあります。

過去問題をチェック

HTTPのリクエストやレスポンスの詳細な内容について，ネットワークスペシャリスト試験で出題されています。
【HTTPのGETリクエストやレスポンス】
・平成27年秋 午後Ⅱ 問Ⅰ
　設問2
【HTTPプロトコルのメソッド名】
・平成30年秋 午後Ⅰ 問1
　設問2
・令和4年春 午後Ⅰ 問1
　設問1
・令和4年春 午後Ⅱ 問2
　設問4

リクエストヘッダーの主なパラメータ

パラメータ	内容
Host	ホスト名とポート番号
Accept	受入可能なメディアタイプ
Authorization	HTTPアクセス認証の認証情報
Referrer	直前に閲覧していたURI
Cookie	クッキーを設定してサーバに送信
User-Agent	ユーザエージェント（ユーザのシステムやブラウザに関する情報）をサーバに送信
X-Forward-For	プロキシ中継時のクライアントIPアドレス

用語

メディアタイプとは，インターネット上でやり取りされるデータ形式です。例えば，テキストファイルはtext/plain，JPEG形式の画像ファイルはimage/jpegなどです。

参考

クッキー（Cookie）の使用に関しては，通常のHTTP1.1ではなく追加仕様です。HTTP State Management MechanismとしてRFC6265で定義されています。

5

● レスポンスヘッダー

　レスポンスヘッダーで，サーバはレスポンスに関する追加情報を渡します。レスポンスヘッダーで送られるパラメータとしては，主に以下のものがあります。

レスポンスヘッダーの主なパラメータ

パラメータ	内容
Location	URI以外の場所にリダイレクト
Set-Cookie	クッキーを発行してクライアントに通知
Content-Type	転送されるコンテンツの形式や文字コード
X-Content-Type-Options	Content-Typeに合致しないコンテンツの動作を決定
Content Security Policy	ブラウザでセキュリティ対策を行う機能を有効化
X-Frame-Options	フレーム内の表示を有効化するかどうかを設定
Strict-Transport-Security	HSTSの機能を有効化
X-XSS-Protection	ブラウザでクロスサイトスクリプティング対策を行う機能を有効化

過去問題をチェック

HTTPリクエストやレスポンスのパラメータの詳細について，ネットワークスペシャリスト試験で出題されています。
【User-Agentの利用】
・平成24年秋 午後Ⅰ問3 設問3
【Set-Cookie, Cookieヘッダフィールドの利用】
・令和元年秋 午後Ⅰ 問2
【アプリを識別するヘッダフィールド】
・令和4年春 午後Ⅱ 問2 設問2

　それでは，次の問題を考えてみましょう。

問題

Webサイトが Web ブラウザに対して，指定された期間におい
て，当該Webサイトへのアクセスをhttpsで行うように指示する
HTTPレスポンスヘッダフィールドはどれか。

ア Content-Security-Policy

イ Strict-Transport-Security

ウ X-Content-Type-Options

エ X-XSS-Protection

（平成30年秋 ネットワークスペシャリスト試験 午前Ⅱ 問18）

解 説

現在アクセスしているWebサイトに対して，次回以降のアク
セスをhttpsで行うように指示するプロトコルに，HSTS（HTTP
Strict Transport Security）があります。HSTSを利用するため
には，HTTPレスポンスヘッダフィールドに「Strict-Transport-
Security」を設定します。したがって，イが正解です。

ア よく知られたセキュリティ攻撃に対して，攻撃を検知して低
減することを指示します。

ウ HTTPレスポンスに記述されている「Content-Type」に基づ
き，HTTPレスポンスをどのように処理するか決定することを
指示します。

エ クロスサイトスクリプティング（XSS）攻撃に対するフィルタ機
能を利用します。

《解答》イ

 用語

HSTS（HTTP Strict Trans
port Security）とは，Web
ブラウザが Web サーバに
アクセスしたときに，次回
以降はHTTPの代わりに
HTTPSを使うように伝達す
るプロトコルです。

 過去問題をチェック

クッキーに関する問題は，
ネットワークスペシャリス
ト試験の定番です。
**【クッキーによる負荷分散
の仕組み】**
・平成21年秋 午後Ⅰ 問3
 設問1
・平成27年秋 午後Ⅰ 問1
 設問3
・令和元年秋 午後Ⅰ 問2
 設問2
**【Domain属性やSecure属
性によるセキュリティ対策
の方法】**
・平成27年秋 午後Ⅰ 問1
 設問3
・令和元年秋 午前Ⅱ 問17

■ クッキー（Cookie）

Webアプリケーションでは，通信しているユーザの情報を続
けて管理するために，**クッキー**が使用されます。

クライアントのリクエストに対し，サーバがレスポンスを返す
ときに，HTTPレスポンスヘッダーのSet-Cookieにクッキーの値
を設定して送ります。そして，クライアントが次にリクエストを

送るときに，HTTPリクエストヘッダーのCookieで，クッキーの値を返します。このことで，Webサーバでは，一連の通信が続いていることを判断できます。

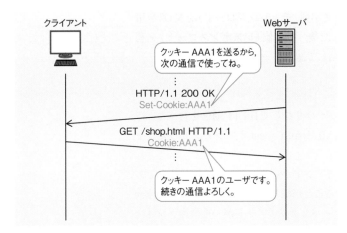

クッキーの仕組み

クッキーではオプションとして，クッキーを送り返すサーバのドメイン名を設定する**Domain**や，SSL/TLSを用いたときだけクッキーを送る Secure などの属性を追加することもできます。

■HTTP認証

HTTPには，認証のためのプロトコルが規定されています。RFC2617で規定されている認証方式には，**ベーシック認証**と**ダイジェスト認証**の二つがあります。

①ベーシック認証

利用者IDとパスワードを用いて行う認証です。パスワードは秘匿されることはなく，**盗聴が可能な形式で**送信します。具体的には，「利用者ID：パスワード」のように二つの値を“：”（コロン）で連結してBASE64でエンコードしたデータを送出し，認証を行います。

関連

BASE64に関しては「5-2-3 その他のメール関連プロトコル」で，ハッシュやMD5に関しては「6-2-1 暗号化技術」で，それぞれ説明しています。

②ダイジェスト認証

　利用者IDとパスワードを送るのはベーシック認証と同じですが，**パスワードを秘匿化**するためにハッシュを用いる認証方式がダイジェスト認証です。利用者IDとパスワード，及びサーバから送られたランダムな文字列（チャレンジコード）をMD5を用いてハッシュ値に変換した後，その値（レスポンスコード）を利用者IDと“：”などで連結して認証データを作成します。

■ WebSocket

　WebSocketは，WebブラウザなどでHTTP通信を行うときに利用されるAPIであるXMLHttpRequestオブジェクトの欠点を解決するための技術です。

　従来のHTTPは，クライアントからサーバへの通信が基本であり，双方向通信を実現することが難しいものでした。WebSocketでは，HTTPを用いてサーバとクライアントが一度コネクションを確立した後は，必要な通信をすべてコネクション内で独自のプロトコルで軽量に行うことで，双方向での通信を容易にします。

　それでは，次の問題を考えてみましょう。

問題

　チャットアプリケーションのようなWebブラウザとWebサーバ間でのリアルタイム性の高い双方向通信に利用されているWebSocketプロトコルの特徴はどれか。

- ア　WebブラウザとWebサーバ間で双方向通信を行うためのデータ形式はXMLを使って定義されている。
- イ　WebブラウザとWebサーバ間でリアルタイム性の高い通信を実現するためにRTPを使用する。
- ウ　WebブラウザとWebサーバとの非同期通信にはXMLHttpRequestオブジェクトを利用する。
- エ　Webブラウザは最初にHTTPを使ってWebサーバにハンドシェイクの要求を送る。

（平成28年秋 ネットワークスペシャリスト試験 午前Ⅱ 問15）

解説

WebSocketでは，最初にHTTPを使ってハンドシェイクを行います。したがって，エが正解です。

ア　データ形式には独自のプロトコルを用います。

イ　RTPは使用しません。

ウ　XMLHttpRequestオブジェクトは使用しません。

《解答》エ

HTTP/2

2015年5月にRFC7540として公開された新しいバージョンのHTTPが**HTTP/2**（HTTP version 2）です。HTTP/2の主な目的は通信の高速化で，次のような変更があります。

●ストリーム

バイナリデータを多重に送受信するストリームという仕組みを導入しました。ストリーム内での優先順位設定も可能です。

●ヘッダー圧縮

ヘッダーの圧縮が可能となりました。HTTP/2では，HPACKという仕組みでヘッダーを圧縮しています。HTTPヘッダーがバイナリで圧縮されています。ヘッダーフィールドには，:method，:path，:scheme の三つの必須フィールドがあります。

●サーバプッシュ

サーバプッシュは，クライアントからのリクエストより先にレスポンスを送る仕組みです。HTML文の内部から，次に画像などが要求されると予測される場合に，あらかじめ画像データを送信するなどの処理で使用されます。

これらの改善により，ネットワークリソースの効率的な利用を促進しています。

また，HTTP/1.1と互換性を保つため，"https://"というURIのスキームを利用します。そのため，HTTP/2ではTLS（Transport

Layer Security)の拡張の一つであるALPN（Application-Layer Protocol Negotiation）を利用します。

HTTP/3

HTTP/3（HTTP version 3）は，2022年6月にRFC9114として正式に勧告された現在の最新バージョンです。RFC9000として勧告されたQUICと合わせて，UDPでのTLS1.3通信が実現できます。HTTP/3では，トランスポート層にTCPの代わりにQUICを使用します。また，HTTP/3の通信では，次のような仕組みを使用して高速化を実現しています。

関連

QUICについては「4-2-3 その他のトランスポート層プロトコル」で取り上げています。

●ストリーム

HTTP/2と同様，HTTP/3でもストリームを利用します。HTTP/3では，通信管理の仮想単位としてQUICのストリームを利用します。QUICのストリームは，アプリケーションデータごとに送受信を行う通信路で，コネクションより細かい単位となります。単方向ストリームと双方向ストリームがあり，単方向ストリームではストリームをオープンした側（クライアントかサーバのどちらか）のみがデータを送信できます。

●ヘッダー圧縮

HTTP/3では，QPACKと呼ばれる，QUICの利点を活かす仕組みでヘッダー圧縮を行います。ハフマン符号と辞書データという技術を組み合わせ，高速にヘッダー圧縮を行います。

▶▶▶ 覚えよう！

☐ HTTPの主なメソッドは，GET，POSTそしてCONNECT

☐ クッキーはヘッダーで，サーバがSet-Cookieで送り，クライアントがCookieで返す

5-1-2 ● プロキシ

プロキシとは，クライアントとサーバの間で情報を代理で中継する仕組みです。クライアントに対してはサーバの役割を，サーバに対してはクライアントの役割を代理で果たします。

発展

プロキシは，Web（HTTP）で用いられるだけでなく，その他のプロトコルでも利用できます。
ネットワークスペシャリスト試験では，SIPプロキシ，メールプロキシなど，様々なプロトコルのプロキシサーバが登場します。

■ プロキシサーバの役割

Webで用いられる一般的なプロキシは，複数のユーザ（クライアント）からのWebアクセスを受け取り，そのURIを参考にWebサーバにアクセスし，結果をクライアントに返します。

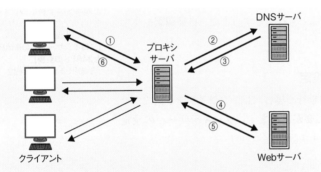

① クライアントがプロキシサーバに対して，URIを指定して通信を要求する
② プロキシサーバが，URIに対応するIPアドレスを知るために，DNSサーバに問合せを行う
③ DNSサーバから，URIに対応するIPアドレスを応答する
④ プロキシサーバがWebサーバに代理でアクセスする
⑤ Webサーバからプロキシサーバに応答する
⑥ Webサーバからの応答をクライアントに返答する

プロキシサーバによる通信手順

また，プロキシサーバにはキャッシュの機能があり，一度アクセスした情報をサーバ内に保管しています。そして，他のクライアントから同じURIへの要求があったときには，毎回Webアクセスを行わず，そのキャッシュの情報を返します。

なお，プロキシが中継するプロトコルはHTTPとは限りません。HTTPSやメール関連のSMTP，IMAPなど**様々なプロトコルに対応させることが可能**です。

プロキシサーバを用いる利点としては，主に次のようなものが挙げられます。

- **高速なアクセス**

  キャッシュを保存して毎回アクセスを行わないことにより，高速なアクセスを実現できます。

- **安全な通信**

  クライアントのPC情報が外部に漏れず，安全な通信が実現できます。また，有害なサイトをプロキシサーバで遮断することも可能です。

- **データの変換**

  クライアントが対応していないプロトコルでの通信も，プロキシサーバで中継することで可能になります。例えば，IMAPのみでIMAPSに対応していないクライアントの通信をIMAPSに変換して通信するといったことも行えます。また，自動翻訳や文字コード変換も可能です。

■ プロキシサーバの設定

　プロキシを使って通信を行う場合には，クライアント側でプロキシサーバを指定する必要があります。プロキシサーバの設定は次のような方法で行います。

①プロキシサーバを手動設定する

　クライアントごとにプロキシサーバの設定を手動で行います。OSのネットワーク環境設定で，手動でプロキシサーバのIPアドレスまたはホスト名を設定します。

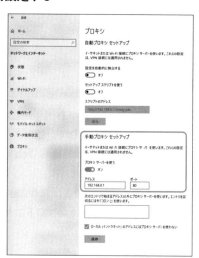

プロキシサーバの手動設定例（Windows 10）

過去問題をチェック

プロキシサーバでのIMAPとIMAPSの変換について，ネットワークスペシャリスト試験で出題されています。
【プロキシサーバでのIMAPとIMAPSの変換】
・平成21年秋 午後Ⅰ問2

発展

プロキシサーバの設定は，以前はブラウザ（Internet ExplorerやGoogle Chromeなど）で行いましたが，現在はWindowsやMacなどのOS（Operating System）で設定します。
Windows 10の場合，コントロールパネルから変更します。[設定]→[ネットワークとインターネット]→[プロキシ]で，プロキシサーバの設定画面が表示されます。macOS Catalinaの場合には，アップルメニューで[システム環境設定]＞[ネットワーク]で使用するネットワークサービス（EthernetやWi-Fiなど）を選択し，[詳細]→[プロキシ]で，プロキシサーバの設定ができます。

②PAC（スクリプト）を利用して自動設定する

プロキシサーバ自動設定用のファイルを作成し，プロキシサーバを自動設定する方法です。この仕組みをPAC（Proxy Auto-Config）といい，PACファイルの置かれているURIを指定します。

過去問題をチェック

PACを利用したプロキシサーバの設定について，ネットワークスペシャリスト試験で出題されています。
【PACを利用したプロキシサーバの設定】
・平成22年秋 午後Ⅰ問1
・令和6年春 午後Ⅰ 問3

プロキシサーバのPAC設定例（Windows 10）

```
function FindProxyForURL(url,host)
{ if(isPlainHostName(host)||
          isInNet(host,"192.168.0.0","255.255.0.0"))
     return "DIRECT";
  else return "PROXY 192.168.0.1:80; DIRECT";
}
```

PACファイルの記述例（JavaScript）

　このように設定しておくことにより，プロキシサーバのIPアドレスが変更された場合でも，PACファイルだけを変更すれば，すべてのクライアントに反映できます。また，IPアドレスではなくホスト名やFQDNを使用することもできます。if文を使用して，ホストのドメイン名ごとにプロキシサーバを変えることも可能です。

③WPADを利用して自動設定する

　プロキシ設定を自動化するためのプロトコルWPAD（Web Proxy Auto-Discovery Protocol）を用いて自動設定を行う手法です。DHCPサーバに新しいオプションとしてWPADを追加する，またはDNSにwpad.<ドメイン名>という名前を登録しておくなどの方法で，プロキシサーバの設定をクライアントに知らせます。

■ リバースプロキシ

　通常のプロキシサーバ(フォワードプロキシ)とは逆の働きをするのが，リバースプロキシです。リバースプロキシは，特定のサーバへの要求を代理で受け付けます。

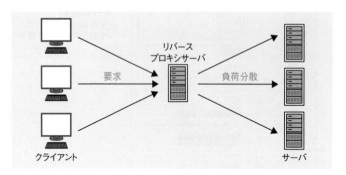

リバースプロキシサーバ

　リバースプロキシサーバは，不特定多数のクライアントから寄せられたリクエストをいったん受け取ります。そして，その情報を特定のWebサーバに中継します。**負荷分散**を行うため，ほとんどの場合，サーバは複数台で構成されます。

　リバースプロキシサーバを使う利点としては，主に次のようなことが挙げられます。

過去問題をチェック
リバースプロキシ機能については，SSL-VPN装置の機能として出題されています。
【リバースプロキシ機能】
・平成18年秋 午後Ⅰ 問3
（テクニカルエンジニア
（ネットワーク)試験）

- **負荷分散**
　複数のサーバに処理を振り分けることにより，負荷を分散させることができます。
- **キャッシュによる負荷低減**
　サーバのコンテンツのうち，変化しない部分をキャッシュしておくことにより，サーバの負荷を軽減できます。
- **暗号化 (TLS高速化)**
　TLSによる通信をリバースプロキシサーバが行うことで，サーバに負荷をかけることなく暗号化や認証を実現できます。

　それでは，次の問題を考えてみましょう。

関連
負荷分散装置 (LB：Load Balancer) は負荷を分散させることを目的とした装置ですが，その構成上，リバースプロキシサーバとしての役割も担うことが多いです。
負荷分散については，「7-1-4　負荷分散」で改めて取り上げます。

問 題

　プロキシサーバ又はリバースプロキシサーバを新たにDMZに導入するセキュリティ強化策のうち，導入によるセキュリティ上の効果が最も高いものはどれか。

ア　DMZ上の公開用Webサーバとしてリバースプロキシサーバを設置し，その参照先のWebサーバを，外部からアクセスできない別のDMZに移設することによって，外部のPCとの通信におけるインターネット上での盗聴を防ぐ。

イ　DMZ上の公開用Webサーバとしてリバースプロキシサーバを設置し，その参照先のWebサーバを，外部からアクセスできない別のDMZに移設することによって，外部から直接Webサーバのコンテンツが改ざんされることを防ぐ。

ウ　社内PCからインターネット上のWebサーバにアクセスするときの中継サーバとしてプロキシサーバをDMZに設置することによって，参照先のWebサーバと社内PC間の通信におけるインターネット上での盗聴を防ぐ。

エ　社内PCからインターネット上のWebサーバにアクセスするときの中継サーバとしてプロキシサーバをDMZに設置することによって，参照するコンテンツのインターネット上での改ざんを防ぐ。

（平成27年秋 ネットワークスペシャリスト試験 午前Ⅱ 問18）

解 説

　Webサーバのコンテンツが改ざんされることを防ぐためには，DMZ上にWebサーバを直接公開するのではなく，リバースプロキシサーバを導入することが効果的です。Webサーバを別のDMZに移管し，外部からの直接のアクセスを防ぐことで，コンテンツの改ざんの可能性を減らせます。したがって，イが正解です。

ア，ウ　盗聴を防ぐためには，TLSなどでの暗号化が有効です。

エ　プロキシサーバは，社内PCを守る効果はありますが，参照するコンテンツの改ざんを防ぐことはできません。

《解答》イ

■SSL/TLSとの関連

プロキシサーバを使ってSSL/TLS通信を行う場合には,次の2種類の方法を用います。

①クライアントとプロキシサーバでTLS通信を行う

クライアントとのTLS通信をプロキシサーバが行い,中継するサーバには平文で通信を行う方法です。

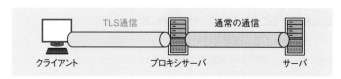

クライアントとプロキシサーバ間でのTLS通信

この場合には,プロキシサーバに公開鍵証明書などの情報を格納しておく必要があります。

②クライアントとサーバで直接TLS通信を行う

クライアントとサーバがTLS通信を行い,プロキシサーバはTLSトンネルを作って透過させる方法です。

クライアントとサーバ間でのTLS通信

HTTPでは,CONNECTメソッドでいったんクライアントとサーバ間でのセッションを確立した後は,TLSトンネルを作り,クライアントとサーバ間で暗号化データを通信させることが可能です。

過去問題をチェック
【SIPサーバの2種類のプロキシ中継機能とTLSとの対応】
・平成20年秋 午後Ⅱ 問2 設問3(テクニカルエンジニア(ネットワーク)試験)

関連
SSL/TLSの仕組みについては,「6-3-1 TLS」で詳しく取り上げます。

▶▶覚えよう!

☐ プロキシサーバの設定方法は,手動設定,PAC(自動設定ファイル),WPAD(DHCP,DNS)

☐ リバースプロキシは,Webサーバへの要求を代理で受ける

5-1-3 ◉ Webアクセス技術

　Webにアクセスするための技術は，HTTPやHTMLだけでなく様々なものが登場しています。ここでは，Webアクセスのための応用技術を取り上げます。

■ CORBA

　CORBA（Common Object Request Broker Architecture）は，分散環境でオブジェクト間のメッセージをやり取りするためにOMG（Object Management Group）が定義した標準規格です。標準化によって，異なる機種のコンピュータ同士で，様々なプログラム言語で書かれたソフトウェアを相互利用することが可能になります。

　しかしCORBAでは，インターネットでは一般的ではないIIOP（Internet Inter-ORB Protocol）というプロトコルが用いられているため，ファイアウォールの設定変更などが必要です。そのため，閉じたLAN上ではないインターネット上の通信にはあまり向いていません。

■ Webサービス

　Webサービスとは，HTTPやSMTPなどのインターネットの標準技術を使って，ネットワーク上に分散したアプリケーションを連携させる技術です。連携するアプリケーションそのものをWebサービスと呼ぶこともあります。インターネットの標準技術を使うことで，Web上の分散オブジェクトをインターネット上でゆるやかに結合することが可能になっています。

　Webサービスの中核となる技術には，次のようなものがあります。

① SOAP
（ソープ）

　ソフトウェア同士がメッセージを交換するためのプロトコルです。HTTPやSMTPなどのプロトコルの上位に位置し，そのパケットの中でオブジェクト呼出しに必要な**XML**メッセージの交換を行います。XML文書に対して，エンベロープと呼ばれる付加情報を自由に追加することができます。

②WSDL（Web Services Description Language）

　Webサービスを利用するためのインタフェースを記述する技術です。Webサービスがどこにあるのか，どのようなフォーマットのメッセージか，また，どのような通信プロトコルを使うのかといった，Webサービスのインタフェースに関する情報をやり取りします。

③UDDI（Universal Description, Discovery and Integration）

　Webサービスを公開および検索する技術です。Webサービスの提供者はサービスの概要を登録，公開し，利用者は，インターネット上に数多く存在するWebサービスから必要なものを検索し，効果的に利用することができます。

■ ECMAscript関連技術

　ECMAScriptは，JavaScriptやJScriptなどのWebブラウザ上で動くスクリプト言語の共通する部分をまとめて標準化したものです。Webブラウザ上でWebサーバと通信することが可能で，柔軟性に富んでおり，簡単に様々なアプリケーションを作成できます。ブラウザ以外に，サーバプログラムや通常のアプリケーションでの利用も進んでいます。

　ECMAscript関連の技術には，次のものがあります。

① Ajax

　Ajax（Asynchronous JavaScript + XML）は，Webブラウザ上で非同期通信を実施し，通信結果によってページの一部を書き換える手法です。JavaScriptのHTTP通信機能を利用します。

　新技術というより，従来の技術を組み合わせることで非同期通信を実現します。

② Same-Originポリシ

　Webサイトが同一の生成元であるかどうかを判断する基準に，Origin（オリジン，生成元）があります。オリジンの定義では，次の三つがすべて等しい場合にはSame-Origin（同一オリジン）であると判断します。

 過去問題をチェック

Ajaxについては，ネットワークスペシャリスト試験では以下の出題があります。
【Ajax】
・平成21年秋 午後Ⅰ問2
　設問1

・スキーム ……… http, httpsなど，先頭で使用するプロ
　　　　　　　　　トコル
・ポート番号 …… 8080など，URLにポート番号が明記さ
　　　　　　　　　れている場合
・ホスト ………… FQDNやIPアドレスなど，Webサーバ
　　　　　　　　　のホスト

例えば，次の三つはSame-Originと見なされます。

Same-Originと見なされる例
・http://wakuwakustudyworld.co.jp/
・http://wakuwakustudyworld.co.jp:80/
・http://wakuwakustudyworld.co.jp/blog/

次のようなものは，上記の三つとは別のOriginと見なされます。

Same-Originと見なされない例
・http://wakuwakustudyworld.co.jp:8080/
・http://www.wakuwakustudyworld.co.jp/
・https://wakuwakustudyworld.co.jp/

　Same-Originかどうかで判断するアクセス制限が，Same-Originポリシ（同一生成元ポリシ，同一オリジンポリシ）です。
　Same-Originではない場合は，スクリプトの実行に際して制限が行われます。別のオリジンへのアクセスを行わせないことで，より安全なやり取りを実現できます。

◻ WebDAV
　WebサーバにHTMLファイルや画像ファイルなどのコンテンツをアップロードする際，従来はファイル転送用のFTPなどのプロトコルが使われていました。
　WebDAV（Web-based Distributed Authoring and Versioning）は，Webサーバに対して直接ファイルのコピーや削除を行うことができ，HTTPだけですべてのコンテンツ管理を完了できるプロトコルです。

HTTP1.1を拡張したプロトコルで，HTTPリクエストヘッダー
のメソッドを追加します。例えば，**COPY**メソッドでは，指定し
たURIが示す資源およびその属性値を別のURIにコピーします。
それでは，次の問題を考えてみましょう。

問 題

WebDAVの特徴はどれか。

ア HTTP上のSOAPによってソフトウェア同士が通信して，
ネットワーク上に分散したアプリケーションを連携させるこ
とができる。

イ HTTPを拡張したプロトコルを使って，サーバ上のファイル
の参照，作成，削除及びバージョン管理が行える。

ウ WebアプリケーションからIMAPサーバにアクセスして，
Webブラウザから添付ファイルを含む電子メールの操作が
できる。

エ Webブラウザで "ftp://" から始まるURLを指定して，ソフ
トウェアなどの大きなファイルのダウンロードができる。

(令和5年春 ネットワークスペシャリスト試験 午前Ⅱ 問13)

解 説

WebDAVはHTTPを拡張したプロトコルで，サーバ上のファ
イルの参照や作成などを行います。したがって，イが正解です。
アはWebサービス，ウはWeb上でメール操作を行うWebメール，
エはWeb上でFTP操作を行うWebFTPの説明です。

≪解答≫イ

過去問題をチェック
WebDAVについては，ネッ
トワークスペシャリスト試
験ではこの問題の他に以下
の出題があります。
【WebDAV】
・平成21年秋 午前Ⅱ 問12
・平成24年秋 午前Ⅱ 問18
・平成28年秋 午前Ⅱ 問14
・令和元年秋 午前Ⅱ 問14

● Web API

API（Application Programming Interface）は，ほかのシス
テムやサービスからアプリケーションを利用するためのインタ
フェースです。Web APIは，HTTPプロトコルでやり取りする
アプリケーション間のインタフェースになります。

　Web アーキテクチャの設計原則に，REST（REpresentational State Transfer）の原則（RESTful）があります。REST の原則に則ったインタフェースを REST API といい，次の四つの原則で設計されます。

REST の原則

1. アドレス可能性（URI でリソースにアクセスできること）
2. ステートレス（リクエストが分離していること）
3. 接続性（情報に，「別の情報へのリンク」を含められること）
4. 統一インタフェース（すべて HTTP メソッドで統一すること）

　Web API の利用例としては，次のマッシュアップがあります。

過去問題をチェック

REST API については，SNMP の MIB をやり取りするための手段として，次の問で出題があります。
【REST API】
・令和 3 年春 午後 I 問 1
　設問 2

●マッシュアップ

　マッシュアップは，複数の提供元による Web API を組み合わせることで新しいサービスを提供する技術です。Web プログラミングで主に用いられ，複数の Web サービスの API を組み合わせてあたかも一つの Web サービスであるかのように提供します。

発展

マッシュアップの具体例としては，GoogleMaps の地図情報を活用して地図を表示しながら，店舗や観光地の口コミ情報を載せるサイトなどがあります。Google や Amazon，Yahoo！などで公開されている API を用いることで，様々な Web サービスを簡単に組み合わせることが可能です。

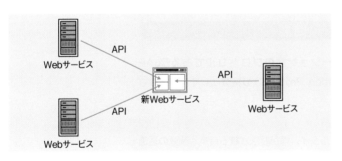

マッシュアップのイメージ

☐ MQTT

　MQTT（Message Queuing Telemetry Transport）とは，インターネットなどの TCP/IP ネットワーク上で利用できる通信プロトコルです。HTTP に比べてシンプルで軽量，省電力で利用できることから，モノがつながる IoT（Internet of Things）に適した技術であるといえます。

　MQTT では，**Publish/Subscribe** モデルによるメッセージ配

過去問題をチェック

MQTT は，以下の問題で出題されています。
【MQTT】
・平成 30 年秋 午後 II 問 1
・令和 3 年春 午前 II 問 12

信を行います。具体的には，メッセージの送信側をパブリッシャ
(Publisher)，受信側をサブスクライバ(Subscriber)とし，パブ
リッシャとサブスクライバ間の通信をMQTTサーバが中継しま
す。MQTTサーバがメッセージを保管するので，パブリッシャ
はサブスクライバの状態を意識せずにメッセージを送信すること
ができます。MQTTサーバが適切にサブスクライバにメッセー
ジを配信することで，不安定なネットワーク上でも通信が可能と
なります。

◻ CoAP

HTTPは，トランスポート層でTCPを用いて複雑な処理を
行うため，IoT機器などで使う場合には負荷が大きくなりま
す。簡単にインターネット上で通信を行うためのプロトコルに，
RFC7252で定義されているCoAP（Constrained Application
Protocol）があります。

CoAPは，UDP上で動作する，HTTPに似たプロトコルで，
HTTPリクエストをCoAPリクエストに変換することもできます。

それでは，次の問題を考えてみましょう。

🗐 過去問題をチェック
CoAPについては，次の出
題があります。
【CoAPの通信方式】
・平成27年秋 午後Ⅱ 問1
　設問3

問題

　IoT向けのアプリケーション層のプロトコルであるCoAP
(Constrained Application Protocol)の特徴として，適切なも
のはどれか。

　　ア　信頼性よりもリアルタイム性が要求される音声や映像の通信
　　　　に向いている。
　　イ　大容量で高い信頼性が要求されるデータの通信に向いてい
　　　　る。
　　ウ　テキストベースのプロトコルであり，100文字程度の短い
　　　　メッセージの通信に向いている。
　　エ　パケット損失が発生しやすいネットワーク環境での，小電力
　　　　デバイスの通信に向いている。

（令和5年春 ネットワークスペシャリスト試験 午前Ⅱ 問8）

解 説

　IoT向けのアプリケーション層のプロトコルであるCoAPは，UDP上で動作する，HTTPに似たプロトコルで，RFC7252で定義されています。低電力で動作するため，パケット損失が発生しやすいネットワーク環境での小電力デバイスの通信に向いています。したがって，エが正解です。

ア　RTP（Real-time Transport Protocol）などの，音声や動画などを送るためのプロトコルの特徴です。

イ　高い信頼性が要求される場合には，トランスポート層にTCP（Transmission Control Protocol）を利用するプロトコルの方が向いています。

ウ　MQTT（Message Queuing Telemetry Transport）など，テキストベースでのTCP/IP通信を行うプロトコルの特徴です。

≪解答≫エ

▶▶▶ 覚えよう！

□　Webサーバに対して，コンテンツのアップロードに使用するWebDAV

5-2 メール関連のプロトコル

メールとは，インターネット上の郵便です。世界中どこにでも届けることができ，さらに，一度に複数の相手に送ることも可能です。ここでは，SMTPとPOP，IMAPなどのメール関連のプロトコルについて学習します。

■ メールの通信

メールを送るためのプロトコルとして最初に登場したのはSMTP（Simple Mail Transfer Protocol）です。しかしSMTPは，送信側と受信側，両方のホストに電源が入っていることを前提に転送を行うプロトコルなので，通常のPCなどでは送受信が円滑に行われません。そのため，電源を落とさないメールサーバにメールを保管しておき，必要に応じてPCからアクセスしてメールを受信するPOP（Post Office Protocol）などが登場しました。

 勉強のコツ

午後試験の内容は，メールの移行や迷惑メール対策など，実際の場面を想定した話題が中心になります。SMTP，POP，IMAPなどの基本的なプロトコルの仕組みを押さえた上で，それらのプロトコルがどのように組み合わされて使用されるか理解しておきましょう。

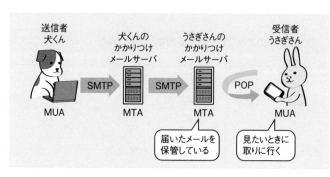

メール通信の流れ

用語

MUA（Mail User Agent）は，メールの送信元やあて先のホストのことです。**MTA**（Mail Transfer Agent）は，メールを転送するサービスを提供します。メールは，MUAを出発し，MTAを経由して，最終的にMUAに到達します。

また以前は，ネットワークは大学などの機関を結ぶものがほとんどだったので，SMTPでは信頼できる相手とのやり取りしか考慮されていませんでした。しかし，インターネットが普及して様々な人がやり取りするようになった昨今では，メールの信頼性やセキュリティを確保する手段が必要になってきています。

5-2-1 ● SMTP

SMTPは，メール配送の中心となるアプリケーションプロトコルです。SMTPでは，次のような流れでクライアントとメールサーバ間での通信を行います。

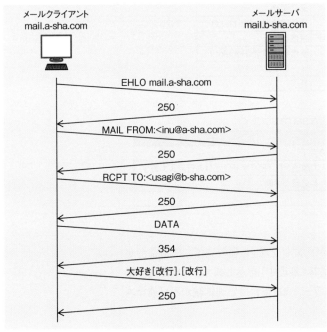

SMTPによる通信の流れ

発展

SMTPは，通信相手が信頼できることを前提にしたシンプルなプロトコルです。そのため，通信相手が宣言したドメイン名をそのまま信じます。POPやIMAPなどでは行うユーザ認証も行いません。
そのため，SMTPのセキュリティに関しては，SMTP-AUTHやPOP before SMTPなど，追加のプロトコルが考えられています。
これらのプロトコルについては，「5-2-3　その他のメール関連プロトコル」で詳しく説明します。

5

SMTPもHTTPと同様，クライアントサーバ型のプロトコルです。サービスを要求してメールデータを送る側がクライアント，メールを受け取る側がサーバになります。そして，TCPコネクションを確立し，通信を開始します。

SMTPでは，クライアントが**コマンド**を送り，サーバが**リプライ**（応答）を返します。また，クライアントはサーバに向けて**メッセージデータ**を送信します。

■ SMTPのコマンドとリプライ

SMTPで使用されるコマンドやリプライには，主に次のような
ものがあります。

SMTPリクエストの主なコマンド

コマンド	説明
HELO	通信開始
EHLO	通信開始 (拡張版HELO)
MAIL FROM:	送信者
RCPT TO:	受信者の指定 (Receipt to)
DATA	メール本文の送信
QUIT	終了

主なSMTPリプライ

リプライ	説明
250	要求された処理の完了
354	メールデータの入力開始。「. (ピリオド)」だけの行で入力終了
451	問題が発生したため処理を中断
500	文法の誤り

リプライは，200番台が正常な受理 (処理の完了)，300番台が
正常な処理の中間的な回答 (処理中) を示します。400番台は転
送失敗などの一時的なエラー，500番台は処理継続が不可能なエ
ラーを表します。

それでは，次の問題を考えてみましょう。

発展

IPアドレスは,TCPコネクションが成立したときには信頼できる情報になります。
そのため,IPアドレスを偽装する攻撃は,UDPやICMP,TCPのSYNパケットのみなど,TCPコネクションを確立させない方法で行われます。

問題

SMTPに関する記述のうち,適切なものはどれか。

ア SMTPサーバは,SMTPクライアントのHELOコマンドに対して利用できる拡張機能の一覧を応答する。

イ 宛先のメールアドレスが複数ある場合は,SMTPの一つのRCPTコマンドにまとめて指定する。

ウ 差出人のメールアドレスは,SMTPのDATAコマンドに指定する。

エ 迷惑メールの防止のために,メールクライアントからの電子メール送信とメールサーバ間での電子メール転送とで,異なるポート番号を利用できる。

(平成29年秋 ネットワークスペシャリスト試験 午前Ⅱ 問9)

解説

SMTP(Simple Mail Transfer Protocol)は,迷惑メール防止のために,サブミッションポート587番など,メールクライアントからの電子メール送信で通常使用される25番とは違うポートで送信することが可能です。したがって,エが正解です。

ア 拡張機能を応答するのは,EHLOコマンドです。

イ 宛先メールアドレスが複数あるときには,1件ずつRCPTコマンドでRCPT TO:として送信します。

ウ 差出人のメールアドレスは,MAILコマンドでMAIL FROM:として送信します。

≪解答≫エ

▶▶▶ 覚 え よ う！

☐ SMTPは受信側の電源が入っていることが前提なので,PCでの受信にはPOPなどを使う

☐ SMTPでは,自己申告でEHLOやMAIL FROM:やRCPT TO:などでホスト名を送る

5-2-2 POP，IMAP

メールサーバに保存されたメールデータを取得するための
プロトコルの代表的なものにPOP（Post Office Protocol）と
IMAP（Internet Message Access Protocol）があります。

POP

POPは，サーバ上にあるメールをすべてクライアントにダウン
ロードするプロトコルです。POPでは，次のような流れでクライ
アントとメールサーバ間での通信を行います。

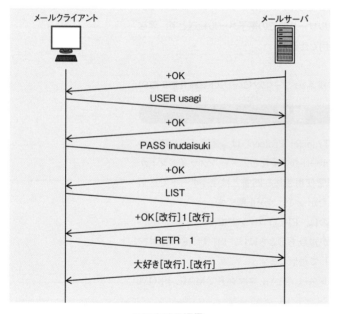

POPによる通信

📖 用語

POP3 (Post Office Protocol
version 3)は，現在最も普
及しているPOPのバージョ
ンです。そのため，POPは
一般にPOP3と表記されて
います。
IMAPも現行のバージョン4
が広く利用されているため，
一般にはIMAP4 (Internet
Message Access Protocol
version 4)と表記されていま
す。

POPもクライアントサーバ型のプロトコルですが，コネクショ
ン確立後，まずサーバから，準備ができたことを示す「+OK」が
返されます。その後，ユーザ認証を行い，メールデータの受信
を開始します。

POPで使用される主なコマンドやリプライには，次のものが
あります。

POPリクエストの主なコマンド

コマンド	説明
USER	ユーザ名の送信
PASS	パスワードの送信
APOP	APOPを使った認証
LIST	メールの確認，一覧表の取得
RETR	メールのメッセージ取得
QUIT	終了

主なPOPリプライ

リプライ	説明
+OK	正常
-ERR	エラー発生

IMAP

IMAPはPOPと同様，電子メールなどのメッセージを取得するためのプロトコルです。IMAPではメールをすべてダウンロードせず，サーバ側で管理します。メールの既読管理やフォルダ管理もサーバで行うため，複数のコンピュータから同じアカウントでメールを読む場合に一元的に管理できるという利点があります。

ログインなどの基本的なコマンドはPOPと同等です。IMAPでは，クライアントに保管されているメールをサーバに保存することも可能です。

用語

APOP（Authenticated Post Office Protocol）は，ハッシュ関数のMD5を利用してチャレンジレスポンス方式でパスワードを送ります。平文でパスワードを送信するPASSコマンドに比べ，安全に通信できます。しかし，APOPに脆弱性が見つかったことから，現在ではあまり利用されておらず，TLSの利用が推奨されています。
認証方式についての詳細は，「6-2-2　認証技術」を参考にしてください。

過去問題をチェック

IMAPを利用してクライアントからサーバにメールデータを移行する方法について，ネットワークスペシャリスト試験で出題されています。
【IMAPを利用したメールデータの移行】
・平成21年秋 午後Ⅰ 問2
　設問3

▶▶▶ 覚えよう！

☐ **POPでは，ユーザ認証を行ってからメールを受信**

☐ **POPはクライアント，IMAPはサーバでメールを管理**

5-2-3 ● その他のメール関連プロトコル

　メールを送るときには，メールデータを送るプロトコルだけでなく，OSI基本参照モデルのプレゼンテーション層に当たる，メールデータの表現形式についても決めておく必要があります。また，メール関連のプロトコルは，ユーザを信頼できることを前提に設計されているため認証機能が弱いので，それを補うための仕組みが必要になります。

● MIME

　インターネット上でのメールは，以前はテキストデータしか扱えませんでしたが，画像や動画，プログラムなど様々な種類のバイナリデータを送れるようにするためのデータ形式である MIME （Multipurpose Internet Mail Extensions）が登場しました。

　MIMEは，ヘッダー部とボディ部（本文）に分かれます。ボディ部は，MIMEヘッダーとボディ（データ）から成る複数のパートで構成されています。

　MIMEの例を以下に示します。

★ 参考

メールヘッダーでFrom: やTo: に名前を付ける場合には，メールアドレスを＜＞で囲み，名前 ＜メールアドレス＞ というかたちにします。また，メールに漢字を含める場合には，MIMEではバイナリデータと同様の変換を行います。

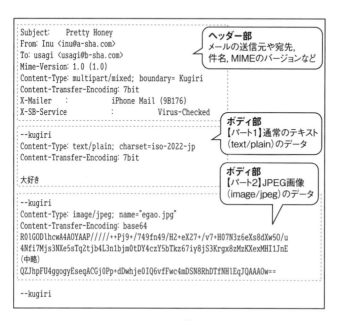

MIMEの例

Content-Typeに続く部分では，ヘッダーに続く情報がどのような種類のデータなのかを示しています。また，Content-Transfer-Encodingでは，メール本文の変換方式が示されます。バイナリデータをテキストデータに変換する際に使われる一般的な方式にはBASE64があります。

　MIMEは汎用的なデータ形式のプロトコルなので，メールだけでなくSIPなどの様々なプロトコルで使用できます。

■ メールの認証の仕組み

　メールの代表的なプロトコルであるSMTPには，初期設定ではユーザ認証機能が備わっていません。また，メール受信プロトコルのPOPやIMAPも，基本的にはユーザ名とパスワードのみでユーザ認証を行います。しかし，インターネット上で世界中の人がメールをやり取りするようになった現在では迷惑メールも多く，そのため，正当なメールかどうかを認証するための仕組みがいろいろと考えられています。

　主な仕組みを以下に挙げます。

①POP before SMTP

　メールを送信する際のユーザ認証の一つです。ベースとなっているSMTPは認証機能をもちませんが，POPではユーザ名とパスワードで認証を行います。そこで，SMTPの前にPOPを通してクライアントを認証し，その後の一定期間だけ，同じIPアドレスからのSMTP通信を許可します。

②SMTP-AUTH（**SMTP認証**）

　SMTPでメールを送信する際，クライアントとメールサーバとの間でユーザ名とパスワードなどによって認証を行う方式です。SMTPを拡張した方式であり，クライアントとサーバの双方がSMTP-AUTHに対応している必要があります。

③OP25B（**Outbound Port 25 Blocking**）

　迷惑メールの送信に自社のネットワークを使われないようにするためのプロバイダの対策です。プロバイダのメールサーバを経由せずに直接, 25番ポートでSMTP通信を行うことを防止します。

用語

BASE64は，バイナリデータを6ビットごとに区切り，英数字など64種類のテキストに変換するアルゴリズムです。
6ビットを8ビットに変換するので，データ量は約4／3倍（約133％）になります。

関連

SIPについては，「5-4-3　IP電話」で説明しています。

過去問題をチェック

SIPでやり取りするデータをMIMEで表現する問題が，ネットワークスペシャリスト試験で出題されています。
【SIPでやり取りするデータをMIMEで表現】
・平成26年秋 午後Ⅱ 問2
・平成20年秋 午後Ⅱ 問2
（テクニカルエンジニア（ネットワーク）試験）

5

　この仕組みによって，契約しているプロバイダから会社のメールサーバ経由でメールを送りたいといった場合などにはSMTPが使えません。このようなときは，サブミッションポートである587番を使ってメールを送信します。サブミッションポートではSMTP-AUTHが必須になります。

④ IP25B（Inbound Port 25 Blocking）

　外部から内部への不正な25番ポートへの接続をブロックする手法です。他社のネットワークからから自社の受信メールサーバへの接続をブロックします。

⑤ SPF（Sender Policy Framework）

　メールにおける送信ドメイン認証の一つで，差出人のメールアドレスが他のドメインになりすましていないか検証します。具体的には，DNSサーバにSPFレコードを追記します。SPFレコードには，ドメイン名に対応するIPアドレスの範囲を記述しておき，それ以外のIPアドレスからの通信を信頼しないように設定します。例えば，次のような記述を追加します。

```
IN  TXT "v=spf1 +ip4:119.245.211.66 -all"
```

　こうすることで，119.245.211.66のIPアドレス以外からのメールはドメインを詐称していることが示されます。

⑥ DKIM（DomainKeys Identified Mail）

　デジタル署名を用いて送信ドメイン認証を行う方法です。デジタル署名検証用の公開鍵は，あらかじめDNSで公開しておきます。そして，メールサーバで送信メールにデジタル署名を付加し，相手先のメールサーバに送ります。相手先のメールサーバは，そのデジタル署名を検証することで，正しい送信元のメールサーバからメールが送られてきたことを確認します。

　DKIMでは，次のような記述を追加します。

```
sel.ysha._domainkey.y-sha.com.  IN  TXT  "v=DKIM1;
k=rsa; t=s; p=(公開鍵)"
```

　[セレクター名]._domainkey.[ドメイン名] のかたちで，DKIMレコー

ドを設定します。vにはバージョン番号，tには運用状態（sは本
番運用モード），pには公開鍵をBase64エンコードした値で設定
します。

それでは，次の問題を考えてみましょう。

問題

　スパムメールの対策として，TCPポート番号25への通信に対
してISPが実施するOP25Bの例はどれか。

　　ア　ISP管理外のネットワークからの通信のうち，スパムメール
　　　　のシグネチャに合致するものを遮断する。
　　イ　ISP管理下の動的IPアドレスからISP管理外のネットワーク
　　　　への直接の通信を遮断する。
　　ウ　メール送信元のメールサーバについてDNSの逆引きができ
　　　　ない場合，そのメールサーバからの通信を遮断する。
　　エ　メール不正中継の脆弱性をもつメールサーバからの通信を遮
　　　　断する。

（令和5年春 ネットワークスペシャリスト試験 午前Ⅱ 問20）

解説

　OP25B（Outbound Port 25 Blocking）は，ISP内部から迷惑メー
ル送信などを行えないようにするための対策です。ISP管理下の
動的IPアドレスを割り当てたネットワークからISP管理外のネッ
トワークへの直接の通信を遮断することで実現できます。したがっ
て，イが正解です。
　ア　迷惑メールフィルタリングの例です。
　ウ　送信ドメインの確認を行う手法です。
　エ　第三者中継の遮断の例です。

《解答》イ

 過去問題をチェック

SPFやDKIM，POP before
SMTPやOP25Bなど，メー
ル関連のセキュリティプロ
トコルに関する問題は，以
前は情報セキュリティスペ
シャリスト試験の定番でし
たが，近年ではネットワー
クスペシャリスト試験でも
よく出てきます。基本プロ
トコルと合わせて，その仕
組みや効果について，しっ
かり理解しておきましょう。
【SPFによる標的型メール
攻撃対策】
・平成26年秋 午後Ⅱ 問1
　設問2
【SPFの導入】
・平成28年秋 午後Ⅰ 問1
　設問3
【SPF，DKIMの設定】
・令和6年春 午後Ⅱ 問2
　設問1，2

▶▶ 覚 え よ う ！

□　OP25Bでは，サブミッションポートでSMTP-AUTHを使って認証

□　送信ドメインをIPアドレスで認証するのがSPF，デジタル署名で認証するのがDKIM

5-3 アドレス・名前解決

ネットワーク通信にはIPアドレスを利用しますが，IPアドレスは数値なので人間には覚えにくく，また設定するのも大変です。そこで，覚えやすい文字列とIPアドレスの名前解決を行うのがDNSです。また，IPアドレスを自動的に設定するためのプロトコルにDHCPがあります。

5-3-1 ● DNS

Webやメールでは，URI，URLやメールアドレスなど，アプリケーションごとのアドレスを使います。しかし，インターネットでパケットを送信するためにはIPアドレスが必要です。そこで，アプリケーション層レベルでのアドレスをIPアドレスに変換するための仕組みとしてDNSが開発されました。

■ DNSの役割

TCP/IP通信で実際にパケットに付与されて通信するアドレスは，IPアドレスです。しかし，IPアドレスは数字の羅列であるため，人間が覚えるのは困難です。特にIPv6アドレスは128ビットもあります。

そこで，覚えやすい識別子として，最初にホスト名が考えられました。コンピュータ内に，IPアドレスとホスト名を対応付けるhostsと呼ばれるファイルを置き，それを参照することでホスト名からIPアドレスを知ります。

hostsファイル

しかし，インターネット上のすべてのホストとIPアドレスを対応付けるのは難しいため，ホスト名やIPアドレスを集中的に管

> **勉強のコツ**
>
> DNSは単独で取り扱われることは少ないですが，メールでの名前解決や，運用時のサーバのIPアドレスの変更，負荷分散など，利用される場面に合わせて出題されます。DHCPについても，デフォルトゲートウェイやサブネットマスクの設定などと合わせて出題されます。いずれも原理をしっかり理解し，応用的な場面でも対応できるようにしておくことが大切です。

理する必要が出てきました。その仕組みがDNS（Domain Name System）です。

■ドメイン名

ドメイン名とは，組織を識別するための階層的な名前です。例として，筆者が運営する「わくわくスタディワールド」のドメイン名を見てみます。

wakuwakustudyworld.co.jp

最初の「wakuwakustudyworld」がわくわくスタディワールド固有のドメイン名で，次の「co」が会社，最後の「jp」が日本を指します。また，同じ会社内で複数のホストがあるときには，それぞれにホスト名を付けます。例えば，社内にwww，mail，dnsというホストがある場合は，

www.wakuwakustudyworld.co.jp

mail.wakuwakustudyworld.co.jp

dns.wakuwakustudyworld.co.jp

と，ホスト名＋ドメイン名で表すことで，組織ごとに一意の名前を付けることができます。このホスト名とドメイン名をすべて含んだ名前をFQDN（Fully Qualified Domain Name：完全修飾ドメイン名）といいます。

また，ドメイン名にアルファベットや数字以外の漢字やアラビア文字などを使えるようにする仕組みのことを国際化ドメイン名（IDN：Internationalized Domain Name）といいます。日本語であれば**日本語ドメイン名**と呼ばれることもあります。

過去問題をチェック

FQDNについて，ネットワークスペシャリスト試験では以下の出題があります。
【FQDN】
・平成21年秋 午後Ⅰ 問2 設問3

■DNSの階層構造

DNSでは，ドメインの階層ごとに管理するDNSサーバが存在します。頂点にルート（根）があり，ルートサーバは世界に13個存在します。頂点の次には第1レベルのドメインである**TLD**（Top Level Domain）があり，「jp」（日本），「com」（主にアメリカの企業），「org」（非営利団体）などが存在します。

TLDの下には，次図のように，第2レベル，第3レベルと階層構造でドメインが存在します。

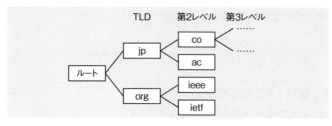

ドメインの階層構造

　そして，ドメインごとにDNSサーバ（ネームサーバ）があり，それぞれのドメインを管理しています。ドメインと同じようにDNSサーバも階層構造になっていて，順に問合せを行っていきます。

DNS問合せの流れ

　DNSによる最初の問合せの流れは，次のようになります。

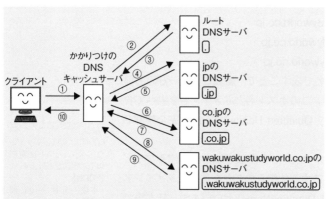

①クライアントは，事前に設定してあるかかりつけのDNSキャッシュサーバに「www.wakuwakustudyworld.co.jp」についての問合せを行う
②かかりつけのDNSキャッシュサーバは，ルートDNSサーバに問合せを行う
③ルートDNSサーバは，一つ下の「.jp」のDNSサーバのIPアドレスを返答する
④かかりつけのDNSキャッシュサーバは「.jp」のDNSサーバに問合せを行う
⑤「.jp」のDNSサーバは，一つ下の「co.jp」のDNSサーバのIPアドレスを返答する
⑥かかりつけのDNSキャッシュサーバは，「co.jp」のDNSサーバに問合せを行う
⑦「co.jp」のDNSサーバは，一つ下の「wakuwakustudyworld.co.jp」のDNSサーバのIPアドレスを返す
⑧かかりつけのDNSキャッシュサーバは，「wakuwakustudyworld.co.jp」のDNSサーバに問合せを行う
⑨「wakuwakustudyworld.co.jp」のDNSサーバは，要求された「www.wakuwakustudyworld.co.jp」のIPアドレスを返す
⑩かかりつけのDNSキャッシュサーバは，⑨で返されたIPアドレスをクライアントに返答する

DNS問合せの流れ

発展

PCには，事前にDNSサーバのIPアドレスが設定されています。DNSサーバには，13個のルートDNSサーバのIPアドレスを記述したファイルがあらかじめ設定されています。したがって，キャッシュに何もないときの最初の通信は，ルートDNSサーバへの問合せになります。

発展

クライアントでDNSの問合せを行うのに使われるプログラムをネームリゾルバといいます。Windowsでは，コマンドプロンプトで
> nslookup
と打ち込むことで，ネームリゾルバを起動させることができます。

参考

実際のDNSサーバの運用では，複数の階層の応答をまとめて行う場合があります。例えば，属性型（co.jp，ad.jpなど）・地域型（tokyo.jp，chiba.jpなど）・汎用（jp）の違いを吸収するため，JPドメインを管理するDNSサーバでco.jpの情報を返します。
https://jprs.jp/tech/dnsuis/info002.html

　一度問い合わせたデータは一定期間,かかりつけのDNSキャッシュサーバのキャッシュに保存されるので,2回目以降は必要な部分のみの問合せを行います。また,DNSの問合せを識別するために,問合せにはそれぞれDNS識別子が付加されます。DNS識別子が異なる応答は不正な通信として無視されます。

■ DNSの資源レコード

　DNSでは,IPアドレス以外にも様々な内容を問い合わせます。そこで,問い合わせる内容を資源レコード(リソースレコード,RR)で区別します。資源レコードはDNSサーバのゾーンファイルに保存され,その内容を応答します。代表的なDNSの資源レコードを次に示します。

発展

資源レコードの有効期間は,$TTL (Time To Live:有効期間)のように秒数が設定されます。

主な資源レコード

タイプ	内容
SOA	ゾーンの管理情報の始点
A	ホストのIPアドレス (IPv4)
NS	ネームサーバ
CNAME	ホストの別名に対する正式名
PTR	IPアドレスの逆引き用ポインタ
MX	メールサーバのホスト名
TXT	テキスト文字列
KEY	セキュリティの鍵
AAAA	ホストのIPv6アドレス
SRV	特定のサービスを提供するホスト

発展

DNSサーバのレコードの信頼性を示すために,レコードの仕様を拡張させて利用されているものもあります。例えば,送信ドメインの認証技術であるDKIM(DomainKeys Identified Mail)では,TXTレコードを使って,ドメインに対応する公開鍵を公開しています。

　DNSでは,複数のレコードを対応させることも可能です。例えば,Aレコードでは,次のように複数のIPアドレスを一つのホスト名に対応させることができます。

```
www IN   A   192.168.0.1
www IN   A   192.168.0.2
www IN   A   192.168.0.3
```

　このように設定すると,DNSの問合せに対して順番にIPアドレスを返していきます。wwwに対する最初の問合せには192.168.0.1,次の問合せには192.168.0.2……といったかたちです。

このようなDNSの仕組みをDNSラウンドロビンといいます。

　また，メールサーバを示すMXレコードは，優先度を付けて設定することができます。例えば，次のように二つのMXレコードを設定することができます。

```
a-sha.co.jp    IN MX 10    mail1
a-sha.co.jp    IN MX 20    mail2
```

　上記の場合，「10」「20」が**優先度**（preference値）で，値が小さいものが優先されます。

　それでは，次の問題を考えてみましょう。

問題

　DNSでのホスト名とIPアドレス名の対応付けに関する記述のうち，適切なものはどれか。

ア　一つのホスト名に複数のIPアドレスを対応させることはできるが，複数のホスト名に同一のIPアドレスを対応させることはできない。

イ　一つのホスト名に複数のIPアドレスを対応させることも，複数のホスト名に同一のIPアドレスを対応させることもできる。

ウ　複数のホスト名に同一のIPアドレスを対応させることはできるが，一つのホスト名に複数のIPアドレスを対応させることはできない。

エ　ホスト名とIPアドレスの対応は全て1対1である。

（令和3年春 ネットワークスペシャリスト試験 午前Ⅱ 問9）

解説

　DNSでは，DNSラウンドロビンなどのように一つのホスト名に複数のIPアドレスを対応させることが可能です。また，一つのホストに複数のホスト名（例えば，wwwとmail）を付けて，同じIPアドレスで稼働させることも可能です。したがって，イが正解です。

≪解答≫イ

発展

DNSラウンドロビンの仕組みは，負荷分散の基本的な手法としてよく用いられています。

過去問題をチェック

DNSについて，ネットワークスペシャリスト試験では以下の出題があります。
【DNS】
・平成24年秋 午後Ⅰ 問1
（DNSのレコードやDNSラウンドロビン方式での負荷分散について）
・平成26年秋 午後Ⅰ 問3 設問3 (2)
（DNSの問合せやゾーン転送の概念図の作成）
・平成29年秋 午後Ⅱ 問1 設問3
（DNSレコードの設定）
・令和元年秋 午後Ⅰ 問2 設問1
（CNAMEレコード）
・令和元年秋 午後Ⅱ 問2 設問5
（DNSサーバへの攻撃と対策）
・令和4年春 午後Ⅰ 問3 設問3
（SRVレコードの働きと設定）
・令和5年春 午後Ⅱ 問2 設問1
（DNSサーバのゾーン情報設定）
・令和6年春 午後Ⅱ 問2 設問1～3
（SPFやDKIMに関するDNS設定）

■ SRVレコード

SRVレコードは，DNS資源レコードの一つで，ドメイン内で指定されたサービスに対応するサーバを定義します。DNSサーバにSRVレコードが登録されていれば，サービス名を問い合わせることによって，当該サービスが稼働するホスト名などの情報を取得できます。

ホスト名は複数指定することができ，優先度や負荷分散の重み付けを設定することができます。

注意点としては，SRVレコードで指定するサーバ名には，CNAMEは使用できないことです。指定したドメイン名に対応するAレコード（またはAAAAレコード）でIPアドレスを指定する必要があります。

■ ネームサーバ

DNSのNSレコードで示される，ドメインの名前解決に用いられるDNSサーバのことをネームサーバといいます。NSレコードでは，先頭フィールドにドメイン名，データ部（RDATA）にホスト名またはFQDN（Fully Qualified Domain Name：完全修飾ドメイン名）を指定します。

DNSのネームサーバには，DNSの情報の大元となるプライマリサーバと，その情報をコピーして応答するセカンダリサーバの2種類があります。

セカンダリサーバはプライマリサーバに定期的に問い合わせ，情報が更新されている場合にはコピーを行います。このプライマリサーバからセカンダリサーバへの情報の転送をゾーン転送といいます。セカンダリサーバはプライマリサーバの完全なコピーであるため，独自に情報を追加することはできません。

それでは，次の問題を考えてみましょう。

参考

DNSキャッシュサーバに対するセキュリティ攻撃の有名なものに，DNSキャッシュポイズニングがあります。これは，DNSキャッシュを不正に書き換える攻撃なので，キャッシュサーバは特にセキュリティを強化する必要があります。

問題

DNSゾーンデータファイルのNSレコードに関する記述のうち，適切なものはどれか。

　ア　先頭フィールドには，ネームサーバのホスト名を記述する。
　イ　ゾーン分割を行ってサブドメインに権限委譲する場合は，そのネームサーバをNSレコードで指定する。
　ウ　データ部（RDATA）には，ゾーンのドメイン名を記述する。
　エ　データ部（RDATA）には，ネームサーバの正規のホスト名と別名のいずれも記述できる。

（令和元年秋 ネットワークスペシャリスト試験 午前Ⅱ 問8）

解説

　DNSゾーンデータファイルに記述する情報のうち，NSレコードは，ネームサーバを設定する資源レコードです。先頭フィールドにドメイン名，データ名にホスト名またはFQDN（Fully Qualified Domain Name：完全修飾ドメイン名）を指定します。サブドメインを指定してゾーン分割を行い，権限委譲する場合には，サブドメインのネームサーバをNSレコードで指定する必要があります。例えば，次のようなかたちで，example.jpドメインのサブドメインsub.example.jpのネームサーバ ns1.sub.example.jpを指定します。

　sub.example.jp.　IN　NS　ns1.sub.example.jp.

　したがって，イが正解です。
　このとき，ネームサーバns1.sub.example.jpのAレコード（ホストのIPアドレス）は，あらかじめ登録しておく必要があります。
　ア　先頭フィールドには，ドメイン名を記述します。
　ウ，エ　データ部には，ネームサーバの正規のホスト名（FQDNも含む）のみ記述できます。別名（CNAME）レコードの情報は使用できません。

≪解答≫イ

■ コンテンツサーバとフルリゾルバ，フォワーダ

DNSサーバには，DNSのレコードを保持し，他のサーバからの自ドメインへのDNS問合せに答えるコンテンツサーバと，クライアントからの問合せに対して代理で問合せ，応答を行うフルリゾルバ（フルサービスリゾルバ）の二つの役割があります。フルリゾルバは，DNSの代理応答での問合せ結果をキャッシュに格納するので，キャッシュサーバと呼ばれることもあります。

これら二つの役割を1台のDNSサーバで兼ねることも可能ですが，セキュリティ上の理由から分けることが推奨されています。

また，自分自身ではDNSの名前解決を行わず，別のフルサービスリゾルバに名前解決要求を中継するDNSサーバのことを，**DNSフォワーダ**といいます。

■ DNSで使用するプロトコルとポート番号

通常のDNS問合せと応答では，サーバ側のポート番号にUDP53が用いられます。クライアント側は，以前は53番が使用されることが多かったのですが，現在は攻撃時の特定を避けるためランダムにすることが多くなっています。

DNSのレコード長が512バイトを超えるときなど，UDPでの通信がうまくいかない場合にはTCPを利用することもあります。このことをTCPフォールバックといいます。

また，ゾーン転送では通常，TCPがポート番号53で用いられます。

過去問題をチェック
DNSフォワーダについては，次の出題があります。
【DNSフォワーダ】
・令和3年春 午後Ⅱ 問1
 設問1

5

▶▶▶ 覚えよう！

- [ ] AレコードはIPアドレス，MXはメールサーバ，CNAMEは別名，PTRは逆引き
- [ ] DNSレコードが登録されているコンテンツサーバ，代理問合せをするフルリゾルバ

5-3-2 ● DHCP

発展

DHCPは，ハードディスクをもたない機器がMACアドレスからIPアドレスを取得するためのプロトコルである**BOOTP**（Bootstrap Protocol）が元になっています。

そのため，サブネットマスクやDNSサーバはオプションで設定する必要があり，拡張部分が多くなっているのが特徴です。

　普段私たちがインターネットを利用するときにIPアドレスを入力したり設定したりする必要がないのは，IPアドレスを自動で割り当ててくれるサーバがあるからです。このときに使うアプリケーション層のプロトコルが，DHCPです。

● DHCPの仕組み

　DHCP（Dynamic Host Configuration Protocol）は，配布するIPアドレスを一括管理し，クライアントのIPアドレスなどの設定を自動化するためのプロトコルです。

　DHCPでは，クライアントがネットワークに接続したときに，DHCPサーバが自動的にIPアドレスなどの設定情報を送信して，それをクライアントに設定します。そのため，次のような2段階，4パケットで通信を行います。

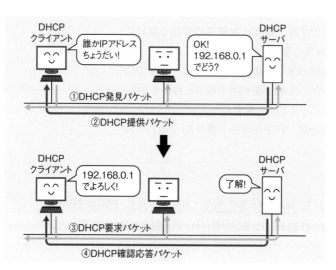

DHCPの流れ

　それぞれのパケットについて説明します。

① DHCP発見パケット（DHCPDISCOVER）

　IPアドレスなどの設定情報を要求します。最初はDHCPサーバがどこにいるか分からないため，ブロードキャストでネット

ワーク全体に向けて送信します。

②DHCP提供パケット（DHCPOFFER）

DHCPサーバが，提供できるIPアドレスなどの情報を設定し，送信します。この通信はユニキャストです。

③DHCP要求パケット（DHCPREQUEST）

DHCP提供パケットで受け取った情報を使用することを要求します。ブロードキャストで送信するのは，二つ以上のDHCPサーバから提供を受けたときに，他のDHCPサーバには要求しないことを同時に通知するためです。

④DHCP確認応答パケット（DHCPACK）

DHCPサーバから，DHCP要求パケットに対する許可を通知します。この通信はユニキャストです。

DHCPで配布するIPアドレスは，特定のIPアドレスの中からDHCPサーバが自動的に選ぶ方法が一般的です。ただし，IPアドレスを固定的に割り振りたいときには，MACアドレスごとにIPアドレスを指定することも可能です。

◾ DHCPで提供される情報

DHCPサーバからは，IPアドレスだけでなく，次のような情報も同時に提供されます。

- サブネットマスク
- デフォルトゲートウェイ
- DNSサーバ
- **ホスト名**
- **プリントサーバ**

これらの情報を設定するは，クライアントとサーバの両方でDHCPに対応している必要があります。

また，DHCPから提供される情報にはリース期間が設定されます。リース期間は，割り当てられたIPアドレスなどの情報の

発展

DHCPサーバから受け取ったIPアドレスが他で使われていないことを確認するため，設定する予定のIPアドレスを探索するIPアドレスに設定したARPパケットを送信します。
このARPパケットを**Gratuitous ARP**といいます。

5

過去問題をチェック

【DHCPのIPアドレスの解放とリース期間】
・平成17年秋 午後Ⅰ 問2 設問3（テクニカルエンジニア（ネットワーク）試験）

有効期間です。DHCPクライアントがリース期間を延長したい場合には，DHCPサーバに再度**DHCP要求パケット**を送信してリース期間を延長する必要があります。

■ DHCPリレーエージェント

DHCP発見パケットは，UDPのブロードキャストで送信されます。そのため，**ルータを越えて別のネットワークに送信すること**はできません。通常，企業などのネットワークは複数のネットワークに分かれており，DHCPサーバが別のネットワークに設置されていることも多くあります。

このようなときに必要となるのが，DHCPリレーエージェントです。DHCPリレーエージェントは，通常，ルータの機能として実装されています。

DHCPリレーエージェントは，自分が接続しているネットワークでDHCP発見パケットを受信したら，それをあらかじめ設定してあるDHCPサーバに向けて中継します。このときの通信はユニキャストです。そして，DHCPリレーエージェントはDHCPサーバからDHCP提供パケットを受け取ると，それをクライアントに向けて転送します。同様に，DHCP要求パケット，DHCP確認応答パケットもDHCPリレーエージェントが中継します。

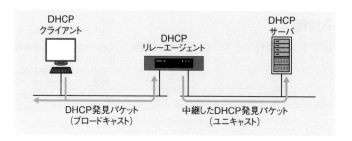

DHCPリレーエージェントによる中継

DHCPリレーエージェントを用いることで，ルータを越えた別のネットワークとのDHCP通信が可能になります。

それでは，次の問題を考えてみましょう。

過去問題をチェック
【DHCPリレーエージェント】
・平成16年秋 午後Ⅰ 問1 設問2（テクニカルエンジニア（ネットワーク）試験）
・令和元年秋 午後Ⅰ 問3 設問1
・令和5年春午後1問3 設問1

問題

DHCPを用いるネットワーク構成において，DHCPリレーエージェントが必要になるのは，ネットワーク間がどの機器で接続されている場合か。

ア スイッチングハブ 　　イ ブリッジ
ウ リピータ 　　　　　　エ ルータ

（令和元年秋 ネットワークスペシャリスト試験 午前Ⅱ 問7）

解説

DHCPはブロードキャストで通信するため，スイッチングハブなどは通過しますが，ルータを越えることができません。そのためにDHCPリレーエージェントで中継する必要があります。したがって，DHCPリレーエージェントが必要になるのは，エのルータが用いられている場合です。

≪解答≫エ

■ DHCPスヌーピング

DHCPスヌーピングは，サーバとクライアントの間でやり取りされるDHCPメッセージを監視し，動的にIPパケットをフィルタリングする機能です。

DHCPスヌーピングに対応した機器（スイッチなど）では，DHCPメッセージを監視することで，DHCPクライアントがどのポートの配下に存在するのか追跡できます。そのポート情報を用いて，正規のDHCPサーバからIPアドレスが割り当てられた端末からの通信だけを通過させることにより，IPパケットのフィルタリング制御が可能になります。

 過去問題をチェック
DHCPスヌーピングについて，ネットワークスペシャリスト試験では以下の出題があります。
【DHCPスヌーピング】
・平成25年秋 午後Ⅰ 問2 設問2
・令和元年秋 午後Ⅰ 問3 設問2

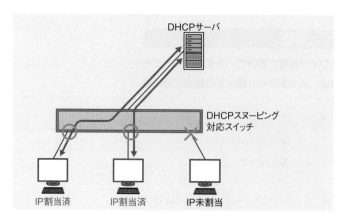

DHCPスヌーピングでのIPパケットのフィルタリング

■ DHCPv6

　IPv6では，DHCPサーバが設置されていない環境でも，IPア
ドレスを自動設定することができます。ICMPv6の**ルータ要請
メッセージ**と**ルータ告知メッセージ**を利用してルータからIPア
ドレスの上位ビットの情報を取得し，自分のMACアドレスを組
み合わせてIPアドレスを自動設定します。

　ただし，DNSサーバやドメイン名など，IPアドレス以外
の情報を自動設定する場合には，DHCPv6（Dynamic Host
Configuration Protocol for IPv6）を用いる必要があります。

▶▶ 覚 え よ う！

□　DHCPは，DHCP発見，提供，要求，確認応答パケットの四つでIPアドレスを自動取得

□　ルータを越える場合には，DHCPリレーエージェントが必要

5-4 その他のプロトコル

アプリケーションプロトコルには，これまでに取り上げたもの以外にも様々なプロトコルがあります。ここでは，その代表的なものを紹介していきます。

5-4-1 ● FTP

FTP（File Transfer Protocol）は，異なるコンピュータ間でのファイル転送を実行するプロトコルです。

■ FTPのコネクション

FTPでは，**制御用**と**データ転送用**の二つのTCPコネクションを利用します。

通常のFTPのコネクションは，次のような流れで行われます。

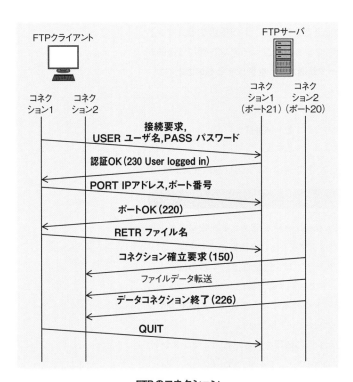

FTPのコネクション

 勉強のコツ

Web，メール関連以外のアプリケーションプロトコルについては，午後問題でもたまに出題されます。出題された場合は少し込み入った内容を問われるので，ひととおりのことは押さえておきましょう。

過去問題をチェック

FTPについては，ネットワークスペシャリスト試験で次の出題があります。
【FTP】
・平成25年秋 午前Ⅱ 問8
・平成29年秋 午前Ⅱ 問14
・令和元年秋 午前Ⅱ 問13

　最初のTCPコネクション確立要求はクライアントからです。接続要求の後，USERコマンドとPASSコマンドでユーザ認証を行います。認証OKになると，**PORT**コマンドで，データ転送に使用するIPアドレスとポート番号をクライアントからサーバに通知します。

　FTPサーバからデータをダウンロードするRETRコマンドを実行すると，サーバからクライアントにコネクション確立要求を行い，二つ目のTCPコネクションを確立します。サーバからファイルデータの転送を行い，それが終了するとコネクションを切断します。

　制御用コネクションは，QUITコマンドなどで正常終了を指示することで終わります。

　それでは，次の問題を考えてみましょう。

問題

　FTPを使ったファイル転送でクライアントが使用するコマンドのうち，データ転送用コネクションをクライアント側から接続するために，サーバ側のデータ転送ポートを要求するものはどれか。

　ア　ACCT　　　　　　イ　MODE
　ウ　PASV　　　　　　エ　PORT

(令和元年秋 ネットワークスペシャリスト試験 午前Ⅱ 問13)

解説

　FTP（File Transfer Protocol）を使ったファイル転送モードには，アクティブモードとパッシブモードの2種類があります。データ転送用コネクションをクライアント側から接続するのはパッシブモードで，パッシブモードで接続するために，クライアントからサーバ側のデータ転送ポートを要求するときには，PASVコマンドを使用します。したがって，ウが正解です。

　ア　ACCTは，ユーザアカウントの情報を送るためのコマンドです。
　イ　MODEは，転送モード（ストリームモード，ブロックモードなど）を設定するコマンドです。

エ PORTは，サーバが接続すべきポート番号とIPアドレスを指
定するコマンドです。

≪解答≫ウ

■ アクティブモードとパッシブモード

前述のFTPによる通信はアクティブモードといい，FTPでの
通常の通信モードです。しかし，ファイアウォールなどではサー
バからクライアントへの通信を許可していないことが多いので，
アクティブモードではうまく通信できないことがあります。その
ために用意されたのがパッシブモードです。パッシブモードでは，
PASVコマンドを利用することで，データ転送用のコネクション
をクライアントからサーバへ確立します。

5

▶▶▶ 覚 え よ う ！

☐ FTPは，制御用とデータ転送用の二つのTCPコネクションを確立

☐ アクティブモードではサーバから，パッシブモードではクライアントからコネクション

5-4-2 ● SNMP

TCP/IPネットワーク上でネットワーク管理を行うためのプロトコルがSNMP（Simple Network Management Protocol）です。SNMPは、UDP上で動作します。

■ SNMPメッセージ

SNMPでは、ネットワークを管理する側をマネージャ（管理用PCなど）、管理される側をエージェント（ルータ、スイッチ、サーバなど）といいます。SNMPのメッセージでは、次のような3種類の通信をサポートします。

①動作チェック

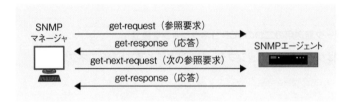

マネージャからのget-request（参照要求）に対してエージェントが応答（get-response）します。get-next-request（次の参照要求）で次々と情報を要求し、取得していきます。

②設定変更

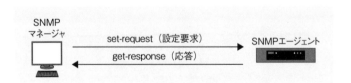

マネージャからの設定要求に対し、エージェントが設定変更します。エージェントは正常終了かどうかを応答します。

③イベント通知

　エージェントから，あらかじめしきい値を設定しておいた異常な状態になったときにイベント通知を行います。なお，他のSNMP通信はポート番号161で行いますが，trapだけはポート番号162で通信します。

　それでは，次の問題を考えてみましょう。

過去問題をチェック

SNMPに関する問題は，ネットワークスペシャリスト試験で周期的に出題されます。
【MIBのカウンタ値のけたあふれ】
・平成22年秋 午後Ⅰ問
【SNMPメッセージ，MIB】
・平成16年秋 午後Ⅰ 問2 設問1（テクニカルエンジニア（ネットワーク）試験）
【SNMPエージェント，マネージャ，トラップ】
・平成30年秋 午後Ⅰ 問2 設問4
【トラップ，MIB】
・令和元年秋 午後Ⅰ 問1 設問2
【SNMPのMIBによる監視】
・令和3年春 午後Ⅰ 問1 設問1～3
【SNMPでのカウンタ値取得】
・令和3年春 午後Ⅱ 問2 設問1

問題

　ネットワーク管理プロトコルであるSNMPバージョン1のメッセージタイプのうち，異常や事象の発生を自発的にエージェント自身がマネージャに知らせるために使用するものはどれか。

ア　get-request　　　　イ　get-response
ウ　set-request　　　　エ　trap

（平成22年秋 ネットワークスペシャリスト試験 午前Ⅱ 問17）

解説

　SNMPでは，自発的にエージェント自身が送信するメッセージは，trap（イベント通知）のみです。したがって，エが正解です。

《解答》エ

MIB

　SNMPでやり取りされる情報が，MIB（Management Information Base）です。MIBは，階層構造のデータベースで，データ構造の表記法であるASN.1（Abstract Syntax Notation 1）を利用した管理情報構造であるSMI（Structure of Management Information）を用いて記述されます。

　例えば，受信したすべてのオクテット数ifInOctets，IPアドレスに関するテーブルipAddrTableなど，エージェントで取得したり設定したりする情報がMIBとして定義されています。MIBには標準MIBと，各メーカ独自の拡張MIBがあります。

RMON

　RMON（Remote Network Monitoring）は，遠隔地のネットワーク状況を監視するためのプロトコルです。MIBを使用し，ネットワーク内のモニタリングと分析を行います。RMONは，スイッチなどの機能を利用する場合と，プローブという専用ハードウェアを用いる場合の両方があります。

MIBによる構成管理の自動化

　MIBを用いると，構成管理情報を自動で取得でき，構成管理を自動化することが可能となります。LLDP（Link Layer Discovery Protocol）は，データリンク層で，隣接されている機器の構成を取得するプロトコルです。LLDPで得られた情報をLLDP-MIBを用いて収集することによって，ネットワークの構成情報を外部から取得できます。

SNMPのバージョン

　SNMPには，SNMPv1，SNMPv2，SNMPv3という三つのバージョンがあります。現在の最新バージョンは，SNMPv3です。それぞれの特徴は，次のとおりです。

●SNMPv1

　SNMPの最初のバージョンです。コミュニティ名を使用して認証を行います。暗号化が行われないので，不正アクセスの危険があります。

過去問題をチェック

LLDPとMIBでネットワーク運用管理の自動化を行う問題が，午後で出題されています。
【ネットワーク運用管理の自動化】
・令和3年春 午後Ⅰ 問1

　また，エージェントからの通知はSNMPトラップだけで，SNMP
マネージャからの応答を返しません。

●SNMPv2

　SNMPv1と同様，コミュニティ名などは暗号化されないので，
不正アクセスの危険はあります。

　エージェントからの通信には，SNMPトラップのほかに**SNMP
インフォーム**に対応し，SNMPマネージャからSNMPエージェ
ントに応答を返します。

●SNMPv3

　データを暗号化できるようになってセキュリティが向上しまし
た。また，コミュニティ名を使った認証の代わりに，USM（User-
based Security-Model）を利用したユーザ名による認証機能が導
入されています。MD5やSHAなどのハッシュ関数を利用するこ
とで，データの改ざんなどの検知が可能です。

5

▶▶▶ 覚 え よ う *！*

- □ **SNMPメッセージは，get-request, get-next-request, set-request, get-response, trap**
- □ **SNMPでやり取りされる情報はMIBで，ASN.1形式が利用される**

5-4-3 ● IP電話

　IP電話は，電話網にVoIP（Voice over Internet Protocol）技術を利用する電話サービスです。VoIPでは，音声を符号化してパケットに変換し，IPネットワーク上でリアルタイム伝送を行います。

■ 呼制御

　IP電話では，電話機が行うような，通信相手を探して相手を呼び出すための仕組みである**呼制御**が必要です。呼制御を行う代表的なプロトコルには，H.323とSIPがあります。

■ H.323

　H.323は，ITUによって策定された，音声や映像を含むマルチメディアコンテンツをやり取りするためのプロトコル体系です。TCP/IPプロトコル群に対応したH.323のプロトコル体系は，以下のとおりです。

データ通信	通信制御	音声	動画
T.120	H.245	G.711	H.261
	Q.931	G.723	H.263
	RAS	RTP　RTCP	
TCP		UDP	
IP			

H.323プロトコル体系

　H.323はもともと，ISDN網とIPネットワークを接続するための規格として策定されました。音声，動画やその他のデータにも対応するために多くの規格に準拠しており，その体系は複雑化しています。

SIP

SIP（Session Initiation Protocol）は，H.323の後に開発された呼制御プロトコルで，インターネットでの利用により適しています。トランスポート層には，TCPだけでなくUDPも利用できます。

SIPの呼制御は，次のような流れで行われます。

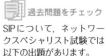

過去問題をチェック

SIPについて，ネットワークスペシャリスト試験では以下の出題があります。
【SIPの呼制御プロトコルの流れ】
・令和元年秋 午後Ⅱ 問1 設問1，3
・平成26年秋 午後Ⅱ問2 設問1，2
・平成17年秋 午後Ⅰ 問3 設問1（テクニカルエンジニア（ネットワーク）試験）

5

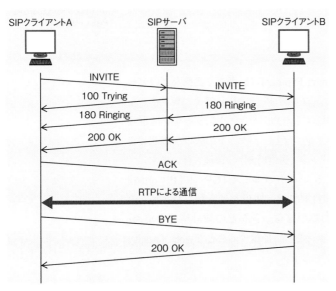

SIPの呼制御の流れ

主なSIPメッセージとその応答メッセージを次に示します。

主なSIPメッセージ

メッセージ	説明
INVITE	セッション開始の呼びかけ
ACK	INVITEに関する応答の確認
BYE	セッション終了
MESSAGE	データの転送
REGISTER	ユーザのURI登録

参考

SIPプロトコルでは，呼制御を行う前段階で，REGISTERメッセージを用いてSIPサーバに機器を登録します。このときに認証が行われることもあります。

主なSIP応答メッセージ

番号	説明
100	Trying
180	Ringing
200	OK

SIPはHTTPを基にした単純なプロトコルなので，他のプロトコルと組み合わせて使用します。

例えば，メディアの種類，使用するプロトコルやポート番号など，セッションに必要な情報交換を行うためのメッセージ記述言語SDP（Session Description Protocol）や，電話番号体系をIPアドレスと対応付けるためのENUM（E.164 NUmber Mapping）などと組み合わせて使用されます。

RTP

RTP（Real-time Transport Protocol）は，音声や動画などのデータ本体を送るためのプロトコルです。UDP上でリアルタイムなマルチメディア通信を実現するため，パケットにシーケンス番号を付けてパケットの順番を並べ直し，パケットの抜けを確認します。パケットのタイムスタンプ（送信時刻）の管理も行います。

また，RTPを補助するプロトコルにRTCP（RTP Control Protocol）があります。RTCPでは，送信バイト数，パケットの欠落数やパケット到着間隔のばらつきなどの統計情報を集め，その情報をアプリケーションなどに提供することでQoS（Quality of Service）の確保に役立てます。

IP電話の構成

IP電話を利用するときの一般的な機器構成は，以下のようになります。

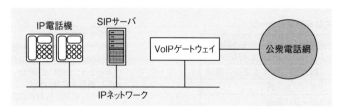

IP電話の構成

VoIPゲートウェイは，アナログ回線である公衆電話網を接続するゲートウェイで，アナログデータをIPパケットに変換します。SIPサーバは，IP電話機同士の呼制御を行うサーバです。呼制御が行われた後は，基本的にIP電話機同士で通信を行います。

発展

SIPサーバは，呼制御だけ中継して，実際のデータ通信は機器同士に任せるのが一般的です。ただし，ファイアウォールなどの状況により，通常の通信もすべてSIPサーバが制御するSIPプロキシサーバ方式も用いられています。

過去問題をチェック

IP電話のネットワーク構成について，次のような出題があります。
【電話サービスの通信品質の確保】
・令和3年春 午後Ⅰ 問3

■ IP電話の品質

IP電話では，正常な通話を確保するために音声の品質が重要になってきます。そこで，IP電話の音声品質を示す指標が設けられました。代表的なものを以下に示します。

①MOS（Mean Opinion Score）値

通話音声の品質を評価する主観的な手法で，評価者に電話機から音を聞かせて5段階で評価させます。この値の平均を取ったものがMOS値です。

②R値

IP電話の音声伝送品質を表す数値で，ITU-T G.107で標準化されています。ノイズの影響を考慮した信号の大きさ，エコーや遅延などによる劣化などから算出されます。

③PSQM（Perceptual Speech Quality Measure）

音声符号化方式の客観的評価手法で，原音声と劣化音声を比較して劣化の度合いを計算し，数値化します。

④PESQ（Perceptual Evaluation of Speech Quality）

PSQMを改良したもので，パケット損失などに対応しています。

それでは，次の問題を考えてみましょう。

発展

R値は，全部で18個のパラメータから算出されます。具体的には，Ro − Is − Id − Ie ＋ Aという式から求められます。詳しい計算方法は省略しますが，R値が高いほど通信品質が良いとされ，050で始まる電話番号を取得するには，R値が50より大きい必要があります。

5

問題

　IP電話の音声品質を表す指標のうち，ノイズ，エコー，遅延などから算出されるものはどれか。

ア　MOS値　　　　　　　イ　R値
ウ　ジッタ　　　　　　　エ　パケット損失率

（令和6年春 ネットワークスペシャリスト試験 午前Ⅱ 問15）

解説

　IP電話の音声品質を表す指標のうち，ノイズ，エコー，遅延などのパラメータから算出する値はR値なので，イが正解です。

　アのMOS値は，主観的な通話品質の平均値です。ウのジッタ（揺らぎ）は，音声の乱れの一因で，パケットの伝送時間が一定しない状況です。エのパケット損失率は，ネットワークの品質を表す指標の一つで，正常に配送できなかったパケットの割合を示します。

《解答》イ

▶▶▶ 覚えよう！

☐ 呼制御はH.323，SIP，データ転送はRTP

☐ MOS値は主観的，R値はノイズ，エコーなどから算出される音声品質評価指標

5-4-4 コンテンツ配信

　近年，インターネットで音声・動画などのコンテンツをリアルタイムで配信する動きが広がっています。このようなマルチメディア通信のためのプロトコルや規格にも様々なものがあります。

RSVP

　RSVP（Resource reSerVation Protocol）は，ネットワーク上で送信元から送信先までの帯域を予約し，通信品質を確保するプロトコルです。テレビ会議やリアルタイムでの動画配信など，即時性が求められるトラフィックを優先制御するための仕組みです。

　そして，その仕組みを実現する技術としては，エンドツーエンドできめ細かい優先制御を行うIntServと，相対的におおまかな優先制御を行うDiffServが使用されています。

　IntServでは，特定のアプリケーション間の通信において，必要なときに経路上のルータに対して品質制御の設定を行います。RSVPでは，パケットを受信する側から送信する側に向けて制御パケットを流し，その間に存在するそれぞれのルータに品質制御のための設定を行います。この設定を**フローのセットアップ**といいます。

　DiffServでは，特定のネットワーク内でそれぞれのパケットをランク付けし，パケットに対して優先制御を行います。これは，IPヘッダーのTOSフィールド（DSCPフィールド）を用いて優先度を設定するもので，IP電話などでよく利用されます。

　それでは，次の問題を考えてみましょう。

過去問題をチェック

【RSVPの帯域予約の流れ】
・平成16年秋 午後Ⅱ 問2
　設問1，2（テクニカルエンジニア（ネットワーク）試験）

5

問　題

RSVPの説明として，適切なものはどれか。

- ア　IPネットワークにおいて，ホスト間通信の伝送帯域を管理するためのプロトコルである。
- イ　LANシステムにおいて，物理的なケーブルやノードの接続形態に依存せず，ノードを任意に論理的なグループに分ける技術である。
- ウ　PPPによるデータリンクを複数束ねることができるように拡張したプロトコルである。
- エ　リモートアクセスを利用する利用者の認証を行うためのプロトコルである。

（平成27年秋 ネットワークスペシャリスト試験 午前Ⅱ 問10）

解　説

　RSVPは，通信経路すべてのフローをセットアップし，ホスト間通信の伝送帯域を管理します。したがって，アが正解です。

　イはVLAN，ウはマルチリンクPPP，エはRADIUSの説明です。

≪解答≫ア

■ 音声圧縮処理

　音声はアナログデータなので，これをデジタルデータにするにはA/D変換が必要になります。A/D変換を行って単純に符号化したデータの形式がPCM（Pulse Code Modulation）で，G.711として規格化されています。PCMでは，データの容量が大きいので，容量を小さくするために様々な圧縮技術が開発されています。

　代表的な音声圧縮技術には，以下のものがあります。

関連
「1-1-4　通信方式の種類」でA/D変換について説明しています。詳しい原理はそちらを参照してください。

① MP3（MPEG Audio Layer-3）

　動画の圧縮規格であるMPEG-1のオーディオ規格として開発された，非可逆圧縮の音声圧縮方式です。音楽CDなどをパソコ

ンに取り込む用途で広く普及しています。

②CS-ACELP （Conjugate-Structure Algebraic Code Excited Linear Prediction）

CELP（Code Excited Linear Prediction：符号励振線形予測）を用いた圧縮手法です。単純な音源ではなく，データベースとして用意した固定音源と，過去に用いた音源である適応音源の二つを組み合わせて音声を作成します。携帯電話やVoIPでよく利用される圧縮形式です。**G.729**で標準化されており，**8kビット／秒**に圧縮できます。

■ 動画圧縮処理

動画は画像や音声の集合体なので，他のデータと比べてサイズが大きいという特徴があります。そのため，基本的に圧縮されます。

代表的な動画の保存形式にはMPEG（Moving Picture Experts Group）があります。MPEGの主な規格には，次のものがあります。

①MPEG-1

1.5Mビット／秒程度の圧縮方式で，**CD-ROM**などを対象にしたものです。

②MPEG-2

数M～数十Mビット／秒程度の圧縮方式で，**DVD**やBlu-rayなどを対象としたものです。

③MPEG-4

数十k～数百kビット／秒程度の**低ビットレート**の圧縮方式で，**携帯モバイル機器**を対象としたものです。

④MPEG-7

マルチメディア用のメタデータ表記方法の国際規格で，XMLで記述されます。

■ 動画・音声配信の方式

　動画や音声などを配信する方式には，ダウンロード配信とストリーミング配信の二つの方式があります。ダウンロード配信は，ファイルをダウンロードしてから音声・動画などを再生する方式です。これに対し，ストリーミング配信では，ファイルのダウンロード完了を待たずに，リアルタイムに再生します。

■ ピアツーピア

　ピアツーピア（P2P：Peer to Peer）とは，対等のもの（ピア）同士が通信を行う方式です。URLなどが公開されているサーバにアクセスするクライアントサーバ方式に対して，一般ユーザのPCなどの無名な装置に，他のユーザのPCなどが直接アクセスします。IP電話や動画配信サービスなどでは，このP2P方式の利用例が増えてきています。

　インターネット上では，基本的にIPアドレスが分かっていれば誰とでも通信が可能です。そのため，P2Pでは，どのように相手のIPアドレスを知るかが重要なポイントです。

　P2P方式の通信網では，「キー」を手がかりに「キーに対応するデータをもつもの」を発見して，その相手と通信します。その「キー」と「データ」をペアで結び付ける情報を**インデックス**（またはkey-valueペア）といいます。

発展

P2Pで実現されている応用技術の代表的なものに，Skypeなどがあります。

▶▶▶ 覚えよう！

- ☐ 携帯電話の音声圧縮はCS-ACELPで8kビット／秒に圧縮
- ☐ MPEG-1はCD-ROM，MPEG-2はDVD，MPEG-4は携帯機器用の動画圧縮規格

5-4-5 ■ その他のプロトコル

　アプリケーション層のプロトコルには様々なものがあり，増え続けています。ここでは，これまでに取り上げていないプロトコルをいくつか紹介します。

■ NTP

　NTP（Network Time Protocol）は，ネットワーク上の機器の時刻を正確に維持するためのプロトコルです。アクセスログな

過去問題をチェック

【NTPの仕組みとタイムサーバの導入】
・平成19年秋 午後Ⅰ 問3
（テクニカルエンジニア（ネットワーク）試験）

どで利用者や攻撃者の行動を追跡するためには，NTPを用いて複数の機器の時刻を同期させておく必要があります。NTPではUTC（Universal Time, Coordinated：協定世界時）を使って時刻を送受信します。

NTPはstratumと呼ばれる階層構造をもち，stratum0が原子時計やGPSなどの正確な時刻源です。最上位のNTPサーバはstratum1で，stratum0の機器から時刻を取得します。stratum1のサーバから情報を受け取るNTPサーバがstratum2です。複数のNTPサーバをもつネットワークでは，上位NTPサーバの負荷軽減やネットワーク内での誤差を減らすため，ネットワーク構成上なるべく近いサーバから情報を取得することが推奨されています。

NTPでは複数のサーバに時刻を問い合わせることが可能で，それにより可用性を上げることができます。

またNTPでは，サーバから各機器に時刻値を問い合わせてそれが到達するまでの通信時間を考慮し，**通信時間による時刻値の誤差を小さくする工夫**がなされています。

■ LDAP

LDAP（Lightweight Directory Access Protocol）は，ディレクトリサービスにアクセスするためのプロトコルです。ディレクトリサービスとは，ネットワーク上の資源の管理サービスで，ネットワークを利用する利用者や機器などの資源に関する情報を一元管理します。

LDAPでは，設定情報をLDIF（LDAP Interchange Format）というデータ交換形式を用いて，ディレクトリツリーというかたちで階層的に管理します。

▶▶▶ 覚 え よ う ！

☐ **NTPでは，上位stratumからUTCを取得し，通信時間も考慮して正確な時刻同期を行う**

☐ **LDAPで，利用者やネットワーク機器の情報を一元管理**

5-5 演習問題

5-5-1 ◯ 午前問題

問1 Webのプロトコル CHECK ▶ □□□

HTTPを使って，Webサーバのコンテンツのアップロードや更新を可能にするプロトコルはどれか。

ア　CSS　　　　　イ　MIME　　　　ウ　SSL　　　　エ　WebDAV

問2 Secure属性 CHECK ▶ □□□

CookieにSecure属性を設定しなかったときと比較した，設定したときの動作として，適切なものはどれか。

ア　Cookieに設定された有効期間を過ぎると，Cookieが無効化される。
イ　JavaScriptによるCookieの読出しが禁止される。
ウ　URL内のスキームがhttpsのときだけ，WebブラウザからCookieが送出される。
エ　WebブラウザがアクセスするURL内のパスとCookieに設定されたパスのプレフィックスが一致するときだけ，WebブラウザからCookieが送出される。

問3 IoTで利用される通信プロトコル CHECK ▶ □□□

IoTで利用される通信プロトコルであり，パブリッシュ／サブスクライブ(Publish/Subscribe)型のモデルを採用しているものはどれか。

ア　6LoWPAN　　　イ　BLE　　　　ウ　MQTT　　　　エ　Wi-SUN

問4 FTPの二つのコネクション　　　　　　　　　CHECK ▶ □□□

　FTPによるファイル転送には，制御用とデータ転送用の二つのコネクションが用いられる。これらのコネクションに関する記述のうち，適切なものはどれか。ここで，FTPはパッシブモードで動作するものとする。

　　ア　制御用コネクションの確立はクライアントからサーバに対して，データ転送用コネクションの確立はサーバからクライアントに対して行う。
　　イ　制御用コネクションの確立はサーバからクライアントに対して，データ転送用コネクションの確立はクライアントからサーバに対して行う。
　　ウ　どちらのコネクションの確立もクライアントからサーバに対して行う。
　　エ　どちらのコネクションの確立もサーバからクライアントに対して行う。

問5 SNMPで管理装置にデータ送信する仕組み　　　　CHECK ▶ □□□

　ネットワークのトラフィック管理において，測定対象の回線やポートなどからパケットをキャプチャして解析し，SNMPを使って管理装置にデータを送信する仕組みはどれか。

　　ア　MIB　　　　　　イ　RMON　　　　　ウ　SMTP　　　　　エ　Trap

問6 なりすましメール対策　　　　　　　　　　　　CHECK ▶ □□□

　なりすましメール対策に関する記述のうち，適切なものはどれか。

　　ア　DMARCでは，"受信メールサーバが受信メールをなりすましと判定したとき，受信メールサーバは送信元メールサーバに当該メールを送り返す"，というDMARCポリシーを設定できる。
　　イ　IP25Bでは，ISPが自社の受信メールサーバから他社ISPの動的IPアドレスの25番ポートへの接続をブロックする。
　　ウ　S/MIMEでは，電子メール送信者は，自身の公開鍵を使ってデジタル署名を生成し，送信する電子メールに付与する。電子メール受信者は，電子メール送信者の秘密鍵を使ってデジタル署名を検証する。
　　エ　SPFでは，ドメインのDNSで，そのドメインを送信元とする電子メールの送信に用いてもよいメールサーバのIPアドレスをSPFレコードにあらかじめ記述しておく。

問7 SDP CHECK ▶ ☐☐☐

SDP（Session Description Protocol）の説明として，適切なものはどれか。

ア 音声，映像などのメディアの種類，データ通信のためのプロトコル，使用する
　ポート番号などを記述する。

イ 音声情報をリアルタイムストリームとしてIPネットワークに送り出す際のペイ
　ロード種別，シーケンス番号，タイムスタンプを記述する。

ウ パケットの欠落数やパケット到着間隔のばらつきなどの統計値のやり取りに使
　用する。

エ ユーザエージェント相互間で，音声や映像などのマルチメディア通信のセショ
　ンの確立，変更，切断を行う。

問8 LDAP CHECK ▶ ☐☐☐

LDAPの説明として，適切なものはどれか。

ア OSIのディレクトリサービスであるX.500シリーズに機能を追加して作成され，
　X.500シリーズのプロトコルを包含している。

イ インターネット上のLDAPサーバの最上位サーバとしてルートDSEが設置され
　ている。

ウ ディレクトリツリーへのアクセス手順や，データ交換フォーマットが規定され
　ている。

エ 問合せ処理を軽くするためにTCPは使わずUDPによって通信し，通信の信頼
　性はLDAPプロトコル自身で確保する。

問9 DNSのMXレコード CHECK ▶ ☐☐☐

DNSのMXレコードで指定するものはどれか。

ア エラーが発生したときの通知先のメールアドレス

イ 管理するドメインへの電子メールを受け付けるメールサーバ

ウ 複数のDNSサーバが動作しているときのマスタDNSサーバ

エ メーリングリストを管理しているサーバ

問10 **マルチキャストグループのプロトコル** CHECK ▶ □□□

　マルチキャストグループへの参加や離脱をホストが通知したり，マルチキャストグループに参加しているホストの有無をルータがチェックしたりするときに使用するプロトコルはどれか。

　ア　ARP　　　　　イ　IGMP　　　　ウ　LDAP　　　　エ　RIP

■ 午前問題の解説

HTTPを使ってコンテンツのアップロードや更新を行うプロトコルはWebDAV（Web-based Distributed Authoring and Versioning）です。したがって，**エ**が正解です。

アのCSS（Cascading Style Sheets）は，HTMLやXMLの要素をどのように表示するかを指示する仕様です。**イ**のMIME（Multipurpose Internet Mail Extensions）は，メールで様々な種類のバイナリデータを送れるようにするためのデータ形式です。**ウ**のSSL（Secure Socket Layer）は，インターネット上でセキュリティを要求される通信のためのプロトコルです。

Secure属性は，SSL/TLSを用いたときだけCookieを送るという属性です。Secure属性が付けられたCookieでは，URLが「http:」で始まっている場合にはCookieを送りません。そのため，CookieにSecure属性を設定しなかったときと比較すると，httpではなくhttpsのページのときだけ，WebブラウザからCookieが送出されることとなります。したがって，**ウ**が正解です。

ア　expires属性を設定したときの動作です。
イ　httponly属性を設定したときの動作です。
エ　path属性でパスのプレフィックスを指定することができます。

IoTで利用される通信プロトコルのうち，パブリッシュ／サブスクライブ（Publish/Subscribe）型のモデルを採用しているものには，MQTT（Message Queuing Telemetry Transport）があります。TCP/IPネットワーク上で動作するHTTPに比べてシンプルで軽量，省電力なため，IoTに適した技術です。したがって，**ウ**が正解です。

ア　6LoWPAN（IPv6 over Low-power Wireless Personal Area Networks）は，IPv6ベースの低消費電力での無線ネットワークを実現するための技術です。
イ　BLE（Bluetooth Low Energy）は，従来のBluetoothとの互換性を維持しながら低消費電力での動作を可能にする規格です。

エ Wi-SUN（Wireless Smart Utility Network）は，無線通信規格です。中継器を経由するマルチホップによる接続が可能です。

問4　　　　　　　　　　　　（平成29年秋 ネットワークスペシャリスト試験 午前Ⅱ 問14）
《解答》ウ

FTPでは，制御用コネクションの確立はクライアントから行いますが，データ転送用コネクションはサーバから行うアクティブモード（アに該当）が基本です。しかし，ファイアウォールの設定などにより，サーバからのコネクションが確立できない場合も多く，その場合には，どちらのコネクションの確立もクライアントからサーバに向けて行うパッシブモードが使用されます。したがって，ウが正解です。

問5　　　　　　　　　　　　（令和4年春 ネットワークスペシャリスト試験 午前Ⅱ 問14）
《解答》イ

TCP/IPネットワーク上でネットワーク管理を行うためのプロトコルがSNMP（Simple Network Management Protocol）です。SNMPでは，遠隔地のネットワーク状況を取得するために，RMON（Remote network MONitoring）を用いることがあります。RMONは，測定対象の回線やポートなどからパケットをキャプチャして解析したデータを，管理用のソフトウェアに送信する仕組みです。したがって，イが正解です。

ア MIB（Management Information Base）は，SNMPでやり取りされる情報です。

ウ SMTP（Simple Mail Transfer Protocol）は，メールを送るためのプロトコルです。

エ Trapは，SNMPメッセージの一つです。エージェントから，あらかじめしきい値を設定しておいた異常な状態になったときに，マネージャにイベント通知を行うメッセージです。

問6 .... (令和6年春 ネットワークスペシャリスト試験 午前Ⅱ 問19)

《解答》エ

　SPF（Sender Policy Framework）は，ドメインの所有者が許可したメールサーバから
のみメールが送信されるようにするための送信ドメイン認証技術です。DNSに登録された
SPFレコードには，そのドメインからメールを送信することが許可されているメールサーバ
のIPアドレスが記録されています。受信したメールサーバがIPアドレスを確認することで，
不正なメールサーバからのなりすましメールを防ぐことができます。したがって，エが正解
です。

ア　DMARC（Domain-based Message Authentication, Reporting, and Conformance）は，
　　送信ドメイン認証技術の一つで，認証に失敗したメールの操作方法は，受信者がポリ
　　シーとして設定します。しかし，なりすましメールを検出した場合にそのメールを送り
　　返すというポリシーは存在しません。

イ　IP25B（Inbound Port 25 Blocking）は，外部から内部への不正な25番ポートへの接続
　　をブロックする手法です。具体的には，他社ISP（Internet Service Provider）の動的
　　IPアドレスから自社の受信メールサーバの接続をブロックします。

ウ　S/MIME（Secure / Multipurpose Internet Mail Extensions）では，送信者は自身の
　　秘密鍵を使ってデジタル署名を生成し，受信者は送信者の公開鍵を使ってデジタル署
　　名を検証します。選択肢では，公開鍵と秘密鍵が逆になっています。

問7 .... (平成22年秋 ネットワークスペシャリスト試験 午前Ⅱ 問16)

《解答》ア

　SDP（Session Description Protocol）は，セッションに必要な情報交換を行うためのメッ
セージ記述言語で，音声，映像などのメディアの種類，データ通信のためのプロトコル，ポー
ト番号などを記述します。したがって，アが正解です。

　イはRTP（Real-time Transport Protocol），ウはRTCP（RTP Control Protocol），エは
SIP（Session Initiation Protocol）の説明です。

問8 (平成30年秋 ネットワークスペシャリスト試験 午前II 問9)
《解答》ウ

LDAP（Lightweight Directory Access Protocol）は，ディレクトリサービスにアクセスするためのプロトコルです。ディレクトリツリーへのアクセス手順や，データ交換フォーマットが規定されています。したがって，**ウ**が正解です。

ア　X.500シリーズのプロトコルを包含していない部分があります。

イ　ルートDSE（Directory Service Entry）は，各ディレクトリサービスの起点（エントリ）です。

エ　LDAPではトランスポート層にはTCP（ポート番号389）を使用します。

問9 (令和3年春 ネットワークスペシャリスト試験 午前II 問2)
《解答》イ

DNSのMX（Mail Exchange）レコードは，メールサーバのホスト名を指定するためのリソースレコードです。管理するドメインを指定して，そのドメインへの電子メールを受け付けるメールサーバを指定します。したがって，**イ**が正解です。

ア　連絡先のメールアドレスは，SOAレコードで指定することができます。エラー通知は通常，DNSのレコードではなく，サーバ内で設定します。

ウ　DNSサーバは複数，NSレコードで指定することができます。マスタDNSサーバはSOAレコードに記述します。

エ　メーリングリストはメールサーバ内で管理しますので，DNSとは関係ありません。

問10 (令和4年春 ネットワークスペシャリスト試験 午前II 問7)
《解答》イ

ホストがマルチキャストグループへ参加することを管理するプロトコルはIGMP（Internet Group Management Protocol）です。したがって，**イ**が正解です。

アのARPはIPアドレスからMACアドレスを得るためのプロトコル，ウのLDAPは，ディレクトリサービスにアクセスするためのプロトコル，エのRIPは，ダイナミックルーティングのためのプロトコルです。

5-5-2 ○ 午後問題

問題 Webシステムの更改 CHECK ▶ □□□

Webシステムの更改に関する次の記述を読んで,設問に答えよ。

G社は,一般消費者向け商品を取り扱う流通業者である。インターネットを介して消費者へ商品を販売するECサイトを運営している。G社のECサイトは,G社データセンターにWebシステムとして構築されているが,システム利用者の増加に伴って負荷が高くなってきていることや,機器の老朽化などによって,Webシステムの更改をすることになった。

〔現行のシステム構成〕

G社のシステム構成を図1に示す。

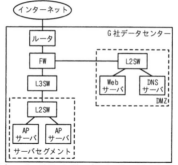

FW:ファイアウォール L2SW:レイヤー2スイッチ L3SW:レイヤー3スイッチ
APサーバ:アプリケーションサーバ

図1 G社のシステム構成(抜粋)

・WebシステムはDMZに置かれたWebサーバ,DNSサーバ及びサーバセグメントに置かれたAPサーバから構成される。

・ECサイトのコンテンツは,あらかじめ用意された静的コンテンツと,利用者からの要求を受けてアプリケーションプログラムで生成する動的コンテンツがある。

・WebサーバではHTTPサーバが稼働しており,静的コンテンツはWebサーバから直接配信される。一方,APサーバの動的コンテンツは,Webサーバで中継して配信される。この中継処理の仕組みを [a] プロキシと呼ぶ。

・DMZのDNSサーバは,G社のサービス公開用ドメインに対する [b] DNSサーバであると同時に,サーバセグメントのサーバがインターネットにアクセスするときの名前解決要求に応答する [c] DNSサーバである。

〔G社Webシステム構成見直しの方針と実施内容〕

　G社は，Webシステムの更改に伴うシステム構成の変更について次の方針を立て，担当者として情報システム部のHさんを任命した。

・Webシステムの一部のサーバをJ社が提供するクラウドサービスに移行する。

・通信の効率化のため，一部にHTTP/2プロトコルを導入する。

　Hさんは，システム構成変更の内容を次のように考えた。

・DMZのWebサーバで行っていた処理をJ社クラウドサービス上の仮想サーバで行うよう構成を変更する。また，この仮想サーバは複数台で負荷分散構成にする。

・重要なデータが格納されているAPサーバは，現構成のままG社データセンターに残す。

・J社の負荷分散サービス（以下，仮想LBという）を導入する。仮想LBは，HTTPリクエストに対する負荷分散機能をもち，HTTP/1.1プロトコルとHTTP/2プロトコルに対応している。

・Webブラウザからのリクエストを受信した仮想LBは，リクエストのURLに応じてAPサーバ又はWebサーバに振り分ける。

・Webブラウザと仮想LBとの間の通信をHTTP/2とし，仮想LBとAPサーバ及びWebサーバとの間の通信をHTTP/1.1とする。

　Hさんが考えたWebブラウザからサーバへのリクエストを図2に示す。

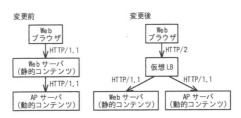

図2　Webブラウザからサーバへのリクエスト

Hさんは，次にHTTP/2プロトコルについて調査を行った。

〔HTTP/2の概要と特徴〕

　HTTP/2は，HTTP/1.1との互換性を保ちながら主に通信の効率化を目的とした拡張が行われている。Hさんが注目したHTTP/2の主な特徴を次に示す。

・通信の多重化：HTTP/1.1には，同一のTCPコネクション内で通信を多重化する方式としてHTTPパイプラインがあるが，HTTP/2では，TCPコネクション内で複数のリクエストとレスポンスのやり取りを　　d　　と呼ばれる仮想的な通信路で多重

化している。①HTTPパイプラインは，複数のリクエストが送られた場合にサーバが返すべきレスポンスの順序に制約があるが，HTTP/2ではその制約がない。

・ヘッダー圧縮：HPACKと呼ばれるアルゴリズムによって，HTTPヘッダー情報がバイナリフォーマットに圧縮されている。ヘッダーフィールドには，　e　，:scheme, :pathといった必須フィールドがある。

・フロー制御：　d　ごとのフロー制御によって，一つの　d　がリソースを占有してしまうことを防止する。

・互換性：HTTP/2は，HTTP/1.1と互換性が保たれるように設計されている。一般的にHTTP/2は，HTTP/1.1と同じく“https://”のURIスキームが用いられる。そのため，通信開始処理において　f　プロトコルの拡張の一つである②ALPN（Application-Layer Protocol Negotiation）を利用する。

〔HTTP/2における通信開始処理〕

HTTP/2では，通信方法として，h2という識別子で示される方式が定義されている。その方式の特徴を次に示す。

・TLSを用いた暗号化コネクション上でHTTP/2通信を行う方式である。

・TLSのバージョンとして1.2以上が必要である。

・HTTP/2の通信を開始するときに，ALPNを用いて③クライアントとサーバとの間でネゴシエーションを行う。

Hさんが理解したh2の通信シーケンスを図3に示す。

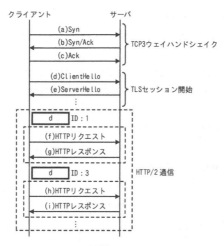

図3　h2の通信シーケンス（抜粋）

このシーケンスによって，上位プロトコルがHTTP/2であることが決定される。

〔新Webシステム構成〕

Hさんは新たなWebシステムの構成を考えた。Hさんが考えた新Webシステム構成を図4に示す。

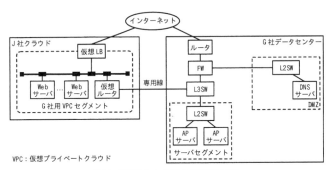

図4　新Webシステム構成（抜粋）

図4の新Webシステム構成に関するHさんの考えを次に示す。

・J社クラウドのVPCサービスを用いて，G社用VPCを確保する。G社用VPCセグメントではIPアドレスとして，172.21.10.0/24を用いる。

・G社用VPCセグメントの仮想ルータとG社データセンターのL3SWとの間を，J社が提供する専用線接続サービスを利用して接続する。専用線接続のIPアドレスとして，172.21.11.0/24を用い，L3SWのIPアドレスを172.21.11.1とし，仮想ルータのIPアドレスを172.21.11.2とする。

・G社データセンターとJ社クラウドとの間で通信できるように，L3SW及び仮想ルータに表1の静的経路を設定する。

表1　静的経路設定

機器	宛先ネットワーク	ネクストホップ
L3SW	ア	イ
仮想ルータ	0.0.0.0/0	ウ

・G社用VPCセグメント中に，仮想サーバを複数起動し，Webサーバとする。

・G社用VPCセグメントのWebサーバは静的コンテンツを配信する。

・G社データセンターのサーバセグメントのAPサーバは動的コンテンツを配信する。

・Webサーバ及びAPサーバは，これまでと同様にG社データセンターのDMZのDNSサーバを利用して名前解決を行う。

Hさんは，J社クラウドの仮想LBの仕様について調べたところ，表2に示す動作モードがあることが分かった。

表2　仮想LBの動作モード

動作モード	説明
アプリケーションモード	レイヤー7で動作して負荷分散処理を行う。
ネットワークモード	レイヤー4で動作して負荷分散処理を行う。

　④Hさんは，今回のシステム構成の変更内容を考慮して仮想LBで設定すべき動作モードを決めた。

　Hさんは，ここまでの検討内容を情報システム部長へ報告し，承認を得た。

設問1　本文中及び図3中の　　　a　　　～　　　f　　　に入れる適切な字句を答えよ。

設問2　〔HTTP/2の概要と特徴〕について答えよ。

　(1)　本文中の下線①について，複数のリクエストを受けたサーバは，それぞれのリクエストに対するレスポンスをどのような順序で返さなければならないか。35字以内で答えよ。

　(2)　本文中の下線②について，ALPNを必要とする目的は何か。30字以内で答えよ。

設問3　〔HTTP/2における通信開始処理〕について答えよ。

　(1)　本文中の下線③について，h2のネゴシエーションが含まれるシーケンス部分を，図3中の(a)～(i)の記号で全て答えよ。

　(2)　本文中の下線③について，ネゴシエーションでクライアントから送られる情報は何か。35字以内で答えよ。

設問4　〔新Webシステム構成〕について答えよ。

　(1)　表1中の　　　ア　　　～　　　ウ　　　に入れる適切なIPアドレスを答えよ。

　(2)　本文中の下線④について，Hさんが決めた動作モードを答えよ。また，その理由を"HTTP/2"という字句を用いて35字以内で答えよ。

（令和5年春　ネットワークスペシャリスト試験　午後Ⅰ　問1）

■午後問題の解説

　Webシステムの更改に関する問題です。この問では，HTTP/2プロトコルとその下位プロトコルとしてのTLSプロトコル，部分的なクラウドサービス導入に伴う経路設定を題材として，受験者の習得した技術と経験が実務で活用可能な水準かどうかが問われています。HTTP/2の細かい知識が求められるため，少し難易度の高い問題です。

設問1

　本文中及び図3中の空欄穴埋め問題です。HTTP/2に関連する知識が問われています。

空欄a

　APサーバの動的コンテンツを，Webサーバで中継して配信する仕組みについて答えます。

　クライアントからサーバへの通信を中継する仕組みは，フォワードプロキシといいます。それに対し，サーバからクライアントへの通信を中継する仕組みがリバースプロキシです。APサーバの動的コンテンツを，Webサーバで中継して配信する仕組みは，リバースプロキシに該当します。したがって解答は，**リバース**です。

空欄b

　DMZのDNSサーバについて，G社のサービス公開用ドメインに対する役割を答えます。

　ドメインに対する情報を応答する，そのドメインの権威（Authority）となるサーバを権威サーバといいます。したがって解答は，**権威**です。

空欄c

　DMZのDNSサーバについて，サーバセグメントのサーバがインターネットにアクセスするときの名前解決要求に応答する役割を答えます。

　DNSクライアントに対して，名前解決要求を代理で行い，権威サーバへのアクセスを中継するサーバをキャッシュサーバといいます。したがって解答は，**キャッシュ**です。

空欄d

　HTTP/2において，TCPコネクション内での仮想的な通信路をストリームといいます。ストリームでは，複数のリクエストとレスポンスのやり取りを多重化することができます。したがって解答は，**ストリーム**です。

空欄e

　HTTP/2ヘッダーでの必須フィールドについて答えます。

HTTP/2ヘッダー情報はバイナリ圧縮されており，ヘッダーフィールドには必須フィールドとして，:scheme，:pathに加え，:methodがあります。:methodでは，GET，POSTなど，HTTP/1.1でのメソッドに該当するものを記述します。したがって解答は，**:method**です。

空欄f

HTTP/2で "https://" のURIスキームが用いられるときに，通信開始処理で利用されるプロトコルについて考えます。

httpsはHTTP + TLSで，TLS（Transport Layer Security）を使用して通信の安全を確保します。ALPN（Application-Layer Protocol Negotiation）は，TLSプロトコルの拡張の一つで，クライアントとサーバ間でプロトコルのネゴシエーションを行うために使用します。HTTP/2では，通信開始処理にTLSを拡張したALPNを用います。したがって解答は，**TLS**です。

設問2

〔HTTP/2の概要と特徴〕に関する問題です。HTTPパイプラインの制約や，HTTP/2で利用するALPNについて考えていきます。

(1)

本文中の下線①「HTTPパイプラインは，複数のリクエストが送られた場合にサーバが返すべきレスポンスの順序に制約がある」についての問題です。複数のリクエストを受けたサーバは，それぞれのリクエストに対するレスポンスをどのような順序で返さなければならないかを，35字以内で答えます。

HTTPパイプラインとは，HTTP/1.1で導入された機能で，一つのTCPコネクション上で複数のHTTPリクエストを並行して扱うことができます。HTTPパイプラインにおいて，クライアント側では，リクエストに対するレスポンスを受け取る前に次のリクエストを送ることが可能です。しかし，受け取ったサーバ側では，受け取ったリクエストと同じ順序でレスポンスを返す必要があります。したがって解答は，**リクエストを受けたのと同じ順序でレスポンスを返す必要がある**，です。

(2)

本文中の下線②「ALPN（Application-Layer Protocol Negotiation）を利用」について，ALPNを必要とする目的は何かを，30字以内で答えます。

ALPNはTCPの拡張で，クライアントとサーバ間でのネゴシエーションを実施し，使用するプロトコルを決定します。HTTP/2ではHTTP/1.1と同じポート番号を使用するので，通信開始時に区別がつきません。ALPNを利用し，TCPの上位のプロトコルがHTTP/1.1ではなく

HTTP/2であることをネゴシエーションして決定することが必要となります。したがって解答は，**通信開始時にTCPの上位のプロトコルを決定するため，**です。

設問3

〔HTTP/2における通信開始処理〕に関する問題です。HTTP/2でのネゴシエーションの方法について，通信シーケンスを中心に，具体的に考えていきます。

(1)
本文中の下線③「クライアントとサーバとの間でネゴシエーションを行う」について，h2のネゴシエーションが含まれるシーケンス部分を，図3中の(a) ～ (i)の記号で全て答えます。

設問1の空欄fで考えたとおり，HTTP/2で利用するALPNはTLSプロトコルの拡張です。図3のTLSセッション開始時の(d) ClientHelloで，h2 (HTTP/2)を利用するためのネゴシエーションを開始します。その返答となる(e) ServerHelloで，クライアントのネゴシエーションにサーバが応答します。したがって解答は，**(d)，(e)**です。

(2)
本文中の下線③「クライアントとサーバとの間でネゴシエーションを行う」について，ネゴシエーションでクライアントから送られる情報は何かを，35字以内で答えます。

ALPNのプロトコルネゴシエーションでは，ClientHelloのパケットで，クライアントが利用可能なアプリケーションを送ります。具体的には，h2 (HTTP/2)，http/1.1，spdy/3.1などの識別子で，利用可能なアプリケーションを示します。サーバは，利用可能な識別子の中から，利用するプロトコルを選択して応答します。したがって解答は，**クライアントが利用可能なアプリケーション層のプロトコル，**です。

設問4

〔新Webシステム構成〕に関する問題です。静的経路設定のIPアドレスや，仮想LBの動作モードについて考えていきます。

(1)
表1中の空欄穴埋め問題です。静的経路設定について，適切なIPアドレスを答えます。

空欄ア
L3SWでの静的経路について，宛先ネットワークを考えます。

〔新Webシステム構成〕で，図4の新Webシステム構成に関するHさんの考えとして，「G社データセンターとJ社クラウドとの間で通信できるように，L3SW及び仮想ルータに表1の静的経路を設定する」とあり，G社データセンターとJ社クラウドで通信できるようにします。さらに，「G社用VPCセグメントの仮想ルータとG社データセンターのL3SWとの間を，J社が提供する専用線接続サービスを利用して接続する」とあり，図4から，L3SWから専用線接続サービスで接続した先のJ社クラウドにはG社用VPCセグメントがあります。「G社用VPCセグメントではIPアドレスとして，172.21.10.0/24を用いる」という記述もあるので，L3SWでの宛先ネットワークは172.21.10.0/24となります。したがって解答は，**172.21.10.0/24**です。

空欄イ

L3SWでの静的経路について，ネクストホップを考えます。

L3SWから，G社用VPCセグメントに接続するためには専用線を経由して仮想ルータに接続します。〔新Webシステム構成〕で，図4の新Webシステム構成に関するHさんの考えとして，「専用線接続のIPアドレスとして，172.21.11.0/24を用い，L3SWのIPアドレスを172.21.11.1とし，仮想ルータのIPアドレスを172.21.11.2とする」とあります。L3SWの専用線接続でのネクストホップは仮想ルータで，そのIPアドレスは172.21.11.2となります。したがって解答は，**172.21.11.2**です。

空欄ウ

仮想ルータでの静的経路について，ネクストホップを考えます。

図4より，仮想ルータから専用線で接続した先にはL3SWがあります。専用線接続のIPアドレスとしては，「L3SWのIPアドレスを172.21.11.1」という記述があるので，ネクストホップは172.21.11.1となります。したがって解答は，**172.21.11.1**です。

(2)

本文中の下線④「Hさんは，今回のシステム構成の変更内容を考慮して仮想LBで設定すべき動作モードを決めた」について，Hさんが決めた動作モードとその理由を，"HTTP/2"という字句を用いて35字以内で答えます。

表2の仮想LBの動作モードには，アプリケーションモードとネットワークモードがあります。今回のシステム構成の変更では，図2の変更後にあるように，仮想LBでは，HTTP/2リクエストをHTTP/1.1プロトコルに変換して負荷分散します。HTTPはTCP/IPプロトコル群でのアプリケーション層（OSI基本参照モデルではセッション層（レイヤー5）〜アプリケーション層（レイヤー7））のプロトコルなので，レイヤー4での負荷分散では対応できません。そのため，アプリケーションモードが必要となってきます。

したがって，動作モードは**アプリケーションモード**，理由は，**HTTP/2リクエストを HTTP/1.1に変換して負荷分散するから**，となります。

解答例

出題趣旨

> 企業システムにおいて，自社データセンターのオンプレミスシステムとクラウドサービスの組合せは一般的である。こうしたシステムにおいて，新たなネットワーク構成への変更や，新たな技術やプロトコルの導入といった事項は，企業ネットワークにおける重要な取組の一つである。
>
> このような状況を基に，本問ではオンプレミスシステムの一部をクラウドサービスへ移行することと，通信の効率化のために新たなプロトコルを導入することを要件とするWebシステム更改の事例を取り上げた。
>
> 本問では，HTTP/2プロトコルとその下位プロトコルとしてのTLSプロトコル，部分的なクラウドサービス導入に伴う経路設定を題材として，受験者の習得した技術と経験が実務で活用可能な水準かどうかを問う。

設問1

(1)　a　リバース　　　　b　権威　　　　c　キャッシュ
　　　d　ストリーム　　　e　:method　　　f　TLS

設問2

(1)　リクエストを受けたのと同じ順序でレスポンスを返す必要がある。（30字）

(2)　通信開始時にTCPの上位のプロトコルを決定するため（25字）

設問3

(1)　(d)，(e)

(2)　クライアントが利用可能なアプリケーション層のプロトコル（27字）

設問4

(1)　ア　172.21.10.0/24
　　　イ　172.21.11.2
　　　ウ　172.21.11.1

(2)　**動作モード**　アプリケーションモード
　　　理由

H	T	T	P	／	2	リ	ク	エ	ス	ト	を	H	T	T	P	／	1	.	1	に	変	換	し	て	負	荷
分	散	す	る	か	ら		(33字)																			

採点講評

　問1では，HTTP/2プロトコルとその下位プロトコルとしてのTLSプロトコル，部分的なクラウド導入に伴う経路設定を題材に，HTTP/2プロトコルの概要と特徴，通信開始時のシーケンス及びネットワーク機器に対する経路設定や仮想負荷分散装置の負荷分散設定などについて出題した。全体として正答率は平均的であった。

　設問1では，d，e，fの正答率が低かった。HTTP/2プロトコルは広く普及してきており，これからも多く使われる重要なプロトコルである。その基本については正しく理解してほしい。

　設問2では，(2)の正答率が低く，ALPNを暗号化処理プロトコルと誤った解釈をしているような誤答が目立った。ALPNはHTTP/2プロトコルでは必須の技術であり，HTTP/2に限らず，TCP/443番ポートを複数のサービスで共用する場合によく使われる技術なので理解を深めてほしい。

　設問3では，(1)，(2)の正答率が低く，暗号アルゴリズムの交換といった誤答が散見された。HTTP/2プロトコルの通信開始シーケンスについても，その意味や内容について十分に理解しておいてほしい。

第**6**章

セキュリティ

TCP/IPの各階層の次は，セキュリティについて学びます。

近年は，様々なセキュリティ攻撃が行われていますので，セキュリティ技術は，情報システムやネットワークを守るために不可欠になってきています。

分野は，「情報セキュリティマネジメント」，「セキュリティ技術」，「セキュリティプロトコル」の三つです。情報セキュリティマネジメントでは，情報セキュリティの考え方を学びます。セキュリティ技術では，セキュリティ技術の基本となる三つの基礎技術と，代表的なセキュリティ攻撃について学びます。セキュリティプロトコルでは，ネットワーク上で実際に使われるセキュリティプロトコルについて取り上げます。

特に午後Ⅱでよく出題される分野なので，考え方を中心に押さえておきましょう。

6-1 情報セキュリティマネジメント

セキュリティについて学習するためには，技術だけでなく，その考え方である情報セキュリティマネジメントについて理解することが不可欠です。

6-1-1 情報セキュリティとは

情報セキュリティは技術だけでは守れません。セキュリティの考え方を理解し，漏れがないように守れる仕組みをつくることが重要です。

■情報セキュリティとは

セキュリティとは，家の施錠や防犯カメラの設置なども含めた，安全を守る策全般のことです。ITで取り上げられるのは，このうちの"情報"に関するセキュリティです。"情報"は一般の防犯とは別の守りにくさがあるため，特別に定義されているのです。

情報セキュリティマネジメントシステムの用語に関する規格である JIS Q 27000（ISO/IEC 27000）によると，情報セキュリティは，**情報の機密性，完全性及び可用性を維持すること**，と定義されています。

単に情報を見られないこと（機密性）を考えるだけでなく，他のポイントも考えてバランスよく守ることが大切です。

■情報セキュリティのポイント

セキュリティを考えるときのポイントは，**モレなく**，**全員で**，**当たり前のことをきちんと行う**ことです。

情報セキュリティは，ファイアウォールの導入や暗号化といった技術的な対策だけでは確保できません。会社などの組織では，システムを利用するのは技術者だけでなく，一般社員などITに詳しくない人も含まれます。ファイアウォールで社内のネットワークを守っても，その社内の人間が機密データを窃取することは十分考えられます。また，暗号化のし忘れなど，個人のミスが情報漏えいにつながることもあります。そのため，組織全員で，守るべきルール（情報セキュリティポリシ）などを決めて，守るた

参考

企業活動の目的は，事業を継続して利益を出すことです。そのため，流出すると損失を出すおそれがあるものを保護し，利益を確保して事業を継続させるために，情報セキュリティの策を講じます。

めの仕組みをつくることが重要になります。

やったね♥
パスワード丸見え

誰か一人でもセキュリティ
を守らない人がいたら，そ
こから情報が漏れてしまう

■ 情報セキュリティのCIA

　情報セキュリティは，先ほども取り上げたとおり，情報の機密
性，完全性及び可用性を維持することと定義されています。こ
の三つの頭文字をとって**CIA**とも呼ばれます。それぞれの要素
の意味は，次のとおりです。

①機密性（Confidentiality）

　認可されていない個人，エンティティまたはプロセスに対して，
情報を**使用させず**，また**開示しない**特性

②完全性（Integrity：インテグリティ）

　正確さ及び完全さの特性

③可用性（Availability）

　認可されたエンティティが要求したときに，**アクセス及び使用
が可能である**特性

　さらに，次の四つの特性を含めることがあります。

④真正性（Authenticity）

　エンティティは，それが主張するとおりのものであるという特性

⑤責任追跡性（Accountability）

あるエンティティの動作が一意に追跡できる特性

⑥否認防止（Non-Repudiation）

主張された事象または処置の発生，及びそれを引き起こした
エンティティを証明する能力

⑦信頼性（Reliability）

意図する行動と結果とが一致しているという特性

■ 不正のメカニズム

米国の犯罪学者であるD.R.クレッシーが提唱している不正の
トライアングル理論では，人が不正行為を実行するに至るまで
には，機会，動機，正当化という，不正リスクの3要素が揃う必
要があると考えられています。3要素の意味は次のとおりです。

発展

不正などの犯罪が起こらないようにするためには，以前は犯罪原因論といって，犯罪の原因をなくすことに重点をおく考え方が主流でした。現在では，犯罪機会論といって，犯罪を起こしにくくするように環境を整備する方向でも，犯罪予防が考えられています。

・機会 ……… 不正行為の実行が可能，または容易となる環境
・動機 ……… 不正行為を行うための事情
・正当化 …… 不正行為を行うための良心の呵責を乗り越える理由

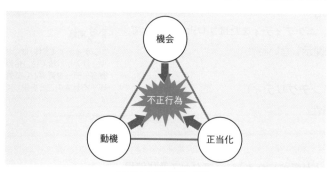

不正のトライアングル

不正のトライアングルを考慮して犯罪を予防する考え方の一
つに，英国で提唱された状況的犯罪予防論があります。状況的
犯罪予防では，次の五つの観点から，犯罪予防の手法を整理し
ています。

1. 物理的にやりにくい状況を作る
2. やると見つかる状況を作る
3. やっても割に合わない状況を作る
4. その気にさせない状況を作る
5. 言い訳を許さない状況を作る

■ 攻撃者の種類と動機

　情報セキュリティに関する攻撃者と一口にいっても，様々な種類の人がいます。

　スクリプトキディは，インターネット上で公開されている簡単なクラッキングツールを利用して不正アクセスを試みる攻撃者です。ボットハーダーは，ボットを利用することでサイバー攻撃などを実行する攻撃者です。従業員や業務委託先社員などの内部関係者が，アクセス権限を悪用して攻撃を行うこともあります。その他，愉快犯，詐欺犯，故意犯などもいます。

　また，情報セキュリティ攻撃の動機も，様々なものが考えられます。

　金銭奪取は，金銭的に不当な利益を得ることを目的に行われる攻撃です。ハクティビズムは，政治的・社会的な思想に基づき積極的にハッキングを行うことです。サイバーテロリズムとは，ネットワークを対象に行われるテロリズムです。

▶▶▶ 覚 え よ う !

☐　情報セキュリティとは，機密性，完全性，可用性を維持すること

☐　モレなく，全員で，当たり前のことをやることが大切

6-1-2 ◉ 情報セキュリティマネジメント

情報セキュリティマネジメントについては，守るべき規格や標準など，公開されているものが多くあります。

◉ 情報セキュリティマネジメントシステム

情報セキュリティマネジメントシステム（ISMS：Information Security Management System）は，組織における情報セキュリティを管理するための仕組みです。ISMSの構築方法や要求事項などは**JIS Q** 27001（ISO/IEC 27001）に示されています。また，どのようにISMSを実践するかという実践規範は**JIS Q** 27002（ISO/IEC 27002）に示されています。ISMSでは，**情報セキュリティ基本方針**を基に，次のような**PDCA**サイクルを繰り返します。

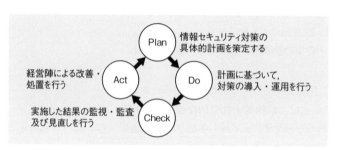

ISMSのPDCAサイクル

✎ 勉強のコツ

JIS（日本産業規格）やISO（国際標準化機構），IEC（国際電気標準会議）の規格についてはすべての番号を覚えている必要はありませんが，代表的なものは知っておくと役に立ちます。情報セキュリティ関連では，本項で述べた**JIS Q 27001（要求事項）**と**JIS Q 27002（実践規範）**が最も多く出てきますので，押さえておきましょう。

◉ 情報資産・脅威・脆弱性

企業が所有する，業務に必要な価値のあるものを資産といいますが，資産には，商品や不動産など形のあるものだけでなく，顧客情報や技術情報などの情報資産も含まれます。ISMSでは，組織の**情報資産**について，そのセキュリティ上の脅威を洗い出し，脆弱性を考慮することによって，最適なセキュリティ対策を考えます。

ここでの脅威とは，システムや組織に損害を与える可能性があるインシデントの**潜在的な原因**です。脆弱性とは，脅威がつけ込むことができる，**資産がもつ弱点**です。

🔍 用語

インシデントとは，望まないセキュリティ事象であり，事業継続を危うくする確率の高いものです。具体的には，セキュリティ事故や攻撃などを指します。インシデントを起こす潜在的な原因が脅威であり，ISMSではこの脅威に対応します。

■ リスクマネジメント

　リスクとは，もしそれが発生すれば，情報資産に影響を与える不確実な事象や状態のことです。リスクマネジメントでは，リスクに関してマネジメントを行います。その際,リスク分析によって情報資産に対する脅威と脆弱性を洗い出し，そのリスクを特定します。リスク分析の結果を基に優先度をつけ，どの情報資産をどう守るべきか,その方針を決め,後述する情報セキュリティポリシを作成します。

■ 情報セキュリティポリシ

　情報セキュリティポリシとは，組織の情報資産を守るための方針や基準を明文化したもので，基本構成は次の二つです。

①情報セキュリティ基本方針

　情報セキュリティに対する組織の基本的な考え方や方針を示すもので，**経営陣によって承認**されます。目的や対象範囲，管理体制や罰則などについて記述されており，全従業員及び関係者に通知して公表されます。

②情報セキュリティ対策基準

　情報セキュリティ基本方針と，**リスクアセスメントの結果**に基づいて対策基準を決めます。適切な情報セキュリティレベルを維持・確保するための具体的な遵守事項や基準です。

■ セキュリティ評価基準

　情報セキュリティマネジメントではなくセキュリティ技術を評価する規格に，**ISO/IEC** 15408（JIS規格では**JIS X 5070**）があります。これは，IT関連製品や情報システムのセキュリティレベルを評価するための国際規格です。CC（Common Criteria：**コモンクライテリア**）とも呼ばれ,主な概念には次のものがあります。

①ST（Security Target：セキュリティターゲット）

　セキュリティ基本設計書のことです。製品やシステムの開発に際して，STを作成することは最も大切なことであると規定されています。利用者が自分の要求仕様を文書化したものです。

参考

情報セキュリティポリシはあくまで方針と基準なので，実際の細かい内容は定められていません。そのため，情報セキュリティマネジメントを行う際には，情報セキュリティ対策実施手順や規程類を用意し，詳細な手続きや手順を記述するようにします。

6

用語

共通の評価基準であるCCに加え，評価結果を理解し，比較するための評価方法「Common Methodology for Information Technology Security Evaluation」が開発されました。共通評価方法（Common Evaluation Methodology）と略され，その頭文字をとって**CEM**と呼ばれます。ここには，評価機関がCCによる評価を行うための手法が記されています。

②EAL（Evaluation Assurance Level：評価保証レベル）

　製品の保証要件を示したもので，製品やシステムのセキュリティレベルを客観的に評価するための指標です。EAL1（機能テストの保証）からEAL7（形式的な設計の検証及びテストの保証）まであり，数値が高いほど保証の程度が厳密です。

■ 情報セキュリティ委員会

　組織の中における，情報セキュリティ管理責任者（CISO：Chief Information Security Officer）をはじめとした経営層の意思決定組織が，情報セキュリティ委員会です。情報セキュリティに関わる企業のビジョンを策定し，情報セキュリティポリシの決定や承認などを行います。

■ CSIRT

　CSIRT（Computer Security Incident Response Team）とは，主にセキュリティ対策のためにコンピュータやネットワークを監視し，問題が発生した際にはその原因の解析や調査を行う組織です。対応する業務により次のように類別されます。

・**組織内シーサート（Internal CSIRT）**
　各企業や公共団体などで，組織ごとのインシデントに対応する組織です。
・**国際連携シーサート（National CSIRT）**
　国や地域を代表するかたちで組織内シーサートを連携し，問合せ窓口となる組織です。
・**コーディネーションセンター（Coordination Center）**
　他のCSIRTとの情報連携や調整を行う組織です。日本のコーディネーションセンターには，JPCERT/CC（Japan Computer Emergency Response Team Coordination Center）があります。

関連
日本の組織内シーサートの連携を行うのは，日本シーサート協議会（NCA：Nippon CSIRT Association）です。
https://www.nca.gr.jp/
様々な企業が加盟しています。

■ IPA セキュリティセンター

　IPAセキュリティセンターは，IPA（情報処理推進機構）内に
設置されているセキュリティセンターです。ここでは情報セキュ
リティ早期警戒パートナーシップという制度を運用しており，コ
ンピュータウイルス，不正アクセス，脆弱性などの届出を受け付
けています。

　不正アクセスを届け出るコンピュータ不正アクセス届出制度，
脆弱性を届け出るソフトウェア等の脆弱性関連情報に関する届
出制度などの提出先となっています。

　また，情報セキュリティに関する様々な情報を発信しており，
再発防止のための提言や，情報セキュリティに関する啓発活動
を行っています。

■ 内閣サイバーセキュリティセンター

　内閣サイバーセキュリティセンター（NISC：National center
of Incident readiness and Strategy for Cybersecurity）とは，内
閣官房に設置された組織です。

　サイバーセキュリティ基本法に基づき，内閣にサイバーセキュ
リティ戦略本部が設置され，同時に内閣官房にNISCが設置され
ました。NISCでは，サイバーセキュリティ戦略の立案と実施の
推進などを行っています。

■ CRYPTREC

　CRYPTREC（Cryptography Research and Evaluation
Committees）は，電子政府推奨暗号の安全性を評価・監視し，
暗号技術の適切な実装法や運用法を調査・検討するプロジェク
トです。CRYPTRECでは，「電子政府における調達のために参
照すべき暗号のリスト」（CRYPTREC暗号リスト）を公開してい
ます。CRYPTREC暗号リストには，次の3種類があります。

①電子政府推奨暗号リスト

　CRYPTRECにより安全性及び実装性能が確認された暗号技
術で，市場における利用実績が十分であるか今後の普及が見込
まれると判断され，利用を推奨するもののリストです。

関連
CRYPTRECの具体的な内
容については，CRYPTREC
のWebページに詳しい記
述があります。
https://www.cryptrec.go.
jp/index.html
CRYPTREC暗号リストなど
は，こちらを参考にしてく
ださい。

②推奨候補暗号リスト

CRYPTRECにより安全性及び実装性能が確認され，今後，電子政府推奨暗号リストに掲載される可能性のある暗号技術のリストです。

③運用監視暗号リスト

推奨すべき状態ではなくなった暗号技術のうち，互換性維持のために継続利用を容認するもののリストです。

■情報セキュリティ継続

危機または災害発生のような非常事態に備えて，組織は，継続した情報セキュリティの運用を確実にするためのプロセスである情報セキュリティ継続を策定する必要があります。具体的には，コンティンジェンシープラン（緊急時対応計画）や復旧計画，バックアップ対策などを事前に考案しておきます。

> ▶▶▶ 覚 え よ う ！
>
> □　情報セキュリティポリシは，基本方針と対策基準を決める
> □　ISO/IEC 15408（CC）は，セキュリティ製品の評価規格

6-2 セキュリティ技術

セキュリティ技術の基本は，「暗号化」「認証」「アクセス制御」の三つだけです。TLSなどのセキュリティプロトコルは，その基本の上に成り立つ応用技術です。

また，セキュリティは，何らかのセキュリティ攻撃から情報システムを守るために発展してきた技術です。そのため，どのようなセキュリティ攻撃があるのかを知っておくことが重要です。

6-2-1 ⬤ 暗号化技術

暗号化ではいくつかの技術が用いられます。ここでは，暗号化の仕組みと考え方を説明します。

◼ 暗号化と復号

暗号化とは，普通の文章（平文）を読めない文章（暗号文）に変換することです。ただし，誰も読めなくなっては困るので，特定の人および機器だけは読めるようにする必要があります。読めないようにすることを暗号化，元に戻すことを復号といいます。

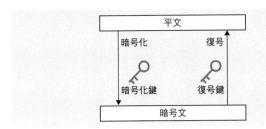

暗号化と復号

このとき，暗号化と復号のために必要なのは，暗号化や復号の方法である**暗号化アルゴリズム**と，暗号化や復号を行うときに使う鍵です。暗号化するときの鍵は**暗号化鍵**，復号するときの鍵は**復号鍵**と呼ばれます。

暗号化の方式は，共通鍵暗号方式と公開鍵暗号方式の二つに分けられます。

✏️ 勉強のコツ

セキュリティ技術は，いろいろなネットワーク技術と組み合わせて出題されます。特に，暗号化の方式や対象となる範囲については午後Ⅱを中心によく出題されるので，仕組みをしっかり理解しておきましょう。

6

■ 共通鍵暗号方式

　暗号化鍵と復号鍵が**共通である**暗号方式です。その共通で使用する鍵を共通鍵といい，通信相手とだけの秘密にしておきます。そのため，秘密鍵暗号方式ともいわれます。

　共通鍵暗号方式での暗号化の流れは，次のようになります。

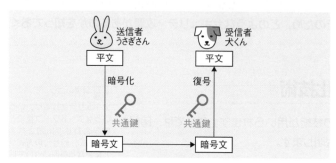

共通鍵暗号方式

　共通鍵暗号方式では，暗号化する経路の数だけ鍵が必要になります。また，鍵は秘密にしておき，通信相手との間だけで共用するため，鍵の受け渡しは第三者に漏れないように安全性に配慮して行わなければなりません。

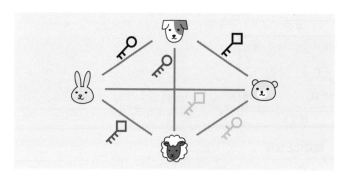

組合せの数だけ鍵が必要

発展

共通鍵暗号方式には様々な暗号化アルゴリズムがあります。それらのアルゴリズムでは排他的論理和を使うことが多く，処理は単純で高速です。その分，公開鍵暗号方式に比べるとセキュリティ面で弱く，破られやすいという欠点があります。

　代表的な共通鍵暗号方式には，次のものがあります。

① DES（Data Encryption Standard）

　ブロックごとに暗号化する**ブロック暗号**の一種です。米国の旧国家暗号規格であり，**56ビット**の鍵を使います。しかし，鍵

長が短いことから，近年では**安全性が低い**とみなされています。

②AES（Advanced Encryption Standard）

　NIST（National Institute of Standards and Technology：米国立標準技術研究所）が規格化した新世代標準の方式で，DESの後継です。**ブロック暗号**の一種であり，鍵長には**128ビット**，**192ビット**，**256ビット**の三つが利用できます。排他的論理和の演算を繰り返し行いますが，その演算の数を**段数**（ラウンド数）といいます。利用する鍵長によって段数が決まり，段数が多い方が安全性がより高くなります。

③RC4（Rivest's Cipher 4）

　ビット単位で少しずつ暗号化を行っていく**ストリーム暗号**の一種です。処理が高速であり，無線LANのアルゴリズムである**WEP**などで使用されています。

　それでは，次の問題を考えてみましょう。

 用語

NISTは，米国商務省（Department of Commerce：DoC）傘下の公的な研究機関です。もともとは物理学研究所でしたが，現在はIT技術を始め，幅広い業界の技術標準を策定しています。NISTが策定したセキュリティ標準の内容には，IPAで翻訳され，活用されているものが多くあります。セキュリティ設定共通化手順SCAP（Security Content Automation Protocol：セキュリティ設定共通化手順）をもとに，**CVE**（Common Vulnerabilities and Exposures：共通脆弱性識別子）などを利用し，脆弱性情報の公表に役立てています。

また，セキュリティ関連NIST文書は数多く翻訳され，IPAセキュリティセンターで公開されています。

https://www.ipa.go.jp/security/publications/nist/index.html

問　題

　共通鍵暗号方式で，100人の送受信者のそれぞれが，相互に暗号化通信を行うときに必要な共通鍵の総数は幾つか。

　ア　200　　　イ　4,950　　　ウ　9,900　　　エ　10,000

（平成25年秋 ネットワークスペシャリスト試験 午前Ⅱ 問18）

 発展

公開鍵暗号方式の場合は，100人がそれぞれ公開鍵と秘密鍵のキーペアを用意すればよいので，必要な鍵の総数は以下のようになります。
100［人］×2［個］＝200

解　説

　共通鍵暗号方式では，共通鍵は通信の組合せの数だけ必要です。100人で通信する場合は，ある1人を基準にすると通信相手は99人です。そのすべてを組み合わせ，逆方向の組合せは同じだと考えると，以下のように導き出されます。

　　100［人］×99［人］÷2＝4,950

　よって，イが正解です。

≪解答≫イ

■ 公開鍵暗号方式

　暗号化鍵と復号鍵が**異なる**方式です。使用する**人ごとに**公開鍵と秘密鍵のペア（**キーペア**）を作ります。そして，公開鍵は相手に渡して，秘密鍵は自分だけで保管しておきます。

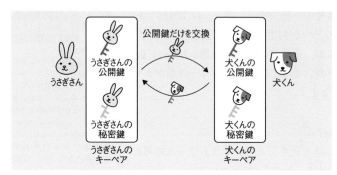

鍵を二つずつ作り，互いに公開鍵だけを交換

　公開鍵暗号方式では，次の2通りの暗号化が可能です。

1. **公開鍵**で**暗号化**すると，同じ人の秘密鍵で**復号**できる
2. 秘密鍵で**暗号化**すると，同じ人の**公開鍵**で**復号**できる

　通常は，受信者が自分の秘密鍵で復号できるように，1の方法を使って受信者の公開鍵で暗号化しておきます。

発展

暗号化のアルゴリズムとしては公開鍵暗号方式の方が優れていますが，計算が複雑で処理が遅いという欠点があります。そのため，データの暗号化にはあまり用いられません。
しかし，共通鍵暗号方式は鍵の受け渡しや管理が大変です。そのため，共通鍵暗号方式で使う共通鍵を公開鍵暗号方式で暗号化して送るというハイブリッド方式など，**二つを組み合わせて使う方法**がよく用いられます。

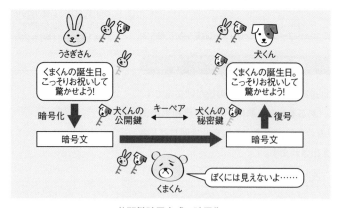

公開鍵暗号方式の暗号化

相手の公開鍵で暗号化すると，秘密鍵をもっている相手以外は読めなくなります。つまり，公開鍵だけを交換すればいいので，鍵の受け渡しが安全に行えます。

代表的な公開鍵暗号方式は次の二つです。

①RSA（Rivest Shamir Adleman）

大きい数での**素因数分解**の**困難**さを安全性の根拠とした方式です。公開鍵暗号方式で最もよく利用されています。

②楕円曲線暗号（Elliptic Curve Cryptography: ECC）

楕円曲線上の**離散対数問題**を安全性の根拠とした方式です。RSAの後継として注目されています。

◾ ハッシュ

ハッシュとは，一方向性の関数であるハッシュ関数を用いる方法です。暗号化（ハッシュ化）はできても元に戻せないという性質をもっているため，データを復元させたくないときに役立ちます。例えば，送りたいデータと合わせてハッシュ値を送ることで改ざんを検出する場合に用います。

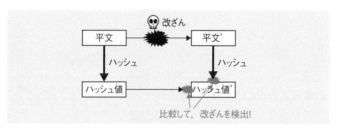

ハッシュで改ざんを検出

代表的なハッシュ関数には次のものがあります。

①MD5（Message Digest Algorithm 5）

与えられた入力に対して**128ビット**のハッシュ値を出力するハッシュ関数です。理論的な弱点が見つかっています。

用語

離散対数問題とは，鍵の推測を難しくする数学的な性質です。例えば，素数pと定数gが与えられたとき
$y = g^x \bmod p$
（modは割り算の余り）
をxから計算することは簡単ですが，yからxを求めることは困難です。
この性質が，公開鍵暗号方式に利用されています。

②SHA-1（Secure Hash Algorithm 1）

NISTが規格化した，与えられた入力に対して**160ビット**のハッシュ値を出力するハッシュ関数です。脆弱性があり，すでに攻撃手法が見つかっています。

③SHA-2（Secure Hash Algorithm 2）

SHA-1の後継で，NISTが規格化したハッシュ関数です。それぞれ224ビット，256ビット，384ビット，512ビットのハッシュ値を出力するSHA-224，SHA-256，SHA-384，SHA-512の総称です。SHA-256以上は電子政府推奨暗号リストにも登録されており，推奨される方式です。

④SHA-3（Secure Hash Algorithm 3）

SHA-2よりセキュリティレベルが向上したハッシュ関数です。元はKeccak関数と呼ばれていたものが，NISTに選択されてSHA-3となりました。それぞれ224，256，384，512ビットのハッシュ値を出力するSHA3-224，SHA3-256，SHA3-384，SHA3-512と，長さが可変となるSHAKE128，SHAKE256があります。

電子政府推奨暗号リストでは，SHA3-256，SHA3-384，SHA3-512と，ハッシュ長を256ビット以上とするSHAKE128，SHAKE256が推奨されています。

■ デジタル署名

公開鍵暗号方式は，暗号化以外にも使われます。本人の秘密鍵をもっていることが当の本人であるという証明になるのです。送信者の秘密鍵で署名し，それを受け取った受信者が，送信者の公開鍵で検証することによって，確かに本人だということ（真正性）を確認できます。前述した公開鍵暗号方式の2の方法になります。

さらに，先ほどのハッシュも組み合わせることで，データの改ざんも検出することができます。この方法をデジタル署名といいます。

参考

デジタル署名は真正性を証明するだけではありません。ハッシュ関数を組み合わせて使うことにより，改ざんを検出することも可能になります。
本人証明と改ざん検出の両方を実現することがデジタル署名の特徴になるので，合わせて押さえておきましょう。

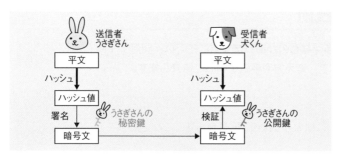

デジタル署名

　デジタル署名のアルゴリズムには，RSA以外に次のものがあ
ります。

①DSA（Digital Signature Algorithm）

　公開鍵暗号方式を用いてデジタル署名を検証するアルゴリズ
ムです。ハッシュ値を復元するのではなく，二つの異なる一方向
演算の組み合わせ同士で同一の値を得ることで検証します。

②ECDSA（Elliptic Curve Digital Signature Algorithm）

　楕円曲線暗号方式を用いてデジタル署名を検証するアルゴリ
ズムです。DSAの仕組みを使用します。

③EdDSA（Edwards-curve Digital Signature Algorithm）

　楕円曲線の一種であるエドワーズ曲線（Curve25519）を用いて
デジタル署名を検証するアルゴリズムです。DSAの仕組みを使
用します。

▶▶覚えよう！

- [ ]　共通鍵暗号方式は人数分の組合せの数，公開鍵暗号方式は人数×2の鍵が必要
- [ ]　デジタル署名は，ハッシュ値を送信者の秘密鍵で検証することで，本人証明＋改ざん検出

6-2-2 ⬤ 認証技術

　認証を行う技術には様々なものがあります。ここでは，認証の種類（3要素）やPKIなど，考え方や手法を中心に紹介します。

⬛ 認証の3要素

　ユーザを認証する方法には大きく次の3種類があり，これを認証の3要素といいます。

- 記憶…… ある**情報**をもっていることによる認証
  - 例：パスワード，暗証番号など
- 所持…… ある**もの**をもっていることによる認証
  - 例：ICカード，電話番号，秘密鍵など
- 生体…… ある**特徴**をもっていることによる認証
  - 例：指紋，虹彩，静脈など

　それぞれの認証には一長一短があるため，このうちの2種類を組み合わせて2要素認証とすることが重要です。

⬛ PKI（Public Key Infrastructure）

　PKI（公開鍵基盤）は，公開鍵暗号方式を利用した社会基盤です。政府や信頼できる第三者機関の**認証局**（CA：Certificate Authority）に証明書を発行してもらい，身分を証明してもらうことで，個人や会社の信頼を確保します。

🔍 用語

組織の中には，自営でCAを構築して自身のデジタル証明書に署名するところがあります。このようなCAのことを**プライベートCA**といい，通常の第三者機関が発行するデジタル証明書とは区別します。

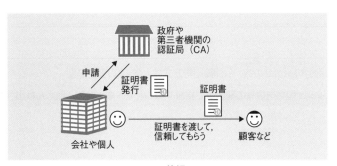

PKIの仕組み

　なお，政府のPKIは一般とは区別し，政府認証基盤（GPKI：Government Public Key Infrastructure）と呼びます。

　PKIのためにCAでは，デジタル証明書を発行します。デジタル証明書は，CAがデジタル署名を行うことによって，申請した個人や会社の公開鍵が正しいことを証明します。

発展

デジタル証明書はPCで簡単に見ることができます。Microsoft Edge や Google Chrome などのWebブラウザでhttpsで始まるWebサイトを開くと鍵マークが表示されますが，それをクリックすると，Webサーバの証明書を見ることができます。

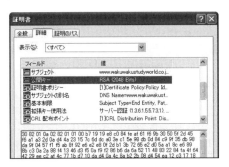

デジタル証明書の例

デジタル証明書

デジタル証明書は次のように利用されます。

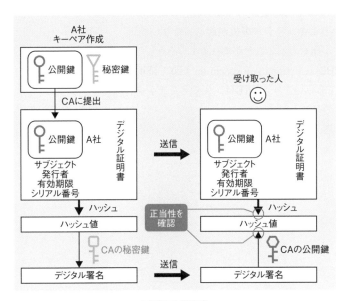

デジタル証明書

デジタル証明書を受け取った人は，CAの公開鍵を用いてデジタル署名がCAの秘密鍵を用いて行われたことを検証することで，デジタル証明書の正当性を確認できます。デジタル証明書は公開鍵証明書ともいわれ，その規格はITU-T X.509で定められています。

X.509の主なフィールドには，次のものがあります。

X.509の主なフィールド

フィールド	日本語名	内容
serialNumber	シリアル番号	CA内で識別するための整数
issuer	発行者	証明書を発行したCA
validity	有効期限	証明書の有効期限
subject	主体者	公開鍵を識別する情報。C（国名）やO（組織名）などを設定
subjectAltName	別名	主体者の別名
subjectPublicKeyInfo	公開鍵	主体者の公開鍵

一般にデジタル証明書は，サーバで使用する**サーバ証明書**と，クライアントが使用する**クライアント証明書**に区別されます。

また，デジタル証明書には有効期限がありますが，有効期限内に秘密鍵が漏えいしたりセキュリティ事故が起こったりして，デジタル証明書の信頼性が損なわれることがあります。そうした場合はCAに申請し，CRL（Certificate Revocation List：証明書失効リスト）に登録してもらいます。CRLは，失効したデジタル証明書の**シリアル番号**のリストです。

それでは，次の問題を考えてみましょう。

発展
CAの公開鍵のうち信頼できる第三者機関のものは，あらかじめWebブラウザに登録されています。そのため，利用者は意識せずにサーバ証明書の正当性を確認することができます。
しかし，プライベートCAの場合はそのままでは信頼されないので，CAの公開鍵を自分でWebブラウザに登録する作業が必要です。

発展
X.509公開鍵証明書の失効状態を取得するためのプロトコルにOCSP（Online Certificate Status Protocol）があります。CRLの代替として提案されており，HTTPを使ってやり取りされます。

問 題

デジタル証明書に関する記述のうち，適切なものはどれか。

 過去問題をチェック

デジタル証明書については，午後でも次の出題があります。

【デジタル証明書の受渡し】
・平成29年秋 午後Ⅱ 問2 設問4

- ア　S/MIMEやTLSで利用するデジタル証明書の規格は，ITU-T X.400で規定されている。
- イ　デジタル証明書は，SSL/TLSプロトコルにおいて通信データの暗号化のための鍵交換や通信相手の認証に利用されている。
- ウ　認証局が発行するデジタル証明書は，申請者の秘密鍵に対して認証局がデジタル署名したものである。
- エ　ルート認証局は，下位の認証局の公開鍵にルート認証局の公開鍵でデジタル署名したデジタル証明書を発行する。

(平成26年秋 ネットワークスペシャリスト試験 午後Ⅱ 問17改)

解 説

　デジタル証明書には公開鍵が含まれているので，鍵交換を行うことができます。また，CAの秘密鍵でデジタル署名が行われているので，認証にも利用できます。したがって，イが正解です。

ア　デジタル証明書の規格は，ITU-T X.509です。

ウ　申請者の「公開鍵」に対して認証局がデジタル署名したものです。

エ　ルート認証局の「秘密鍵」で電子署名したデジタル証明書を発行します。

≪解答≫イ

■ ワンタイムパスワード

　ユーザ名とパスワードは，一度盗聴されると何度でも不正利用される危険があります。それを避けるために，ネットワーク上を流れるパスワードを毎回変える手法が，ワンタイムパスワードです。ワンタイムパスワードには，主に次のような方式があります。

①チャレンジレスポンス方式

　毎回異なる情報（チャレンジ）を送り，その情報にパスワードを加えて演算した結果（レスポンス）を返す方式です。PPPのCHAPや，APOPなどで利用されています。

②セキュリティトークン

　認証をサポートする物理的なデバイスをセキュリティトークン，または単にトークンといいます。トークンの表示部に，認証サーバと時刻同期したワンタイムパスワードを表示して認証をサポートします。

■ シングルサインオン

　シングルサインオン（Single Sign-On：SSO）とは，一度の認証で複数のサーバやアプリケーションを利用できる仕組みです。シングルサインオンの手法には，大きく分けて**エージェント型**と**リバースプロキシ型**の二つがあります。

①エージェント型（チケット型）

　SSOを構築するサーバそれぞれに，エージェントと呼ばれるソフトウェアをインストールします。ユーザは，まず認証サーバで認証を受け，許可されるとその証明に**チケット**を受け取ります。各サーバのエージェントは，そのチケットを確認することで認証済みのユーザであることを判断します。チケットには一般に，HTTPにおける**クッキー（Cookie）**が用いられます。代表的なエージェント型の認証方式に，共通鍵暗号方式の認証及びデータの暗号化を行う，**ケルベロス認証**があります。

②リバースプロキシ型

　ユーザからの要求をいったん**リバースプロキシサーバ**がすべて受けて，中継する方法です。認証もリバースプロキシサーバで一元的に行い，アクセス制御を実施します。

③アイデンティティ連携型

　IDやパスワードを発行する事業者（IdP：Identity Provider）を利用して，一度の認証で様々なリソースを利用する手法です。

関連

CHAPについては「2-1-3 PPP」，APOPについては「5-2-2　POP, IMAP」を参照してください。

過去問題をチェック

セキュリティトークンについて，ネットワークスペシャリスト試験では以下の出題があります。
【セキュリティトークン】
・平成23年秋 午後Ⅱ 問2設問3

過去問題をチェック

シングルサインオンについては，ネットワークスペシャリスト試験の午後問題でも出題されています。
【シングルサインオンの導入】
・平成27年秋 午後Ⅰ 問1（エージェント型のリバースプロキシサーバの導入について）
・令和4年春 午後Ⅰ 問3（エージェント型のケルベロス認証の導入について）

フェデレーション型ともいわれます。以降で取り上げるとおり，企業でのシングルサインオンだけでなく，クラウドサービスでの認証などで一般的に広がっています。

■ アイデンティティ連携

アイデンティティ連携（ID連携）とは，複数のサービスの間で，認証結果を含む属性の情報を交換，利用することです。属性（Attribute）とは，ユーザのメールアドレスや所属など，サービスを利用するために必要な情報のことです。ユーザを識別するための情報を識別子（Identifier）といいます。アイデンティティ連携では，IdPと，IDを受け入れる事業者（RP：Relying Party）の二つが役割を分担します。

アイデンティティ連携を行う方法の例には，次のようなものがあります。

6

① SAML

SAML（Security Assertion Markup Language）は，インターネット上で異なるWebサイト間での認証を実現するために，標準化団体OASISが考案したフレームワークです。現在のバージョンは，SAML 2.0となっています。IDやパスワードなどの認証情報を安全に交換するための仕様で，認証情報のやり取りにXML（eXtensible Markup Language）を用います。通信プロトコルには，HTTPやSOAPが用いられます。

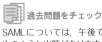

過去問題をチェック

SAMLについては，午後で次のような出題があります。
【SAML 2.0の調査とECサーバへの対応】
・令和5年春 午後Ⅱ 問2 設問6

② OAuth

OAuth（オーオース）とは，権限の**認可**を行うためのプロトコルです。現在，多くのサービスでは最新バージョンのOAuth 2.0を使用しています。OAuth 2.0は，RFC 6749で定義されています。

OAuth 2.0では，認可コードやアクセストークンを用いてアクセス権を委譲し，第三者に特定のリソースへのアクセスを認可します。

OAuth 2.0には，Authorization Code Grant（認可コードフロー）とImplicit Grant（暗黙的な許可のフロー）の2種類があります。

③OpenID Connect

OpenID Connectは，OAuth 2.0プロトコルの上にアイデンティ
ティレイヤを追加したプロトコルです。OAuthは認可のプロト
コルで，認証については明確な定義がないため，認証部分を追
加しています。

OpenID Connectでは，OpenIDプロバイダは，利用者を認証
した後で，発行者（OpenIDプロバイダ）のデジタル署名付きの
IDトークンを発行します。デジタル署名を公開鍵で検証するこ
とで，正当な利用者であることを確認できます。

■DNSSEC

DNSSEC（DNS Security Extensions）は，DNSでのセキュ
リティに関する拡張仕様です。クライアントとサーバの両方が
DNSSECに対応しており，該当するドメインの情報が登録され
ていれば，DNS応答レコードの偽造や改ざんなどを検出できます。

DNSSECでは，DNS応答レコードのドメイン登録情報に次の
ようなデジタル署名を付加しておきます。

過去問題をチェック
DNSSECについては，ネットワークスペシャリスト試験で次の出題があります。
【DNSSEC】
・平成29年秋 午前Ⅱ 問19

```
host.example.com. 86400 IN RRSIG A 5 3 86400 20030322173103
                  ( 20030220173103 2642 example.com.
                  oJB1W6WNGv+ldvQ3WDG0MQkg5IEhjRip8WTr
                  PYGv07h108dUKGMeDPKijVCHX3DDKdfb+v6o
                  B9wfuh3DTJXUAfI/M0zmO/zz8bW0Rznl8O3t
                  GNazPwQKkRN20XPXV6nwwfoXmJQbsLNrLfkG
                  J5D6fwFm8nN+6pBzeDQfsS3Ap3o= )
```

DNSSECの例（RFC4034より）

このように，デジタル署名はRRSIGレコード（リソースレコー
ドの電子署名）として登録します。また，デジタル署名を検証す
るためのサーバの公開鍵は，DNSKEYレコード（ゾーンを署名
する秘密鍵に対する公開鍵）として取得できます。

問合せを行ったクライアントがデジタル署名を検証することに
よって，DNSレコードの内容の正当性を確認します。

■ メッセージ認証

メッセージ認証（内容認証）とは，送信されたデータの内容の完全性を確認することです。ハッシュ関数などを用いて二つのデータを比較することで，データが改ざんされていないかを確認します。

メッセージ認証に使用するMAC（Message Authentication Code：メッセージ認証コード）は，元のメッセージに送信者と受信者が共有する，共通鍵暗号方式の共通鍵を加えて生成したコードです。MACを用いることで，データが改ざんされていないことに加えて，正しい送信者から送られたことを確認できます。

MACの生成にハッシュ関数を用いたものをHMAC（Hashbased Message Authentication Code）といいます。HMACの生成では，SHA-1，MD5など様々なハッシュ関数を利用することができます。ハッシュ計算時に**共通鍵**の値を加えることで，ハッシュ値の改ざんを困難にします。

メッセージ認証を用いた認証の代表例としては，次のものがあります。

●トランザクション署名

トランザクション署名（トランザクション認証）とは，主に金融機関での取引のトランザクションで，口座番号や振込先などのメッセージの内容が正しいことを確認するためのメッセージ認証です。送金内容を確認するので，送金内容認証とも呼ばれます。

利用者ごとに共通鍵を用意し，金融機関と利用者との間で共有しておきます。取引内容を送るときに，HMACなどを用いて計算を行い，内容が改ざんされていないかどうかを確認します。

●コードサイニング認証

コードサイニング認証は，ソフトウェアのコード（プログラム）に対して行う認証です。コードのハッシュ値に対して，作成者がデジタル署名を行うことでソフトウェアの配布元の真正性を保証し，利用者はコードの改ざんを検知できます。

■タイムスタンプ

　タイムスタンプとは，ある出来事が発生した日時の情報です。データに正確な日時情報を付けて保存することで，そのデータがその時刻に存在し（存在性），その時刻の後に改ざんされていないこと（完全性）が証明できます。

　例えば，契約書や領収書などの情報を電子化すると改ざんされるおそれがあります。PKIでのデジタル署名は，他人の改ざんは証明できますが，本人が改ざんした場合には対処できません。そこで，TSA（時刻認証局）が提供している**時刻認証**サービスを利用して書類のハッシュ値に時刻を付加し，TSAがデジタル署名を行います。これにより，たとえ本人が改ざんしてもその時刻を見ることで，データが不正に操作されていないか判定できるようになります。

発展
タイムスタンプは，署名した本人が不正を働いていないことを確認するのが主な目的です。そのため，内部統制などで法的証拠を集めるときによく使われます。

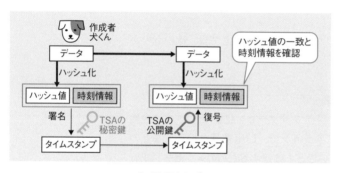

タイムスタンプ

■デジタルフォレンジックス

　デジタルフォレンジックスとは，法科学の一分野です。不正アクセスや機密情報の漏えいなどで法的な紛争が生じた際に，原因究明や捜査に必要なデータを収集・分析し，その法的な証拠性を明らかにする手段や技術の総称です。例えば，ログを法的な証拠として成立させるためには，ログが改ざんされないような工夫をする必要があります。

　また，証拠としてのログは，時間が正確なことと，サーバ同士で時刻が同期されていることが重要です。そのためには，NTP（Network Time Protocol）を用いて時刻同期を行うことが有効です。

それでは，次の問題を考えてみましょう。

問題

デジタルフォレンジックスに該当するものはどれか。

ア　画像，音楽などのデジタルコンテンツに著作権者などの情報を埋め込む。

イ　コンピュータやネットワークのセキュリティ上の弱点を発見するテストとして，システムを実際に攻撃して侵入を試みる。

ウ　巧みな話術，盗み聞き，盗み見などの手段によって，ネットワークの管理者，利用者などから，パスワードなどのセキュリティ上重要な情報を入手する。

エ　犯罪に関する証拠となり得るデータを保全し，調査，分析，その後の訴訟などに備える。

（令和4年春 ネットワークスペシャリスト試験 午前II 問20）

解説

　デジタルフォレンジックスとは，デジタル機器にある情報を収集し調査・分析して，その法的な証拠性を明らかにすることです。犯罪に関する証拠を保全して訴訟に備えることは，デジタルフォレンジックスに該当します。したがって，エが正解です。

ア　電子透かしに該当します。

イ　ペネトレーションテストに該当します。

ウ　ソーシャルエンジニアリングに該当します。

≪解答≫エ

▶▶ 覚えよう！

☐　認証の3要素は，記憶，所持，生体で，2要素認証が大切

☐　SSOは，チケット（クッキー）発行，もしくはリバースプロキシ

6-2-3 ● アクセス制御技術

アクセス制御技術とは，ネットワークにおけるアクセス権限を適切に管理し，アクセスを制御するための技術です。代表的なものに，ファイアウォールと，IDSやIPSなどの侵入検知システムがあります。

■ ファイアウォール

ファイアウォール（FW）とは，ネットワーク間に設置され，パケットを中継するか遮断するかを判断し，**必要な通信のみを行えるようにするための機器**です。判断の基準となるものは，あらかじめ設定された**ACL**（アクセス制御リスト：Access Control List）です。

ファイアウォールの方式には主に，**IPアドレスとポート番号**を基にアクセス制御を行うパケットフィルタリング型と，HTTP，SMTPなどのアプリケーションプログラムごとに細かく中継可否を設定できるアプリケーションゲートウェイ型の2種類があります。

いずれの方式でも，インターネットから内部ネットワークへのアクセスは制御されます。しかし，完全に防御するだけでなく外部に公開する必要があるWebサーバやメールサーバなどがあります。そこで，インターネットと内部ネットワークの間に，中間のネットワークとして**DMZ**（非武装地帯：DeMilitarized Zone）が設置されるようになりました。

発展

ファイアウォールとIDSの違いは，ファイアウォールでは，IPヘッダ，TCPヘッダやアプリケーションヘッダなどの限られた情報しかチェックできないのに対して，IDSでは自由に設定できることです。そのため，IDSでは，不正アクセスのパターンを集めた**シグネチャ**を登録しておけば，それと照合することで不正アクセスを検出できます。また，IDSでは正常なパターンを登録しておき，それ以外を異常として検知する**アノマリ検出**も可能です。

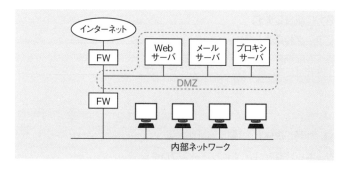

DMZの設置

　DMZを途中に設置することで，内部ネットワークの安全性が高まります。ファイアウォールの中には，DMZを接続するポートをもち，1台で外部と内部，DMZの三つのネットワークを中継するものもあります。また，DMZにプロキシサーバを置き，PCからインターネットへのWebアクセスなどを中継することもできます。

　それでは，次の問題を考えてみましょう。

問題

　社内ネットワークとインターネットの接続点に，ステートフルインスペクション機能をもっていない，静的なパケットフィルタリング型のファイアウォールを設置している。このネットワーク構成において，社内のPCからインターネット上のSMTPサーバに電子メールを送信できるようにするとき，ファイアウォールで通過許可とするTCPパケットのポート番号の組合せはどれか。

過去問題をチェック
ファイアウォールやIDS／IPSについては，ネットワークスペシャリスト試験の午後問題でよく出題されます。
【ファイアウォール，パケットフィルタリング】
・平成26年秋 午後I 問2
・平成26年秋 午後II 問1
【IDS／IPSの導入】
・平成27年秋 午後I 問3

	送信元	宛先	送信元ポート番号	宛先ポート番号
ア	PC	SMTPサーバ	25	1024以上
	SMTPサーバ	PC	1024以上	25
イ	PC	SMTPサーバ	110	1024以上
	SMTPサーバ	PC	1024以上	110
ウ	PC	SMTPサーバ	1024以上	25
	SMTPサーバ	PC	25	1024以上
エ	PC	SMTPサーバ	1024以上	110
	SMTPサーバ	PC	110	1024以上

（平成28年秋 ネットワークスペシャリスト試験 午前II 問20）

解説

　社内のPCからインターネット上のSMTPサーバに電子メールを送信するときには，発信するパケットの送信元IPアドレスはPC，宛先IPアドレスはSMTPサーバ，送信元ポート番号は1024番以上の任意の数字，宛先ポート番号はSMTPの25番になります。そして応答パケットでは，送信元と宛先のIPアドレスやポート番号が入れ替わります。したがって，ウの組合せなら必要な通信パケットが通過できます。

≪解答≫ウ

■ uRPF

　uRPF（Unicast Reverse Path Forwarding）は，ルータ上でのルーティングテーブルの仕組みを利用したパケットフィルタリング技術です。uRPFでは，ルータのインタフェースに到達したパケットの送信元IPアドレスがルーティングテーブルに存在するかどうかをチェックします。ルーティングテーブルに存在しない場合は，受信したパケットを破棄することで，送信元IPアドレスを偽装したパケットなどの中継を防ぎます。

■ WAF

　WAF（Web Application Firewall）は，Webアプリケーションの防御に特化したファイアウォールです。SQLインジェクションやクロスサイトスクリプティングなど，Webに特化した攻撃に対して，きめ細かくアクセス制御を行います。

　WAFの方式には，攻撃と判断できるパターンを登録しておき，それに該当する通信を遮断するブラックリスト方式と，正常と判断できるパターンを登録しておき，それに該当する通信のみを通過させるホワイトリスト方式の二つがあります。ホワイトリストはユーザが独自に設定しますが，ブラックリストは通常，WAFのベンダが提供し，適宜更新するため，ブラックリストの方が追加の運用コストがかかりません。

　それでは，次の問題を考えてみましょう。

発展

WAFは，Webアプリケーションへの一般的な攻撃を防御しますが，すべての攻撃に対応できるわけではありません。Webアプリケーションに脆弱性があるとWAFでも防ぎきれないことはあるので，WAFの導入とともに，セキュリティを意識したプログラミングを行う必要があります。

過去問題をチェック

WAFについては，午後問題で以下の出題があります。

【WAFサービス導入と対応時の検討】
・令和元年秋 午後Ⅰ 問2
　設問1，3

問題

WAF（Web Application Firewall）のブラックリスト又はホワイトリストの説明のうち，適切なものはどれか。

ア　ブラックリストは，脆弱性があるサイトのIPアドレスを登録したものであり，該当する通信を遮断する。

イ　ブラックリストは，問題がある通信データパターンを定義したものであり，該当する通信を遮断するか又は無害化する。

ウ　ホワイトリストは，暗号化された受信データをどのように復号するかを定義したものであり，復号鍵が登録されていないデータを遮断する。

エ　ホワイトリストは，脆弱性がないサイトのFQDNを登録したものであり，登録がないサイトへの通信を遮断する。

（平成24年秋 情報セキュリティスペシャリスト試験 午前Ⅱ 問15）

解 説

WAFのブラックリストは，問題のある通信データパターンを定義して，該当する通信を遮断するので，イが正解です。

WAFは，Webパケット，つまりHTTPデータの部分をチェックするファイアウォールなので，アやエのようにIPアドレスやFQDNでは判断しません。また，WAFの基本機能は遮断のみなので，ウのようにデータを復号することはできません。

≪解答≫イ

■ IDS

　IDS（侵入検知システム：Intrusion Detection System）は，ネットワークやホストをリアルタイムで監視し，侵入や攻撃など不正なアクセスを検知したら管理者に通知するシステムです。

　IDSには，ネットワークに接続されてネットワーク全般を管理するNIDS（ネットワーク型IDS）と，ホストにインストールされ特定のホストを監視するHIDS（ホスト型IDS）があります。それぞれの特徴は下表のとおりです。

IDSの種類とその特徴

種類	メリット	デメリット
NIDS	・ネットワーク全体を監視できる ・ホストに負荷がかからない	・暗号化されたパケットやファイルの改ざんなど，検知できない攻撃がある
HIDS	・ファイルの改ざんなど，きめ細かい監視ができる ・暗号化ファイルも復号して検査できる	・すべてのホストに導入する必要がある ・ホストに負荷がかかる

　また，IDSは侵入を検知するだけで防御はできないので，防御も行えるシステムとしてIPS（侵入防御システム：Intrusion Prevention System）が用意されています。

発展

ファイアウォールの場合，単独のパケットをチェックして不正なアクセスかどうかを判断しますが，DoS攻撃などの正常なパケットの大量攻撃には対処できません。その点，IDSやIPSでは，単位時間当たりのパケットの量や，特定の攻撃パターンなど，様々なタイプの攻撃をチェックすることができます。

▶▶ 覚えよう！

- [ ] 　パケットフィルタリング型FWはIPアドレス＋ポート番号，WAFはWebアプリに特化
- [ ] 　NIDSはネットワーク，HIDSはホストを監視して侵入検知，IPSは侵入を防御

6-2-4 ◯ セキュリティ攻撃

セキュリティ攻撃には様々なものがあり，それぞれに対して対処が必要です。ここでは，ネットワークに関連した代表的なセキュリティ攻撃を紹介します。

◼ 攻撃のためのツール

セキュリティ攻撃を行う前段階や，行った後に用いるツールには様々なものが存在します。代表的なツールには次のようなものがあります。

①ポートスキャンツール（ポートスキャナ）

コンピュータやルータのアクセス可能な通信ポートを外部から調査するツールです。通信ポートを探る**ポートスキャン**を行います。

②脆弱性検査ツール

様々な侵入に用いられる攻撃手段によってシステムの安全性を試すためのツールです。脆弱性検査ツールを用いて擬似的な攻撃を行い，安全性をテストすることを**ペネトレーションテスト**といいます。

③ルートキット（rootkit）

攻撃者が攻撃対象者のコンピュータに侵入した後に用いるツールを集めたパッケージです。ログ改ざんツールなどを使用して，侵入の発覚を防ぐことができます。

◼ IPスプーフィング

IPアドレスを偽装して攻撃を行うことを**IPスプーフィング**といいます。IPアドレスを偽装すると正常な通信のやり取りはできないので，TCPでのコネクション確立などは不可能になります。そのため，IPスプーフィングでは，UDPでの攻撃や，ping（ICMP），TCPのSYNパケットのみなど，相手との相互通信を成立させない方式で攻撃を行います。

📏📐 勉強のコツ

セキュリティ攻撃は日々新しくなっています。IPAセキュリティセンターのWebサイト（下記）では最近の攻撃を取り上げているので，定期的にチェックして最新情報を把握しておきましょう。
https://www.ipa.go.jp/security/

6

■ バッファオーバフロー攻撃

　バッファオーバフロー（BOF）攻撃は，バッファの長さを超えるデータを送り込むことによって，バッファの後ろにある領域を破壊して動作不能にし，プログラムを上書きする攻撃です。対策としては，入力文字列長をチェックする方法が一般的です。あらかじめ，入力文字列長をチェックする関数を用意し，プログラミング時に意識的に使うことが対策となります。

発展

C言語やC++言語は，取扱いが難しく，バッファオーバーバフローなどの脆弱性を作り込みやすいという弱点があります。そうしたことから，プログラミング初心者にはこれらの言語は使わせないという対策も有効です。

■ パスワードに関する攻撃

　パスワードを不正に取得する攻撃で，パスワードクラックと呼ばれます。代表的な手法には，次のものがあります。

① 辞書攻撃

　辞書に出てくるような定番の用語を順に使用してログインを試みる攻撃です。

② スニッフィング

　盗聴することでパスワードを知る方法です。

③ リプレイ攻撃

　パスワードなどの認証情報を送信しているパケットを取得し，それを再度送信することでそのユーザになりすます攻撃です。パスワードが暗号化されていても使用できます。

④ ブルートフォース攻撃（総当たり攻撃）

　同じ利用者IDに対して，総当たりで力任せにログインの試行を繰り返す攻撃です。適当に試行してすべての組み合わせを試すことが多く，パスワードの文字数が少ないと，破られやすくなります。

⑤ リバースブルートフォース攻撃

　ブルートフォース攻撃とは逆に，同じパスワードを使って様々な利用者IDに対してログインを試行する攻撃です。同じ利用者IDで複数回認証に失敗すると，アカウントロックでアクセスできなくなる場合があります。そのため，別の利用者IDにして試

行を繰り返します。

⑥ パスワードスプレー攻撃

攻撃の時刻と攻撃元を変え，複数の利用者IDを同時に試す攻撃です。アカウントロックを回避しながら，いろいろなパスワードを試していきます。

⑦ レインボー攻撃

パスワードがハッシュ値で保管されている場合に，あらかじめパスワードとハッシュ値の組合せリスト（レインボーテーブル）を用意しておき，そのリストと突き合わせてパスワードを推測し不正ログインを行う攻撃です。

⑧ パスワードリスト攻撃

他のサイトで取得したパスワードのリストを利用して不正ログインを行う攻撃です。

6

■ DoS攻撃

DoS攻撃（Denial of Service attack：サービス不能攻撃）は，サーバなどのネットワーク機器に大量のパケットを送るなどしてサービスの提供を不能にする攻撃です。代表的なものが，分散した複数の機器からパケットを大量に送るDDoS攻撃（Distributed DoS attack）で，踏み台と呼ばれる複数のコンピュータから一斉に攻撃を行います。また，攻撃対象に経済的な損失を与えることを目的としたEDoS攻撃（Economic DoS attack）もあります。

DoS攻撃の手法には，主に次のようなものがあります。

①SYN Flood

TCPのコネクション確立要求パケットであるSYNパケットだけを大量に送る攻撃です。SYNパケットを受け取った相手は応答をして準備し，3ウェイハンドシェイクの成立のためのACKパケットを待ちます。このACKパケットが届かないことにより，中途半端なコネクションが大量に残り，正常なサービスが受け付けられなくなります。

発展

DoS攻撃の対策を行う場合には，攻撃手法に応じて，該当するパケットを遮断するためにファイアウォールやIDS，IPSなどを利用します。
具体的なDoS攻撃対策でのファイアウォールの設定などは，令和元年秋 午後Ⅱ問2で出題されていますので，こちらの問題を解いてみるのがおすすめです。

②ICMP Flood

　pingなどを利用して，ICMPパケットを大量に送出する攻撃です。ping爆弾とも呼ばれます。

③DNSリフレクタ攻撃 (DNS amp攻撃)

　DNSの応答を利用したDoS攻撃です。DNSでは，問合せの要求パケットよりも応答パケットの方がサイズが大きくなります。この性質を悪用し，IPスプーフィングを組み合わせて，DNSの応答が攻撃対象のサーバに集中するようにします。

④NTPリフレクション

　NTP（Network Time Protocol）の応答を利用したDoS攻撃です。NTPにはmonlistという，NTPサーバの状態を確認する機能があり，要求に対応する応答のパケットサイズが大きくなります。この特性を悪用して，NTPサーバへのアクセスにIPスプーフィングを併用することで，攻撃相手に対して，パケットを増幅させて大きなパケットを送ることが可能になります。

> **用語**
>
> DNSリフレクタ(リフレクション)やNTPリフレクションなど，トランスポート層にUDPを用いる場合のDoS攻撃をまとめて，リフレクタ攻撃ということもあります。リフレクタ攻撃にはほかに，データをキャッシュするサービスであるMemcachedを対象としたMemcachedリフレクタ(リフレクション)攻撃もあります。

⑤Smurf

　pingなどで用いられるICMPエコー要求の応答パケットを攻撃対象に大量に送出する攻撃です。一つのIPアドレスで，そのネットワーク全体にパケットを送信するブロードキャストパケットを用いて，ネットワーク全体にICMPエコー要求を送信します。さらにIPスプーフィングを行い，送信元を偽装して攻撃対象に送ることで，ICMPエコー応答を攻撃対象に大量に送ることができます。

⑥Octopus攻撃

　代理のTCPコネクションを確立することによって，攻撃対象のサーバに接続を維持させ続けてリソースを枯渇させる攻撃です。

⑦マルチベクトル型DDoS

　DDoS攻撃には，サーバのリソースを枯渇させる，ネットワーク帯域を大量に消費する，アプリケーション処理に過度に負荷

をかけるなど，複数の方法があります。マルチベクトル型DDoS攻撃とは，複数の攻撃手法を用いて，同時に連携して行う分散型のアクセス不能攻撃です。攻撃対象のWebサーバ1台に対して，多数のPCから一斉にリクエストを送ってサーバのリソースを枯渇させる攻撃と，大量のDNS通信によってネットワークの帯域を消費させる攻撃を同時に行う攻撃などがマルチベクトル型DDoSに該当します。

それでは，次の問題を考えてみましょう。

問 題

リフレクタ攻撃に悪用されることの多いサービスの例はどれか。

ア DKIM, DNSSEC, SPF
イ DNS, Memcached, NTP
ウ FTP, L2TP, Telnet
エ IPsec, SSL, TLS

(令和3年春 ネットワークスペシャリスト試験 午前Ⅱ 問17)

解 説

リフレクタ攻撃は，IPアドレスを攻撃対象のIPアドレスに偽装し，そのIPアドレスを利用して攻撃を行うDDoS攻撃です。トランスポート層にUDPを利用している，IPアドレスの偽装が可能なサービスで実現できます。代表的なものにDNSリフレクタ（リフレクション）攻撃やNTPリフレクタ（リフレクション）攻撃があります。また，データをキャッシュするサービスであるMemcachedでも，UDPが利用されているため，Memcachedリフレクタ（リフレクション）攻撃が確認されています。したがって，イが正解です。

ア 送信ドメイン認証に使用されるプロトコルの例で，迷惑メール防止に使われます。

ウ FTPやTelnetは，ユーザ名とパスワードを平文で送信することが可能なため，パスワードを盗聴され，なりすましに悪用されることが多いサービスです。

過去問題をチェック

DoS攻撃については，ネットワークスペシャリスト試験で次の出題があります。
【NTPのDDoS攻撃】
・平成28年秋 午前Ⅱ 問18
・令和5年春 午前Ⅱ 問17
【DNSリフレクタ(DNS amp)攻撃】
・平成29年秋 午前Ⅱ 問21
・令和元年秋 午前Ⅱ 問21
・令和4年春 午前Ⅱ 問21
・平成26年秋 午後Ⅰ 問3
【SYNフラッド攻撃】
・令和元年秋 午後Ⅰ 問2
【ICMP Flood攻撃】
・平成30年秋 午前Ⅱ 問16
【リフレクタ攻撃】
・令和3年春 午前Ⅱ 問17

エ VPN（Virtual Private Network）などで利用される暗号化プ
ロトコルの例です。ウのL2TPもVPNで利用されます。

≪解答≫イ

SQLインジェクション

SQLインジェクションは，不正なSQLを投入することで，通
常はアクセスできないデータにアクセスしたり更新したりする攻
撃です。

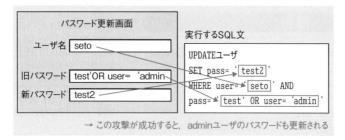

SQLインジェクションの例

図のようにSQLインジェクションでは，「'」（シングルクォーテー
ション）などの制御文字をうまく組み入れることによって，テー
ブル内容を更新するなどの意図しない操作を実行できます。

対策としては，制御文字を通常の文字に置き換える**エスケー
プ処理**やバインド機構を利用する方法があります。

バインド機構とは，入力データの部分を埋め込んで文字列を
組み立てる際に，文字列の連結ではなく**プリペアドステートメン
ト**という機能を利用してSQL文を組み立てる方法です。

具体的には，

```
preparedStatement("SELECT name FROM table
                    WHERE code=?");
```

といった構文であらかじめSQL文をコンパイルしておき，「?」の
部分に文字列を挿入します。この「?」をプレースホルダと呼び，
「?」に制御文字が挿入されても通常の文字列として処理します。

過去問題をチェック

SQLインジェクション攻撃
に関しては，ネットワーク
スペシャリスト試験では以
下の出題があります。攻撃
手法についてはネットワー
クの仕組みを含めて様々な
かたちで出題されますので，
原理を理解しておくことが
大切です。
**【SQLインジェクション，
XSS】**
・平成22年秋 午後I 問3

■ OSコマンドインジェクション

コンピュータの基本ソフトウェアであるOS（Operating System）に対して，不正なOSコマンドを実行させる攻撃をOSコマンドインジェクションといいます。WebサイトなどでOSコマンドを実行できるような脆弱性がある場合に行われます。

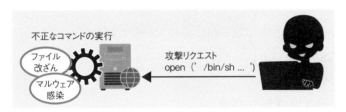

OSコマンドインジェクション

OSコマンドインジェクション攻撃によって発生する可能性のある脅威には，サーバ内ファイルの閲覧，改ざん，削除による重要情報の漏えい，設定ファイルの改ざんなどが挙げられます。また，不正なシステム操作により，意図しないシャットダウン，ユーザアカウントの追加，変更なども考えられます。さらに，不正なプログラムのダウンロードや実行によるマルウェア感染や他のシステムへの攻撃の踏み台などにされるおそれもあります。

組織やWebサイトの内容にかかわらず，外部プログラムの呼出しが可能な関数などを使用しているWebアプリケーションでは注意が必要です。外部プログラムの呼出しが可能な関数には，Perlでは open( ), system( ), eval( ) など，PHPでは exec( ), system( ), popen( ) などがあります。

■ クロスサイトスクリプティング

クロスサイトスクリプティング（XSS）攻撃は，悪意のあるスクリプトを標的サイトに埋め込む攻撃です。

参考
XSSとCSRFの違いは，攻撃がブラウザ上で行われるかサーバに向けて行われるかです。クライアントに被害を起こすのがXSSで，サーバに向けて不正な操作を行うのがCSRFです。

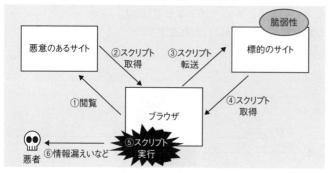

クロスサイトスクリプティング攻撃

対策としては，スクリプトを実行させないように制御文字をエスケープ処理するなどの方法があります。

■ クロスサイトリクエストフォージェリ

クロスサイトリクエストフォージェリ（CSRF）攻撃は，Webサイトにログイン中のユーザのスクリプトを操ることで，Webサイトに被害を与える攻撃です。

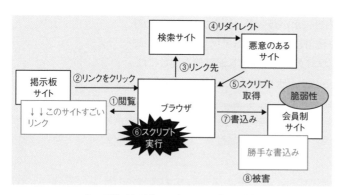

クロスサイトリクエストフォージェリ攻撃

■ セッションハイジャック

セッションハイジャックは，セッションIDやクッキーを盗むことで，別のユーザになりすましてアクセスするという不正アクセ

スの手口です。対策としては，セッションIDを推測されにくい
ものにするという方法があります。

中間者攻撃

中間者攻撃とは，攻撃者がクライアントとサーバとの通信の間
に割り込み，クライアントと攻撃者との間の通信を，攻撃者とサー
バとの間の通信として中継することによって，正規の相互認証が
行われているように装う攻撃です。Man-in-the-middle Attack，
またはMITM攻撃と略されることもあります。

クライアントとサーバ間の通信は正常に行われるため，攻撃さ
れたことに気付かず，すべての通信を不正に取得されてしまい
ます。

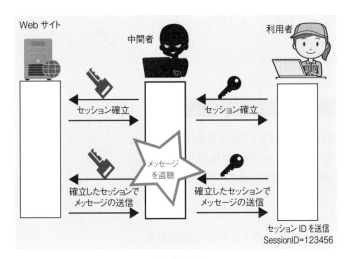

中間者攻撃

プロキシ型トロイの木馬に該当するマルウェアを利用するこ
とで，Webブラウザの通信を盗聴，改ざんする攻撃となる**MITB
攻撃**（Man-in-the-Browser Attack）も，中間者攻撃の一種です。

中間者攻撃への対策としては，**サーバ証明書の利用**や，**トラ
ンザクション署名**などの公開鍵技術を用いた認証技術を利用す
ることが有効です。

■ DNSキャッシュポイズニング攻撃

　DNSキャッシュポイズニング攻撃は，DNSのキャッシュサーバに不正な情報を注入することで，不正なサイトへのアクセスを誘導する攻撃です。

　キャッシュサーバは，クライアントからの問合せを受けると，それをコンテンツサーバに問い合わせます。ここで，正規のコンテンツサーバからの応答が返ってくる前にキャッシュサーバに偽の応答が送り込まれると，その偽の情報がキャッシュとして保管されます。偽の情報はその有効期限が切れるまでキャッシュサーバに保管され，その間にアクセスするクライアントは，ずっと偽の情報によって不正なサーバに誘導され続けることになります。

　DNSキャッシュポイズニングの被害を受けないようにするためには，キャッシュサーバとコンテンツサーバを分け，キャッシュサーバでは外部からの問合せに答えないようにすることが大切です。

　それでは，次の問題を考えてみましょう。

参考

DNSキャッシュポイズニング攻撃は，DNSキャッシュに対して行われます。そのため，対策としては，キャッシュを行うキャッシュサーバとドメイン情報を保管するコンテンツサーバに分け，キャッシュサーバにアクセスできるクライアントを制限する手法があります。

関連

DNSの仕組みやキャッシュサーバとコンテンツサーバについては，「5-3-1　DNS」で詳しく説明しています。DNSキャッシュポイズニング攻撃を理解するためにはDNSに関する知識が不可欠なので，よく分からない場合は一度立ち返ってみましょう。

問　題

　企業のDMZ上で1台のDNSサーバをインターネット公開用と社内用で共用している。このDNSサーバが，DNSキャッシュポイズニングの被害を受けた結果，直接引き起こされ得る現象はどれか。

ア　DNSサーバのハードディスク上のファイルに定義されたDNSサーバ名が書き換わり，外部からの参照者が，DNSサーバに接続できなくなる。

イ　DNSサーバのメモリ上にワームが常駐し，DNS参照元に対して不正プログラムを送り込む。

ウ　社内の利用者が，インターネット上の特定のWebサーバを参照しようとすると，本来とは異なるWebサーバに誘導される。

エ　社内の利用者間で送信された電子メールの宛先アドレスが書き換えられ，正常な送受信ができなくなる。

(平成25年春 情報セキュリティスペシャリスト試験 午前Ⅱ 問12)

解 説

　DNSサーバがDNSキャッシュポイズニングの被害を受けると，DNSキャッシュに不正な情報が注入されます。そのため，社内の利用者がDNSサーバに問合せを行ったときに，特定のWebサーバに関する不正な情報を受け取り，本来とは異なるWebサーバに誘導されることになります。したがって，ウが正解です。

　アはDNSサーバの改ざん，イはDNSサーバのマルウェア感染などで起こることです。エの電子メールの宛先アドレスは，DNSによって変更されることはありません。

≪解答≫ウ

■ SSL/TLSダウングレード攻撃

　SSL/TLSでは，旧バージョン（SSL 3.0など）に脆弱性があり，暗号解読や中間者攻撃が可能なことがあります。TLSハンドシェイクで提案された通信可能な複数のバージョンのうち最も弱いバージョンを指定することで，弱い暗号での通信を実現することをSSL/TLSダウングレード攻撃（または**バージョンロールバック攻撃**）といいます。

■ サイドチャネル攻撃

　サイドチャネル攻撃は，暗号を処理している装置の動作などを観察・測定することによって機密情報を取得しようとする攻撃です。ICチップなどのハードウェアに対する攻撃手法によく用いられます。

　サイドチャネル攻撃の手法には，次のようなものがあります。

- **タイミング攻撃** …… 処理時間を計測し，暗号の内容を推測したり，機密情報を得る方法
- **電力解析攻撃** ……… 消費電力を計測し，処理内容と消費電力の相関から機密情報を得る方法
- **電磁波解析攻撃** …… 電磁波を測定し，秘密鍵を特定するなどの方法で，機密情報を得る方法。電磁波解析攻撃の一種に，漏えい電磁波を解読する**テンペスト攻撃**がある

標的型攻撃

標的型攻撃とは，特定の企業などを標的にした攻撃です。金銭や知的財産などの不正取得を目的に，犯罪のプロによって行われることが多い攻撃です。標的型攻撃の一種にAPT（Advanced Persistent Threat：先進的で執拗な脅威）があります。

標的型攻撃は，大きく分けて次の五つのステップで段階的に行われます。

1. 攻撃準備
ターゲットの組織を攻撃するための情報を収集します。
2. 初期潜入
ターゲットに対して**標的型攻撃メール**などを送付して，端末をウイルスに感染させ，侵入経路を作ります。
3. 攻撃基盤構築
侵入したPCにバックドアを構築して外部サーバと通信を行い，新しいウイルスをダウンロードさせます。
4. システム調査
目的の情報の存在場所の特定や情報取得を行います。さらに，取得した情報を基に新たな攻撃を仕掛けます。
5. 攻撃の最終目的の遂行
最終目的となる情報を取得します。

標的型攻撃では，システム内部に侵入した後，バックドアを通じて内部情報を取得します。そのため，内部でのハッキングを想定していないと，簡単に攻撃を許してしまいます。

対策としては，ウイルス対策ソフトなどで脅威が入りにくいシステム環境を整えておく入口対策だけでなく出口対策も必要です。出口対策とは，外部との通信を遮断する，内部でのネットワーク設計を見直すといった対策で，侵入された後に外部に情報が流出するのを防ぎます。

それでは，次の問題を考えてみましょう。

参考

標的型攻撃ではウイルスに感染させますが，このウイルスはウイルス対策ソフトがまだ対応していないもの（**ゼロデイ攻撃**）であることも多いです。
そのため，ウイルスに感染しないようにする入口対策だけでなく，攻撃されても外部に情報を流出しないようにする出口対策も重要になってきます。

過去問題をチェック

標的型攻撃については，ネットワークスペシャリスト試験の午後で次の出題があります。
【標的型攻撃対策装置】
・平成29年秋 午後Ⅰ 問2 設問4

問題

APT（Advanced Persistent Threats）の説明はどれか。

ア　攻撃者はDoS攻撃及びDDoS攻撃を繰り返し組み合わせて，長期間にわたって特定組織の業務を妨害する。

イ　攻撃者は興味本位で場当たり的に，公開されている攻撃ツールや脆弱性検査ツールを悪用した攻撃を繰り返す。

ウ　攻撃者は特定の目的をもち，特定組織を標的に複数の手法を組み合わせて気付かれないよう執拗に攻撃を繰り返す。

エ　攻撃者は不特定多数への感染を目的として，複数の攻撃方法を組み合わせたマルウェアを継続的にばらまく。

（平成25年春 情報セキュリティスペシャリスト試験 午前Ⅱ 問1）

解説

　APTは標的型攻撃の一種で，特定の目的をもち，特定の企業を対象に攻撃を行います。また，一つの方法を実行して終わりではなく，複数の攻撃手法を組み合わせて執拗に攻撃を繰り返します。したがって，ウが正解です。

　アについては，APTではDoS攻撃やDDoS攻撃などの単純なものだけでなく，いろいろな攻撃を組み合わせます。イ，エは不特定多数を対象とした一般の攻撃の説明です。

≪解答≫ウ

■ C&Cサーバ

　C&C（Command and Control）サーバとは，不正プログラムに対して指示を出し，情報を受け取るためのサーバです。主に標的型攻撃で用いられます。

　C&Cサーバは，バックドアを使用し，マルウェアに感染したPCなどを操作します。攻撃対象の組織に合わせたマルウェアのアップデートも行います。時間をかけて何度もやり取りすることで，標的型攻撃の目的である重要情報の窃取などを実現します。具体的には，新たに作成したマルウェアをC&Cサーバを経由し

て送り込み，USBメモリなどに感染させて，インターネット上から直接アクセスできない場所にある機器などにマルウェア感染を広げます。

　C&Cサーバの不正なアクセスを防ぐためには，FQDNやIPアドレスを用いて，ファイアウォールやプロキシサーバなどでアクセス制限を行います。C&Cサーバでは，このアクセス制限を避けるために，特定のドメインに対するDNSレコードを短時間に変化させるFast Fluxや，ドメインワイルドカードを用いて，あらゆるホスト名に対して同一のIPアドレスを応答するDomain Fluxという手法を用いることがあります。

■ スマートデバイスのセキュリティ

　携帯端末，特にスマートデバイス（スマートフォンやタブレット）は高機能で携帯性にも優れているため，ユーザに関する情報が大量に保存されています。近年では，その情報を狙った攻撃が増加しています。

　スマートデバイスは，高機能でPCと同様の機能をもつと同時に，PCと同様の脆弱性もあります。ウイルスや不正なアプリケーションの導入などの脅威が大きいのですが，PCのようにウイルス対策が行われていないのが現状です。そのため，スマートデバイスを業務で活用する従業員がいる場合には，スマートデバイスに対するセキュリティ対策を新たに考える必要があります。

　具体的な対策としては，次の六つが挙げられます。

1. OSをアップデートする
2. 改造行為を行わない
3. 信頼できる場所からアプリケーションをインストールする
4. Android端末では，アプリケーションをインストールする前に，アクセス許可を確認する
5. セキュリティソフトを導入する
6. 小さなPCと考え，PCと同様に管理する

　また，個人のスマートデバイスを仕事で利用するBYOD（Bring Your Own Device）を導入するケースが増えてきています。この場合には，会社貸与のスマートデバイスよりも複雑な管理が

発展

スマートフォンはPCと同様の機能をもちますが，PCとは異なり，機器に詳しくない人が使う場合も多いです。そのため，セキュリティにはいっそうの注意を払う必要があります。スマートフォンではウイルス対策ソフトを入れていない端末も多いので，全従業員に導入させるなどの運用上の対策が重要になります。

必要となります。**MDM**（モバイル端末管理：Mobile Device Management）を適切に行い，全体的に管理することが大切です。

■ マルウェア

　マルウェアとは，悪意のあるソフトウェアの総称です。不正な動作，有害な動作を行う意図で作成されているソフトウェア全体を指します。以下に代表的なものを挙げておきます。

①ウイルス（コンピュータウイルス）

　他のコンピュータに勝手に入り込んで有害な動作を行うソフトウェアです。ファイルの一部を書き換えて自分のコピーを追加し，感染させることで自己増殖していきます。

②バックドア

　コンピュータの機能を無許可で利用するために，コンピュータ内に取り付けられた通信接続の機能です。

③キーロガー

　コンピュータへのキー入力を監視し，それを記録するソフトウェアです。

④トロイの木馬

　コンピュータに入り込んで有害な動作を行うソフトウェアです。自己増殖機能はありません。

⑤スパイウェア

　ユーザに関する情報を収集し，それを情報収集者に自動的に送信するソフトウェアです。

　従来のマルウェアは，メールに添付されたファイルを開いて感染したり，悪意のあるソフトウェアをクリックして実行したり，といった分かりやすいものがほとんどでした。
　しかし近年は，**ドライブ・バイ・ダウンロード攻撃**など，Webサイトを見ただけで感染し，その感染に利用者が気づかないような攻撃が増加しています。

発展

ドライブ・バイ・ダウンロード攻撃とは，Webサイトを閲覧した際に，PC利用者の意図にかかわらず，ウイルスなどの不正プログラムをPCにダウンロードさせる攻撃のことです。
この攻撃では，主に利用者のOSやアプリケーションなどの脆弱性が悪用されるので，最新版のアプリケーションを利用することが大切です。

　また，自己複製の際にプログラムのコードを変化させることで検出を回避させるポリモーフィック型マルウェアもあります。コードを変化させるために，異なる暗号鍵を用いて暗号化させる手法がよく用いられます。

　マルウェア対策（ウイルス対策）としては，次のような作業を確実に行うことが大切です。

1. ウイルス対策ソフトは**最新版**を活用する
2. メールの添付ファイルやダウンロードしたファイルは，まず，ウイルス検査をする
3. アプリケーションはセキュリティ機能を活用し，最新版のセキュリティパッチを適用する
4. 万一のためにデータのバックアップをとっておく
5. ウイルス対策ソフトがチェックしなくても，ウイルス感染が疑われる兆候を意識し，見逃さない

　ウイルス対策ソフトでは，ウイルス定義ファイル（パターンファイル）と呼ばれるファイルと比較することでウイルスを検出するパターンマッチングという手法が主流です。また，ウイルスと疑われる異常な通信をその挙動から検出するビヘイビア法や，ハッシュ値を取得しておき改ざんを検出する手法などがあります。

過去問題をチェック

マルウェア対策については，ネットワークスペシャリスト試験で次の出題があります。
【ビヘイビア法】
・平成26年秋 午前Ⅱ 問20
・平成29年秋 午前Ⅱ 問16
・令和6年春 午前Ⅱ 問20
【ポリモーフィック型マルウェア】
・令和5年春 午前Ⅱ 問16

■ RLOを用いたファイル名の偽装

　Unicodeの制御文字の一つであるRLO（Right-to-Left Override）は，文字の表示順を「左→右」から「右→左」に変更します。このRLOを悪用して拡張子を見えにくくし，ファイル名を偽装する攻撃があります。

■ ダークネット

　ダークネットとは，インターネット上で到達可能で，かつ未使用なIPアドレス空間です。使用中のIPアドレス空間はライブネットと呼ばれます。セキュリティ専門機関では，活動状況調査のためにダークネットに観測用センサを配備しています。
　ダークネットを観測すると，マルウェアの傾向や探索活動を見

ることができます。また，DDoS攻撃の跳ね返りで，リフレクション攻撃などの痕跡なども確認できます。

それでは，次の問題を考えてみましょう。

問題

送信元IPアドレスがA，送信元ポート番号が80/tcpのSYN/ACKパケットを，未使用のIPアドレス空間であるダークネットにおいて大量に観測した場合，推定できる攻撃はどれか。

　　ア　IPアドレスAを攻撃先とするサービス妨害攻撃
　　イ　IPアドレスAを攻撃先とするパスワードリスト攻撃
　　ウ　IPアドレスAを攻撃元とするサービス妨害攻撃
　　エ　IPアドレスAを攻撃元とするパスワードリスト攻撃

（令和元年秋 ネットワークスペシャリスト試験 午前Ⅱ 問18）

解説

ダークネットとは，インターネット上で到達可能なIPアドレスのうち，特定のホストコンピュータが割り当てられていないアドレス空間です。サイバー攻撃を行うための情報収集を行っているサーバが存在する可能性があります。IPアドレスAから80/tcpのSYN/ACKパケットを受信するということは，IPアドレスAはWebサーバで，ダークネットからのHTTPのコネクション確立要求に対して応答を返していることを示しています。つまり，ダークネットからIPアドレスAへのSYN Flood攻撃などのサービス妨害攻撃を行うと，その応答が返ってくることとなり，攻撃が成立すると考えられます。したがって，アが正解です。なお，設問のIPアドレスAが未使用空間のIPアドレスかどうかは不明です。

イ，エ　パスワードリスト攻撃は，パスワードの情報などは特にパケットに含まれていないため，関係ありません。

ウ　IPアドレスAが攻撃元の場合に，送信元IPアドレスがAとなるのは，SYNパケット，またはACKパケットです。

≪解答≫ア

■ ソーシャルエンジニアリング

　人間の心理的，社会的な性質につけ込んで秘密情報を入手する手法全般をソーシャルエンジニアリングといいます。代表的な手法には，次のようなものがあります。

① ショルダーハッキング

　コンピュータを操作している様子や，ATMなどでの端末操作の様子を後ろから肩越しに見てパスワードなどの情報を盗み見る手法です。

② スキャベンジング

　ゴミ箱などをあさってパスワードの紙や重要情報の書類などを見つける手法です。

③ サポート詐欺 (警告詐欺)

　インターネットの使用中に「ウイルスに感染している」等の偽警告画面や偽警告音が出て，それらをきっかけに電話をかけさせる手法です。有償サポートやソフト等の契約を迫り，金銭的な損害を発生させます。

>▶▶ 覚 え よ う ！
>
> - [ ] XSSはブラウザ上，CSRFではサーバ上で，他のサイト経由で被害を与える
> - [ ] SQLインジェクション対策は，プレースホルダを使ったバインド機構
> - [ ] 標的型攻撃では，入口対策だけでなく出口対策も大切

6-3 セキュリティプロトコル

セキュリティを確保するためのプロトコルが，セキュリティプロトコルです。暗号化，認証などの技術を組み合わせて，実際のセキュリティ問題に対処します。

6-3-1 ● TLS

　TLS（Transport Layer Security）は，セキュリティが要求される通信のためのプロトコルです。SSL（Secure Sockets Layer）3.0を基に，TLS1.0が考案されました。

■ TLSでの通信の流れ

　TLSでの通信は，およそ次ページの図のように処理されます。

　最初のHelloメッセージ（Hello Request，Client Hello，Server Helloの三つ）で，クライアントとサーバ間で使用する暗号化アルゴリズムなどの情報を交換します。

　次にサーバ側から，**Server Certificate**メッセージで自分の証明書をクライアントに送付し，クライアントはその証明書を基にサーバの認証を行います。証明書をもっていない場合などは，Server Key Exchangeメッセージで一時的な鍵を生成して送ります。**クライアント側にも証明書を要求するとき**には，Certificate Requestメッセージを送ります。そして，Server Hello Doneでサーバ側のやり取りは終了です。

　クライアント側からは，**Client Certificate**メッセージでクライアントの証明書をサーバに送付します。次にClient Key Exchangeメッセージで，暗号化に使用するセッション鍵を生成する際に必要となる情報を送付します。この情報をプリマスタシークレットといいます。さらに，これまでのやり取りをまとめたものをCertificate Verifyメッセージで送り，すべてのメッセージが矛盾なく送られていることが確認できたら，Finishedメッセージを送って処理を終了します。

　サーバ側からもFinishedメッセージが返ってくると，TLSでの最初のやり取りであるTLSハンドシェイクプロトコルは終了です。TLSハンドシェイクプロトコルの間に生成したプリマス

勉強のコツ

TLSはアプリケーションプロトコルとの組合せ，IEEE 802.1XはLAN技術との組合せで出題されます。仕組みを詳細に理解しておくことが重要です。

発展

SSLを発展させたものがTLSです。正確には，SSL1.0，SSL2.0，SSL3.0，TLS1.0，TLS1.1，TLS1.2，TLS1.3という順で進化しています。
現在は，Webブラウザなどでは TLSが多く利用されていますが，SSLという名称が広く普及したため，厳密に区別せずTLSをSSLと呼ぶことも多いです。

用語

Certificate Requestメッセージでクライアントにも証明書を送るよう要求し，クライアントとサーバで相互に証明書認証を行う方法をクライアント認証モードと呼びます。サーバはクライアントの認証を行いますが，クライアントでもサーバの認証を行います。

タシークレットを用いてマスタシークレットを生成し，それを基にセッション鍵を作って暗号化通信を行います。セッション鍵を使った暗号化通信を行うプロトコルをTLSレコードプロトコルと呼びます。

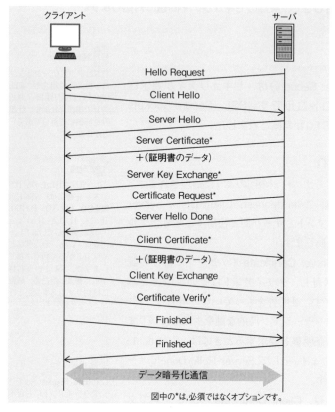

TLSハンドシェイクプロトコル

■ TLSのセキュリティ機能

　TLSハンドシェイクプロトコルの処理の流れにより，次の四つのセキュリティ機能を実現できます。

①証明書による認証

　TLSハンドシェイクプロトコルにおいて証明書のデジタル署名を確認することで，通信相手を認証します。このとき，証明書の改ざんを検知し，証明書内に記載されているFQDN（Fully

Qualified Domain Name）が正しいかどうかを検証します。サーバ証明書によるサーバ認証だけでなく，クライアント証明書によるクライアント認証を行うことができます。証明書のデジタル署名を確認するために使用するCA（認証局）の公開鍵は，Webブラウザにインストールしておく必要があります。なお，信頼できる第三者機関のものはあらかじめWebブラウザに登録されています。

サーバ証明書には主に次の3種類があり，信頼性に差があります。

(1) DV（Domain Validation：ドメイン認証）証明書

サーバの運営組織がサーバ証明書に記載されているドメインの利用権をもつことを確認できる証明書です。サーバの運営組織にとっては，短期間かつ低コストで発行できるメリットがあります。組織の実在性などは確認できません。

(2) OV（Organization Validation：企業認証）証明書

ドメイン名に加えて，サーバの運営組織の実在性を確認できる証明書です。DV証明書より信頼性は高いのですが，現在のWebブラウザの表示方法では，DV証明書とOV証明書の違いをWebブラウザ上で明確に識別することが難しいという課題があります。

(3) EV（Extended Validation）証明書

サーバの運営組織の実在性について，国際的な認定基準に基づく審査が行われ，発行される証明書です。最も信頼性が高く，発行コストも高くなります。Webブラウザのアドレス部分が緑色になり，運営組織が表示されることで，利用者はEV証明書であることを簡単に識別できます。

②鍵交換（鍵共有）

TLSレコードプロトコルの共通鍵暗号方式による暗号化通信ではセッション鍵を使いますが，そのセッション鍵を生成する基となる情報を公開鍵暗号方式によって交換し，共有します。

通信後に秘密鍵の安全性が破られたとしても，過去のセッション鍵の安全性が保たれるというPFS（Perfect Forward

Secrecy) または**前方秘匿性**（Forward Security）という性質があ
ります。PFSを満たすとより安全性が高まるので，鍵交換専用
の公開鍵暗号方式である**DHE**（Ephemeral Diffie-Hellman）や
ECDHE（Ephemeral Elliptic Curve Diffie-Hellman）の利用が
推奨されます。

③暗号化通信

　鍵交換で取得したセッション鍵を用いて，共通鍵暗号方式での
暗号化通信を行います。暗号化の方式としては，AES（Advanced
Encryption Standard）が推奨されます。

④改ざん検知

　TLSレコードプロトコルでは，パケットにハッシュ値を付加す
ることによって改ざん検知が可能です。ハッシュ値に秘密鍵を
付加し，メッセージの認証を行うHMAC（Hash-based Message
Authentication Code）を利用します。ハッシュ関数のアルゴリズ
ムとしては，SHA-256以上が推奨されます。

■TLSの利用

　TLSを利用する場合は，公開鍵と秘密鍵のキーペアを作成し，
公開鍵を認証局に提出して証明書を作成します。そのため，利
用には**証明書**と**秘密鍵**のキーペアが必要となります。これらは
ファイルになっており，通常は二つのファイルとも，他のPCや
デバイスへ移動させることが可能です。

　SSLやTLSはトランスポート層のプロトコルであり，信頼性
確保のためにTCPを同時に利用します。そのため，HTTPに限
らず，SMTPやFTPなど，TCPを用いるアプリケーションプロ
トコルではTLSを利用できます。しかし，トランスポート層に
UDPを用いるプロトコルやネットワーク層以下のプロトコルで
は，TLSは利用できません。

　それでは，次の問題を考えてみましょう。

用語

DHEでは，Diffie-Hellman鍵
交換アルゴリズム（P.406
参照）を使用します。この
とき，公開鍵に一時的な
（Ephemeral）ものを使用す
ることで，通信後に秘密鍵
の安全性が破られても通信
の安全が確保できます。

問題

TLSに関する記述のうち，適切なものはどれか。

ア　TLSで使用するWebサーバのデジタル証明書にはIPアドレスの組込みが必須なので，WebサーバのIPアドレスを変更する場合は，デジタル証明書を再度取得する必要がある。

イ　TLSで使用する共通鍵の長さは，128ビット未満で任意に指定する。

ウ　TLSで使用する個人認証用のデジタル証明書は，ICカードにも格納することができ，利用するPCを特定のPCに限定する必要はない。

エ　TLSはWebサーバと特定の利用者が通信するためのプロトコルであり，Webサーバへの事前の利用者登録が不可欠である。

（平成30年秋 ネットワークスペシャリスト試験 午前Ⅱ 問20）

 発展

デジタル証明書（公開鍵証明書）のファイルは，Webブラウザにインポート，またはエクスポートすることが可能です。Chromeの場合には，右上の設定ボタンから，「設定」―「プライバシーとセキュリティ」―「セキュリティ」―「証明書の管理」と選択することで，証明書のインポートやエクスポートが可能となります。Microsoft Edgeの場合には，設定画面ではなく，証明書をダブルクリックすることで，証明書インポートウィザードを開始します。

6

解説

　TLSで使用するデジタル証明書はファイルであり，どこにでもコピー可能です。そのためICカードなどにも格納でき，格納場所をPCに限定する必要はないので，ウが正解です。

ア　デジタル証明書にはIPアドレスを組み込むことも可能ですが，通常はFQDNが記載されているだけなので，IPアドレスの変更は関係ありません。

イ　共通鍵の長さの制限は，特にありません。

エ　TLSはPKIを利用することが前提のプロトコルなので，事前に利用者登録をしておかなくても，CAが認証する証明書を交換することで，初めて利用する場合でも認証が可能です。

≪解答≫ウ

SSL-VPN

SSL-VPN（Secure Socket Layer Virtual Private Network）
とは，暗号化プロトコルにSSLを利用してVPNを構築すること
です。新しいバージョンであるTLSを使用することを明確にす
るために，**TLS-VPN**と呼ぶこともあります。サーバ側にはSSL-
VPN装置が必要ですが，Webブラウザなどは標準でSSLに対応
しているためクライアント側には新たなソフトウェアを導入する
必要がなく，手軽にVPNを構築することができます。

しかし，SSLやTLSはトランスポート層のプロトコルであり，
TCPを使うプロトコルにしか対応できません。そのため，UDP
を使用するプロトコル，例えばIP電話のRTPなどでは使えない
など，VPNの用途が限定されるという欠点があります。

そのため，ソフトイーサネットなど，擬似的なLANカードを
利用してVPNトンネルを作るL2フォワーディング方式などの応
用技術を利用する場合があります。また，ファイアウォールを通
過できないアプリケーションのポート番号を，通過できるアプリ
ケーションのポート番号に変換して通信を可能にするポートフォ
ワーディング方式もあります。

過去問題をチェック
SSL-VPNに関連した問題
は，ネットワークスペシャ
リスト試験では以下で出題
されています。
【SSL-VPNの導入】
・平成25年秋 午後Ⅰ 問1
　設問2
・平成29年秋 午後Ⅰ 問1
・令和4年春 午後Ⅱ 問1
　設問1
・平成20年秋 午後Ⅱ 問1
　設問2（テクニカルエン
　ジニア（ネットワーク）試
　験）

SSL／TLSアクセラレータ

SSL/TLSでは，暗号化，認証，鍵交換などを行うため，様々
な通信が発生します。そのため，SSL/TLSの通信が多くなると
サーバに負荷がかかり，サーバの遅延の原因になることもありま
す。そこで，SSL/TLS専用のハードウェアであるSSL/TLSア
クセラレータを使ってSSL/TLSのサーバ負荷の軽減を図ること
があります。

常時SSL/TLS

常時SSL/TLSとは，Webサイトにおいて，すべてのWebペー
ジをTLSで保護するように設定を行うことです。すべてのペー
ジで，通信先の真正性を確保して暗号化された通信を行うこと
ができます。

サーバ証明書を確認して偽装されたWebサイトを見分けるこ
とで真正性を確保でき，WebブラウザとWebサイトとの間で行
われる中間者攻撃による通信データの漏えいや改ざんを防止す

ることが可能になります。

■ TLSのバージョン

TLSの前身はSSLで，SSL3.0の後，SSL3.1がTLS1.0となりました。TLSは次のように改良が重ねられています。

・**TLS1.0**

SSLでは使用できなかった，より安全な共通鍵暗号方式であるAESや，公開鍵暗号・署名方式に楕円曲線暗号が利用できるようになりました。

・**TLS1.1**

ブロック暗号をCBCモードで利用したときの脆弱性を利用した攻撃（BEAST攻撃）への対処が行われました。

・**TLS1.2**

より安全なハッシュ関数として，SHA-256とSHA-384が利用できるようになりました。また，CBCモードより安全な認証付き秘匿モード（GCM, CCM）の利用も可能になっています。さらに，従来のDESなどの共通鍵暗号方式は利用できなくなりました。

・**TLS1.3**

トランスポート層プロトコルのQUICで利用可能とするため，アルゴリズムの抜本的な再設計が行われました。具体的には，**前方秘匿性（Forward Security）** またはPFS（Perfect Forward Security）を実現するため，静的なRSAやDHの使用が不可能になりました。代わりに，DHEやECDHEを使用することが強く推奨されています。

最新バージョンのTLSを使用することで，より安全な通信を実現できます。

■ TLSの暗号スイート

暗号スイートとは，TLSで使用する暗号関連プロトコルの組合せです。TLS1.2までの暗号スイートは，「鍵交換_署名_暗号化_ハッシュ関数」の組によって構成されています。例えば，「TLS_DHE_RSA_WITH_CAMELLIA_256_GCM_SHA384」であれば，鍵交換には「DHE」，署名には「RSA」，暗号化には

「鍵長256ビットGCMモードのCamellia（CAMELLIA_256_GCM）」、ハッシュ関数には「SHA-384」が使われることを意味します。

　TLS1.3では、「鍵交換」と「署名」が外され、「暗号化__ハッシュ関数」だけの構成に変更になりました。また、TLS1.3で使用可能な暗号利用モードは、AEAD（Authenticated Encryption with Associated Data：認証暗号）のみとなります。AEADを用いることで、データの機密性、完全性、および認証を同時に提供することができます。

▶▶ 覚えよう！

☐　TLSでできることは、証明書による認証、鍵交換、暗号化、そして改ざん検出

☐　SSL/TLSは処理に負荷がかかるため、SSL/TLSアクセラレータなどで負荷を分散

6-3-2 ● IPsec

IPsecは，IPパケット単位での暗号化や認証，データの改ざん検出の機能を提供するプロトコルです。IPv6ではIPv6拡張ヘッダーの中にIPsecの機能が含まれているので，IPヘッダーだけでIPsecを利用することができます。

■ IPsecの特徴

IPsec（Security Architecture for Internet Protocol）はネットワーク層のプロトコルです。そのため，トランスポート層以上にはTCPでもUDPでも任意のプロトコルを使うことができます。ただし，ネットワーク層のプロトコルはIPに限定されるため，ホストと端末間の通信など，IP以外のプロトコルをネットワーク層で用いる通信には使用できません。

■ IPsecでの通信の流れ

IPsecでは，通信を行うときに仮想的な通信路であるSA（Security Association）を生成し，その中で通信を行います。SAには次の2種類があります。

① IKE SAまたはISAKMP SA

IKE（Internet Key Exchange protocol）またはISAKMP（Internet Security Association and Key Management Protocol）SAは，制御用のSAです。TLSハンドシェイクプロトコルと同様に，通信に先立ち，データ交換を安全に行うために暗号化プロトコルや暗号鍵などの情報をやり取りします。

② IPsec SA（IKEv2では，Child SA）

通信データを送るためのSAです。**上り用と下り用でそれぞれ別のSA**を生成します。さらに，IPアドレスやポート番号，プロトコルが異なると別々のSAを生成します。

最初にISAKMP SAを生成し，そのSAでのやり取りが終わった後にIPsec SAを生成します。SAは，次に示すIKEによって確立，維持されます。

発展

IPsec SAは，通信プロトコルごと，通信相手ごとに一つずつ生成されます。そのため，本社に対して多数の営業所がある場合や，いろいろなプロトコルの通信が混在する場合などには，SAが数多く生成されることになります。
SAを生成するためには様々な通信が発生するので，数が増えてくるとルータに負荷がかかり，通信遅延などが起こることがあります。

　なお，はじめにIPsec通信を開始する機器を**イニシエータ**といい，応答を返して通信路を確立する機器を**レスポンダ**と呼びます。

　IPsecでの通信は，次のようなイメージで行われます。

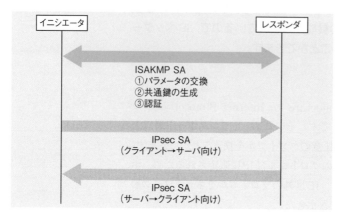

IPsec通信のイメージ

過去問題をチェック

IPsecについて，ネットワークスペシャリスト試験では以下の出題があります。

【IPsec】

・平成27年秋 午後Ⅱ 問2
　設問3
　（IPsecを利用する顧客への対応策について）

・平成18年秋 午後Ⅰ 問1
　設問1（テクニカルエンジニア（ネットワーク）試験）
　（ISAKMP SAについて，また，IKEでやり取りする鍵が共通鍵であることについての穴埋め問題）

・平成29年秋 午後Ⅰ 問3
　設問2
　（インターネットVPN接続の検討）

■ IKE（鍵交換）

　IPsecでは，通信データを暗号化するために**共通鍵**を使用します。共通鍵は通信相手との間だけで秘密になるように管理しなければならないので，共通鍵を安全に交換するためのプロトコルであるIKE（Internet Key Exchange protocol）を使用します。

　IKEは二つのフェーズから成り立っています。フェーズ1では，IKE SAを確立し，安全な通信に必要となる情報を交換します。フェーズ2では，IPsec SAを確立し，安全な通信路を生成します。フェーズ1でIKE SAを構築するための方法には，次の2種類があります。

①メインモード

　基本的なモードで，実装は必須です。通信相手の認証はIPアドレスを基に行うので，イニシエータ，レスポンダの両方でIPアドレスが固定である必要があります。IPsec対応ルータ同士の通信などによく用いられます。

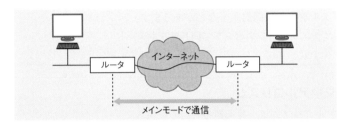

メインモードでの通信

②アグレッシブモード

メインモードに比べて処理が簡略化されているモードです。イニシエータのIPアドレスは固定でなくても通信が可能です。ルータとモバイルPC間の通信などによく用いられます。

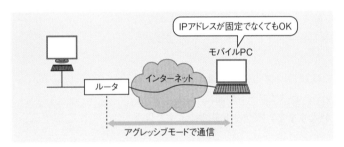

アグレッシブモードでの通信

メインモードでもアグレッシブモードでも，IKEフェーズ1で行われる処理の内容は次の三つです。

①パラメータの交換

暗号化アルゴリズム，認証アルゴリズムなどのパラメータを交換し，②と③でやり取りする内容を決定します。

②共通鍵の生成

Diffie-Hellman鍵交換アルゴリズムで互いに乱数を交換することで，暗号化に使用する共通鍵を安全に生成します。

③認証

通信相手のルータやPCなどの機器を認証します。認証の方式

には，事前共有鍵，デジタル署名，公開鍵暗号などがあります。
事前共有鍵方式では，イニシエータとレスポンダで同じ鍵を共有
します。

◾ Diffie-Hellman鍵交換アルゴリズム

　Diffie-Hellman鍵交換アルゴリズムは，共通鍵そのものを送る
ことなく，鍵の基となる乱数を交換することで共通鍵を生成する
方式です。

　Diffie-Hellmanのグループ番号には，1（768ビット），2（1024ビット），5（1536ビット），14（2048ビット）の4種類があり，グループによって作成される共通鍵の長さが変わります。

◾ トランスポートモードとトンネルモード

　IPsec SAで通信経路を確立し，実際の通信を行うときの実行
モードには，トランスポートモードとトンネルモードの二つがあ
ります。

　トランスポートモードではIPヘッダーを付け加えられることは
なく，オリジナルのIPヘッダーとペイロードの間に，セキュリティ
プロトコル（ESPやAH）が入ります。パケットを図に示すと以下
のようになります。

オリジナル IPヘッダー	AHまたは ESP	IPペイロード

トランスポートモードのパケット

　トンネルモードでは，新しいIPヘッダーが付け加えられます。
このモードは，IPsecゲートウェイでLAN内でのIPアドレスを隠
蔽する場合などに用いられます。パケットを図に示すと以下のよ
うになります。

参考

IPsecは，拠点間などで
IPsec対応ルータなどを介
して行う通信に用いられる
ことが多いので，ほとんど
の場合はトンネルモードが
使用されます。

新 IPヘッダー	AHまたは ESP	オリジナル IPヘッダー	IPペイロード

トンネルモードのパケット

トランスポートモードはIPアドレスが付加されないので，パソコン同士などのエンドツーエンドでの通信に限られます。

■ セキュリティプロトコル

IPsecでパケットをやり取りするときに使うセキュリティプロトコルには，ESPとAHの二つがあります。

ESP（Encapsulated Security Payload）は，データの暗号化と認証をサポートします。また，AH（Authentication Header）ではデータの認証を行い，暗号化は行いません。暗号化や認証の範囲は，ESPとAHで異なります。

トンネルモードでのESPやAHでの暗号化範囲，認証範囲を図示すると，以下のようになります。

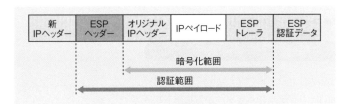

ESPトンネルモードの暗号化・認証範囲

AHトンネルモードの認証範囲

それでは，次の問題を考えてみましょう。

問題

図はIPv4におけるIPsecのデータ形式を示している。ESPトンネルモードの電文中で，暗号化されているのはどの部分か。

新 IPヘッダー	ESP ヘッダー	オリジナル IPヘッダー	TCP ヘッダー	データ	ESP トレーラ	ESP 認証データ

ア　ESPヘッダーからESPトレーラまで

イ　TCPヘッダーからESP認証データまで

ウ　オリジナルIPヘッダーからESPトレーラまで

エ　新IPヘッダーからESP認証データまで

（令和5年春 ネットワークスペシャリスト試験 午前Ⅱ 問9）

解説

　トンネルモードでIPsecのセキュリティプロトコルにESPを用いる場合には，暗号化の範囲はオリジナルIPヘッダーからESPトレーラの間になります。したがって，ウが正解です。認証範囲は，アのESPヘッダーからESPトレーラになります。

《解答》ウ

■ IPsecとNAT

　IPsecでは，IPアドレスが認証範囲に含まれることがあるため，NATなどを用いてIPアドレスを変更すると認証エラーとなる場合があります。また，IPペイロードはすべて暗号化され，その中にはTCPヘッダーやUDPヘッダーも含まれるため，ポート番号を使用するNAPTを使用することができません。そのため，これらの対策として**NATトラバーサル**などの技術が必要になってきます。

関連

NATの問題点については，「3-1-5　NAT」で詳しく取り上げています。こちらも合わせて参照してください。

■ 他のプロトコルとの組み合わせ

　IPsecは，VPN（Virtual Private Network）を構築するとき
に用いられる代表的な技術です。VPNを構築するためのトン
ネリング技術としては，他にレイヤ2（データリンク層）での
L2TP（Layer 2 Tunneling Protocol）や PPTP（Point-to-Point
Tunneling Protocol），レイヤ3（ネットワーク層）でのGRE（Generic
Routing Encapsulation），レイヤ4（トランスポート層）でのSSL-
VPN（TLS-VPN）などがあります。また，トンネリングを行う場
合に，単にIPヘッダーを付け替えるIP in IPという手法もあります。
　このうち，GREはトンネリングを行うだけで暗号化機能を備
えていないため，データの安全性を保ちたい場合には，IPsecと
組み合わせたGRE over IPsecを使用します。また，L2TPも同
様に暗号化機能を備えていないため，L2TP over IPsecを使用
することで暗号化を実現します。

過去問題をチェック

IPsecと他のプロトコルの
組合せについて，ネットワー
クスペシャリスト試験では
以下の出題があります。
【IP in IPとIPsec】
・平成29年秋 午後Ⅰ 問3
　設問2
・令和6年春 午後Ⅰ 問3
　設問1
【GRE over IPsec】
・平成30年秋 午後Ⅰ 問3
　設問3

6

||▶▶▶ 覚 え よ う ！

　□　IKE SAで，パラメータ交換，共通鍵の生成，認証を行う

　□　ESPヘッダーの暗号化範囲は，オリジナルIPヘッダーからESPトレーラまで

6-3-3 ● IEEE 802.1X

IEEE 802.1Xは，認証を行うプロトコルです。無線LAN，有線LANにかかわらずポートごとに認証を行い，認証に成功した端末だけがLANに接続できます。

■ RADIUS

RADIUS（Remote Authentication Dial In User Service）は，**認証**と利用事実の記録（**アカウンティング**）を一つのサーバで一元管理する仕組みです。もともとはダイヤルアップ接続のためのプロトコルでしたが，IEEE 802.1Xでの活用など，様々な場面で利用されています。

RADIUSはクライアントサーバで動作します。RADIUSクライアントが認証情報をRADIUSサーバに送り，RADIUSサーバが認証の可否を決定して返答します。このとき，認証情報によって，どのサービスに接続可能かを合わせて確認します。

■ IEEE 802.1Xの構成

IEEE 802.1Xは，次のように構成されます。

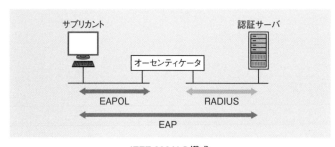

IEEE 802.Xの構成

過去問題をチェック

IEEE 802.1Xの構成については以下の出題があります。
【IEEE 802.1Xの構成】
・平成17年秋 午後Ⅰ 問2
・平成19年秋 午後Ⅰ 問2
　（テクニカルエンジニア（ネットワーク）試験）
また，どの機器がオーセンティケータに該当するかを問う問題がネットワークスペシャリスト試験で出題されています。
【IEEE 802.1Xのオーセンティケータ】
・平成25年秋 午後Ⅱ 問2
　設問3（4）
【IEEE 802.1Xのサプリカントとオーセンティケータ】
・平成29年秋 午後Ⅱ 問2
　設問5（1）

サプリカントは，IEEE 802.1Xでアクセスする**端末**に含まれるソフトウェアであり，オーセンティケータとの間で認証情報をやり取りします。

オーセンティケータは，無線LANアクセスポイントや認証スイッチなど，IEEE 802.1Xの機能を実装した**ブリッジ**です。サプリカントから受け取った認証情報を基に，認証の可否を認証サーバに問い合わせます。

認証サーバは，認証情報を保存しているサーバです。オーセンティケータからの問合せに対して認証情報を検証し，認証の可否を返答します。認証に成功したら，オーセンティケータはスイッチのポート利用を許可します。

オーセンティケータと認証サーバとの間でのやり取りにはRADIUSが使用されます。オーセンティケータがRADIUSクライアントになり，RADIUSサーバである認証サーバに問合せを行います。

それでは，次の問題を考えてみましょう。

問　題

利用者認証情報を管理するサーバ1台と複数のアクセスポイントで構成された無線LAN環境を実現したい。PCが無線LANに接続するときの利用者認証とアクセス制御に，IEEE 802.1XとRADIUSを利用する場合の標準的な方法はどれか。

　ア　PCにはIEEE 802.1Xのサプリカントを実装し，かつ，RADIUSクライアントの機能をもたせる。
　イ　アクセスポイントにはIEEE 802.1Xのオーセンティケータを実装し，かつ，RADIUSクライアントの機能をもたせる。
　ウ　アクセスポイントにはIEEE 802.1Xのサプリカントを実装し，かつ，RADIUSサーバの機能をもたせる。
　エ　サーバにはIEEE 802.1Xのオーセンティケータを実装し，かつ，RADIUSサーバの機能をもたせる。

（令和4年春 情報処理安全確保支援士試験 午前Ⅱ 問17）

解　説

PCとアクセスポイント，サーバが存在するIEEE 802.1Xの構成では，PCがサプリカント，アクセスポイントがオーセンティケータ，サーバが認証サーバの機能をもつ必要があります。また，オーセンティケータがRADIUSクライアント，認証サーバがRADIUSサーバです。

したがって，アクセスポイントにオーセンティケータを実装し，
RADIUSクライアントの機能をもたせるイが正解です。

≪解答≫イ

■ EAP

EAP（Extensible Authentication Protocol：拡張認証プロト
コル）は，PPPを拡張した認証プロトコルです。IEEE 802.1Xの
認証にはEAPが用いられます。EAPでは拡張認証に様々な方式
を利用でき，認証方式によって，クライアント認証，サーバ認証
のそれぞれの認証方式を決定します。

関連
PPPについては，「2-1-3
PPP」で取り上げています。
EAP-MD5はPPPのCHAP
と同じ仕組みなので，こち
らも合わせて理解してくだ
さい。

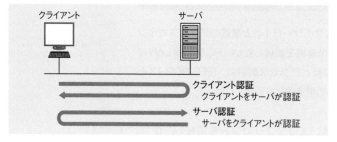

クライアント認証とサーバ認証

EAPの代表的な認証方式を次に示します。

① EAP-MD5

クライアント認証にユーザ名とパスワードを使います。パス
ワードは平文で送るのではなく，CHAPと同様にハッシュ関数
MD5を利用して送ります。サーバ認証は行いません。

② EAP-PEAP（または PEAP）

EAP-PEAP（Protected EAP）では，サーバ認証はサーバから
送られてきたサーバのデジタル証明書が正当なものかどうかを
検証します。その後，デジタル証明書の公開鍵を使ってクライ
アントとサーバ間に暗号化された通信路を作り，そこで**ユーザ名
とパスワードやキートークン**などの認証情報をやり取りします。

発展
PEAPとEAP-TTLSは同じよ
うな認証方式ですが，PEAP
はマイクロソフトによって
開発された認証方式であり，
サプリカントがWindows標
準でOSに内蔵されている
ので，より簡単に利用でき
ます。

③EAP-TLS

EAP-TLS(Transport Layer Security)では,サーバ認証はサーバのデジタル証明書,クライアント認証はクライアントのデジタル証明書を検証することで相互認証を行います。

④EAP-TTLS

EAP-TTLS(Tunneled TLS)はEAP-TLSを拡張したもので,サーバ認証にデジタル証明書を用いてサーバの正当性を検証します。その後,デジタル証明書の公開鍵を使って,クライアントとサーバ間にTLSでの暗号化通信路を構築し,その中で**ユーザ名とパスワード**によるクライアント認証を行います。

■ EAPOL

IEEE 802.1Xでは,サプリカントと認証サーバの間でEAPパケットをやり取りします。途中のサプリカントとオーセンティケータの間でイーサネットを使用している場合には,EAPパケットをEthernetフレームのデータ部分に入れてやり取りします。このプロトコルをEAPOL(EAP over LAN)といいます。

オーセンティケータでは,EAPOLで受け取ったEAP情報をRADIUSパケットに乗せ変えて転送します。

■ IEEE 802.1XとVLAN

IEEE 802.1Xでは,単に認証の成功／失敗を判断するだけでなく,認証状況によって,割り当てるVLANをポートごとに決めることができます。また,認証が失敗した場合や認証中に利用するVLANを指定することも可能です。

ウイルス対策が施されていないPCを隔離する検疫ネットワークなどは,このようなVLANによるIEEE 802.1X認証方式を利用しています。

参考

EAPには,この他にもいろいろな形式があります。CISCOが独自に開発したEAP-FASTでは,クライアント認証とサーバ認証を行うときに,どちらでもユーザIDとパスワードを使用します。認証局が不要となるので導入しやすい方式です。

6

||▶▶▶ 覚 え よ う ！

- □ サプリカント－（EAPOL）－オーセンティケーター（RADIUS）－認証サーバ
- □ PEAPではサーバのみデジタル証明書,EAP-TLSでは相互にデジタル証明書で認証

6-3-4 ◉ 無線LANのセキュリティ

　無線LANは，有線LANと異なり電波を使ってデータをやり取りするので，盗聴が容易です。そのため，無線LANの利用にあたってはセキュリティの確保が重要になります。

◼ WEP

　無線LANでセキュリティを確保するための最も基本的な暗号方式にWEP（Wired Equivalent Privacy：有線同等機密）があります。無線LANアクセスポイントなどに設定されるネットワーク識別子であるSSID（Service Set Identifier）ごとに暗号化鍵（WEPキー）をあらかじめ設定しておきます。暗号化アルゴリズムには，RC4が用いられます。

　暗号化鍵の長さは40ビットまたは104ビットで，これに毎回変更されるランダム値である24ビットのIV（Initialization Vector）を追加して，64ビットまたは128ビットとします。

　なお，暗号解読者によって弱点が発見され解読が容易になったため，現在ではWEPの使用は推奨されていません。

◼ WPA

　Wi-Fi Protected Access（WPAおよびWPA2，WPA3）は，無線LAN製品の普及を図る業界団体であるWi-Fi AllianceがWEPの脆弱性対策として策定した認証プログラムです。

　WPAには，EnterpriseとPersonalの2種類のプロトコルが用意されています。Enterprise WPAは，IEEE 802.1X認証サーバを使います。Personal WPAは，PSK（Pre-Shared Key：事前共有鍵）モードを使い，アクセスするすべてのコンピュータに同じ共有鍵を設定します。

　さらに，WPAではIVが48ビットになり，TKIP（Temporal Key Integrity Protocol）を利用して，システム運用中に動的に鍵を変更できるようになりました。

　またWPA2では，暗号化アルゴリズムとして，AES暗号ベースのAES-CCMP（AES Counter-mode with CBC-MAC Protocol）を使用します。

　WPA2と同様の使い勝手で，より安全性を高めた規格にWPA3

過去問題をチェック

【WEPキーの運用とIEEE 802.1X】
・平成17年秋 午後Ⅰ 問2
　設問4（テクニカルエンジニア（ネットワーク）試験）

【WPAとWPA2】
・平成29年秋 午後Ⅱ 問2
　設問2

　発展

「Wi-Fi」は，Wi-Fi Allianceが認証した製品に付けるブランド名です。Wi-Fiに準拠していると，異なるメーカーの機器同士でも相互接続性が保証されます。

　参考

WPAは改良が重ねられており，現在の最新規格はWPA3となっています。

があります。暗号強度を192ビットに上げるなど，様々な改善が施されています。

■ アクセスポイントのセキュリティ

無線LANを有線LANと接続するためのポイントであるアクセスポイントでは，様々なセキュリティ対策が施されます。MACアドレスフィルタリングを用いることで，登録されているMACアドレスをもつ機器以外との接続を拒否することが可能です。

また，同じアクセスポイントに接続されている機器同士の通信を禁止するプライバシセパレータ（アクセスポイントアイソレーション）機能を設定することも可能です。公衆無線LANサービスや宿泊施設などの無線LANサービスなどでよく利用されます。

それでは，次の問題を考えてみましょう。

問題

無線LANのアクセスポイントがもつプライバシセパレータ機能（アクセスポイントアイソレーション）の説明はどれか。

ア　アクセスポイントの識別子を知っている利用者だけに機器の接続を許可する。

イ　同じ無線LANのアクセスポイントに接続している機器同士の直接通信を禁止する。

ウ　事前に登録されたMACアドレスをもつ機器だけに無線LANへの接続を許可する。

エ　建物外への無線LAN電波の漏れを防ぐことによって第三者による盗聴を防止する。

（平成28年秋 ネットワークスペシャリスト試験 午前II 問21）

解 説

プライバシセパレータ機能（アクセスポイントアイソレーション）とは，同じアクセスポイントに接続されている機器同士の通信を禁止する機能です。したがって，イが正解です。

アはSSID，ウはMACアドレスフィルタリング，エは電磁波の遮断の説明です。

≪解答≫イ

▶▶▶ 覚 え よ う！

☐ Enterprise WPAでは，IEEE 802.1X認証を使用

☐ WPA3は，WPA2と同様の使い勝手で暗号強度が上がる

6-3-5 🔵 その他のセキュリティプロトコル

セキュリティプロトコルは，これまで挙げたもののほかにも様々なものがあり，新しく増え続けています。ここではその代表的なものを取り上げます。

■ S/MIME

S/MIME（Secure MIME）は，**MIME**形式の電子メールを暗号化し，デジタル署名を行う標準規格です。**認証局 (CA)** で正当性が確認できた公開鍵を用います。

まず共通鍵を生成し，その共通鍵でメール本文を暗号化します。そして，その共通鍵を**受信者の公開鍵で暗号化**し，メールに添付します。二つを組み合わせることで，共通鍵で高速に暗号化し，公開鍵で鍵を安全に配送することが可能になります。

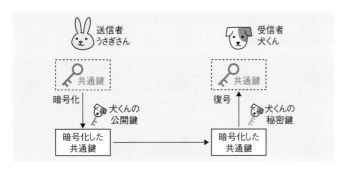

共通鍵暗号方式の鍵を公開鍵で暗号化

また，デジタル署名を添付することで，データの真正性と完全性も確認できます。S/MIMEでは，ハッシュ値に秘密鍵による署名を追加することで，送信者の真正性を検証できます。

■ PGP

PGP（Pretty Good Privacy）は，S/MIMEと同様の，電子メールの暗号方式です。S/MIMEと異なる点は，認証局を利用するのではなく，「信頼の輪」の理念に基づいて，自分の友人が信頼している人の公開鍵を信頼するという形式をとるところです。小規模なコミュニティ向きです。

発展
S/MIMEは主にメールで使用されますが，プレゼンテーション層のプロトコルなので，他の通信プロトコルと一緒に使うこともできます。

6

それでは，次の問題を考えてみましょう。

問題

　インターネットで電子メールを送信するとき，メッセージの本文の暗号化に共通鍵暗号方式を用い，共通鍵の受渡しには公開鍵暗号方式を用いるものはどれか。

ア　AES　　　イ　IPsec　　　ウ　MIME　　　エ　S/MIME

（平成22年春 情報セキュリティスペシャリスト試験 午前Ⅱ 問19）

解 説

　インターネットで電子メールを送信するときにメッセージを暗号化する方式は，選択肢の中ではエのS/MIMEのみです。アは共通鍵暗号方式の一つです。イはメッセージを暗号化するのではなく，IPパケット自体を暗号化して安全な通信路を作ります。ウは暗号化せず，様々な形式のデータをテキスト形式に変換します。

≪解答≫エ

▶▶ 覚えよう！

□　メールの暗号化では，共通鍵を生成し，それを公開鍵暗号方式で暗号化して送る

□　S/MIMEでは認証局，PGPでは信頼の輪が，公開鍵の信頼性をサポート

関連

OP25B や SMTP-AUTH，SPFなどのメールに関するプロトコルは，セキュリティにも関連します。
これらについては，「5-2-3 その他のメール関連プロトコル」で取り上げていますので，合わせて参考にしてください。

6-4 演習問題

6-4-1 ◯ 午前問題

問1 CSIRT　　　　　　　　　　　CHECK ▶ ☐☐☐

CSIRTの説明として，適切なものはどれか。

ア　IPアドレスの割当て方針の決定，DNSルートサーバの運用監視，DNS管理に関する調整などを世界規模で行う組織である。

イ　インターネットに関する技術文書を作成し，標準化のための検討を行う組織である。

ウ　企業・組織内や政府機関に設置され，コンピュータセキュリティインシデントに関する報告を受け取り，調査し，対応活動を行う組織の総称である。

エ　情報技術を利用し，宗教的又は政治的な目標を達成するという目的をもった人や組織の総称である。

問2 メッセージ認証符号　　　　　　CHECK ▶ ☐☐☐

送信者Aが，受信者Bと共有している鍵を用いて，メッセージからメッセージ認証符号を生成し，そのメッセージ認証符号とメッセージを受信者Bに送信する。このとき，メッセージとメッセージ認証符号を用いて，受信者Bができることはどれか。

ア　通信路上でのメッセージの伝送誤りを訂正できる。

イ　通信路上でのメッセージの複製の有無を検知できる。

ウ　メッセージの改ざんがないことを判定できる。

エ　メッセージの盗聴の有無を検知できる。

　脆弱性検査で，対象ホストに対してポートスキャンを行った。対象ポートの状態を判定する方法のうち，適切なものはどれか。

ア　対象ポートにSYNパケットを送信し，対象ホストから"RST/ACK"パケットを受信するとき，接続要求が許可されたと判定する。

イ　対象ポートにSYNパケットを送信し，対象ホストから"SYN/ACK"パケットを受信するとき，接続要求が中断又は拒否されたと判定する。

ウ　対象ポートにUDPパケットを送信し，対象ホストからメッセージ"ICMP port unreachable"を受信するとき，対象ポートが閉じていると判定する。

エ　対象ポートにUDPパケットを送信し，対象ホストからメッセージ"ICMP port unreachable"を受信するとき，対象ポートが開いていると判定する。

　DNSの再帰的な問合せを使ったサービス妨害攻撃（DNSリフレクタ攻撃）の踏み台にされないための対策はどれか。

ア　DNSサーバをDNSキャッシュサーバと権威DNSサーバに分離し，インターネット側からDNSキャッシュサーバに問合せできないようにする。

イ　問合せがあったドメインに関する情報をWhoisデータベースで確認してからDNSキャッシュサーバに登録する。

ウ　一つのDNSレコードに複数のサーバのIPアドレスを割り当て，サーバへのアクセスを振り分けて分散させるように設定する。

エ　ほかの権威DNSサーバから送られてくるIPアドレスとホスト名の対応情報の信頼性を，デジタル署名で確認するように設定する。

問5 **ルートキットの特徴** CHECK ▶ □□□

ルートキットの特徴はどれか。

ア OSなどに不正に組み込んだツールを隠蔽する。

イ OSの中核であるカーネル部分の脆弱性を分析する。

ウ コンピュータがウイルスやワームに感染していないことをチェックする。

エ コンピュータやルータのアクセス可能な通信ポートを外部から調査する。

問6 **DNSSEC** CHECK ▶ □□□

DNSSECの機能はどれか。

ア DNSキャッシュサーバの設定によって再帰的な問合せを受け付ける送信元の範囲が最大になるようにする。

イ DNSサーバから受け取るリソースレコードに対するデジタル署名を利用して，リソースレコードの送信者の正当性とデータの完全性を検証する。

ウ ISPなどのセカンダリDNSサーバを利用してDNSコンテンツサーバを二重化することによって，名前解決の可用性を高める。

エ 共通鍵暗号技術とハッシュ関数を利用したセキュアな方法によって，DNS更新要求が許可されているエンドポイントを特定し認証する。

問7 **IPsec** CHECK ▶ □□□

IPsecに関する記述のうち，適切なものはどれか。

ア ESPのトンネルモードを使用すると，暗号化通信の区間において，エンドツーエンドの通信で用いる元のIPヘッダーを含めて暗号化できる。

イ IKEはIPsecの鍵交換のためのプロトコルであり，ポート番号80が使用される。

ウ 暗号化アルゴリズムとして，HMAC-SHA1が使用される。

エ 二つのホストの間でIPsecによる通信を行う場合，認証や暗号化アルゴリズムを両者で決めるためにESPヘッダーではなくAHヘッダーを使用する。

問8　ビヘイビア法　　　　　　　　　　　　CHECK ▶ □□□

マルウェアの検出手法であるビヘイビア法を説明したものはどれか。

ア　あらかじめ特徴的なコードをパターンとして登録したマルウェア定義ファイル
　　を用いてマルウェア検査対象を検査し，同じパターンがあればマルウェアとし
　　て検出する。

イ　マルウェアに感染していないことを保証する情報をあらかじめ検査対象に付加
　　しておき，検査時に不整合があればマルウェアとして検出する。

ウ　マルウェアへの感染が疑わしい検査対象のハッシュ値と，安全な場所に保管さ
　　れている原本のハッシュ値を比較し，マルウェアを検出する。

エ　マルウェアへの感染によって生じるデータの読込みの動作，書込みの動作，通
　　信などを監視して，マルウェアを検出する。

問9　EAP　　　　　　　　　　　　　　　　CHECK ▶ □□□

認証にクライアント証明書を必要とするプロトコルはどれか。

ア　EAP-FAST　　イ　EAP-MD5　　ウ　EAP-TLS　　エ　EAP-TTLS

問10　前方秘匿性（Forward Security）の性質　　　CHECK ▶ □□□

前方秘匿性（Forward Secrecy）の性質として，適切なものはどれか。

ア　鍵交換に使った秘密鍵が漏えいしたとしても，過去の暗号文は解読されない。

イ　時系列データをチェーンの形で結び，かつ，ネットワーク上の複数のノードで
　　共有するので，データを改ざんできない。

ウ　対となる二つの鍵の片方の鍵で暗号化したデータは，もう片方の鍵でだけ復号
　　できる。

エ　データに非可逆処理をして生成される固定長のハッシュ値からは，元のデータ
　　を推測できない。

問11 SAML　　　　　　　　　　　　　　　　　CHECK ▶ □□□

SAML（Security Assertion Markup Language）の説明として，最も適切なものは
どれか。

ア　Webサービスに関する情報を広く公開し，それらが提供する機能などを検索可
　　能にするための仕様
イ　権限がない利用者による傍受，読取り，改ざんから電子メールを保護して送信
　　するための仕様
ウ　デジタル署名に使われる鍵情報を効率よく管理するためのWebサービスの仕
　　様
エ　認証情報に加え，属性情報とアクセス制御情報を異なるドメインに伝達するた
　　めのWebサービスの仕様

問12 IEEE 802.1X　　　　　　　　　　　　　　CHECK ▶ □□□

無線LANで使用される規格IEEE 802.1Xが定めているものはどれか。

ア　アクセスポイントがEAPを使用して，利用者を認証する枠組み
イ　アクセスポイントが認証局と連携し，パスワードをセッションごとに生成する
　　仕組み
ウ　無線LANに接続する機器のセキュリティ対策に関するWPSの仕様
エ　無線LANの信号レベルで衝突を検知するCSMA/CD方式

■午前問題の解説

問1	（平成26年秋 ネットワークスペシャリスト試験 午前Ⅱ 問19）

《解答》ウ

　CSIRT（Computer Security Incident Response Team）とは，コンピュータやインターネット上で問題が発生したときに，その原因を解析したり影響範囲を調査したりする組織のことです。企業・組織内や政府機関に設置され，それぞれのCSIRT間で連携しながら報告を受け取り，調査し，対応活動を行います。したがって，ウが正解です。

　アはICANN（Internet Corporation for Assigned Names and Numbers），イはIETF（Internet Engineering Task Force）の説明です。エについては，共通思想集団などがあてはまります。

問2	（平成27年秋 ネットワークスペシャリスト試験 午前Ⅱ 問16）

《解答》ウ

　送信者Aと受信者Bの共有鍵を用いて暗号化したメッセージ認証符号を受信者Bが復号し，メッセージから生成したメッセージ認証符号と比較することで，送信者Aが共有鍵を持っていることと，メッセージが改ざんされていないことを確認できます。したがって，ウが正解です。

ア　伝送誤りについては，検出はできますが訂正することはできません。

イ，エ　複製の有無や盗聴の有無を確認することはできません。

問3	（令和元年秋 ネットワークスペシャリスト試験 午前Ⅱ 問19）

《解答》ウ

　脆弱性検査で，対象ホストに対してポートスキャンを行うときに，応答によって対象ポートの状態を判断できます。UDPパケットでは，TCPのコントロールフラグ（"RST/ACK"や"SYN/ACK"など）での判断はできませんが，IPを補助するICMP（Internet Control Message Protocol）によって，ネットワークの状態は判断できます。メッセージ"ICMP port unreachable"は，ICMPメッセージのタイプ3の到達メッセージの一つで，ホストには到達できたにもかかわらず，ポートが閉じていて通信ができなかった場合に送られます。そのため，対象ホストからメッセージ"ICMP port unreachable"を受信するとき，対象ポートが閉じていると判定することができます。したがって，ウが正解です。

ア　"RST/ACK"パケットを受信するのは，接続要求が中断又は拒否された場合です。

イ　"SYN/ACK"パケットを受信するのは，接続要求が許可された場合です。

エ　"ICMP port unreachable"を受信するのは，対象ポートが閉じている場合です。

《解答》ア

　DNSの再帰的な問合せは，通常はクライアントのPC上から行われます。DNSサーバの役割のうち，再帰的な問合せを受けてほかのDNSサーバに問合せを行うのがDNSキャッシュサーバです。また，ドメインに対する情報をもっており，ほかのDNSサーバからの再帰的ではない問合せに対応するのが権威DNSサーバです。権威DNSサーバはインターネットで公開されている必要がありますが，DNSキャッシュサーバはクライアントPCからのアクセスに応答できれば問題ありません。そのため，再帰的な問合せを使うサービス不能攻撃（DNSリフレクタ攻撃）に対応するためには，DNSキャッシュサーバと権威DNSサーバを分離し，DNSキャッシュサーバはインターネット側からの問合せを行えないようにする対策が有効です。したがって，アが正解となります。

イ　Whoisは，ドメインに対する連絡先を調査する方法です。

ウ　DNSラウンドロビンによる負荷分散についての説明です。

エ　DNSSEC（DNS Security Extensions）によるDNSレコードの信頼性確保についての説明です。

《解答》ア

　ルートキットとは，システムへのアクセスを確保したあとに侵入者が使用するソフトウェアツールのセットです。OSなどに不正に組み込んだツールを隠蔽し，発見されにくくすることに使われます。したがって，アが正解です。

イ　脆弱性分析ツールの特徴です。

ウ　マルウェア対策ソフトウェアの特徴です。

エ　ポートスキャナの特徴です。

問6　　　　　　　　　　　　　　（平成29年秋 ネットワークスペシャリスト試験 午前Ⅱ 問19）
《解答》イ

　DNSSEC（DNS Security Extensions）は，DNSでのセキュリティに関する拡張仕様です。DNSSECでは，DNSサーバから受け取るリソースレコードのドメイン登録情報にデジタル署名を付加しておきます。受信者は，DNSサーバの公開鍵を用いてデジタル署名を検証することで，送信者の正当性とデータの完全性の両方を検証することができます。したがって，イが正解です。

ア　再帰的な問合せの受付範囲は最小限にしておいた方がセキュリティは向上します。

ウ　セカンダリDNSサーバによる負荷分散の説明です。これにより可用性が高まります。

エ　DNSSECで利用するのは，公開鍵暗号方式とハッシュ関数によるデジタル署名です。

問7　　　　　　　　　　　　　　（令和6年春 ネットワークスペシャリスト試験 午前Ⅱ 問21）
《解答》ア

　IPsecのセキュリティプロトコルのうちESP（Encapsulated Security Payload）は，データの暗号化と認証をサポートします。ESPのトンネルモードを使用することによって，暗号化通信の区間では，元のIPヘッダーを含めて暗号化できます。したがって，アが正解です。

イ　IKE（Internet Key Exchange protocol）ではUDPのポート番号500が用いられます。

ウ　IPsecには様々な暗号化アルゴリズムが用いられます。HMAC-SHA1は，ハッシュ関数を用いたメッセージ認証のアルゴリズムで，暗号化は行えません。

エ　認証や暗号化アルゴリズムの決定は，IKEで行います。また，AH（Authentication Header）ではデータの認証を行い，暗号化は行いません。

問8　　　　　　　　　　　　　　（令和6年春 ネットワークスペシャリスト試験 午前Ⅱ 問20）
《解答》エ

　マルウェアの検出方法の一つであるビヘイビア法は，マルウェアの振る舞いを観測して検出する手法です。マルウェアの感染や発病によって生じる，データの読込み，書込み，通信などの動作を監視して，感染を検出します。したがって，エが正解です。

ア　パターンマッチングによる検出法の説明です。

イ　チェックサム法による検出法の説明です。

ウ　コンペア法による検出法の説明です。

問9	（令和5年春 ネットワークスペシャリスト試験 午前Ⅱ 問19）
	《解答》ウ

　EAP（Extensible Authentication Protocol：拡張認証プロトコル）は，PPP（Point-to-Point Protocol）を拡張した認証プロトコルです。EAPの認証方式のうち，EAP-TLS（Transport Layer Security）では，サーバ認証はサーバ証明書，クライアント認証はクライアント証明書を検証することで相互認証を行います。そのため，EAP-TLSでは，認証にクライアント証明書が必要です。したがって，**ウ**が正解です。

ア　EAP-FAST（Flexible Authentication via Secure Tunneling）は，シスコシステムズ独自のプロトコルです。共通鍵暗号方式を用いて，相互に認証された暗号化通信路を作成します。暗号化通信路内で行われるクライアント認証には，ユーザ名とパスワードを使います。

イ　EAP-MD5では，クライアントのみ認証を行います。クライアント認証にユーザ名とパスワードを使うので，クライアント証明書は不要です。

エ　EAP-TTLS（Tunneled TLS）ではサーバ認証にはサーバ証明書を用い，証明書内の公開鍵を用いて暗号化通信路を作成します。暗号化通信路内で行われるクライアント認証には，ユーザ名とパスワードを使います。

問10	（令和3年春 ネットワークスペシャリスト試験 午前Ⅱ 問18）
	《解答》ア

　前方秘匿性（Forward Secrecy）とは，鍵交換プロトコルがもつべき性質で，ある時点で鍵交換に使った秘密鍵が漏えいしたとしても，過去に終了したセッションの暗号文は解読されないという性質です。具体的には，セッション開始時に毎回鍵ペアを交換して一時的にセッション鍵を作成し，セッション終了時に鍵ペアとセッション鍵を廃棄して利用できないようにすることで実現します。したがって，**ア**が正解です。

イ　ブロックチェーンの性質です。

ウ　公開鍵暗号方式の性質です。

エ　ハッシュがもつ，一方向性の性質です。

問11 (平成28年秋 ネットワークスペシャリスト試験 午前Ⅱ 問16)
《解答》エ

　SAMLとは，XML（Extensible Markup Language）を利用して異なるインターネットドメイン間でユーザ認証を行うための標準規格です。認証情報に加え，属性情報とアクセス制御情報も伝達可能なので，**エ**が正解です。

ア　WSDL（Web Services Description Language）の説明です。

イ　S/MIME（Secure MIME）やPGP（Pretty Good Privacy）などのメール暗号化／認証プロトコルの説明です。

ウ　XKMS（XML Key Management Specification：XML鍵管理サービス）の説明です。

問12 (令和5年春 ネットワークスペシャリスト試験 午前Ⅱ 問21)
《解答》ア

　IEEE 802.1Xでは，EAP（Extensible Authentication Protocol：拡張認証プロトコル）を用いて利用者の認証を行います。したがって，**ア**が正解です。

イ　TKIP（Temporal Key Integrity Protocol）で定められています。

ウ　WPS（Wi-Fi Protected Setup）は，無線LANの設定を大幅に簡略化するための仕様で，無線LAN機器で設定ボタンを押すだけで認証を完了できる仕組みなどがあります。

エ　無線LANでは，通信方式としてCSMA/CD方式ではなくCSMA/CA方式が用いられます。

6-4-2 ● 午後問題

問1 セキュアゲートウェイサービスの導入 CHECK ▶ □□□

セキュアゲートウェイサービスの導入に関する次の記述を読んで,設問1〜3に答えよ。

N社は,国内に本社及び一つの営業所をもつ,中堅の機械部品メーカである。従業員は,N社が配布するPCを本社又は営業所のLANに接続して,本社のサーバ,及びSaaSとして提供されるP社の営業支援サービスを利用して業務を行っている。

N社は,クラウドサービスの利用を進め,従業員のテレワーク環境を整備することにした。N社の情報システム部は,本社のオンプレミスのサーバからQ社のPaaSへの移行と,Q社のセキュアゲートウェイサービス(以下,SGWサービスという)の導入を検討することになった。SGWサービスは,PCがインターネット上のサイトに接続する際に,送受信するパケットを本サービス経由とすることによって,ファイアウォール機能などの情報セキュリティ機能を提供する。

〔現行のネットワーク構成〕

N社の現行のネットワーク構成を図1に示す。

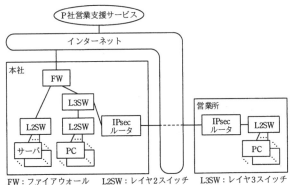

FW:ファイアウォール　L2SW:レイヤ2スイッチ　L3SW:レイヤ3スイッチ
IPsecルータ:IPsec VPNルータ

図1　N社の現行のネットワーク構成(抜粋)

N社の現行システムの概要を次に示す。

・本社及び営業所のLANは,IPsecルータを利用したIPsec VPNで接続している。
・本社及び営業所のIPsecルータは,IPsec VPNを確立したときに有効化される仮想インタフェース(以下,トンネルIFという)を利用して相互に接続する。

・営業所のPCからP社営業支援サービス宛てのパケットは，営業所のIPsecルータ，本社のIPsecルータ，L3SW，FW及びインターネットを経由してP社営業支援サービスに送信される。

・FWは，パケットフィルタリングによるアクセス制御と，NAPTによるIPアドレスの変換を行う。

・P社営業支援サービスでは，①特定のIPアドレスから送信されたパケットだけを許可するアクセス制御を設定して，本社のFWを経由しない経路からの接続を制限している。

　本社及び営業所のIPsecルータは，LAN及びインターネットのそれぞれでデフォルトルートを使用するために，VRF（Virtual Routing and Forwarding）を利用して二つの　 a 　テーブルを保持し，経路情報をVRFの識別子（以下，VRF識別子という）によって識別する。ネットワーク機器のVRFとインタフェース情報を表1に，ネットワーク機器に設定しているVRFと経路情報を表2に示す。

表1　ネットワーク機器のVRFとインタフェース情報（抜粋）

拠点	機器名	VRF識別子	インタフェース	IPアドレス	サブネットマスク	接続先
本社	FW	－	INT-IF [1]	a.b.c.d [3]	（省略）	ISPのルータ
			LAN-IF [2]	172.16.0.1	255.255.255.0	L3SW
	IPsecルータ	65000:1	INT-IF [1]	s.t.u.v [3]	（省略）	ISPのルータ
		65000:2	LAN-IF [2]	172.17.0.1	255.255.255.0	L3SW
			トンネルIF	（省略）	（省略）	営業所のIPsecルータ
営業所	IPsecルータ	65000:1	INT-IF [1]	w.x.y.z [4]	（省略）	ISPのルータ
		65000:2	LAN-IF [2]	172.17.1.1	255.255.255.0	L2SW
			トンネルIF	（省略）	（省略）	本社のIPsecルータ

注 [1]　INT-IFは，インターネットに接続するインタフェースである。
注 [2]　LAN-IFは，本社又は営業所のLANに接続するインタフェースである。
注 [3]　a.b.c.d及びs.t.u.vは，固定のグローバルIPアドレスである。
注 [4]　w.x.y.zは，ISPから割り当てられた動的なグローバルIPアドレスである。

表2　ネットワーク機器に設定しているVRFと経路情報（抜粋）

拠点	機器名	VRF識別子	宛先ネットワーク	ネクストホップとなる装置又はインタフェース	経路制御方式
本社	FW	－	0.0.0.0/0	ISPのルータ	静的経路制御
			172.17.1.0/24（営業所のLAN）	本社のL3SW	動的経路制御
	IPsecルータ	65000:1	0.0.0.0/0	ISPのルータ	静的経路制御
		65000:2	0.0.0.0/0	b	動的経路制御
			172.17.1.0/24（営業所のLAN）	トンネルIF	c
営業所	IPsecルータ	65000:1	0.0.0.0/0	ISPのルータ	静的経路制御
		65000:2	0.0.0.0/0	トンネルIF	d

N社のネットワーク機器に設定している経路制御を，次に示す。

・本社のFW，L3SW及びIPsecルータには，OSPFによる経路制御を稼働させるための設定を行っている。

・本社のFWには，OSPFにデフォルトルートを配布する設定を行っている。

・②本社のIPsecルータには，営業所のIPsecルータとIPsec VPNを確立するために，静的なデフォルトルートを設定している。

・本社及び営業所のIPsecルータには，営業所のPCが通信するパケットをIPsec VPNを介して転送するために，トンネルIFをネクストホップとした静的経路を設定している。

・本社のIPsecルータには，OSPFに③静的経路を再配布する設定を行っている。

〔新規ネットワークの検討〕

Q社のPaaS及びSGWサービスの導入は，N社の情報システム部のR主任が担当することになった。R主任が考えた新規ネットワーク構成と通信の流れを図2に示す。

6

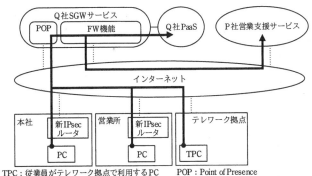

TPC：従業員がテレワーク拠点で利用するPC　　POP：Point of Presence
━━▶：PC及びTPCから，Q社PaaS及びP社営業支援サービスを利用する際に発生する通信の流れ
‥‥‥‥：インターネットとの接続

図2　R主任が考えた新規ネットワーク構成と通信の流れ（抜粋）

R主任が考えた新規ネットワーク構成の概要を次に示す。

・本社のサーバ上で稼働するシステムを，Q社PaaSへ移行する。

・Q社SGWサービスを利用するために，本社及び営業所に導入する新IPsecルータ，並びにTPCは，Q社SGWサービスのPOPという接続点にトンネルモードのIPsec VPNを用いて接続する。

・PC及びTPCからP社営業支援サービス宛てのパケットは，Q社SGWサービスのPOPとFW機能及びインターネットを経由してP社営業支援サービスに送信される。

・Q社SGWサービスのFW機能は，パケットフィルタリングによるアクセス制御と，

NAPTによるIPアドレスの変換を行う。

R主任は，POPとの接続に利用するIPsec VPNについて，検討した。

IPsec VPNには，IKEバージョン2と，ESPのプロトコルを用いる。新IPsecルータ及びTPCとPOPは，IKE SAを確立するために必要な，暗号化アルゴリズム，疑似ランダム関数，完全性アルゴリズム及びDiffie-Hellmanグループ番号を，ネゴシエーションして決定し，IKE SAを確立する。次に，新IPsecルータ及びTPCとPOPは，認証及びChild SAを確立するために必要な情報を，IKE SAを介してネゴシエーションして決定し，Child SAを確立する。

新IPsecルータ及びTPCは，IPsec VPNを介して転送する必要があるパケットを，長さを調整するESPトレーラを付加して　 e 　化する。次に，新しい　 f 　ヘッダと，　 g 　SAを識別するためのESPヘッダ及びESP認証データを付加して，POP宛てに送信する。

R主任は，IPsec VPNの構成に用いるパラメータについて，現行の設計と比較検討した。検討したパラメータのうち，鍵の生成に用いるアルゴリズムと　 h 　を定めているDiffie-Hellmanグループ番号には，現行では1を用いているが，POPとの接続では1よりも　 h 　の長い14を用いた方が良いと考えた。

〔接続テスト〕

Q社のPaaS及びSGWサービスの導入を検討するに当たって，Q社からテスト環境を提供してもらい，本社，営業所及びテレワーク拠点から，Q社PaaS及びP社営業支援サービスを利用する接続テストを行うことになった。

R主任は，接続テストを行う準備として，P社営業支援サービスに設定しているアクセス制御を変更する必要があると考えた。P社営業支援サービスへの接続を許可するIPアドレスには，Q社SGWサービスのFW機能でのNAPTのために，Q社SGWサービスから割当てを受けた固定のグローバルIPアドレスを設定する。R主任は，Q社SGWサービスがN社以外にも提供されていると考えて，④NAPTのためにQ社SGWサービスから割当てを受けたグローバルIPアドレスのサービス仕様を，Q社に確認した。

テスト環境を構築したR主任は，Q社PaaS及び⑤P社営業支援サービスの応答時間の測定を確認項目の一つとして，接続テストを実施した。

R主任は，N社の幹部に接続テストの結果に問題がなかったことを報告し，Q社のPaaS及びSGWサービスの導入が承認された。

設問1 〔現行のネットワーク構成〕について，(1) ～ (6)に答えよ。

(1) 本文中の下線①のIPアドレスを，表1中のIPアドレスで答えよ。

(2) 本文中の ___a___ に入れる適切な字句を答えよ。

(3) 表2中の ___b___ ～ ___d___ に入れる適切な字句を，表2中の字句を用いて答えよ。

(4) "本社のIPsecルータ"が，営業所のPCからP社営業支援サービス宛てのパケットを転送するときに選択する経路は，表2中のどれか。VRF識別子及び宛先ネットワークを答えよ。

(5) 本文中の下線②について，デフォルトルート(宛先ネットワーク0.0.0.0/0の経路)が必要になる理由を，40字以内で述べよ。

(6) 本文中の下線③の宛先ネットワークを，表2中の字句を用いて答えよ。

設問2 〔新規ネットワークの検討〕について，(1)，(2)に答えよ。

(1) 本文中の ___e___ ～ ___h___ に入れる適切な字句を答えよ。

(2) POPとのIPsec VPNを確立できない場合に，失敗しているネゴシエーションを特定するためには，何の状態を確認するべきか。本文中の字句を用いて二つ答えよ。

設問3 〔接続テスト〕について，(1)，(2)に答えよ。

(1) 本文中の下線④について，情報セキュリティの観点でR主任が確認した内容を，20字以内で答えよ。

(2) 本文中の下線⑤について，P社営業支援サービスの応答時間が，現行よりも長くなると考えられる要因を30字以内で答えよ。

(令和4年春 ネットワークスペシャリスト試験 午後Ⅰ 問2)

ECサーバの増強に関する次の記述を読んで，設問に答えよ

Y社は，従業員300名の事務用品の販売会社であり，会員企業向けにインターネットを利用して通信販売を行っている。ECサイトは，Z社のデータセンター（以下，z-DCという）に構築されており，Y社の運用PCを使用して運用管理を行っている。

ECサイトに関連するシステムの構成を図1に示し，DNSサーバに設定されているゾーン情報を図2に示す。

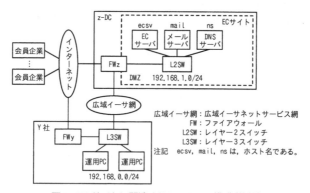

図1 ECサイトに関連するシステムの構成（抜粋）

項番				ゾーン情報
1	@	IN	SOA	ns.example.jp. hostmaster.example.jp. （省略）
2		IN	a	ns.example.jp.
3		IN	b	10 mail.example.jp.
4	ns	IN	A	c
5	ecsv	IN	A	（省略）
6	mail	IN	A	d
7	@	IN	SOA	ns.y-sha.example.lan. hostmaster.y-sha.example.lan. （省略）
8		IN	a	ns.y-sha.example.lan.
9		IN	b	10 mail.y-sha.example.lan.
10	ns	IN	A	e
11	ecsv	IN	A	（省略）
12	mail	IN	A	f

図2 DNSサーバに設定されているゾーン情報（抜粋）

〔ECサイトに関連するシステムの構成，運用及びセッション管理方法〕
・会員企業の事務用品購入の担当者（以下，購買担当者という）は，Webブラウザで

https://ecsv.example.jp/ を指定してECサーバにアクセスする。
・運用担当者は，運用PCのWebブラウザでhttps://ecsv.y-sha.example.lan/ を指定して，広域イーサ網経由でECサーバにアクセスする。
・ECサーバに登録されているサーバ証明書は一つであり，マルチドメインに対応していない。
・ECサーバは，アクセス元のIPアドレスなどをログとして管理している。
・DMZのDNSサーバは，ECサイトのインターネット向けドメイン example.jp と，社内向けドメイン y-sha.example.lan の二つのドメインのゾーン情報を管理する。
・L3SWには，DMZへの経路とデフォルトルートが設定されている。
・運用PCは，DMZのDNSサーバで名前解決を行う。
・FWzには，表1に示す静的NATが設定されている。

表1　FWzに設定されている静的NATの内容（抜粋）

変換前 IP アドレス	変換後 IP アドレス	プロトコル／宛先ポート番号
100.α.β.1	192.168.1.1	TCP/53，UDP/53
100.α.β.2	192.168.1.2	TCP/443
100.α.β.3	192.168.1.3	TCP/25

注記　100.α.β.1～100.α.β.3 は，グローバル IP アドレスを示す。

ECサーバは，次の方法でセッション管理を行っている。
・Webブラウザから最初にアクセスを受けたときに，ランダムな値のセッションIDを生成する。
・Webブラウザへの応答時に，CookieにセッションIDを書き込んで送信する。
・WebブラウザによるECサーバへのアクセスの開始から終了までの一連の通信を，セッションIDを基に，同一のセッションとして管理する。

〔ECサイトの応答速度の低下〕
　最近，購買担当者から，ECサイト利用時の応答が遅くなったというクレームが入るようになった。そこで，Y社の情報システム部（以下，情シスという）のネットワークチームのX主任は，運用PCを使用して次の手順で原因究明を行った。
(1)　購買担当者と同じURLでアクセスし，応答が遅いことを確認した。
(2)　ecsv.example.jp 及び ecsv.y-sha.example.lan 宛てに，それぞれpingコマンドを発行して応答時間を測定したところ，両者の測定結果に大きな違いはなかった。
(3)　FWzのログからはサイバー攻撃の兆候は検出されなかった。
(4)　sshコマンドで①ecsv.y-sha.example.lan にアクセスしてCPU使用率を調べたところ，設計値を大きく超えていた。

この結果から，X主任は，ECサーバが処理能力不足になったと判断した。

〔ECサーバの増強構成の設計〕

X主任は，ECサーバの増強が必要になったことを上司のW課長に報告し，W課長からECサーバの増強構成の設計指示を受けた。

ECサーバの増強策としてスケール　　g　　方式とスケール　　h　　方式を比較検討し，ECサイトを停止せずにECサーバの増強を行える，スケール　　h　　方式を採用することを考えた。

X主任は，②ECサーバを2台にすればECサイトは十分な処理能力をもつことになるが，2台増設して3台にし，負荷分散装置（以下，LBという）によって処理を振り分ける構成を設計した。ECサーバの増強構成を図3に示し，DNSサーバに追加する社内向けドメインのリソースレコードを図4に示す。

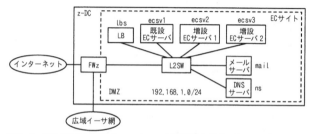

注記　lbs は LB のホスト名であり，ecsv1～ecsv3 は増強後の EC サーバのホスト名である。

図3　ECサーバの増強構成（抜粋）

lbs	IN	A	192.168.1.4	; LB の物理 IP アドレス
ecsv1	IN	A	192.168.1.5	; 既設 EC サーバの IP アドレス
ecsv2	IN	A	192.168.1.6	; 増設 EC サーバ 1 の IP アドレス
ecsv3	IN	A	192.168.1.7	; 増設 EC サーバ 2 の IP アドレス

図4　DNSサーバに追加する社内向けドメインのリソースレコード

ECサーバ増強後，購買担当者がWebブラウザで https://ecsv.example.jp/ を指定してECサーバにアクセスし，アクセス先が既設ECサーバに振り分けられたときのパケットの転送経路を図5に示す。

```
        (i)                    (i)              (ii)   lbs   (iii)        ecsv1
 ┌──┐  ----→  ┌────────┐  ----→  ┌──┐  ----→  ┌──┐  ----→  ┌──────┐
 │PC│         │インターネット│         │FWz│         │LB│         │ 既設 │
 └──┘  ←----  └────────┘  ←----  └──┘  ←----  └──┘  ←----  │ECサーバ│
 200.a.b.c     (vi)              (vi)             (v)          (iv)  └──────┘
```
----→ ：パケットの転送方向
注記　200.a.b.c は，グローバル IP アドレスを示す。

図5　既設ECサーバに振り分けられたときのパケットの転送経路

　導入するLBには，負荷分散用のIPアドレスである仮想IPアドレスで受信したパケットをECサーバに振り分けるとき，送信元IPアドレスを変換する方式（以下，ソースNATという）と変換しない方式の二つがある。図5中の（ⅰ）～（ⅵ）でのIPヘッダーのIPアドレスの内容を表2に示す。

表2　図5中の（ⅰ）～（ⅵ）でのIPヘッダーのIPアドレスの内容

図5中の番号	LBでソースNATを行わない場合		LBでソースNATを行う場合	
	送信元IPアドレス	宛先IPアドレス	送信元IPアドレス	宛先IPアドレス
（ⅰ）	200.a.b.c	i	200.a.b.c	i
（ⅱ）	200.a.b.c	j	200.a.b.c	j
（ⅲ）	200.a.b.c	192.168.1.5	k	192.168.1.5
（ⅳ）	192.168.1.5	200.a.b.c	192.168.1.5	k
（ⅴ）	j	200.a.b.c	j	200.a.b.c
（ⅵ）	i	200.a.b.c	i	200.a.b.c

〔ECサーバの増強構成とLBの設定〕
　X主任が設計した内容をW課長に説明したときの，2人の会話を次に示す。
X主任：LBを利用してECサーバを増強する構成を考えました。購買担当者がECサーバにアクセスするときのURLの変更は不要です。
W課長：DNSサーバに対しては，図4のレコードを追加するだけで良いのでしょうか。
X主任：そうです。ECサーバの増強後も，図2で示したゾーン情報の変更は不要ですが，③図2中の項番5と項番11のリソースレコードは，図3の構成では図1とは違う機器の特別なIPアドレスを示すことになります。また，④図4のリソースレコードの追加に対応して，既設ECサーバに設定されている二つの情報を変更します。
W課長：分かりました。LBではソースNATを行うのでしょうか。
X主任：現在のECサーバの運用を変更しないために，ソースNATは行わない予定です。この場合，パケットの転送を図5の経路にするために，⑤既設ECサーバでは，デフォルトゲートウェイのIPアドレスを変更します。
W課長：次に，ECサーバのメンテナンス方法を説明してください。
X主任：はい。まず，メンテナンスを行うECサーバを負荷分散の対象から外し，その後に，運用PCから当該ECサーバにアクセスして，メンテナンス作業を行います。
W課長：X主任が考えている設定では，運用PCからECサーバとは通信できないと思いますが，どうでしょうか。

X主任：うっかりしていました。導入予定のLBはルータとしては動作しませんか
　　　　ら，ご指摘の問題が発生してしまいます。対策方法として，ECサーバに
　　　　設定するデフォルトゲートウェイを図1の構成時のままとし，LBではソー
　　　　スNATを行うとともに，⑥ECサーバ宛てに送信するHTTPヘッダーに
　　　　X-Forwarded-Forフィールドを追加するようにします。

W課長：それで良いでしょう。ところで，図3の構成では，増設ECサーバにもサー
　　　　バ証明書をインストールすることになるのでしょうか。

X主任：いいえ。増設ECサーバにはインストールせずに⑦既設ECサーバ内のサー
　　　　バ証明書の流用で対応できます。

W課長：分かりました。負荷分散やセッション維持などの方法は設計済みでしょうか。

X主任：構成が決まりましたので，これからLBの制御方式について検討します。

〔LBの制御方式の検討〕

　X主任は，導入予定のLBがもつ負荷分散機能，セッション維持機能，ヘルスチェッ
ク機能の三つについて調査し，次の方式を利用することにした。

　・負荷分散機能

　　アクセス元であるクライアントからのリクエストを，負荷分散対象のサーバに振
り分ける機能である。Y社のECサーバは，リクエストの内容によってサーバに掛か
る負荷が大きく異なるので，ECサーバにエージェントを導入し，エージェントが取
得した情報を基に，ECサーバに掛かる負荷の偏りを小さくすることが可能な動的
振分け方式を利用する。

　・セッション維持機能

　　同一のアクセス元からのリクエストを，同一セッションの間は同じサーバに転送
する機能である。アクセス元の識別は，IPアドレス，IPアドレスとポート番号との
組合せ，及びCookieに記録された情報によって行う，三つの方式がある。IPアド
レスでアクセス元を識別する場合，インターネットアクセス時に送信元IPアドレス
が同じアドレスになる会員企業では，複数の購買担当者がアクセスするECサーバ
が同一になってしまう問題が発生する。⑧IPアドレスとポート番号との組合せでア
クセス元を識別する場合は，TCPコネクションが切断されると再接続時にセッショ
ン維持ができなくなる問題が発生する。そこで，⑨Cookie中のセッションIDと振
分け先のサーバから構成されるセッション管理テーブルをLBが作成し，このテー
ブルを使用してセッションを維持する方式を利用する。

　・ヘルスチェック機能

　　振分け先のサーバの稼働状態を定期的に監視し，障害が発生したサーバを負荷
分散の対象から外す機能である。⑩ヘルスチェックは，レイヤー3，4及び7の各レ

イヤーで稼働状態を監視する方式があり、ここではレイヤー7方式を利用する。

　X主任が、LBの制御方式の検討結果をW課長に説明した後、W課長から新たな検討事項の指示を受けた。そのときの、2人の会話を次に示す。

W課長：運用チームから、ECサイトのアカウント情報の管理負荷が大きくなってきたので、管理負荷の軽減策の検討要望が挙がっています。会員企業からは、自社で管理しているアカウント情報を使ってECサーバにログインできるようにして欲しいとの要望があります。これらの要望に応えるために、ECサーバのSAML2.0（Security Assertion Markup Language 2.0）への対応について検討してください。

X主任：分かりました。検討してみます。

〔SAML2.0の調査とECサーバへの対応の検討〕

　X主任がSAML2.0について調査して理解した内容を次に示す。

・SAMLは、認証・認可の要求／応答のプロトコルとその情報を表現するための標準規格であり、一度の認証で複数のサービスが利用できるシングルサインオン（以下、SSOという）を実現することができる。

・SAMLでは、利用者にサービスを提供するSP（Service Provider）と、利用者の認証・認可の情報をSPに提供するIdP（Identity Provider）との間で、情報の交換を行う。

・IdPは、SAMLアサーションと呼ばれるXMLドキュメントを作成し、利用者を介してSPに送信する。SAMLアサーションには、次の三つの種類がある。

　（a）利用者がIdPにログインした時刻、場所、使用した認証の種類などの情報が記述される。

　（b）利用者の名前、生年月日など利用者を識別する情報が記述される。

　（c）利用者がもつサービスを利用する権限などの情報が記述される。

・SPは、IdPから提供されたSAMLアサーションを基に、利用者にサービスを提供する。

・IdP、SP及び利用者間の情報の交換方法は、SAMLプロトコルとしてまとめられており、メッセージの送受信にはHTTPなどが使われる。

・z-DCで稼働するY社のECサーバがSAMLのSPに対応すれば、購買担当者は、自社内のディレクトリサーバ（以下、DSという）などで管理するアカウント情報を使って、ECサーバに安全にSSOでアクセスできる。

　X主任は、ケルベロス認証を利用して社内のサーバにSSOでアクセスしている会員企業e社を例として取り上げ、e社内のPCがSAMLを利用してY社のECサーバにもSSOでアクセスする場合のシステム構成及び通信手順について考えた。

会員企業e社のシステム構成を図6に示す。

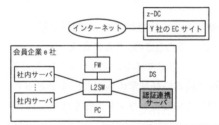

注記　網掛けの認証連携サーバは，SAMLを利用するために新たに導入する。

図6　会員企業e社のシステム構成（抜粋）

　図6で示した会員企業e社のシステムの概要を次に示す。

・e社ではケルベロス認証を利用し，社内サーバにSSOでアクセスしている。

・e社内のDSは，従業員のアカウント情報を管理している。

・PC及び社内サーバは，それぞれ自身の共通鍵を保有している。

・DSは，PC及び社内サーバそれぞれの共通鍵の管理を行うとともに，チケットの発行を行う鍵配布センター（以下，KDCという）機能をもっている。

・KDCが発行するチケットには，PCの利用者の身分証明書に相当するチケット（以下，TGTという）とPCの利用者がアクセスするサーバで認証を受けるためのチケット（以下，STという）の2種類がある。

・認証連携サーバはIdPとして働き，ケルベロス認証とSAMLとの間で認証連携を行う。

　X主任は，e社内のPCからY社のECサーバにSAMLを利用してSSOでアクセスするときの通信手順と処理の概要を，次のようにまとめた。

　e社内のPCからECサーバにSSOでアクセスするときの通信手順を図7に示す。

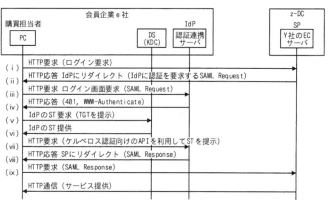

注記1 本図では，購買担当者はPCにログインしてTGTを取得しているが，IdP向けのSTを所有していない状態での通信手順を示している。
注記2 LBの記述は，図中から省略している。

図7　e社内のPCからECサーバにSSOでアクセスするときの通信手順（抜粋）

6

　図7中の，（ⅰ）～（ⅸ）の処理の概要を次に示す。

（ⅰ）　購買担当者がPCを使用してECサーバにログイン要求を行う。

（ⅱ）　SPであるECサーバは，⑪SAML認証要求（SAML Request）を作成しIdPである認証連携サーバにリダイレクトを要求する応答を行う。

　　　　ここで，ECサーバには，⑫IdPが作成するデジタル署名の検証に必要な情報などが設定され，IdPとの間で信頼関係が構築されている。

（ⅲ）　PCはSAML RequestをIdPに転送する。

（ⅳ）　IdPはPCに認証を求める。

（ⅴ）　PCは，KDCにTGTを提示してIdPへのアクセスに必要なSTの発行を要求する。

（ⅵ）　KDCは，TGTを基に，購買担当者の身元情報やセッション鍵が含まれたSTを発行し，IdPの鍵でSTを暗号化する。さらに，KDCは，暗号化したSTにセッション鍵などを付加し，全体をPCの鍵で暗号化した情報をPCに払い出す。

（ⅶ）　PCは，⑬受信した情報の中からSTを取り出し，ケルベロス認証向けのAPIを利用して，STをIdPに提示する。

（ⅷ）　IdPは，STの内容を基に購買担当者を認証し，デジタル署名付きのSAMLアサーションを含むSAML応答（SAML Response）を作成して，SPにリダイレクトを要求する応答を行う。

（ⅸ）　PCは，SAML ResponseをSPに転送する。SPは，SAML Responseに含まれる⑭デジタル署名を検証し，検証結果に問題がない場合，SAMLアサーションを基に，購買担当者が正当な利用者であることの確認，及び購買担当者に対して提供するサービス範囲を定めた利用権限の付与の，二つの処理を行う。

　X主任は，ECサーバのSAML2.0対応の検討結果を基に，SAML2.0に対応する場合のECサーバプログラムの改修作業の概要をW課長に説明した。

　W課長は，X主任の設計したECサーバの増強案，及びSAML2.0対応のためのECサーバの改修などについて，経営会議で提案して承認を得ることができた。

設問1　図2中の　　a　　，　　b　　に入れる適切なリソースレコード名を，
　　　　　　c　　～　　f　　に入れる適切なIPアドレスを，それぞれ答えよ。

設問2　〔ECサイトの応答速度の低下〕について答えよ。

　　(1)　URLを https://ecsv.y-sha.example.lan/ に設定してECサーバにアクセスすると，TLSのハンドシェイク中にエラーメッセージがWebブラウザに表示される。その理由を，サーバ証明書のコモン名に着目して，25字以内で答えよ。

　　(2)　本文中の下線①でアクセスしたとき，運用PCが送信したパケットがECサーバに届くまでに経由する機器を，図1中の機器名で全て答えよ。

設問3　〔ECサーバの増強構成の設計〕について答えよ。

　　(1)　本文中の　　g　　，　　h　　に入れる適切な字句を答えよ。

　　(2)　本文中の下線②について，2台ではなく3台構成にする目的を，35字以内で答えよ。ここで，将来のアクセス増加については考慮しないものとする。

　　(3)　表2中の　　i　　～　　k　　に入れる適切なIPアドレスを答えよ。

設問4　〔ECサーバの増強構成とLBの設定〕について答えよ。

　　(1)　本文中の下線③について，どの機器を示すことになるかを，図3中の機器名で答えよ。また，下線③の特別なIPアドレスは何と呼ばれるかを，本文中の字句で答えよ。

　　(2)　本文中の下線④について，ホスト名のほかに変更する情報を答えよ。

　　(3)　本文中の下線⑤について，どの機器からどの機器のIPアドレスに変更するのかを，図3中の機器名で答えよ。

　　(4)　本文中の下線⑥について，X-Forwarded-Forフィールドを追加する目的を，35字以内で答えよ。

　　(5)　本文中の下線⑦について，対応するための作業内容を，50字以内で答えよ。

設問5　〔LBの制御方式の検討〕について答えよ。

　　(1)　本文中の下線⑧について，セッション維持ができなくなる理由を，50字以内で答えよ。

　　(2)　本文中の下線⑨について，LBがセッション管理テーブルに新たなレコードを登録するのは，どのような場合か。60字以内で答えよ。

(3)　本文中の下線⑩について，レイヤー3及びレイヤー4方式では適切な監視が行われない。その理由を25字以内で答えよ。

設問6　〔SAML2.0の調査とECサーバへの対応の検討〕について答えよ。

(1)　本文中の下線⑪について，ログイン要求を受信したECサーバがリダイレクト応答を行うために必要とする情報を，購買担当者の認証・認可の情報を提供するIdPが会員企業によって異なることに着目して，30字以内で答えよ。

(2)　本文中の下線⑫について，図7の手順の処理を行うために，ECサーバに登録すべき情報を，15字以内で答えよ。

(3)　本文中の下線⑬について，取り出したSTをPCは改ざんすることができない。その理由を20字以内で答えよ。

(4)　本文中の下線⑭について，受信したSAMLアサーションに対して検証できる内容を二つ挙げ，それぞれ25字以内で答えよ。

（令和5年春 ネットワークスペシャリスト試験 午後Ⅱ 問2）

6

■午後問題 [問1] の解説

　セキュアゲートウェイサービスの導入に関する問題です。この問では、VRF（Virtual Routing and Forwarding）を用いたネットワーク設計と、IPsec VPNの設計・構築、セキュアゲートウェイサービス導入後の通信制御を題材に、ネットワーク及び情報セキュリティの設計・構築での実務能力が問われています。IPsecに関する詳細な知識が求められる問題で、難易度は高めです。

設問1

　〔現行のネットワーク構成〕に関する問題です。現行の、VRFを利用したネットワーク構成について、IPsec VPNやOSPFなどを利用するための、具体的な設定内容が問われています。

(1)

　本文中の下線①「特定のIPアドレス」について、表1中の具体的なIPアドレスを答えます。

　P社営業支援サービスは、本文中の最初に「SaaSとして提供されるP社の営業支援サービス」とあり、インターネット上のクラウドサービスです。図1のN社の現行のネットワーク構成では、インターネットとの通信はすべて本社のFWを経由します。表1より、本社のFWでインターネットに接続するインタフェースINT-IFのIPアドレスはa.b.c.dです。そのため、N社のPCからP社営業支援サービスへのアクセスでは、送信元IPアドレスはすべてa.b.c.dとなります。したがって解答は、**a.b.c.d**です。

(2)

　本文中の空欄穴埋め問題です。本社及び営業所のIPsecルータについて、適切な字句を答えます。

空欄a

　本社及び営業所のIPsecルータで保持する二つのテーブルを考えます。

　〔現行のネットワーク構成〕の空欄aの前に、「LAN及びインターネットのそれぞれでデフォルトルートを使用するために、VRF（Virtual Routing and Forwarding）を利用して」とあります。デフォルトルートを設定するにはルーティングテーブルが必要となり、二つのルーティングテーブルを保持することで、2種類のデフォルトルートが設定できます。したがって解答は、**ルーティング**です。

(3)

　表2中の空欄穴埋め問題です。ネットワーク機器に設定しているVRFと経路情報について、ネクストホップや経路制御方式を答えていきます。

空欄b

本社のIPsecルータについて，営業所のLAN以外を宛先にするときのデフォルトルート（0.0.0.0/0）で，ネクストホップとなる装置又はインタフェースを考えます。

図1より，本社のIPSecルータは，本社内のネットワークではL3SWに接続しています。表1の本社のIPsecルータでも，LAN-IFの接続先はL3SWで，デフォルトルートでのネクストホップは本社のL3SWとなります。したがって解答は，**本社のL3SW**です。

空欄c

本社のIPsecルータについて，172.17.1.0/24（営業所のLAN）に接続するVRFでの，経路制御方式を考えます。

経路制御において動的経路制御（ダイナミックルーティング）を行うためには，ルーティングプロトコルを使用して，経路情報を交換する必要があります。〔現行のネットワーク構成〕の表2の後の段落に，「本社のFW，L3SW及びIPsecルータには，OSPFによる経路制御を稼働させるための設定を行っている」とあり，本社のIPsecルータとL3SWの間では，OSPFによる動的経路制御が行われます。

しかし，宛先ネットワークが営業所のLANとなる通信は，図1より，本社のIPsecルータから営業所のIPsecルータに向けて行われると考えられます。〔現行のネットワーク構成〕の下線②の後に，「本社及び営業所のIPsecルータには，営業所のPCが通信するパケットをIPsec VPNを介して転送するために，トンネルIFをネクストホップとした静的経路を設定している」とあり，本社のIPsecルータから営業所のIPsecルータでは，トンネルIFをネクストホップとした静的経路制御を行う設定となります。したがって解答は，**静的経路制御**です。

空欄d

営業所のIPsecルータにおいて，ネクストホップとなる装置又はインタフェースがトンネルIFとなるVRFでの経路制御方式を考えます。

空欄cと同様に，営業所のIPsecルータでは，トンネルIFをネクストホップとした静的経路を設定することで，本社と営業所の間のIPsec通信を実現します。したがって解答は，**静的経路制御**です。

(4)

"本社のIPsecルータ"が，営業所のPCからP社営業支援サービス宛てのパケットを転送するときに選択する経路を表2の経路の中から選び，VRF識別子及び宛先ネットワークを答えます。

図1のN社の現行のネットワーク構成で，営業所のPCからP社営業支援サービスに接続するときのパケットの流れは，次のようになります。

FW：ファイアウォール　　L2SW：レイヤ2スイッチ　　L3SW：レイヤ3スイッチ
IPsecルータ：IPsec VPNルータ

営業所のPCからP社営業支援サービスに接続するときのパケットの流れ

　本社のIPsecルータでは，営業所のIPsecルータから受け取ったパケットを，本社のL3SW
に転送します。表2で，本社のIPsecルータから本社のL3SWに転送するのは，空欄b（本社
のL3SW）で解答した4行目となります。したがって，VRF識別子は**65000:2**，宛先ネットワー
クは**0.0.0.0/0**です。

(5)

　本文中の下線②「本社のIPsecルータには，営業所のIPsecルータとIPsec VPNを確立する
ために，静的なデフォルトルートを設定」について，デフォルトルートが必要になる理由を，
40字以内で答えます。

　表1の6行目，営業所のIPsecルータのVRF識別子65000:1には，インタフェースINT-IFに
割り当てられるIPアドレスとして，w.x.y.zが記載されています。表1の注4)に，「w.x.y.zは，
ISPから割り当てられた動的なグローバルIPアドレスである」とあり，ISPが割り当てる営業所
のIPsecルータのIPアドレスは動的なIPアドレスであることが分かります。ルータのIPアド
レスが動的な場合，ルーティングプロトコルでのやり取りでルータが動的に経路制御を行うこ
とができないため，静的なデフォルトルートを設定する必要があります。したがって解答は，
ISPが割り当てる営業所のIPsecルータのIPアドレスが動的だから，です。

(6)

　本文中の下線③「静的経路」の宛先ネットワークを，表2中の字句を用いて答えます。

　本社のIPsecルータは，IPsec VPNを通して営業所のLANと接続されています。IPsec
ルータ同士の接続は静的経路制御で，ルーティング情報はやり取りされないため，本社の
IPsecルータでは，営業所のLANに関する静的経路情報をOSPFに再配布する必要がありま

す。営業所のLANの宛先ネットワークアドレスは，172.17.1.0/24です。したがって解答は，**172.17.1.0/24**，又は，**営業所のLAN**となります。

設問2

〔新規ネットワークの検討〕に関する問題です。新規ネットワークでの，IKEバージョン2とESPを用いたIPsec VPNでの接続について，詳細な知識や理解が求められています。

(1)

本文中の空欄穴埋め問題です。IPsecやSAの仕組みについての知識が問われています。

空欄e

新IPsecルータ及びTPCで，パケットにESPトレーラを付加した後に行うことを考えます。

ESP（Encapsulated Security Payload）は，IPsecでのデータの暗号化と認証をサポートするセキュリティプロトコルです。ESPトレーラを付加したパケットを暗号化することで，パケット内容を秘匿にすることができます。したがって解答は，**暗号**です。

空欄f

IPsec VPNで新しく付加するヘッダを考えます。

IPsec VPNでは，IPパケットをIPアドレスを含んだIPヘッダごと暗号化します。そのため，新たにIPヘッダを作成し，パケットに付加する必要があります。したがって解答は，**IP**です。

空欄g

ESPヘッダで識別するSAの種類を答えます。

〔新規ネットワークの検討〕に，「IPsec VPNには，IKEバージョン2と，ESPのプロトコルを用いる」とあり，IKEはバージョン2であることが明記されています。IKEバージョン1のIPsec SAは，IKEバージョン2では，Child SAとなります。〔新規ネットワークの検討〕には，「新IPsecルータ及びTPCとPOPは，認証及びChild SAを確立するために必要な情報を，IKE SAを介してネゴシエーションして決定し，Child SAを確立する」とあり，識別するSAはChild SAであることが読み取れます。したがって解答は，**Child**です。

空欄h

Diffie-Hellmanグループ番号で，1よりも14の方が長いものを答えます。

Diffie-Hellman鍵交換では，グループ番号1は768ビット，グループ番号14は2,048ビットの鍵長の鍵を交換します。グループ番号14の方が鍵長が長く，より安全な暗号化通信を実現できます。したがって解答は，**鍵長**です。

(2)

POPとのIPsec VPNを確立できない場合に，失敗しているネゴシエーションを特定するために，

状態を確認するべきものを二つ答えます。

　本文と図2より，POPはQ社SGWサービスの接続点で，IPsec VPNを用いて接続します。IPsec VPNでは，最初のネゴシエーションでIKE SAを確立し，IKE SAを介してChild SAを確立します。POPとのIPsec VPNを確立できないとき，失敗しているネゴシエーションはIKE SAとChild SAのどちらも考えられるため，両方の状態を確認する必要があります。したがって解答は，**IKE SA**，及び，**Child SA**です。

設問3

　〔接続テスト〕に関する問題です。Q社SGWサービスの導入に対して，セキュリティの観点での確認事項や，発生する遅延について考えていきます。

(1)

　本文中の下線④「NAPTのためにQ社SGWサービスから割当てを受けたグローバルIPアドレスのサービス仕様」について，情報セキュリティの観点でR主任が確認した内容を，20字以内で答えます。

　〔新規ネットワークの検討〕に，「Q社SGWサービスのFW機能は，パケットフィルタリングによるアクセス制御と，NAPTによるIPアドレスの変換を行う」とあり，Q社SGWサービスから割当てを受けたグローバルIPアドレスが，N社からP社営業支援サービスに接続するときの送信元IPアドレスになります。Q社SGWサービスが割当てを行ったグローバルIPアドレスが，N社専用ではなく，他の会社と共有されている場合，N社以外でもP社営業支援サービスへの接続を許可されてしまうことになります。そのため，他の会社からのアクセスを防ぐためには，IPアドレスがN社専用であることを確認する必要があります。したがって解答は，**N社専用のIPアドレスであること**，です。

(2)

　本文中の下線⑤「P社営業支援サービスの応答時間の測定」について，P社営業支援サービスの応答時間が，現行よりも長くなると考えられる要因を30字以内で答えます。

　図1の現行ネットワーク構成では，N社の本社FWから，インターネット経由で直接，P社営業支援サービスに接続しています。図2の新規ネットワーク構成では，本社や営業所，テレワーク拠点から，インターネット経由でQ社SGWサービスに接続し，FW機能からインターネットを再度経由してからP社営業支援サービスに接続します。新たにQ社SGWサービスを経由する必要があるため，遅延が発生すると考えられます。したがって解答は，**Q社SGWサービスの経由によって発生する遅延**，です。

6

解答例

出題趣旨

クラウドサービスの利用が増加し，また，テレワーク環境を導入するに当たり，現行のネットワーク構成を変更して，セキュアゲートウェイサービスを導入する企業が増えている。利用形態に応じた情報セキュリティ対策は，多くの企業において重要な課題である。

このような状況を基に，本問では，セキュアゲートウェイサービスの導入を事例に取り上げ，IPsec VPNを利用した接続，及びセキュアゲートウェイサービス導入後の通信制御を解説した。

VRFを用いたネットワーク設計と，IPsec VPNの設計・構築，セキュアゲートウェイサービス導入後の通信制御を題材に，受験者が修得した技術・経験が，ネットワーク及び情報セキュリティの設計・構築の実務で活用できる水準かどうかを問う。

設問1

(1) a.b.c.d

(2) a ルーティング

(3) b 本社のL3SW　　　　c 静的経路制御　　　　d 静的経路制御

(4) **VRF識別子** 65000:2

宛先ネットワーク 0.0.0.0/0

(5) ISPが割り当てる営業所のIPsecルータのIPアドレスが動的だから（34字）

(6) 172.17.1.0/24 又は 営業所のLAN

設問2

(1) e 暗号　　　f IP　　　g Child　　　h 鍵長

(2) ・IKE SA　　・Child SA

設問3

(1) N社専用のIPアドレスであること（16字）

(2) Q社SGWサービスの経由によって発生する遅延（22字）

採点講評

　問2では，セキュアゲートウェイサービスの導入を題材に，VRFを用いたネットワーク
設計，IPsec VPN，IKEv2及びESPについての知識，セキュアゲートウェイサービスとの
接続について出題した。全体として正答率は平均的であった。

　設問1 (5) は，正答率が低かった。営業所のIPsecルータにはISPから動的なグローバル
IPアドレスが割り当てられるので，インターネットに接続するインタフェースのIPアドレ
スが変わる可能性がある。本文中に明記されているので，読み取ってほしい。

　設問2 (1) は，正答率がやや低かった。IPsecの用語やVPN確立までの動作について出
題した。IPsec VPNを利用する場合は，IKEのバージョンやDiffie-Hellmanグループ番号
などを選択できるので，正しく理解してほしい。

　設問3 (2) は，正答率がやや高かった。セキュアゲートウェイサービスを経由しており，
経路が長くなったり，サービス内で遅延が発生したりする可能性があることを，理解でき
ていることがうかがわれた。

6

■ 午後問題 [問2] の解説

ECサーバの増強に関する問題です。この問では，ECサーバの増強を題材として，LB導入に伴う構成設計及びSAML2.0を利用するための方式検討において，受験者が習得した技術が活用できる水準かどうかを問われています。

この問は，以下の段落で構成されています。

段落	出題される設問
（最初の段落）	設問1
〔ECサイトに関連するシステムの構成，運用及びセッション管理方法〕	
〔ECサイトの応答速度の低下〕	設問2
〔ECサーバの増強構成の設計〕	設問3
〔ECサーバの増強構成とLBの設定〕	設問4
〔LBの制御方式の検討〕	設問5
〔SAML2.0の調査とECサーバへの対応の検討〕	設問6

典型的なWebサイトに関するサーバ増強の話で，DNSの設定など定番の内容について問われています。負荷分散装置（LB）での負荷分散が内容の中心で，定番の問題となっています。過去の問題で取り上げられた内容が中心で，全体的に難易度は低めです。

設問1

図2中の空欄穴埋め問題です。DNSサーバに設定されているゾーン情報について，適切なリソースレコード名やIPアドレスを，それぞれ考えていきます。

空欄a

図2の項番2と8の両方に当てはまるリソースレコード名を答えます。

項番2のゾーン情報はns.example.jp.，項番8のゾーン情報はns.y-sya.example.lan. に関係するものです。この二つのFQDNは，項番1や項番7のSOAレコードにも記述されており，権威DNSサーバであると考えられます。ネームサーバを示すリソースレコードはNSレコードで，「IN NS ネームサーバ名」というかたちで設定します。したがって解答は，**NS**です。

空欄b

図2の項番3と9の両方に当てはまるリソースレコード名を答えます。

項番3のゾーン情報はmail.example.jp.，項番9のゾーン情報はmail.y-sya.example.lan. に関係するものです。いずれにも10という数字が加えられています。この10は優先度だと考えられ，メールサーバを優先度付きで設定する場合などに使用されます。メールサーバを示すリソースレコードはMXレコードで，「IN MX 優先度 メールサーバ名」というかたちで設定します。したがって解答は，**MX**です。

空欄c

図2の項番4に当てはまるIPアドレスを答えます。

項番4のホスト名はnsで，項番2のFQDNにあるns.example.jp. に対応するIPアドレスだと考えられます。図1のシステム構成ではECサイトのゾーンにnsとあり，これがDNSサーバで，FWzを経由してインターネットから接続されます。IPアドレスについては，〔ECサイトに関連するシステムの構成，運用及びセッション管理方法〕に，「FWzには，表1に示す静的NATが設定されている」とあり，表1に設定されている静的NATで，グローバルIPアドレスからプライベートIPアドレスに変換されます。名前解決に使用されるDNS（Domain Name Server）のウェルノウンポート番号は，TCP/53とUDP/53なので，表1では変換前のIPアドレスが$100.\alpha.\beta.1$から192.168.1.1へ変換する行がDNSサーバに該当します。〔ECサイトに関連するシステムの構成，運用及びセッション管理方法〕に，「ECサイトのインターネット向けドメイン example.jp」とあるので，ns.example.jp.はインターネット向けドメインです。インターネットに公開するのはグローバルIPアドレスの方なので，$100.\alpha.\beta.1$をAレコードとして設定します。したがって解答は，**$100.\alpha.\beta.1$**です。

空欄d

図2の項番6に当てはまるIPアドレスを答えます。

項番6のホスト名はmailで，項番3のFQDNにあるmail.example.jp. に対応するIPアドレスだと考えられます。図1のシステム構成ではECサイトのゾーンにmailとあり，これがメールサーバです。空欄cと同様，表1に設定されている静的NATで，グローバルIPアドレスからプライベートIPアドレスに変換されます。メール転送に使用されるSMTP（Simple Mail Transfer Protocol）のウェルノウンポート番号はTCP/25なので，表1では変換前のIPアドレスが$100.\alpha.\beta.3$から192.168.1.3へ変換する行がメールサーバに該当します。インターネットに公開するのはグローバルIPアドレスの方なので，$100.\alpha.\beta.3$をAレコードとして設定します。したがって解答は，**$100.\alpha.\beta.3$**です。

空欄e

図2の項番10に当てはまるIPアドレスを答えます。

項番10のホスト名はnsで，項番7や項番8のFQDNにあるns.y-sha.example.lan. に対応するIPアドレスだと考えられます。〔ECサイトに関連するシステムの構成，運用及びセッション管理方法〕に，「社内向けドメイン y-sha.example.lan」とあるので，ns.y-sha.example.lan. は社内向けドメインのDNSサーバだと考えられます。空欄cと同様，DNSのウェルノウンポート番号はTCP/53とUDP/53で，社内向けのプライベートIPアドレスは192.168.1.1となります。したがって解答は，**192.168.1.1**です。

空欄f

図2の項番12に当てはまるIPアドレスを答えます。

項番12のホスト名はmailで，項番9のFQDNにあるmail.y-sha.example.lan. に対応するIP

アドレスだと考えられます。mail.y-sha.example.lan. は社内向けドメインのメールサーバだと考えられます。空欄dと同様，SMTPのウェルノウンポート番号はTCP/25で，社内向けのプライベートIPアドレスは192.168.1.3となります。したがって解答は，**192.168.1.3**です。

設問2

〔ECサイトの応答速度の低下〕に関する問題です。ECサイトに設定されているドメインやサーバ証明書に関する問題と，パケットの転送経路について考えていきます。

(1)

URLを https://ecsv.y-sha.example.lan/ に設定してECサーバにアクセスすると，TLSのハンドシェイク中にエラーメッセージがWebブラウザに表示される理由を，サーバ証明書のコモン名に着目して，25字以内で答えます。

〔ECサイトに関連するシステムの構成，運用及びセッション管理方法〕に，「会員企業の事務用品購入の担当者（以下，購買担当者という）は，Webブラウザで https://ecsv.example.jp/ を指定してECサーバにアクセス」とあり，さらに「運用担当者は，運用PCのWebブラウザで https://ecsv.y-sha.example.lan/ を指定」とあり，ドメインが example.jp と y-sha.example.lan の2種類あります。しかし，本文の続きに，「ECサーバに登録されているサーバ証明書は一つであり，マルチドメインに対応していない」とあり，サーバ証明書に登録されているコモン名のドメインは一つです。URLを https://ecsv.y-sha.example.lan/ に設定してECサーバにアクセスすると，TLSのハンドシェイク中にエラーメッセージがWebブラウザに表示されるということは，サーバ証明書に登録されているコモン名のドメインは example.jp の方だと考えられます。y-sha.example.lan のドメイン名でECサーバにアクセスすると，コモン名とURLのドメインとが異なるため，TLSのハンドシェイク中にエラーメッセージがWebブラウザに表示されると考えられます。したがって解答は，**コモン名とURLのドメインとが異なるから**，です。

(2)

本文中の下線①「ecsv.y-sha.example.lan にアクセス」したとき，運用PCが送信したパケットがECサーバに届くまでに経由する機器を，図1中の機器名で全て答えます。

図1より，運用PCはY社のネットワーク内にあり，L3SWに接続されています。そのため，最初にL3SWにパケットが到達します。y-sha.example.lan は社内向けドメインなので，プライベートIPアドレスでの通信を行うと考えられます。具体的には，省略されている図2の項番11が対応し，表1のhttpsに対応するTCP/443の行にある，102.168.1.2がECサーバのIPアドレスです。プライベートIPアドレスではインターネットを利用できないので広域イーサ網を経由すると考えられ，L3SWはFWzに向けてパケットを送出します。FWzはECサーバが接続さ

れているL2SWにパケットを送出し，L2SWからECサーバにパケットが届きます。したがっ
て解答は，**L3SW，FWz，L2SW**です。

設問3

〔ECサーバの増強構成の設計〕に関する問題です。ECサーバの増強策の種類や，既設ECサー
バに振り分けられたときのパケットのIPアドレスの変換について考えていきます。

(1)

本文中の空欄穴埋め問題です。ECサーバの増強策について，適切な字句を考えていきます。

空欄g

ECサーバの増強策として，ECサイトを停止せずにECサーバの増強を行え"ない"方式を
答えます。

サーバのキャパシティを増やすための方法として，スケールアウトとスケールアップの2
種類があります。このうち，スケールアップは，性能が足りなくなったときにそのサーバ自
体を増強する方法です。メモリ増設やCPUなどのパーツ交換，またはサーバを新機種に入
れ替えるなどしてサーバ自体の性能を上げることでキャパシティを増やします。パーツ交換
などを行う際はECサイトを停止させる必要があるので，スケールアップが空欄gに該当す
ると考えられます。したがって解答は，**アップ**です。

空欄h

ECサーバの増強策として，ECサイトを停止せずにECサーバの増強を行える方式を答え
ます。

サーバの増強策の一つであるスケールアウトは，性能が足りなくなったらサーバの台数を
増やすことでキャパシティを増強する方法です。既存のサーバを停止させる必要はありませ
ん。したがって解答は，**アウト**です。

(2)

本文中の下線②「ECサーバを2台にすればECサイトは十分な処理能力をもつことになるが，
2台増設して3台にし」について，2台ではなく3台構成にする目的を，35字以内で答えます。
ここで，将来のアクセス増加については考慮せず，2台で十分な場合について考えます。

〔LBの制御方式の検討〕にヘルスチェック機能があり，これは「振分け先のサーバの稼働状
態を定期的に監視し，障害が発生したサーバを負荷分散の対象から外す機能」で，サーバに障
害が発生した場合には負荷分散の対象から外し，残りのサーバで負荷分散することになります。
ECサーバが2台しかないと，1台のサーバが故障した場合に残りの1台に2台分の負荷がかか
ります。この場合には処理能力不足で，応答速度の低下などの不具合が起こることが考えら

れます。ECサーバが3台あれば，平常時は余裕をもって運用でき，1台故障時にも残りが2台なので十分な処理能力があり，ECサイトの応答速度の低下が発生しません。したがって解答は，**1台故障時にも，ECサイトの応答速度の低下を発生させないため**，です。

(3)

　表2中の空欄穴埋め問題です。図5中の（ⅰ）〜（ⅵ）でのIPヘッダーのIPアドレスの内容について，適切なIPアドレスを考えていきます。

空欄 i

　図5中の項番（ⅰ）での宛先IPアドレス，及び項番（ⅵ）での送信元IPアドレスについて答えます。LBでソースNATを行う場合も行わない場合も同じです。

　図5より，項番（ⅰ）と（ⅵ）は，インターネットを経由したPCとFWzの間の通信です。〔ECサーバの増強構成の設計〕の図5の前には，「ECサーバ増強後，購買担当者がWebブラウザで https://ecsv.example.jp/ を指定してECサーバにアクセス」とあるので，HTTPSでECサーバにアクセスします。この通信でのIPアドレスは，図2の項番5に該当し，ecsv.example.jpに対応するグローバルIPアドレスでのアクセスとなります。表1より，HTTPSでのTCP/443を利用するときのグローバルIPアドレスは$100.\alpha.\beta.2$です。PCではDMZサーバで名前解決を行い，$100.\alpha.\beta.2$を送信先IPアドレスにして通信を行うと考えられます。したがって解答は，**$100.\alpha.\beta.2$** です。

空欄 j

　図5中の項番（ⅱ）での宛先IPアドレス，及び項番（ⅴ）での送信元IPアドレスについて答えます。LBでソースNATを行う場合も行わない場合も同じです。

　図5より，項番（ⅱ）と（ⅴ）は，FWzとLBの間の通信です。FWzでは静的NATが設定されており，表1のアドレスで変換します。空欄iで考えたとおり，変換前のIPアドレスは$100.\alpha.\beta.2$なので，変換後のIPアドレスは192.168.1.2になると考えられます。したがって解答は，**192.168.1.2** です。

空欄 k

　LBでソースNATを行う場合の，図5中の項番（ⅲ）での送信元IPアドレス，及び項番（ⅳ）での宛先IPアドレスを答えます。

　図5より，項番（ⅲ）と（ⅳ）は，LBと既設ECサーバの間の通信です。LBでソースNATを行うということは，LBが送信元IPアドレスの変換を行うので，送信元IPアドレスがLBのものになります。図4のリソースレコードの1行目にLBのリソースレコードがあり，192.168.1.4で，LBの物理IPアドレスのAレコードが設定されています。そのため，ソースNATでの送信元IPアドレスは，LBに設定された192.168.1.4になると考えられます。したがって解答は，**192.168.1.4** です。

設問4

〔ECサーバの増強構成とLBの設定〕に関する問題です。ECサーバの増強構成による，LBに設定するIPアドレスやホスト名，追加する設定や作業内容などについて考えていきます。

(1)

本文中の下線③「図2中の項番5と項番11のリソースレコードは，図3の構成では図1とは違う機器の特別なIPアドレスを示す」について，どの機器を示すことになるか，また，特別なIPアドレスが何と呼ばれるかについて考えていきます。

どの機器

図2中の項番5と項番11のリソースレコードは，どの機器を示すことになるかを，図3中の機器名で答えます。

図2の項番5と項番11は，ecsvに対するAレコードです。図3のECサーバの増強構成では，LBによってECサーバに処理を振り分けます。図5のパケットの転送経路にもあるとおり，FWzからの通信はLBが受け取り，ECサーバに転送します。そのため，ecsvに対するAレコードは，LBに向けて送信するときのIPアドレスになると考えられます。したがって解答は，**LB**です。

IPアドレスの呼称

LBの特別なIPアドレスは何と呼ばれるかを，本文中の字句で答えます。

〔ECサーバの増強構成の設計〕に，「導入するLBには，負荷分散用のIPアドレスである仮想IPアドレスで受信したパケットをECサーバに振り分けるとき」とあり，負荷分散用のIPアドレスとして，仮想IPアドレスを利用することが分かります。仮想IPアドレスが特別なIPアドレスで，LBが受信して振り分けると考えられます。したがって解答は，**仮想IPアドレス**です。

(2)

本文中の下線④「図4のリソースレコードの追加に対応して，既設ECサーバに設定されている二つの情報を変更します」について，ホスト名のほかに変更する情報を答えます。

図2の項番11と表1より，既設ECサーバに設定されていたホスト名とIPアドレスは，ecsvと192.168.1.2だと考えられます。図4のAレコードより，既設ECサーバのホスト名はecsv1で，IPアドレスは192.168.1.5になっています。そのため，既設ECサーバでは，ホスト名をecsvからecsv1に変更し，自身のIPアドレスを192.168.1.2から192.168.1.5に変更する必要があります。したがって解答は，**(自身の) IPアドレス**です。

(3)

本文中の下線⑤「既設ECサーバでは，デフォルトゲートウェイのIPアドレスを変更します」について，どの機器からどの機器のIPアドレスに変更するのかを，図3中の機器名で答えます。

変更前のデフォルトゲートウェイについては，図1のECサイトのネットワークでは，FWzが中継装置になっているので，FWzがデフォルトゲートウェイであると考えられます。変更後は，〔ECサーバの増強構成とLBの設定〕の下線⑤の前に，「現在のECサーバの運用を変更しないために，ソースNATは行わない予定です」とあるので，ソースNATは行いません。そのため，表2では「LBでソースNATを行わない場合」に該当し，既設ECサーバでのLBとの通信となる（ⅲ）と（ⅳ）で，送信元や宛先のIPアドレスが，200.a.b.cとなり，グローバルIPアドレスとなります。（ⅳ）のグローバルIPアドレスに向けての通信をLBで受け取るためには，LBをデフォルトゲートウェイとする必要があります。　したがって解答は，**FWzからLBに変更**，です。

(4)

本文中の下線⑥「ECサーバ宛てに送信するHTTPヘッダーにX-Forwarded-Forフィールドを追加する」について，X-Forwarded-Forフィールドを追加する目的を，35字以内で答えます。

X-Forwarded-Forフィールドは，プロキシサーバが，中継するクライアントのIPアドレスを通知するヘッダーフィールドです。LBを経由してECサーバへ接続したクライアントについて，アクセス元のIPアドレスを特定するために使用します。したがって解答は，**ECサーバに，アクセス元PCのIPアドレスを通知するため**，です。

(5)

本文中の下線⑦「既設ECサーバ内のサーバ証明書の流用で対応できます」について，対応するための作業内容を，50字以内で答えます。

〔ECサイトに関連するシステムの構成，運用及びセッション管理方法〕に，「ECサーバに登録されているサーバ証明書は一つ」とあり，既設ECサーバ内に設定されています。サーバ証明書を利用したHTTPS（HTTP over TLS）での通信では，公開鍵暗号方式での暗号化や認証を実現するため，サーバ証明書内に含まれている公開鍵と合わせて，鍵ペアとなるサーバの秘密鍵が必要です。増強前のECサーバでは，サーバ証明書と秘密鍵のペアが，既設ECサーバにインストールされていたと考えられます。

図3の構成では，図5のパケットの転送経路でも分かるとおり，インターネットからECサーバへの通信では，LBが中継して転送します。暗号化や復号，認証などの処理はLBで行うことになるので，ECサーバそれぞれへのサーバ証明書のインストールは不要となります。既設ECサーバ内にインストールされているサーバ証明書と秘密鍵のペアを流用し，LBに移すことで，すべてのECサーバでのHTTPS通信に対応できます。

したがって解答は，**既設ECサーバにインストールされているサーバ証明書と秘密鍵のペア**
を，LBに移す，です。

設問5

〔LBの制御方式の検討〕に関する問題です。LBのセッション管理について，セッション維持
のための方式や，監視の適切なレイヤーについて考えていきます。

(1)

本文中の下線⑧「IPアドレスとポート番号との組合せでアクセス元を識別する場合は，TCP
コネクションが切断されると再接続時にセッション維持ができなくなる問題が発生する」につ
いて，セッション維持ができなくなる理由を，50字以内で答えます。

インターネットアクセス時に送信元IPアドレスが同じアドレスになる会員企業では，一つの
IPアドレスで複数の通信に対応するため，NAPT（Network Address Port Translation）で
IPアドレスとポート番号を組み合わせたアドレス変換を利用します。NAPT対応ルータでは，
TCPコネクションが発生するたびにポート番号を自動的に割り当てるので，TCPコネクション
が再設定されるたびに，ポート番号が変わる可能性があります。したがって解答は，**TCPコ**
ネクションが再設定されるたびに，ポート番号が変わる可能性があるから，です。

(2)

本文中の下線⑨「Cookie中のセッションIDと振分け先のサーバから構成されるセッション
管理テーブルをLBが作成」について，LBがセッション管理テーブルに新たなレコードを登録
するのはどのような場合かを，60字以内で答えます。

ECサイトでのセッション管理の方法は，〔ECサイトに関連するシステムの構成，運用及び
セッション管理方法〕に「Webブラウザから最初にアクセスを受けたときに，ランダムな値の
セッションIDを生成する」とあり，セッションの最初に新たなセッションIDを生成します。ま
た，「Webブラウザへの応答時に，CookieにセッションIDを書き込んで送信する」とあるので，
Webサーバからの応答に含まれるCookie中に，新しいセッションIDが含まれます。セッショ
ンIDをもとにセッションを管理するためには，サーバからの応答に含まれるCookie中のセッ
ションIDがセッション管理テーブルに存在しない場合に，LBがセッション管理テーブルに新
たなレコードを登録する必要があります。したがって解答は，**サーバからの応答に含まれる**
Cookie中のセッションIDが，セッション管理テーブルに存在しない場合，です。

(3)

本文中の下線⑩「ヘルスチェックは，レイヤー3，4及び7の各レイヤーで稼働状態を監視す

る方式があり，ここではレイヤー7方式を利用する」について，レイヤー3及びレイヤー4方式
では適切な監視が行われない理由を，25字以内で答えます。

　ヘルスチェックの種類のうち，レイヤー3はIPアドレスによるチェックで，サーバが稼働し
ているかどうかをチェックできます。レイヤー4はIPアドレスとポート番号によるチェックで，
サーバ内のサービスに接続できるかどうかをチェックできます。どちらも，サービスが正常に
稼働しているかどうかを検査することはできないため，レイヤー7方式で，サービスの稼働を
確認する必要があります。したがって解答は，**サービスが稼働しているかどうか検査しないか
ら**，です。

設問6

　〔SAML2.0の調査とECサーバへの対応の検討〕に関する問題です。SAMLを利用して認証
を行うために必要な情報や登録すべき情報，改ざんすることができない理由や検証できる内容
について考えていきます。

(1)

　本文中の下線⑪「SAML認証要求（SAML Request）を作成しIdPである認証連携サーバに
リダイレクトを要求する応答を行う」について，ログイン要求を受信したECサーバがリダイレ
クト応答を行うために必要とする情報を，購買担当者の認証・認可の情報を提供するIdPが会
員企業によって異なることに着目して，30字以内で答えます。

　〔SAML2.0の調査とECサーバへの対応の検討〕に，「利用者の認証・認可の情報をSPに提
供するIdP（Identity Provider）」とあり，図6と図7から認証連携サーバがIdPで，会員企業e
社のネットワーク内にあることが分かります。購買担当者の認証・認可の情報を提供するIdP
が会員企業によって異なるため，どのIdPにリダイレクトを要求するかを区別する必要があり
ます。どの会員企業のIdPに送信するかを決定するため，アクセス元の購買担当者が所属して
いる会員企業の情報が必要となります。したがって解答は，**アクセス元の購買担当者が所属
している会員企業の情報**，です。

(2)

　本文中の下線⑫「IdPが作成するデジタル署名の検証に必要な情報」について，図7の手順
の処理を行うために，ECサーバに登録すべき情報を，15字以内で答えます。

　図7では，（ⅱ）で設定された情報を基に，（ⅲ）でIdPである認証連携サーバにアクセスします。
このとき，IdPが作成するデジタル署名を検証し，正規のIdPであることを確認するためには，
IdPの公開鍵が含まれた公開鍵証明書が必要となります。したがって解答は，**IdPの公開鍵証
明書**です。

(3)

　本文中の下線⑬「受信した情報の中からSTを取り出し」について，取り出したSTをPCは改ざんできない理由を，20字以内で答えます。

　〔SAML2.0の調査とECサーバへの対応の検討〕の図7の下の処理の概要の（vi）に，「KDCは，TGTを基に，購買担当者の身元情報やセッション鍵が含まれたSTを発行し，IdPの鍵でSTを暗号化する」とあり，STはIdPの鍵で暗号化されています。続きに，「さらに，KDCは，暗号化したSTにセッション鍵などを付加し，全体をPCの鍵で暗号化した情報をPCに払い出す」とあり，全体の暗号化はPCの鍵で暗号化しているので，PCでの復号が可能です。しかし，取り出したSTはIdPの鍵で暗号化されており，PCはIdPの鍵を所有していないため，改ざんすることはできません。したがって解答は，**IdPの鍵を所有していないから**，です。

(4)

　本文中の下線⑭「デジタル署名を検証」について，受信したSAMLアサーションに対して検証できる内容を二つ挙げ，それぞれ25字以内で答えます。

　デジタル署名の仕組みで検証できることは，真正性と完全性です。

　受信したSAMLアサーションには，信頼関係のあるIdPの秘密鍵で署名したデジタル署名が付与されるので，信頼関係のあるIdPが生成したものであることが確認できます。

　次に，デジタル署名は，SAMLアサーションのハッシュ値に対して行われるので，検証を行ってハッシュ値を確認することで，SAMLアサーションが改ざんされていないことが検証できます。

　したがって解答は，**信頼関係のあるIdPが生成したものであること**，と，**SAMLアサーションが改ざんされていないこと**，です。

解答例

出題趣旨

　インターネット上でサービスを提供するシステムは，顧客数の変化に対応して適切な処理能力をもつ構成を維持することが重要である。また，登録する顧客数の増加によって，顧客のアカウント情報の管理負荷も増大するので，異なるドメイン間で認証，認可情報の交換が可能な認証連携技術の活用も求められる。

　このような状況を基に，本問では，サーバ負荷分散装置（以下，LBという）によってシステムの処理能力を増強させる構成設計と，SAML2.0を利用するための方式検討を事例として取り上げた。

　本問では，ECサーバの増強を題材として，LB導入に伴う構成設計及びSAML2.0を利用するための方式検討において，受験者が習得した技術が活用できる水準かどうかを問う。

設問1

a NS b MX

c 100.α.β.1 d 100.α.β.3

e 192.168.1.1 f 192.168.1.3

設問2

(1) コモン名とURLのドメインとが異なるから (20字)

(2) L3SW, FWz, L2SW

設問3

(1) g アップ h アウト

(2) 1台故障時にも, ECサイトの応答速度の低下を発生させないため (30字)

(3) i 100.α.β.2 j 192.168.1.2 k 192.168.1.4

設問4

(1) **どの機器** LB

  IPアドレスの呼称 仮想IPアドレス

(2) (自身の) IPアドレス

(3) FWzからLBに変更

(4) ECサーバに, アクセス元PCのIPアドレスを通知するため (28字)

(5) 既設ECサーバにインストールされているサーバ証明書と秘密鍵のペアを, LBに移す。 (40字)

設問5

(1) TCPコネクションが再設定されるたびに, ポート番号が変わる可能性があるから (37字)

(2) サーバからの応答に含まれるCookie中のセッションIDが, セッション管理テーブルに存在しない場合 (49字)

(3) サービスが稼働しているかどうか検査しないから (22字)

設問6

(1) アクセス元の購買担当者が所属している会員企業の情報 (25字)

(2) IdPの公開鍵証明書 (10字)

6

(3) | I | d | P | の | 鍵 | を | 所 | 有 | し | て | い | な | い | か | ら |　(15字)

(4) ・| 信 | 頼 | 関 | 係 | の | あ | る | I | d | P | が | 生 | 成 | し | た | も | の | で | あ | る | こ | と |　(22字)

　・| S | A | M | L | ア | サ | ー | シ | ョ | ン | が | 改 | ざ | ん | さ | れ | て | い | な | い | こ | と |　(22字)

採点講評

　問2では，EC サーバの増強を題材に，サーバ負荷分散装置（以下，LBという）を導入するときの構成設計と，SAML2.0を利用するための方式検討について出題した。全体として正答率は平均的であった。

　設問3では，(3) jの正答率が低かった。図5の構成では，PCはLBに設定された仮想IPアドレス宛てにパケットを送信するが，ファイアウォールに設定されたNATは変更されないことから，表1を基に正答を導き出してほしい。

　設問4では，(5)の正答率が低かった。サーバ証明書は，サーバの公開鍵の正当性をCAが保証するものであり，秘密鍵とサーバ証明書とが一緒に管理されることで，TLSでは，サーバの認証及びデータの暗号化に用いられる共通鍵の安全な配送が可能になることを理解してほしい。

　設問5では，(2)の正答率が低かった。本文中の記述から，サーバがセッションIDを生成する条件，cookieにセッションIDを書き込む条件，及び導入予定のLBがセッション管理テーブルを作成する条件が分かるので，これら三つの条件を基に，セッション管理テーブルに新たなレコードが登録される場合を導き出してほしい。

第 7 章

ネットワーク設計

ネットワークスペシャリスト試験の午後問題で最も出題される内容が，ネットワーク設計です。

第6章までに得た知識を基に，実際の会社で使用されるネットワークシステムの設計を行います。会社の状況に合わせて，様々な機器を利用しながら，信頼性に優れた高性能のネットワークを設計していきます。

本章では主に，ネットワーク設計の基本となる考え方，信頼性設計技術や負荷分散，通信に関する計算について学びます。また，電話・電源設備など，ネットワークに関連するその他の機器についても学びます。

7-1 ネットワーク設計

ネットワーク設計では，対象とする企業に合ったネットワークの設計を行います。このとき，論理設計と物理設計の二つの考え方が重要になります。

7-1-1 ● ネットワーク設計

ネットワーク設計において，論理設計では，企業の業務や組織などを中心に，ネットワークの最適な内容を考えます。物理設計では，実際のハードウェア，機器を基準に，現在の機器での適切なネットワークを設計します。論理設計と物理設計が異なる場合には，仮想化技術などを用いて二つの設計を統合します。

■ ネットワークシステムの構築

ネットワークシステムの構築には，次の五つのフェーズがあり，それぞれのフェーズは独立しています。

①要件定義

ネットワークシステムは，独立したシステムではなく，業務システムやその他のシステムの要求に対応するために構築されます。そのため，業務システムからの要求を分析し，現行のネットワークシステムを分析して，要件を決めます。**ネットワークシステムの設計要件**(機能，経済性，性能，拡張性，信頼性，標準化への対応など)，**運用管理要件**(運用スケジュール，運用監視，バックアップ，障害対応，移行性，セキュリティなど)を定義していきます。

②設計

ネットワーク設計では，要件定義の内容をもとに，必要な機器や設定内容を決定していきます。ネットワークシステムに関する技術，製品，ネットワークサービス，ベンダ情報，導入事例，標準化の動向を調査し，評価します。必要があれば，事前にテストを行い，ネットワークシステムの構築に必要な技術を決定していきます。さらに，移行の手順や，運用の手順なども設計段階

> 📖 勉強のコツ
>
> ネットワーク設計の問題は，主に午後Ⅱで一連の作業の一環として出題されます。信頼性設計が一番の出題ポイントなので，STPやVRRPなど，信頼性を上げるネットワーク技術について重点的に学習することが大切です。

で決めていきます。

③構築

　ネットワーク設計の結果をもとに，機器を構築するフェーズです。作業計画に基づいて，機器，配線，ネットワークソフトウェア及びネットワークサービスの手配を行います。利用者，ベンダ，導入作業者に計画の周知徹底を図ります。

④テスト

　構築した環境が正常に動作するかをテストします。テストは，業務システムの機能と性能が要件どおりに発揮されるかどうか判断できるまで繰り返します。**うまくいかない場合には，切り戻すことも想定しておきます。**

⑤運用

　でき上がったネットワークシステムを継続的に運用していくフェーズです。利用者対応や，機器の保守・アップグレードなどを必要に応じて行います。障害に備えたバックアップや復旧など，ネットワークの管理も継続的に行っていきます。

■ ネットワーク設計における検討内容

　ネットワーク設計は，業務システムなどの要件からまとまった要件定義をもとに，実際のネットワークを決定していく段階です。次のような内容について検討して決定します。

●物理設計

　物理的なものすべてに関して決定していきます。具体的には，ネットワーク機器やその配線だけでなく，ケーブルやラック，電源など関係するハードウェアすべてに対応します。サーバ，クライアントなどの物理的な配置，必要な機器やポート数，ケーブルの接続方法，必要な回線容量などを考えていきます。

●論理設計

　論理的なネットワーク構成に関して決定していきます。具体的には，IPアドレスの割当てやVLANの設定方法，ルーティング

方法や仮想化の手法などについて決定していきます。アドレス変換のルールや，クラウドの活用方法などについても考えます。

●セキュリティ設計

情報セキュリティポリシを認識し，必要なセキュリティ対策を実現するために利用するネットワーク技術，セキュリティ技術を決定していきます。ネットワークシステムの潜在的なセキュリティホールを理解し，どのように通信制御を行っていくかを決定します。

●信頼性設計・性能設計

信頼性や性能をどのように高めるかを決定していきます。ネットワーク機器の故障に備えて，機器の冗長化などで可用性を高める方法や，負荷分散により可用性と性能の両方を向上させる方法などを決定します。信頼性や性能と経済性のトレードオフについても考え，現実的に最適なネットワークシステムを構築します。

●運用設計

新しいネットワークシステムにおける運用手続や監視手法の設計や，ネットワークの移行手順についても設計段階から考案しておきます。

ネットワーク設計を的確に行うためには，ここまでの章で学習してきた，ネットワークの機器やセキュリティ，プロトコルの知識など，様々な知識が要求されます。

■ネットワーク設計で考慮するポイント

ネットワーク設計を行うときには，次のようなことを考慮し，評価して，最適な論理設計・物理設計を行います。

1. 現状のユーザ数や使用するデータ量
2. 新たにネットワークに求めるもの
3. 求められている**性能要件**
4. 可用性，障害の起こりにくさなどの信頼性要件

5. 必要なセキュリティ
6. 新たなネットワークにかけることが可能なコスト

　求められているものを正確に把握するために，要求仕様に関連するモデリングなどの設計技法を用います。また，ネットワーク技術者は，現在利用できるプロトコル技術，セキュリティ技術，ネットワークサービスやそのコストなどについての知識を駆使し，最適なネットワークを設計します。その際は，信頼性設計をしっかりと行い，障害時にも適切に利用できるネットワークにすることが重要です。

■ 物理回線と論理回線

　ネットワークを考えるときのポイントは，**物理的構造と論理的構造を分けて考える**ことです。物理的構造とは，実際に目に見えるネットワークの構造のことです。例えば，機器の間をつなぐ1本のケーブルは一つの物理回線です。しかし，その1本の物理回線を，時分割多重や周波数多重，VLANなど様々な方法で論理的に複数に分けることができます。論理的に分けられたそれぞれの回線が，論理回線です。

　このとき，一つの物理回線で最大いくつの論理回線を使用できるかということを，論理回線の多重度といいます。

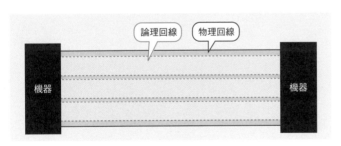

一つの物理回線が複数の論理回線になることが可能

　逆に，複数の物理回線を1本の論理回線にすることも可能です。リンクアグリゲーションやチーミングなど様々な技術を利用することで，複数の物理回線を束ねて一つの論理回線にすることができます。

発展
一つの物理回線を論理的に多重化して利用する通信回線はいろいろあります。
広域イーサネットやIP-VPNなどは，VLANタグやラベルなどを利用することで，物理回線を共有しつつ論理的に回線を分けて使用しています。

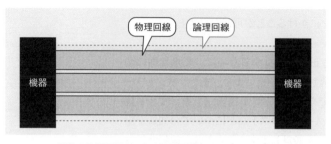

複数の物理回線を1本の論理回線にすることも可能

　さらに，機器で中継する一つ一つの物理回線を，始点から終点までまとめて1本の論理回線として考えることも可能です。

中継する物理回線を1本の論理回線にすることも可能

　このように，物理的な構造にこだわらずに論理的な構造を自由に設定することが可能です。

　それでは，次の問題を考えてみましょう。

過去問題をチェック

多重度の問題はネットワークスペシャリスト試験の午前Ⅱの定番で，毎回ほぼ同じ内容です。これと同じ問題が以下の年に出題されています。
【多重度】
・平成22年秋 午前Ⅱ 問2
・平成24年秋 午前Ⅱ 問4
・平成28年秋 午前Ⅱ 問3
　テクニカルエンジニア（ネットワーク）試験でも出題されています。
・平成17年秋 午前 問38
・平成19年秋 午前 問43

問題

　図のネットワークで，数字は二つの地点間で同時に使用できる論理回線の多重度を示している。Ｘ地点からＹ地点までには同時に最大幾つの論理回線を使用することができるか。

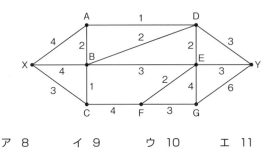

ア 8　　イ 9　　ウ 10　　エ 11

（令和3年春 ネットワークスペシャリスト試験 午前Ⅱ 問4）

解説

　それぞれの論理回線が図のような多重度のときに，二つの拠点XY間で同時に使用できる論理回線の多重度を考えます。基本的には，組合せをすべて考えていけば求めることができますが，おおよその回線数を求めるために，それぞれの地点で最大何回線まで通過可能か，次のように考えます。

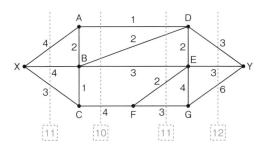

　ＸからＹに行くには，上の点線が交差する回線のうちどれか一つを通らなければなりません。そのため，ＸからＡ，ＢまたはＣに行くためには，4 + 4 + 3 = 11回線が最大の論理回線数になります。それぞれの地点で見ていくと，Ａ，Ｂ，ＣからＤ，Ｅ，Ｆの地点に

行くまでの経路が，1 + 2 + 3 + 4 = 10回線で最小になるので，こ
の10回線が全体の限界です。それを踏まえた上で論理的な回線を
10回線考えていくと，次のようになります（他の経路を考えること
も可能です）。

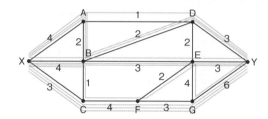

　X地点からY地点まで10本の論理的な回線を引くことができた
ので，ウの10が正解です。

≪解答≫ウ

▶▶▶ 覚 え よ う !

☐ 　1本の物理回線を複数の論理回線にする多重化

☐ 　複数の物理回線を1本の論理回線にする統合

7-1-2 ◯ 電話，電源設備

通信ネットワークに関連するハードウェアには，電話や電源設備があります。電話は従来，電話線などを使って1本1本物理的に接続していましたが，現在はIP電話など，IPネットワークを用いたものが主流です。

◻ 呼量

IP電話が主流となった現在でも，通信回線の種類にかかわらず，どれくらい電話がかかってきて，どれだけのハードウェアが必要なのか見積もる必要があります。

電話回線などを見積もるときに使う単位に呼量（アーラン）があります。「呼」とは，電話をかけてから切るまでの1回の通話のことです。呼量は，ある瞬間にいくつの呼が接続中かを表す単位で，すべての呼の利用時間を単位時間で割ったものです。

例として，3回線が1時間で次のように利用された場合を考えます。

3回線の1時間における通話例

1時間に3回線のそれぞれに電話がかかってきて，いずれでも30分通話したとします。このとき，すべての呼の利用時間は30分×3＝90分，単位時間は1時間＝60分なので，呼量は次のようになります。

30［分］×3÷60［分］＝1.5［アーラン］

これは，ある瞬間をとると平均1.5回線が通話中であることと同じです。

それでは，次の問題を考えてみましょう。

問　題

180台の電話機のトラフィックを調べたところ，電話機1台当たりの呼の発生頻度（発着呼の合計）は3分に1回，平均回線保留時間は80秒であった。このときの呼量は何アーランか。

　ア　4　　　　イ　12　　　　ウ　45　　　　エ　80

（令和4年春 ネットワークスペシャリスト試験 午前Ⅱ 問1）

解　説

電話機1台当たりの呼の発生頻度が3分に1回で，平均回線保留時間は80秒なので，180台の電話機の呼量は次のようになります。
80［秒］÷（3［分］×60［秒／分］）×180［台］＝80［アーラン］
したがって，エが正解です。

≪解答≫エ

過去問題をチェック

呼量，アーランの問題はネットワークスペシャリスト試験の午前Ⅱの定番で，毎回ほぼ同じ内容です。これと同様の問題が，次の年に出題されています。
【呼量，アーラン】
・平成23年秋 午前Ⅱ 問3
・平成26年秋 午前Ⅱ 問3
・平成29年秋 午前Ⅱ 問2
　テクニカルエンジニア（ネットワーク）試験でも出題されています。
・平成17年秋 午前 問37
・平成18年秋 午前 問36

■ 呼損率

　呼損率とは，呼が発生したときに通話中でつながらないという呼損が起こる確率のことです。呼量を利用して，次の数式（アーランB式）から求めることができます。

$$B = \frac{a^n}{n!} \Big/ \left(1 + \frac{a}{1!} + \frac{a^2}{2!} + \cdots + \frac{a^n}{n!} \right)$$

B：呼損率，a：呼量（アーラン），n：回線数（本）

　しかし，この呼損率を毎回数式から計算して求めるのは大変なので，あらかじめ計算結果をまとめた呼損率表を利用して計算を行います。
　それでは，次の問題を考えてみましょう。

問題

　1時間当たりの平均通話回数が60で，平均保留時間は120秒である。呼損率を0.1にしたいとき，必要な回線数は最低幾らか。ここで，表中の数値は加わる呼量（アーラン）を表す。

表　即時式完全群負荷表

回線数＼呼損率	0.1
3	1.271
4	2.045
5	2.881
6	3.758

　ア　3　　　　イ　4　　　　ウ　5　　　　エ　6

（令和6年春 ネットワークスペシャリスト試験 午前Ⅱ 問3）

解説

　即時式完全群負荷表をもとに，呼損率を0.1以下にするのに必要な回線数を求めていきます。即時式完全群負荷表はアーランB表とも呼ばれ，回線数と呼損率に対応する呼量を示したものです。

　最初に，呼量（アーラン）を計算します。呼量は，平均通話回数と平均保留時間の積で求められます。この問題では，平均通話回数が60［回／時間］，平均保留時間が120［秒］なので，アーランは次の式で求められます。

$$\frac{60[回／時間] \times 120[秒／時間]}{3600[秒／時間]} = 2[アーラン]$$

　次に，呼量を用いて表から必要な回線数を読み取ります。回線数が4のときの呼量が2.045と2を超えるため，最低限必要な回線数は4となります。したがって，イが正解です。

ア　回線数3では，呼損率0.1のときの呼量は1.271であり，呼量2では呼損率0.1を超えると考えられるため不適切です。

ウ，エ　回線数5以上でも，呼量2での呼損率は0.1未満となります。しかし，最低ではなく，無駄が生じる可能性があります。

≪解答≫イ

■ 電源設備

　ネットワークシステムやサーバなどのトラブルには，電源に関連したことで起こるものが多くあります。停電や電圧の降下，変動などで電力が供給されなくなるとサーバやネットワーク機器は稼働できないので，それを防ぐための対策が必要です。

　UPS（Uninterruptible Power Supply：無停電電源装置）は，入力電力がなくなっても一定期間，電力を供給し続ける装置です。また，電力使用量などを管理することで，電力超過による電源断などを防ぐことができます。近年では，電力使用量をネットワークで一元管理することが多くなっています。

 発展

UPSは急な停電に対応できますが，その時間は数分〜30分程度のものがほとんどです。
そのため，地震による停電など，長期間電力が供給されない可能性があるときには，サーバを安全に落とす，発電機を使用するといった対策が必要になります。

▶▶▶ 覚 え よ う ！

☐　呼量は，（通話の総時間）／（単位時間）で求める

☐　呼損率は「呼損」が起こる確率。呼損率表を使用して求める

7-1-3 ● 信頼性設計技術

　信頼性とは，与えられた条件で規定の期間中，要求された機能を果たすことができる性質です。システムやネットワークを構築するときには，信頼性を確保するために信頼性設計を行う必要があります。信頼性を総合的に評価するための基準にRASISがあります。

■ 信頼性設計

　システム全体の信頼性を設計するときには，一つ一つのシステムを見る場合とは違った全体の視点というものが必要になってきます。代表的な信頼性設計の手法には，次のものがあります。

①フォールトトレランス

　システムの一部で障害が起こっても全体でカバーして機能停止を防ぐという設計手法です。冗長化を行い，一つのシステムが停止しても他のシステムでカバーする方法などがあります。

②フォールトアボイダンス

　個々の機器の障害自体が起こる確率を下げて，全体として信頼性を上げるという考え方です。

③フェールセーフ

　システムに障害が発生したとき，**安全側に制御する**方法です。信号が故障したときにはとりあえず赤を点灯させるなど，障害が新たな障害を生まないように制御します。処理を停止させることもあります。

④フェールソフト

　システムに障害が発生したとき，障害が起こった部分を切り離すなどして，**最低限のシステムの稼働を続ける方法**です。このとき，機能を限定的にして稼働を続けることを**フォールバック**（縮退運転）といいます。

⑤フォールトマスキング

機器などに故障が発生したとき，その影響が**外部に出ないよ
うにする**方法です。具体的には，装置の冗長化などによって，
一つが故障しても全体に影響が出ないようにします。

⑥フールプルーフ

利用者が間違った操作をしても危険な状況にならないように
するか，そもそも間違った操作ができないようにする設計手法で
す。具体的には，画面上で押してはいけないボタンは押せない
ようにする，などの方法があります。

それでは，問題で用語を確認していきましょう。

問題

システムの信頼性向上技術に関する記述のうち，適切なものは
どれか。

　ア　故障が発生したときに，あらかじめ指定されている安全な状
　　　態にシステムを保つことを，フェールソフトという。
　イ　故障が発生したときに，あらかじめ指定されている縮小した
　　　範囲のサービスを提供することを，フォールトマスキングと
　　　いう。
　ウ　故障が発生したときに，その影響が誤りとなって外部に出な
　　　いように訂正することを，フェールセーフという。
　エ　故障が発生したときに対処するのではなく，品質管理などを
　　　通じてシステム構成要素の信頼性を高めることを，フォール
　　　トアボイダンスという。

（平成25年春 高度共通試験 午前Ⅰ 問6）

解説

故障が発生したときにシステムの機能停止を防ぐフォールトト
レランスの考え方ではなく，品質管理などを通じてシステム構成
要素の信頼性を高める考え方をフォールトアボイダンスといいま

す。したがって，エが正解です。

　アはフェールセーフ，イはフォールバック，ウはフォールトマスキングの説明です。

　　　　　　　　　　　　　　　　　　　　　　　≪解答≫エ

■ システムの冗長化

　システムを冗長化する方法には，大きく分けてデュアルシステムとデュプレックスシステムの2種類があります。

①デュアルシステム

　二つ以上のシステムを用意し，**並列して同じ処理を走らせて結果を比較する**方式です。結果を比較することで高い信頼性が得られます。また，一つのシステムに障害が発生しても他のシステムで処理を続行することができます。

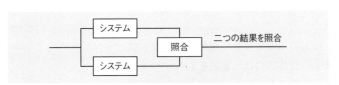

デュアルシステムのイメージ

②デュプレックスシステム

　二つ以上のシステムを用意しますが，普段は一つのシステムのみ稼働させて，その他は待機させておきます。このとき，稼働させるシステムを**主系（現用系）**，待機させるシステムを**従系（待機系）**と呼びます。

デュプレックスシステムのイメージ

　デュプレックスシステムのスタンバイ方法は，従系の待機のさせ方によって次の三つに分かれます。

1. ホットスタンバイ

従系のシステムを**常に稼働可能な状態**で待機させておきます。具体的には，サーバを立ち上げておき，アプリケーションやOSなどもすべて主系のシステムと同じように稼働させておきます。そのため，主系に障害が発生した場合にはすぐに従系への切替えが可能です。故障が起こったときに自動的に従系に切り替えて処理を継続することをフェールオーバといいます。

2. ウォームスタンバイ

従系のシステムを本番と同じような状態で用意してあるのですが，すぐに稼働はできない状態で待機させておきます。具体的には，サーバは立ち上がっているものの，アプリケーションは稼働していないか別の作業を行っているかで，切替えに少し時間がかかります。

3. コールドスタンバイ

従系のシステムを，機器の用意だけして稼働していない状態で待機させておきます。具体的には，電源を入れずに予備機だけを用意しておき，障害が発生したら電源を入れて稼働させ，主系の代替となるように準備します。主系から従系への切替えに最も時間がかかる方法です。

> **発展**
>
> ホット，ウォーム，コールドという言葉は，システムの待機系以外でもよく使われます。
> 災害時の対応として別の場所に情報処理施設（ディザスタリカバリサイト）を用意しておくときの形態を**ホットサイト**，**ウォームサイト**，**コールドサイト**と呼びます。

■RASIS

RASISとは，コンピュータシステムの信頼性を評価するための要素をまとめたもので，次の五つの評価指標に基づき，信頼性を総合的に判断します。

①Reliability（信頼性）

故障や障害の発生のしにくさ，安定性を表します。具体的な指標としては，MTBFやその逆数の**故障率**があります。

②Availability（可用性）

稼働している割合の多さを表します。具体的な指標としては，稼働率が用いられます。

③Serviceability（保守性）

障害時のメンテナンスのしやすさ，復旧の早さを表します。具体的な指標としては，**MTTR**が用いられます。

④Integrity（保全性・完全性）

障害時や過負荷時におけるデータの書換えや不整合，消失の起こりにくさを表します。一貫性を確保する能力です。

⑤Security（機密性）

情報漏えいや不正侵入などの起こりにくさを表します。セキュリティ事故を防止する能力です。

広い意味での信頼性はRASISの五つの要素全体を指しますが，狭い意味での信頼性は，RASISのRで示すような「故障のしにくさ」を表すための指標です。

■ QoS

QoS（Quality of Service）とは，一般的にはサービスがどれだけユーザのニーズに合っているか，要求や品質を満足させられるかを表す尺度です。サービス品質ともいわれます。

ネットワーク分野で使用するQoSは，ルータやレイヤ3スイッチなどに実装される技術で，**優先制御**や**帯域制御**などのトラフィック制御を行います。

QoSの主な制御には，次のようなものがあります。

①優先制御

フレームの種類や宛先に応じて優先度を変えて中継する制御です。優先制御には，IPヘッダの**TOS**や**DSCP**などのフィールドが多く用いられます。

②アドミッション制御

通信を開始する前に，ネットワークに帯域などのリソースを要求し，確保の状況に応じて通信を制御する方法です。

用語

MTBF（Mean Time Between Failure）は，システムが稼働してから故障するまでの時間の平均値です。
故障率は1／MTBFで表される，単位時間に故障する確率です。
MTTR（Mean Time To Repair）は，故障したシステムが復旧するまでにかかる時間の平均です。

関連

TOSやDSCPについては「3-1-1 IPの役割」で詳しく解説しています。
IP電話のパケットを優先して帯域を確保するといった場合によく使用されます。

③シェーピング

パケットの送出間隔などを調整することで，最大速度を超過しないようトラフィックを平準化する方法です。

④ポリシング

トラフィックが最大速度を超過しないか確認し，超過した場合には破棄するか優先度を下げるかして通信を行う方法です。

それでは，次の問題を考えてみましょう。

■ 過去問題をチェック

QoSについては，午後でも次の出題があります。

【帯域制御の設計】
・平成29年秋 午後Ⅰ 問2 設問3

【通信品質の確保】
・令和3年春 午後Ⅰ 問3 設問1, 4

問題

　ネットワークのQoSを実現するために使用されるトラフィック制御方式に関する説明のうち，適切なものはどれか。

　　ア　通信を開始する前にネットワークに対して帯域などのリソースを要求し，確保の状況に応じて通信を制御することを，アドミッション制御という。

　　イ　入力されたトラフィックが規定された最大速度を超過しないか監視し，超過分のパケットを破棄するか優先度を下げる制御を，シェーピングという。

　　ウ　パケットの送出間隔を調整することによって，規定された最大速度を超過しないようにトラフィックを平準化する制御を，ポリシングという。

　　エ　フレームの種類や宛先に応じて優先度を変えて中継することを，ベストエフォートという。

（令和3年春 ネットワークスペシャリスト試験 午前Ⅱ 問6）

解説

　通信を開始する前に帯域を確保する制御をアドミッション制御といいます。したがって，アが正解です。

　イはポリシング，ウはシェーピング，エは優先制御の説明です。

≪解答≫ア

信頼性を上げるために

　ネットワークはつながって当たり前。つながらなかったら大変なので，様々な方法で信頼性を上げて接続を確保します。そのため，ネットワークスペシャリスト試験では，信頼性を向上させるための技術がよく出てきます。

　特に頻出するのは，STPとVRRPです。STPはスイッチを冗長化するとき，VRRPはルータを冗長化するときに使う技術なので，機器が故障しても迂回経路を確保できます。試験問題では，STPやVRRPなどの技術を使って実際のネットワークで信頼性を確保する方法について具体的に問われます。また，仮想化技術も，物理サーバと論理サーバ（仮想サーバ）を分けることにより，物理サーバが故障しても仮想サーバを移行させることで処理を継続できます。近年は，STPの発展技術としてのRSTPや，STPに代わる技術としてのスタック接続，リンクアグリゲーションなどについてもよく出題されています。

　したがって，単に知識として覚えるだけでなく，実際に信頼性を確保できるかどうかを，実践や試験問題での演習で考えながら身につけていくことが大切です。

過去問題をチェック

ネットワークスペシャリスト試験では，広い意味での信頼性をテーマにした問題が頻出します。そのため，新しい技術を学習するときには，単に「こんな技術がある」というだけでなく，「この技術は信頼性を確保するためにどのように使われるのか」というところまで踏み込んで理解しておきましょう。

7

▶▶ 覚 え よ う ！

☐　デュプレックスシステムは主系／従系があり，ホット／ウォーム／コールドスタンバイ

☐　信頼性を確保する技術にはSTPやVRRPがある

7-1-4 ◯ 負荷分散

　負荷分散（Load balancing：ロードバランシング）は，処理の負荷を多数のコンピュータやプロセスに分散し，リソースの利用効率を高め，性能を向上させる手法です。

◯ 用語

リソース（資源：resource）とは，コンピュータが計算のために使う資源のことです。代表的なものに，**CPU時間**や**メモリ使用量**などがあります。

◼ 負荷分散のメリット

　負荷分散を行うと，複数のコンピュータを使用することが前提となるため，スケーラビリティ（**拡張性**）が向上します。スケーラビリティとは，コンピュータシステムのもつ拡張性のことです。新たにコンピュータを追加してリソースを増やすことでシステムの拡張を簡単に行えます。

　また，故障が起きた場合でも他の装置で代替することができるので，信頼性，特にアベイラビリティ（**可用性**）が向上します。

◼ 負荷分散の方法

　負荷分散の方法には，DNSラウンドロビンを使う方法や，負荷分散装置（ロードバランサ）を使う方法などがあります。

　DNSラウンドロビンとは，DNSで一つのホスト名に複数のIPアドレスを割り当てることができるという機能を利用する分散技術です。DNSサーバでは，同じホスト名に対応するIPアドレスが複数登録されている場合には，問合せごとに順番に，異なるIPアドレスを返答します。この方法での負荷分散は導入が容易なので，以前はよく用いられていました。しかし，サーバを分散することで，セッションが切れたり，トラフィックの予期せぬ偏りが生じたり，サーバの故障が検出できなかったりといったいくつかの問題があるため，使われないことが多くなってきました。現在では，負荷分散装置が普及し，その利用が一般的になっています。

 過去問題をチェック

DNSラウンドロビンについて，ネットワークスペシャリスト試験では以下の出題があります。
【DNSラウンドロビンと負荷分散】
・平成24年秋 午後Ⅰ 問1
　（DNSラウンドロビン方式を検討した後，負荷分散装置を導入）
・令和4年春 午後Ⅰ 問3
　（SRVレコードの代わりにDNSラウンドロビンを使用する場合の設定）
・令和5年春 午後Ⅱ 問1
　設問1
　（DNSラウンドロビンという用語が出題）

◼ 負荷分散装置

　負荷分散装置（**ロードバランサ**）とは，負荷分散を行うためのシステムです。負荷分散装置は，クライアントからの要求を受け付け，そのパケットを適切なサーバに転送します。外部のネットワークからは，負荷分散装置は1台のサーバに見えます。

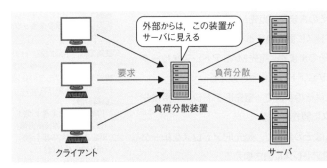

負荷分散装置の利用

関連

外部からは1台のサーバに見えるという点で，負荷分散装置は「5-1-2　プロキシ」で説明した**リバースプロキシサーバ**と同じです。実際の機器として，負荷分散装置がリバースプロキシサーバとしての機能を併せもっていることが多いです。

　負荷分散を行う際は，障害が起こっているサーバにパケットを振り分けないように，負荷分散装置でサーバの**ヘルスチェック**（**生存確認**）を行います。

　また，負荷分散を行うものはWebサーバなどの通常のサーバだけとは限りません。ファイアウォールやIDSなどのネットワーク機器でも負荷分散を行います。

　さらに，複数のルータからISPを経由して，インターネットに接続するネットワークを分散させることもあります。このように複数のISPを使ってインターネットに接続することを**マルチホーム接続**（**マルチホーミング**）といいます。

　それでは，次の問題を考えてみましょう。

発展

負荷分散装置のヘルスチェックの方法には様々なものがあります。一般的なものは，pingを定期的にサーバに送って応答を確認することです。その他，TCPセッションを確立したり，HTTPで実際にデータを送信してみるなどの確認方法があります。

7

問　題

　図のようなルータ１とルータ２及び負荷分散装置を使ったマルチホーミングが可能な構成において，クライアントから接続先サーバ宛のパケットに対する負荷分散装置の処理として，適切なものはどれか。

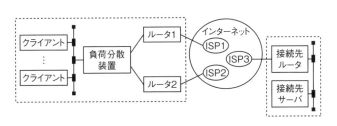

ア　宛先IPアドレスはそのままで，宛先MACアドレスを接続先サーバのMACアドレスに置き換える。

イ　宛先IPアドレスはそのままで，宛先MACアドレスをルータ1又はルータ2のMACアドレスに置き換える。

ウ　宛先MACアドレスはそのままで，宛先IPアドレスを接続先ルータのIPアドレスに置き換える。

エ　宛先MACアドレスはそのままで，宛先IPアドレスをルータ1又はルータ2のIPアドレスに置き換える。

（平成23年秋 ネットワークスペシャリスト試験 午前Ⅱ 問9）

過去問題をチェック

ネットワークスペシャリスト試験では，午前問題だけでなく午後問題でも，様々な機器やネットワークの負荷分散問題が出題されます。

【負荷分散】
・平成27年秋 午後Ⅰ 問1（SSOサーバの負荷分散）
・平成27年秋 午後Ⅰ 問1（FWの負荷分散）
・平成28年秋 午後Ⅰ 問3（メールサーバの負荷分散）
・令和元年秋 午後Ⅰ 問2（Webシステムに負荷分散装置を導入）
・令和5年春 午後Ⅱ 問2（負荷分散装置を用いたECサーバの増強）

解説

マルチホーミングでインターネットに接続するとき，ISP1に接続する場合とISP2に接続する場合とでは送信元のIPアドレスが変わってきます。しかし図の構成では，送信元IPアドレスをグローバルアドレスに変換するNATまたはNAPTはルータ1またはルータ2が行うと考えられます。

負荷分散装置は，受け取ったパケットをルータ1かルータ2のどちらかに分散して転送すればよく，また，負荷分散装置とルータは直接接続されているので，データリンク層でのMACアドレスによる通信で相手にパケットが届きます。

そのため，宛先MACアドレスをルータ1かルータ2に変更することで転送できます。このとき，宛先IPアドレスは接続先サーバを指しているので変更は不要です。したがって，イが正解です。

≪解答≫イ

■負荷分散の方式

負荷分散の代表的な方式には，次のものがあります。

①ラウンドロビン

要求ごとに順番にサーバにセッションを振り分けていく方式です。優先的に分散先を指定する重み付けラウンドロビンもあります。

②リーストコネクション

接続コネクション数を基に，接続が少ないサーバに振り分ける方式です。優先的に分散先を指定する重み付けリーストコネクションもあります。

③ファーストアンサ

最も応答の早いサーバに接続する方式です。

④ ハッシュ

送信元IPなどアドレスのハッシュ値を基にサーバを選択する方式です。

■ 負荷分散装置とSSL/TLS

負荷分散装置には，一つのセッションを継続して特定のサーバに振り分けるセッション維持（セッション・パーシステンス）の機能をもつものが多くあります。これにより，セッションの途中で別のサーバに振り分けられて処理が中断したりするトラブルを防ぎます。

セッション維持の方法には，IPアドレスやポート番号などを利用する方法や，クッキーを利用する方法があります。クッキーはHTTPヘッダ内にあり，SSLやTLSを用いた場合には暗号化されるので，クッキーを用いてセッション維持を行う場合には，SSL/TLSの暗号化を復号する必要があります。そのため，負荷分散装置には，SSL/TLSの暗号化や復号を行うSSL/TLSオフロードの機能をもつものもあります。

☆参考

ハッシュを用いると，同じ送信元IPアドレスからは常に同じサーバに割り当てられます。そうすることで，同じユーザは同じサーバに割り当てられることになります。しかし，プロキシ経由などで同じIPアドレスから通信する場合には負荷分散されず，処理が偏ることがあります。

7

▶▶▶ 覚えよう！

□　負荷分散のメリットは，スケーラビリティ（拡張性）とアベイラビリティ（可用性）

□　順番に割り当てるラウンドロビン，コネクション最小がリーストコネクション

7-2 通信に関する技術や計算

ネットワークを使った通信では，実際の通信量や通信速度を見積もるために計算を行うことが多くあります。また，データの誤り・訂正の手法や，通信パケットが増大したときの仕組みを知ることで，その影響を含めた通信速度などを計算することができます。

7-2-1 ◉ 符号化・データ伝送技術

通信データはデジタル信号に符号化して送られます。そのデータを伝送するときには，通信途中でデータの誤りが起こることがあるため，そういった誤りを検出・訂正する技術が必要です。

勉強のコツ

ネットワークスペシャリスト試験では，午前と午後の両方で計算問題がよく出題されます。計算自体はそれほど複雑ではなく四則演算が中心ですが，実際の試験だと緊張して間違えやすかったりします。
問題演習を中心に確実に1問1問解いていく習慣をつけ，本番に備えましょう。

◼ 誤り検出・訂正

二つの装置間で通信を行うときには，通信時の回線状況や機器間のやり取りなど様々な原因で通信データの送信誤りが起こります。誤り検出・訂正の種類とその代表的な手法を以下の表にまとめます。

誤り検出・訂正の種類と手法

誤り検出・訂正の種類	代表的な手法
1ビット誤り検出	パリティ（奇数パリティ，偶数パリティ）
1ビット誤り訂正＋1ビット誤り検出	垂直パリティ＋水平パリティ
1ビット誤り訂正＋2ビット誤り検出	ハミング符号
nビット誤り検出	CRC

それでは，代表的な手法を確認していきましょう。

◼ パリティ

パリティとは，ある数字の並びの合計が偶数か奇数かによって通信の誤りを検出する技術です。データの最後にパリティビットを付加し，そのビットを基に誤りを検出します。

そのとき，**1の数が偶数になるようにパリティビットを付加するのが偶数パリティ**，**奇数になるようにパリティビットを付加するのが奇数パリティ**です。

　例えば，7ビットのデータ1100010があったとします。

　偶数パリティの場合は，現在のデータは1の数が奇数なので，最後に1を付加して11000101とします。奇数パリティの場合は，すでに1の数が奇数なので，最後に0を付加して11000100とします。

　また，パリティは使い方によっては誤り訂正を行うことができます。データが送られるごとに，最後に1ビットのパリティビットを付ける方法を垂直パリティといいます。7ビットデータを送り，それに1ビット垂直パリティを加えるということを何度か繰り返し，データを送信します。そして最後に，それぞれのビットのデータを横断的に見て，全体で誤りがないかどうかをチェックするのに水平パリティを用います。図に表すと以下のようになります。

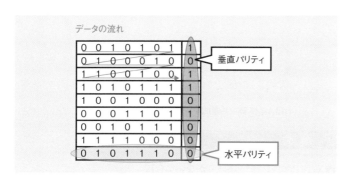

垂直パリティと水平パリティ

　垂直パリティと水平パリティを組み合わせることにより，どこかに1ビットの誤りが発生した場合に，その場所を特定でき，ビットを反転させることでエラーを訂正できます。

■ ハミング符号

　ハミング符号とは，データにいくつかの冗長ビットを付加することによって，1ビットの誤りを検出し，それを訂正できる仕組みです。実際の問題を例に，誤り箇所を検出し，それの訂正を行ってみましょう。

問題

　ハミング符号とは，データに冗長ビットを付加して，1ビットの誤りを訂正できるようにしたものである。ここでは，X_1，X_2，X_3，X_4 の4ビットから成るデータに，3ビットの冗長ビット P_3，P_2，P_1 を付加したハミング符号$X_1 X_2 X_3 P_3 X_4 P_2 P_1$ を考える。付加したビットP_1，P_2，P_3 は，それぞれ

　　$X_1 \oplus X_3 \oplus X_4 \oplus P_1 = 0$

　　$X_1 \oplus X_2 \oplus X_4 \oplus P_2 = 0$

　　$X_1 \oplus X_2 \oplus X_3 \oplus P_3 = 0$

となるように決める。ここで，$\oplus$は排他的論理和を表す。

　ハミング符号1110011には1ビットの誤りが存在する。誤りビットを訂正したハミング符号はどれか。

ア　0110011	イ　1010011
ウ　1100011	エ　1110111

（令和4年春 高度共通試験 午前I 問1）

解 説

　ハミング符号$X_1 X_2 X_3 P_3 X_4 P_2 P_1$ では，ビット誤りがない場合には，付加ビットP_1，P_2，P_3 を含めた三つの式の計算結果はすべて0となるはずです。しかし，1ビットの誤りが存在するハミング符号1110011では，計算結果は次のようになります。

　　$1 \oplus 1 \oplus 0 \oplus 1 = 1$

　　$1 \oplus 1 \oplus 0 \oplus 1 = 1$

　　$1 \oplus 1 \oplus 1 \oplus 0 = 1$

　このように，すべての式が1となってしまいます。1ビットしか誤りがないとすると，三つの式すべてに含まれるビットはX_1のみなので，これが誤りビットだと判断できます。したがって，X_1を反転させたハミング符号0110011が訂正した元のデータだと考えられるので，アが正解です。

《解答》ア

■CRC

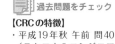 過去問題をチェック
【CRCの特徴】
・平成19年秋 午前 問40
(テクニカルエンジニア
(ネットワーク)試験)

CRC(Cyclic Redundancy Check：巡回冗長検査)は，連続する誤りを検出するための誤り制御の仕組みです。送信する元となるデータを，あらかじめ決められた生成多項式と呼ばれる式で割り算を行い，その余りをCRCとします。

CRCによるエラーチェックは，以下の図のように示すことができます。

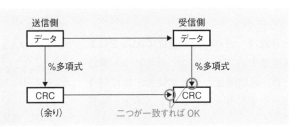

CRCのエラーチェック

なお,CRCのエラーチェックは,改ざん防止などのセキュリティチェックには使えません。データは暗号化されていないテキストであり，生成多項式は公開されているので，改ざんして再計算することが可能だからです。

CRCは，イーサネットフレームのチェックサムなど，通信データの送信時のエラーチェックによく用いられています。通信パケットでのエラーは，一度に多くのエラーが起こるバースト誤りが多いのですが,これを検出するのにCRCが適しているからです。

▶▶▶ 覚えよう！

□ パリティは1ビット誤りを検出，ハミング符号は1ビット誤りを訂正

□ CRCは生成多項式の演算で，バースト誤りを検出できる

7-2-2 通信に関する計算

通信に関する計算問題は，午前・午後ともによく出題されます。知識はあまり必要ありませんが，基本的な考え方と使用する数値を知っておくと楽に解けるようになります。

◼ ビット／バイト換算

通信に関する計算を行うときに注意したいことに，ビット／バイト換算があります。

通信で伝送される**データ量**は，通常バイト単位で記述されます。それに対して，**通信速度**を表すときには，通常ビット単位で記述されます。そのため，通信速度とデータ量を一緒に扱うときには，1バイト＝8ビットで計算して，ビット／バイト換算を行う必要があります。

◼ 通信速度，データ量，伝送時間の計算

通信速度とは，あるネットワークが1秒間に送ることができる**データ量**です。そして，データにはヘッダが付いており，その他の伝送遅延などもあるため，ほとんどの場合，通信データ以外の**オーバヘッド**が存在します。そのため，実際には通信速度の100％でデータを送ることはできず，ある程度，速度は落ちます。通信速度に対してどれくらいの速度でデータを送れるかという割合が**伝送効率**です。

通信速度とデータ量，伝送時間，伝送効率の関係を式で表すと，次のようになります。

$$\text{伝送時間[秒]} = \frac{\text{データ量[バイト]} \times 8}{\text{通信速度[ビット／秒]} \times \textbf{伝送効率}}$$

それでは，次の問題を考えてみましょう。

勉強のコツ

通信に関する計算問題は，待ち行列などの理論を使うものを除けば，単純な計算で求めることができます。いろいろな問題を解き，解き方を身に付けていくことが大切です。

参考

ハードディスクなどに格納するデータは，昔から1文字＝1バイトを単位に数えることが多かったため，バイト単位になっていることが普通です。
それに対し，通信速度については，機器やプロバイダの広告などでより速く見せるために，ビット単位で表記することが一般的です。

問 題

100Mビット／秒のLANを使用し，1件のレコード長が1,000バイトの電文を1,000件連続して伝送するとき，伝送時間は何秒か。ここで，LANの伝送効率は50%とする。

　ア　0.02　　イ　0.08　　ウ　0.16　　エ　1.6

（平成21年秋 ネットワークスペシャリスト試験 午前Ⅱ 問1）

解 説

データ量は1,000バイト×1,000件，通信速度は100Mビット／秒で，伝送効率が50% = 0.5なので，伝送時間は次のように求めることができます。

$$伝送時間[秒] = \frac{1,000 \times 1,000[バイト] \times 8}{100 \times 10^6[ビット／秒] \times 0.5} = 0.16$$

したがって，伝送時間は0.16秒です。

≪解答≫ウ

7

■ 標本化定理

標本化定理とは，ある周波数のアナログ信号をデジタルデータに変換するとき，それをアナログ信号に復元するためには，その周波数の**2倍のサンプリング周波数が必要**だという定理です。

関連
標本化定理やサンプリング，符号化については，「1-1-4 通信方式の種類」でも解説しています。

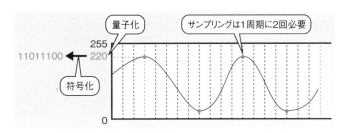

量子化　サンプリングは1周期に2回必要

11011100

符号化

標本化定理でのサンプリング

　1周期の間に2回サンプリングを行うと，元のアナログ信号を復元できるというのが標本化定理の理論です。

それでは，実際の問題で考えてみましょう。

問題

　帯域が4kHzの音声信号を8ビットでデジタル符号化して伝送する場合，標本化定理に従うと最低限必要とされる伝送速度は何kビット／秒か。

　　ア　8　　　　イ　16　　　　ウ　32　　　　エ　64

（平成20年秋 テクニカルエンジニア（ネットワーク）試験 午前 問36改）

解説

　帯域が4kHzということは，標本化定理に従うと周波数の2倍なので，1秒間に，

　　$4 \times 10^3 \times 2 = 8{,}000$　［回／秒］

のサンプリングとその符号化が必要です。

　これらを1サンプリング当たり8ビットでデジタル符号化すると，次のようになります。

　　$8{,}000$［回／秒］$\times 8$［ビット］$= 64{,}000$［ビット／秒］

　　　　　　　　　　　　　　　$= 64$［kビット／秒］

≪解答≫エ

■午後で出題される計算問題

　午後I，午後IIでも計算問題はよく出題されますが，午後の計算問題は，実際のネットワーク設計の途中で行われるものが多く，数値もとても単純です。例えば，午後問題で実際に計算問題が出題されている例を抜粋すると，次のようなものがあります。

問題

　ルータのログから送受信データ量を確認したところ，本社と営業所間で発生するトラフィックは，日中最大となり，7Mビット／秒であった。このうち，既存の業務システム利用のトラフィックが40%である。このトラフィックは，新業務システムの利用で，1.3倍になることが見込まれる。これらの条件から，本社と営業所間の最大トラフィックは，　ア　Mビット／秒であり，増加量が少ないことが判明した。

設問
　本文中の　ア　に入れる数値を求めよ。答えは，小数点以下を切り上げて整数で求めよ。

(平成22年秋 ネットワークスペシャリスト試験 午後Ⅱ 問1 設問4(4) 問題文抜粋・改)

解説

　問題文の条件から，まず，既存のトラフィックのうち業務システム利用のトラフィック量を求めます。

　7×10^6 [ビット／秒] $\times 0.4 = 2.8 \times 10^6$ [ビット／秒]

　業務システム以外のトラフィックは次のようになります。

　7×10^6 [ビット／秒] $- 2.8 \times 10^6$ [ビット／秒]
　　　　　　　$= 4.2 \times 10^6$ [ビット／秒]

　新業務システムでは，業務システムのトラフィックは1.3倍になるので，新業務システムのトラフィックは次のようになります。

　2.8×10^6 [ビット／秒] $\times 1.3 = 3.64 \times 10^6$ [ビット／秒]

　業務システム→新業務システム以外のトラフィックは変わらないので，新業務システムとそれ以外のトラフィック量を合計します。

　3.64×10^6 [ビット／秒] $+ 4.2 \times 10^6$ [ビット／秒]
　　　　　　　$= 7.84 \times 10^6$ [ビット／秒] $\fallingdotseq 8$ [Mビット／秒]

　問題文の条件より，小数点以下を切り上げて整数で求めるので，空欄アには8が入ります。

≪解答≫8

　このように，計算問題自体はとても単純ですが，午前に比べて条件が多いので，注意深く問題を読む必要があります。

▶▶▶ 覚えよう！

☐　伝送時間＝データ量×8／（通信速度×伝送効率）
☐　標本化定理で，周波数の2倍のサンプリングが必要

計算問題の鉄則

　計算問題はネットワークスペシャリスト試験ではよく出題され，その数も多いので合否に影響してきます。解答欄に書くのは答えだけなので，勘違い，計算間違いをすると，その問は0点になってしまいます。高校までの数学のように，「途中の考え方が合っていたから部分点がもらえる」ということはないので，ミスをしないように注意深くチェックする必要があります。

　そのためには，次の「計算問題の鉄則」を肝に銘じ，計算問題を解くときに確認するのがおすすめです。

●計算問題の鉄則

> 1. 試験問題に出てくる数字しか使わない
> 2. 単位を書きながら計算する
> 3. 有効数字，切り上げ，切り捨てを確認する

　計算問題で何をしていいか迷ったら，出てくる数字をよく見て計算の糸口をつかみましょう。試験では，解答が一つに決まるように，基本的には問題文に出てくる数字しか計算に使いません。例外は1バイト＝8ビットなどの，ビット／バイト換算ぐらいです。
　単位を書きながら計算すると，大きな計算ミスを防げます。また，問題文には有効数字や切り上げ，切り捨ての指定があることが多いので，それをきちんとチェックして条件を合わせましょう。
　さらに午後問題では，問題文の流れを読みながら，計算して出てきた数字が問題文と矛盾がないかをチェックすると完璧です。丁寧に解いて，確実に点数にしていきましょう。

7-2-3 ⬤ トラフィックに関する理論

　通信のトラフィックの計算において，他の通信の影響がない場合には，「7-2-2　通信に関する計算」で説明したように単純な四則演算で求めることができます。しかし，他の通信の影響を考慮すると，それだけでは計算できない部分が出てきます。

　トラフィックに関する理論の代表的なものには，呼損率を求めるアーランの理論や，待ち行列理論があります。呼損率については「7-1-2　電話，電源設備」で取り上げたので，ここでは待ち行列理論を中心に説明します。

◻ 待ち行列理論

　待ち行列理論とは，ある列に並ぶときに，平均でどれだけ待たされるかを統計学的な計算で求めるための理論です。

　列に並んでいるとき，待ち行列のモデルでは，次の三つの要素が，待ち時間に影響を与えると考えられています。

到着率…………… どれくらいの頻度でやって来るか
サービス時間 …… 実作業にどれくらい時間がかかるか
窓口の数………… 一つの列に対して窓口がいくつあるか

　これらの三つの要素について，次のようなかたちで待ち行列のモデルを表します。

待ち行列のモデル

　M/M/1とは，到着率が一定（D）ではなくランダム（M）（ポアソン分布）で，サービス時間が一定（D）ではなくランダム（M）（指数分布）な場合の待ち行列のモデルです。

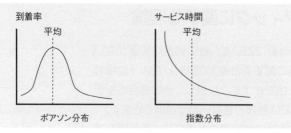

ポアソン分布と指数分布

それでは，次の問題を考えてみましょう。

過去問題をチェック

待ち行列については，ネットワークスペシャリスト試験で次の出題があります。
【平均印刷時間の計算（M/M/1）】
・平成29年秋 午前Ⅱ 問23
【平均応答時間の計算（M/M/1）】
・令和3年春 午前Ⅱ 問23

問題

M/M/1の待ち行列モデルにおいて，一定時間内に到着する客数の分布はどれか。

ア　一様分布　　　　　　　イ　指数分布
ウ　正規分布　　　　　　　エ　ポアソン分布

(平成24年春 応用情報技術者試験 午前 問2)

解説

M/M/1の待ち行列モデルにおいて，到着する客数の分布はポアソン分布に従います。したがって，エが正解です。
　サービス時間の分布は，イの指数分布に従います。また，アの一様分布は待ち行列モデルではDの記号で表されます。

≪解答≫エ

■待ち時間の計算

待ち行列理論を使うと，待ち時間を計算できます。待ち行列モデルがM/M/1以外の場合は計算方法が少し複雑なので，あらかじめ計算された表などを利用しますが，M/M/1モデルの場合には次の式で計算できます。

$$利用率\overset{\text{ロー}}{\rho} = \frac{仕事をしている時間（量）}{全体の時間（量）} = \frac{平均サービス時間}{平均到着間隔}$$

$$平均待ち時間 = \frac{\rho}{1-\rho} \times 平均サービス時間$$

$$平均応答時間 = 平均待ち時間 + 平均サービス時間$$

$$= \frac{1}{1-\rho} \times 平均サービス時間$$

それでは，次の問題を考えてみましょう。

勉強のコツ

利用率とは，窓口を利用している割合です。窓口が一つの場合は，単純に「窓口がふさがっている割合」と考えると分かりやすいでしょう。
待ち行列の公式は数学の理論で導き出すことができるので，興味のある方は専門的に学んでもいいと思います。ただ，試験ではそれほど理論的に高度なことは出題されないので，仕組みを理解して計算ができるようになれば十分です。

問題

プリントシステムには1時間当たり平均6個のファイルのプリント要求がある。1個のプリント要求で送られてくるファイルの大きさは平均7,500バイトである。プリントシステムは1秒間に50バイト分印字できる。プリント要求後プリントが終了するまでの平均時間は何秒か。ここで，このシステムはM/M/1の待ち行列モデルに従うものとする。

ア 150　　イ 175　　ウ 200　　エ 225

（令和3年春 ネットワークスペシャリスト試験 午前Ⅱ 問23）

過去問題をチェック

待ち行列の問題は，以前のテクニカルエンジニア（ネットワーク）試験では定番でした。ネットワークスペシャリスト試験では，次の出題があります。
【待ち行列】
・平成23年秋 午後Ⅰ問2
・平成29年秋 午前Ⅱ問23
・令和3年春 午前Ⅱ 問23

7

解説

まず，プリントシステムでの1時間当たりの利用率 ρ を考えます。1時間に平均6個のファイルのプリント要求があり，1個のプリント要求で送られてくるファイルの大きさは平均7,500バイト，プリントシステムは1秒間に50バイト分印字できます。ここから，プリントシステムの利用率は，次のように計算できます。

$$利用率\rho = \frac{6[個/時間] \times 7,500[バイト/個]}{50[バイト/秒] \times 3,600[秒/時間]}$$

$$= \frac{45,000[バイト]}{180,000[バイト]} = 0.25$$

また，1プリント要求あたりのサービス時間 Ts は，ファイルの大きさは平均7,500バイト，プリントシステムは1秒間に50バイト分印字できるので，次の計算になります。

$$サービス時間 Ts = \frac{7,500[バイト]}{50[バイト/秒]} = 150[秒]$$

M/M/1の待ち行列モデルでは，プリント要求後プリントが終了するまでの平均時間（平均応答時間）は，次の式で求められます。

$$平均応答時間 = \frac{1}{1-\rho} \times Ts = \frac{1}{1-0.25} \times 150[秒] = 200[秒]$$

したがって，ウが正解です。

≪解答≫ウ

負荷分散と待ち行列理論

負荷分散を行うと，トランザクションを複数のサーバに分散させるため，処理速度の向上が期待できます。例えば，3台のサーバがあり，一つの処理が終わるごとに空いているサーバに処理を振り分ける場合，待ち行列モデルは次のようになります。

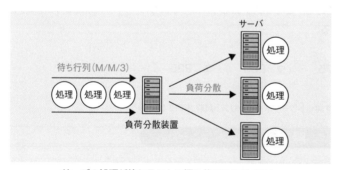

サーバの処理が終わるごとに振り分けるのがベスト

こうすると，待ち行列のモデルは窓口が三つのM/M/3となり，効率的に処理を分散できます。しかし，実際には負荷分散装置は，処理が到着した瞬間に割り振るサーバを決めて転送するので，次のようになります。

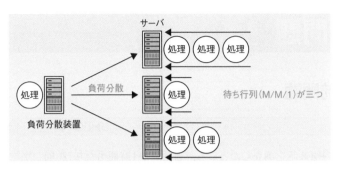

実際には，処理が到着するたびに割り振るので，サーバで行列ができる

　このように，負荷分散装置での処理の割り振り方によって処理時間に偏りができることが多くなります。そのため，負荷分散の方法を工夫して効率を良くすることが重要です。

▶▶▶ 覚えよう！

□　到着率はポアソン分布，サービス時間は指数分布
□　平均応答時間＝1 ／（1－ρ）×平均サービス時間

7

7-3 演習問題

7-3-1 ◯ 午前問題

問1　呼量　　　　　　　　　　　　　　　　CHECK ▶ □□□

ある企業の本店で内線通話を調査したところ，通話数が1時間当たり120回，平均通話時間が90秒であった。本店内線の呼量は何アーランか。

問2　ビット誤り　　　　　　　　　　　　　CHECK ▶ □□□

平均ビット誤り率が1×10^{-5}の回線を用いて，200,000バイトのデータを100バイトずつの電文に分けて送信する。送信電文のうち，誤りが発生する電文の個数は平均して幾つか。

問3　アムダールの法則　　　　　　　　　　CHECK ▶ □□□

マルチプロセッサによる並列処理において，1プロセッサのときに対する性能向上比はアムダールの法則で説明することができる。性能向上比に関する記述のうち，適切なものはどれか。

〔アムダールの法則〕

$$性能向上比 = \cfrac{1}{(1-並列化可能部の割合) + \cfrac{並列化可能部の割合}{プロセッサ数}}$$

ア　プロセッサ数が一定の場合，性能向上比は並列化可能部の割合に比例する。

イ　プロセッサ数を増やした場合，性能向上比は並列化可能部の割合に反比例する。

ウ　並列化可能部の割合が0.5の場合は，プロセッサ数をいくら増やしても性能向上比が2を超えることはない。

エ　並列化可能部の割合が最低0.9以上であれば，性能向上比はプロセッサ数の半分以上の値となる。

問4 システムの評価指標 CHECK ▶ □□□

全国に分散しているシステムを構成する機器の保守に関する記述のうち，適切なものはどれか。

ア　故障発生時に遠隔保守を実施することによって駆付け時間が不要になり，MTBFは長くなる。
イ　故障発生時に行う機器の修理によって，MTBFは長くなる。
ウ　保守センタを1か所集中から分散配置に変えて駆付け時間を短縮することによって，MTTRは短くなる。
エ　予防保守を実施することによって，MTTRは短くなる。

問5 伝送時間の計算 CHECK ▶ □□□

端末から400バイトの電文を送信し，ホストコンピュータが600バイトの電文を返信するトランザクション処理システムがある。回線速度を1×10^6ビット／秒，回線の伝送効率を80%，ホストコンピュータのトランザクション当たりの処理時間を40ミリ秒とする。ホストコンピュータでの処理待ち時間，伝送制御のための処理時間などは無視できるとした場合，端末における電文の送信開始から受信完了までの時間は何ミリ秒か。ここで，1バイトは8ビットであるものとする。

問6 待ち行列の計算 CHECK ▶ □□□

通信回線を使用したデータ伝送システムにM/M/1の待ち行列モデルを適用すると，平均回線待ち時間，平均伝送時間，回線利用率の関係は，次の式で表すことができる。

$$平均回線待ち時間 = 平均伝送時間 \times \frac{回線利用率}{1 - 回線利用率}$$

回線利用率が0%から徐々に上がっていく場合，平均回線待ち時間が平均伝送時間よりも最初に長くなるのは，回線利用率が何%を超えたときか。

■ 午前問題の解説

問1 (平成18年秋 テクニカルエンジニア（ネットワーク）試験 午前 問36改)
《解答》3 ［アーラン］

1時間当たりの通話数が120回，平均通話時間が90秒なので，呼量は次のようになります。

120［回］× 90［秒］÷ 3,600［秒／時間］= 3［アーラン］

問2 (令和5年春 ネットワークスペシャリスト試験 午前Ⅱ 問6改)
《解答》16 ［個］

平均ビット誤り率が 1×10^{-5} で200,000バイトのデータを送ると，その誤りの回数は次のようになります。

200,000 ［バイト］× 8 ［ビット／バイト］× 1×10^{-5} ［回／ビット］= 16 ［回］

100バイトずつに分けた電文では，誤りが16回だけだと一つの電文に二つの誤りが発生する確率はかなり低いので，16回の誤りが**16個**分の電文誤りを発生させると考えられます。

問3 (平成27年秋 ネットワークスペシャリスト試験 午前Ⅱ 問23)
《解答》ウ

〔アムダールの法則〕の式において，並列化可能部の割合が0.5の場合には，性能向上比は，

$$\frac{1}{0.5 + \dfrac{0.5}{\text{プロセッサ数}}}$$

となります。このとき，プロセッサ数→∞（無限大）とすると，

$$\frac{0.5}{\text{プロセッサ数}}$$

が0となり，性能向上比は

$$\frac{1}{0.5} = 2$$

です。つまり，プロセッサ数をいくら増やしても，性能向上比の限界は2となり，2を超えることはありません。したがって，**ウ**が正解となります。

ア，イ　単純に比例，反比例の関係とはなりません。

エ　例えば並列化可能部の割合が0.9，プロセッサ数が18の場合には，性能向上比は，

$$\frac{1}{0.1+\dfrac{0.9}{18}} = \frac{1}{0.15} = 6.66\cdots$$

と，プロセッサ数の半分である9未満となり，プロセッサ数の半分以上の値とはなりません。

問4 （平成30年秋 ネットワークスペシャリスト試験 午前Ⅱ 問24）
《解答》**ウ**

MTTR（Mean Time To Repair）は，故障したシステムが復旧するまでにかかる時間の平均です。保守センタを1か所集中から分散配置に変えて駆付け時間を短縮すると，その分だけシステム復旧までの時間が短くなり，MTTRは短縮されます。したがって，**ウ**が正解です。

ア 駆付け時間はMTTRには影響しますが，システムが稼働してから故障するまでの時間の平均値であるMTBF（Mean Time Between Failure）には影響しません。

イ 機器の修理ではMTTRが長くなります。MTBFには影響しません。

エ 予防保守では故障が減るので，MTBFが長くなります。

問5 （平成26年秋 ネットワークスペシャリスト試験 午前Ⅱ 問23改）
《解答》**50**［ミリ秒］

設問のトランザクション処理システムでの処理には，次の三つがあります。

①端末からホストコンピュータへの送信

②ホストコンピュータでのトランザクション処理

③ホストコンピュータから端末への返信

①は，400バイトのデータを回線速度が1×10^6ビット／秒，伝送効率が80％で送信するため，次のようになります。

$$伝送時間 = \frac{400［バイト］\times 8［ビット／バイト］}{1 \times 10^6［ビット／秒］\times 0.8} = 0.004［秒］= 4［ミリ秒］$$

②は，問題文中にあるとおり，40ミリ秒です。

③は，600バイトのデータを①と同様の回線で返信するため，次のようになります。

$$伝送時間 = \frac{600［バイト］\times 8［ビット／バイト］}{1 \times 10^6［ビット／秒］\times 0.8} = 0.006［秒］= 6［ミリ秒］$$

これらを合計すると，$4 + 40 + 6 = $ **50**［ミリ秒］となります。

　平均回線待ち時間が平均伝送時間より長くなるということは，

　　平均回線待ち時間　＞　平均伝送時間

ということなので，問題文のM/M/1待ち行列モデルの式を当てはめると，次のようになります。

$$\text{平均伝送時間} \times \frac{\text{回線利用率}}{1-\text{回線利用率}} > \text{平均伝送時間}$$

$$\text{回線利用率} > 1 - \text{回線利用率}$$

$$\text{回線利用率} > 0.5$$

　したがって，回線利用率が50%を超えると，平均回線待ち時間が平均伝送時間よりも長くなります。

7-3-2 ● 午後問題

問題 社内システムの更改 CHECK ▶ □□□

社内システムの更改に関する次の記述を読んで，設問1～6に答えよ。

G社は，都内に本社を構える従業員600名の建設会社である。G社の従業員は，情報システム部が管理する社内システムを業務に利用している。情報システム部は，残り1年でリース期間の満了を迎える，サーバ，ネットワーク機器及びPCの更改を検討している。

〔社内システムの概要〕

G社の社内システムの構成を図1に示す。

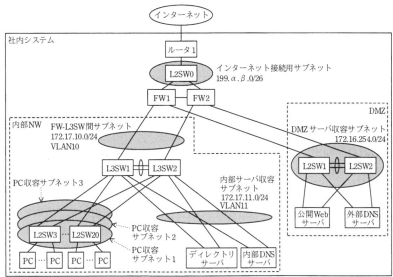

L2SW：レイヤ2スイッチ　　L3SW：レイヤ3スイッチ　　FW：ファイアウォール　　NW：ネットワーク

⎓ ：リンクアグリゲーションを用いて接続している回線

注記1　199.α.β.0/26は，グローバルIPアドレスを示す。
注記2　PC収容サブネット1のIPアドレスブロックは172.17.101.0/24，VLAN IDは101である。
注記3　PC収容サブネット2のIPアドレスブロックは172.17.102.0/24，VLAN IDは102である。
注記4　PC収容サブネット3のIPアドレスブロックは172.17.103.0/24，VLAN IDは103である。
注記5　L2SW3～L2SW20は，PC収容サブネット1～PC収容サブネット3を構成している。

図1　G社の社内システムの構成（抜粋）

　G社の社内システムの概要は，次のとおりである。

・外部DNSサーバは，DMZのドメインに関するゾーンファイルを管理する権威サーバであり，インターネットから受信する名前解決要求に応答する。

・内部DNSサーバは，社内システムのドメインに関するゾーンファイルを管理する権威サーバであり，PC及びサーバから送信された名前解決要求に応答する。

・内部DNSサーバは，DNS　　a　　であり，PC及びサーバから送信された社外のドメインに関する名前解決要求を，ISPが提供するフルサービスリゾルバに転送する。

・全てのサーバに二つのNICを実装し，アクティブ／スタンバイのチーミングを設定している。

・L3SW1及びL3SW2でVRRPを構成し，L3SW1の　　b　　を大きく設定して，マスタルータにしている。

・L3SW1とL3SW2間のポートを，VLAN10，VLAN11及びVLAN101 ～ VLAN103を通すトランクポートにしている。

・L2SW3 ～ L2SW20とL3SW間のポートを，VLAN101 ～ VLAN103を通すトランクポートにしている。

・内部NWのスイッチは，IEEE 802.1Dで規定されているSTP（Spanning Tree Protocol）を用いて，経路を冗長化している。

・内部DNSサーバはDHCPサーバ機能をもち，PCに割り当てるIPアドレス，サブネットマスク，デフォルトゲートウェイのIPアドレス，及び①名前解決要求先のIPアドレスの情報を，PCに通知している。

・FW1及びFW2は，アクティブ／スタンバイのクラスタ構成である。

・FW1及びFW2に静的NATを設定し，インターネットから受信したパケットの宛先IPアドレスを，公開Webサーバ及び外部DNSサーバのプライベートIPアドレスに変換している。

・FW1及びFW2にNAPTを設定し，サーバ及びPCからインターネット向けに送信されるパケットの送信元IPアドレス及び送信元ポート番号を，それぞれ変換している。

　G社のサーバ及びPCの設定を表1に，G社のネットワーク機器に設定する静的経路情報を表2に，それぞれ示す。

表1　G社のサーバ及びPCの設定（抜粋）

機器名	IPアドレスの割当範囲	デフォルトゲートウェイ		所属VLAN
		機器名	IPアドレス	
公開Webサーバ 外部DNSサーバ	172.16.254.10 〜 172.16.254.100	FW1, FW2	172.16.254.1 [1]	なし
ディレクトリサーバ 内部DNSサーバ	172.17.11.10 〜 172.17.11.100	L3SW1, L3SW2	172.17.11.1 [2]	11
PC	172.17.101.10 〜 172.17.101.254	L3SW1, L3SW2	172.17.101.1 [2]	101
	172.17.102.10 〜 172.17.102.254	L3SW1, L3SW2	172.17.102.1 [2]	102
	172.17.103.10 〜 172.17.103.254	L3SW1, L3SW2	172.17.103.1 [2]	103

注 [1]　FW1とFW2が共有する仮想IPアドレスである。
　 [2]　L3SW1とL3SW2が共有する仮想IPアドレスである。

表2　G社のネットワーク機器に設定する静的経路情報（抜粋）

機器名	宛先ネットワークアドレス	サブネットマスク	ネクストホップ	
			機器名	IPアドレス
FW1, FW2	172.17.11.0	255.255.255.0	L3SW1, L3SW2	172.17.10.4 [1]
	172.17.101.0	255.255.255.0	L3SW1, L3SW2	172.17.10.4 [1]
	172.17.102.0	255.255.255.0	L3SW1, L3SW2	172.17.10.4 [1]
	172.17.103.0	255.255.255.0	L3SW1, L3SW2	172.17.10.4 [1]
	0.0.0.0	0.0.0.0	ルータ1	199.α.β.1
L3SW1, L3SW2	0.0.0.0	0.0.0.0	FW1, FW2	172.17.10.1 [2]

注 [1]　L3SW1とL3SW2が共有する仮想IPアドレスである。
　 [2]　FW1とFW2が共有する仮想IPアドレスである。

情報システム部のJ主任が社内システムの更改と移行を担当することになった。更改と移行に当たって，上司であるM課長から指示された内容は，次のとおりである。
(1)　内部NWを見直して，障害発生時の業務への影響の更なる低減を図ること
(2)　業務への影響を極力少なくした移行計画を立案すること

〔現行の内部NW調査〕
　J主任は，まず，現行の内部NWの設計について再確認した。内部NWのスイッチは，一つのツリー型トポロジをSTPによって構成し，全てのVLANのループを防止している。②L3SW1に最も小さいブリッジプライオリティ値を，L3SW2に2番目に小さいブリッジプライオリティ値を設定し，L3SW1をルートブリッジにしている。
　ルートブリッジに選出されたL3SW1は，STPによって構成されるツリー型トポロジの最上位のスイッチである。L3SW1はパスコストを0に設定したBPDU（Bridge Protocol Data Unit）を，接続先機器に送信する。BPDUを受信したL3SW2及びL2SW3 〜 L2SW20（以下，L3SW2及びL2SW3 〜 L2SW20を非ルートブリッジという）は，設定されたパスコストを加算したBPDUを，受信したポート以外のポートから送

信する。非ルートブリッジのL3SW及びL2SWの全てのポートのパスコストに，同じ値を設定している。

　STPを設定したスイッチは，各ポートに，ルートポート，指定ポート及び非指定ポートのいずれかの役割を決定する。ルートブリッジであるL3SW1では，全てのポートが　　　c　　　ポートとなる。非ルートブリッジでは，パスコストやブリッジプライオリティ値に基づきポートの役割を決定する。例えば，L2SW3において，L3SW2に接続するポートは，　　　d　　　ポートである。

　STPのネットワークでトポロジの変更が必要になると，スイッチはポートの状態遷移を開始し，　　　e　　　テーブルをクリアする。

　ポートをフォワーディングの状態にするときの，スイッチが行うポートの状態遷移は，次のとおりである。

(1)　リスニングの状態に遷移させる。

(2)　転送遅延に設定した待ち時間が経過したら，ラーニングの状態に遷移させる。

(3)　転送遅延に設定した待ち時間が経過したら，フォワーディングの状態に遷移させる。

　J主任は，内部NWのSTPを用いているネットワークに障害が発生したときの復旧を早くするために，IEEE 802.1D-2004で規定されているRSTP（Rapid Spanning Tree Protocol）を用いる方式と，スイッチのスタック機能を用いる方式を検討することにした。

〔RSTPを用いる方式〕

　J主任は，トポロジの再構成に掛かる時間を短縮したプロトコルであるRSTPについて調査した。RSTPでは，STPの非指定ポートの代わりに，代替ポートとバックアップポートの二つの役割が追加されている。RSTPで追加されたポートの役割を，表3に示す。

表3　RSTPで追加されたポートの役割

役割	説明
代替ポート	通常，ディスカーディングの状態であり，ルートポートのダウンを検知したら，すぐにルートポートになり，フォワーディングの状態になるポート
バックアップポート	通常，ディスカーディングの状態であり，指定ポートのダウンを検知したら，すぐに指定ポートになり，フォワーディングの状態になるポート

注記　ディスカーディングの状態は，MACアドレスを学習せず，フレームを破棄する。

　RSTPでは，プロポーザルフラグをセットしたBPDU（以下，プロポーザルという）及びアグリーメントフラグをセットしたBPDU（以下，アグリーメントという）を使って，

ポートの役割決定と状態遷移を行う。

調査のために,J主任が作成したRSTPのネットワーク図を図2に示す。

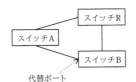

注記1 全てのスイッチに RSTP を用いる。
注記2 スイッチ R がルートブリッジである。

図2 J主任が作成したRSTPのネットワーク図

スイッチAにおいて,スイッチRに接続するポートのダウンを検知したときに,スイッチAとスイッチBが行うポートの状態遷移は,次のとおりである。

(1) スイッチAは,トポロジチェンジフラグをセットしたBPDUをスイッチBに送信する。

(2) スイッチBは,スイッチAにプロポーザルを送信する。

(3) スイッチAは,受信したプロポーザル内のブリッジプライオリティ値やパスコストと,自身がもつブリッジプライオリティ値やパスコストを比較する。比較結果から,スイッチAは,スイッチBがRSTPによって構成されるトポロジにおいて　　f　　であると判定し,スイッチBにアグリーメントを送信し,指定ポートをルートポートにする。

(4) アグリーメントを受信したスイッチBは,代替ポートを指定ポートとして,フォワーディングの状態に遷移させる。

J主任は,調査結果から,STPをRSTPに変更することで,③内部NWに障害が発生したときの,トポロジの再構成に掛かる時間を短縮できることを確認した。

〔スイッチのスタック機能を用いる方式〕

次に,J主任は,ベンダから紹介された,新たな機器が実装するスタック機能を用いる方式を検討した。新たな機器を用いた社内システム(以下,新社内システムという)の内部NWに関して,J主任が検討した内容は次のとおりである。

・新L3SW1と新L3SW2をスタック用ケーブルで接続し,1台の論理スイッチ(以下,スタックL3SWという)として動作させる。

・スタックL3SWと新L2SW3〜新L2SW20の間を,リンクアグリゲーションを用いて接続する。

・新ディレクトリサーバ及び新内部DNSサーバに実装される二つのNICに，アクティブ／アクティブのチーミングを設定し，スタックL3SWに接続する。

　検討の内容を基に，J主任は，スタック機能を用いることで，障害発生時の復旧を早く行えるだけでなく，④スイッチの情報収集や構成管理などの維持管理に係る運用負荷の軽減や，⑤回線帯域の有効利用を期待できると考えた。

〔新社内システムの構成設計〕

　J主任は，スイッチのスタック機能を用いる方式を採用し，STP及びRSTPを用いない構成にすることにした。J主任が設計した新社内システムの構成を，図3に示す。

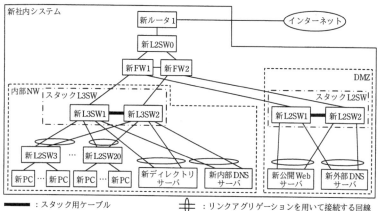

図3　新社内システムの構成（抜粋）

〔新社内システムへの移行の検討〕

　J主任は，現行の社内システムから新社内システムへの移行に当たって，五つの作業ステップを設けることにした。移行における作業ステップを表4に，ステップ1完了時のネットワーク構成を図4に示す。ステップ1では，現行の社内システムと新社内システムの共存環境を構築する。

表4 移行における作業ステップ（抜粋）

作業ステップ	作業期間	説明
ステップ1	1か月	・図4中の新社内システムを構築し、現行の社内システムと接続する。
ステップ2	1か月	・⑥現行のディレクトリサーバから新ディレクトリサーバへデータを移行する。 ・⑦現行の社内システムに接続されたPCから、新公開Webサーバの動作確認を行う。
ステップ3	1日	・現行の社内システムから、新社内システムに切り替える。（表8参照）
ステップ4	1か月	・新社内システムの安定稼働を確認し、新サーバに不具合が見つかった場合には、速やかに現行のサーバに切り戻す。
ステップ5	1日	・現行の社内システムを切り離す。

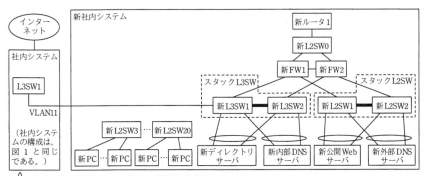

：リンクアグリゲーションを用いて接続する回線

注記1　新L2SW3〜新L2SW20と新L3SW1、L3SW2間は接続されていない。
注記2　スタックL3SWには、VLAN101〜VLAN103に関する設定を行わない。

図4 ステップ1完了時のネットワーク構成（抜粋）

ステップ1完了時のネットワーク構成の概要は、次のとおりである。

・新ディレクトリサーバ及び新内部DNSサーバに、172.17.11.0/24のIPアドレスブロックから未使用のIPアドレスを割り当てる。

・⑧新公開Webサーバ及び新外部DNSサーバには、172.16.254.0/24のIPアドレスブロックから未使用のIPアドレスを割り当てる。

・現行のL3SW1と新L3SW1間を接続し、接続ポートをVLAN11のアクセスポートにする。

・スタックL3SWのVLAN11のVLANインタフェースに、未使用のIPアドレスである172.17.11.101を、一時的に割り当てる。

・全ての新サーバについて、デフォルトゲートウェイのIPアドレスは、現行のサーバと同じIPアドレスにする。

・新社内システムのインターネット接続用サブネットには、現行の社内システムと同

じグローバルIPアドレスを使うので, 新外部DNSサーバのゾーンファイルに, 現行の外部DNSサーバと同じゾーン情報を登録する。

・現行の内部DNSサーバ及び新内部DNSサーバのゾーンファイルに, 新サーバに関する情報を登録する。

・新FW1及び新FW2は, アクティブ／スタンバイのクラスタ構成にする。

・新FW1及び新FW2には, インターネットから受信したパケットの宛先IPアドレスを, 新公開Webサーバ及び新外部DNSサーバのプライベートIPアドレスに変換する静的NATを設定する。

・新FW1及び新FW2にNATPを設定する。

・新サーバの設定を表5に, 新FW及びスタックL3SWに設定する静的経路情報を表6に, FW及びL3SWに追加する静的経路情報を表7に示す。

表5 新サーバの設定（抜粋）

機器名	IPアドレスの割当範囲	デフォルトゲートウェイ		所属VLAN
		機器名	IPアドレス	
新公開Webサーバ	（設問のため省略）	新FW1, 新FW2	172.16.254.1[1]	なし
新外部DNSサーバ				
新ディレクトリサーバ	（省略）	L3SW1, L3SW2	172.17.11.1[2]	11
新内部DNSサーバ				

注 [1] 新FW1と新FW2が共有する仮想IPアドレスである。
　 [2] L3SW1とL3SW2が共有する仮想IPアドレスである。

表6 新FW及びスタックL3SWに設定する静的経路情報（抜粋）

機器名	宛先ネットワークアドレス	サブネットマスク	ネクストホップ	
			機器名	IPアドレス
新FW1, 新FW2	172.17.11.0	255.255.255.0	スタックL3SW	172.17.10.4
	172.17.101.0	255.255.255.0	スタックL3SW	172.17.10.4
	172.17.102.0	255.255.255.0	スタックL3SW	172.17.10.4
	172.17.103.0	255.255.255.0	スタックL3SW	172.17.10.4
	0.0.0.0	0.0.0.0	スタックL3SW	172.17.10.4
スタックL3SW	172.16.254.128	255.255.255.128	新FW1, 新FW2	172.17.10.1[1]
	0.0.0.0	0.0.0.0	L3SW1, L3SW2	172.17.11.1[2]

注 [1] 新FW1と新FW2が共有する仮想IPアドレスである。
　 [2] L3SW1とL3SW2が共有する仮想IPアドレスである。

表7 FW及びL3SWに追加する静的経路情報（抜粋）

機器名	宛先ネットワークアドレス	サブネットマスク	ネクストホップ	
			機器名	IPアドレス
FW1, FW2	172.16.254.128	255.255.255.128	L3SW1, L3SW2	172.17.10.4[1]
L3SW1, L3SW2	172.16.254.128	255.255.255.128	スタックL3SW	172.17.11.101

注 [1] L3SW1とL3SW2が共有する仮想IPアドレスである。

次に，J主任は，ステップ3の現行の社内システムから新社内システムへの切替作業について検討した。J主任が作成したステップ3の作業手順を，表8に示す。

表8 ステップ3の作業手順（抜粋）

作業名	手順
インターネット接続回線の切替作業	・現行のルータ1に接続されているインターネット接続回線を，新ルータ1に接続する。
DMZのネットワーク構成変更作業	・新FW1及び新FW2に設定されているデフォルトルートのネクストホップを，新ルータ1のIPアドレスに変更する。 ・⑨現行のFW1とL2SW1間，及び現行のFW2とL2SW2間を接続しているLANケーブルを抜く。 ・⑩ステップ4で，新サーバに不具合が見つかったときの切戻しに掛かる作業量を減らすために，現行のL2SW1と新L2SW1間を接続する。 ・⑪インターネットから新公開Webサーバに接続できることを確認する。
内部NWのネットワーク構成変更作業	・現行のL3SW1及びL3SW2のVLANインタフェースに設定されている全てのIPアドレス，並びに静的経路情報を削除する。 ・スタックL3SWのVLAN11のVLANインタフェースに設定されているIPアドレスを， g に変更する。 ・スタックL3SWに設定されているデフォルトルートのネクストホップを新FW1と新FW2が共有する仮想IPアドレスに変更する。 ・スタックL3SWに設定されている宛先ネットワークアドレスが172.16.254.128/25の静的経路情報を削除する。
ディレクトリサーバの切替作業	・新ディレクトリサーバをマスタとして稼働させる。
DHCPサーバの切替作業	・現行の内部DNSサーバのDHCPサーバ機能を停止する。 ・新内部DNSサーバのDHCPサーバ機能を開始する。 ・⑫スタックL3SWにDHCPリレーエージェントを設定する。
新PCの接続作業	・スタックL3SWに，VLAN101〜VLAN103のVLANインタフェースを作成し，IPアドレスを設定する。 ・新L2SW3〜新L2SW20と新L3SW1，新L3SW2に，VLAN101〜VLAN103を通すトランクポートを設定し，接続する。 ・新PCから新ディレクトリサーバに接続できることを確認する。

J主任が作成した移行計画はM課長に承認され，J主任は更改の準備に着手した。

7

設問1　〔社内システムの概要〕について，(1)，(2)に答えよ。

　(1)　本文中の　　a　　，　　b　　に入れる適切な字句を答えよ。

　(2)　本文中の下線①の名前解決要求先を，図1中の機器名で答えよ。

設問2　〔現行の内部NW調査〕について，(1)，(2)に答えよ。

　(1)　本文中の下線②の設定を行わず，内部NWのL2SW及びL3SWに同じブリッジプライオリティ値を設定した場合に，L2SW及びL3SWはブリッジIDの何を比較してルートブリッジを決定するか。適切な字句を答えよ。また，L2SW3がルートブリッジに選出された場合に，L3SW1とL3SW2がVRRPの情報を交換できなくなるサブネットを，図1中のサブネット名を用いて全て答えよ。

　(2)　本文中の　　c　　～　　e　　に入れる適切な字句を答えよ。

設問3　〔RSTPを用いる方式〕について，(1)，(2)に答えよ。

　(1)　本文中の　　f　　に入れる適切な字句を答えよ。

　(2)　本文中の下線③について，トポロジの再構成に掛かる時間を短縮できる理由を二つ挙げ，それぞれ30字以内で述べよ。

設問4　〔スイッチのスタック機能を用いる方法〕について，(1)，(2)に答えよ。

　(1)　本文中の下線④について，運用負荷を軽減できる理由を，30字以内で述べよ。

　(2)　本文中の下線⑤について，内部NWで，スタックL3SW～新L2SW以外に回線帯域を有効利用できるようになる区間が二つある。二つの区間のうち一つの区間を，図3中の字句を用いて答えよ。

設問5　図3の構成について，STP及びRSTPを不要にしている技術を二つ答えよ。また，STP及びRSTPが不要になる理由を，15字以内で述べよ。

設問6　〔新社内システムへの移行の検討〕について，(1)～(8)に答えよ。

　(1)　表4中の下線⑥によって発生する現行のディレクトリサーバから新ディレクトリサーバ宛ての通信について，現行のL3SW1とスタックL3SW間を流れるイーサネットフレームをキャプチャしたときに確認できる送信元MACアドレス及び宛先MACアドレスをもつ機器をそれぞれ答えよ。

　(2)　表4中の下線⑦によって発生する現行のPCから新公開Webサーバ宛ての通信について，現行のL3SW1とスタックL3SW間を流れるイーサネットフレームをキャプチャしたときに確認できる送信元MACアドレス及び宛先MACアドレスをもつ機器をそれぞれ答えよ。

　(3)　本文中の下線⑧について，新公開Webサーバに割り当てることができるIPアドレスの範囲を，表1及び表5～7の設定内容を踏まえて答えよ。

　(4)　表8中の下線⑨を行わないときに発生する問題を，30字以内で述べよ。

(5) 表8中の下線⑩の作業後に,新公開Webサーバに不具合が見つかり,現行の公開Webサーバに切り替えるときには,新FW1及び新FW2の設定を変更する。変更内容を,70字以内で述べよ。また,インターネットから現行の公開Webサーバに接続するときに経由する機器名を,【転送経路】の表記法に従い,経由する順に全て列挙せよ。

【転送経路】

インターネット → ┃ 経由する順に全て列挙 ┃ → 公開Webサーバ

(6) 表8中の下線⑪によって発生する通信について,新FWの通信ログで確認できる通信を二つ答えよ。ここで,新公開Webサーバに接続するためのIPアドレスは,接続元が利用するフルサービスリゾルバのキャッシュに記録されていないものとする。

(7) 表8中の ┃ g ┃ に入れる適切なIPアドレスを答えよ。

(8) 表8中の下線⑫について,スタックL3SWは,PCから受信したDHCPDISCOVERメッセージのgiaddrフィールドに,受信したインタフェースのIPアドレスを設定して,新内部DNSサーバに転送する。DHCPサーバ機能を提供している新内部DNSサーバは,giaddrフィールドの値を何のために使用するか。60字以内で述べよ。

(令和3年春 ネットワークスペシャリスト試験 午後Ⅱ 問1)

■ 午後問題の解説

　社内システムの更改に関する問題です。この問では，多くの企業のネットワークに利用されているRSTP，スタック機能を題材に，受験者が修得した技術と経験が，ネットワーク設計，構築，移行の実務で活用できる水準かどうかが問われています。

　この問は，以下の段落で構成されています。

段落	出題される設問
〔社内システムの概要〕	設問1
〔現行の内部NW調査〕	設問2
〔RSTPを用いる方式〕	設問3
〔スイッチのスタック機能を用いる方式〕	設問4
〔新社内システムの構成設計〕	設問5
〔新社内システムへの移行の検討〕	設問6

　DNS，VRRP，RSTP，スタックやリンクアグリゲーションなどの定番の技術を組み合わせており，一つ一つ理解して解く必要がある問題です。

設問1

　〔社内システムの概要〕に関する問題です。社内システムにおけるDNSやVRRPの設定について考えていきます。

(1)

　本文中の空欄穴埋め問題です。DNSやVRRPについての知識が問われています。

空欄a

　内部DNSサーバの役割を答えます。空欄aの後に，「PC及びサーバから送信された社外のドメインに関する名前解決要求を，ISPが提供するフルサービスリゾルバに転送する」とあり，DNSの名前解決要求を転送するのが内部DNSサーバの役割であることが分かります。自分自身ではDNSの名前解決を行わず，別のフルサービスリゾルバに名前解決要求を中継するDNSサーバのことを，DNSフォワーダといいます。したがって，解答は**フォワーダ**です。

空欄b

　L3SW1に設定してマスタルータにするための値を答えます。VRRP（Virtual Router Redundancy Protocol）は複数のルータを仮想的に一つのルータに見せることで，デフォルトゲートウェイを冗長化するためのプロトコルです。実際にパケットをやり取りするルータがマスタルータとなりますが，マスタルータは設定されているプライオリティ値が最も大きい値のルータです。したがって，解答は**プライオリティ値**です。

(2)

本文中の下線①「名前解決要求先」を，図1中の機器名で答えます。

DHCPで割り当てられる名前解決要求先とはDNSサーバのことです。〔社内システムの概要〕に，「内部DNSサーバはDHCPサーバ機能をもち」とあり，内部DNSサーバ自身がDHCPサーバとなっています。また，空欄aで考えたとおり，内部DNSサーバはDNSフォワーダであり，いったんPCから受け取った名前解決要求をISPが提供するフルサービスリゾルバに転送することができます。そのため，PCの名前解決要求先を内部DNSサーバに設定しておくことで，ISPが提供するフルサービスリゾルバを経由した名前解決が可能となります。したがって，解答は**内部DNSサーバ**です。

設問2

〔現行の内部NW調査〕に関する問題です。STPでのルートブリッジの決定や，ポートの役割の設定，トポロジの変更について考えていきます。

(1)

本文中の下線②「L3SW1に最も小さいブリッジプライオリティ値を，L3SW2に2番目に小さいブリッジプライオリティ値を設定」について，この設定を行わず，内部NWのL2SW及びL3SWに同じブリッジプライオリティ値を設定した場合に，L2SW及びL3SWが比較してルートブリッジを決定するために比較対象となるブリッジIDの項目を答えます。また，L2SW3がルートブリッジに選出された場合に，L3SW1とL3SW2がVRRPの情報を交換できなくなるサブネットを，図1中のサブネット名を用いてすべて答えます。

比較対象

STP（Spanning Tree Protocol）は，IEEE 802.1Dで規定されているブリッジ（スイッチ）の経路を冗長化するためのプロトコルです。ツリーの根となるルートブリッジを決定するときには，ブリッジIDを用いて，ブリッジIDが最も小さい値となるブリッジをルートブリッジとします。このとき，ブリッジIDは8バイトで，ブリッジプライオリティ値の2バイトと，MACアドレスの6バイトをつなげたものとなります。そのため，ブリッジプライオリティ値が同じ場合には，MACアドレスの値が小さい方がルートブリッジとなります。したがって，解答は**MACアドレス**です。

サブネット

図1「G社の社内システムの構成（抜粋）」で，L2SW3がルートブリッジになる状況を考えます。

L2SW3は，図1のPC収容サブネット1にあるレイヤ2スイッチで，L3SW1，L3SW2とループを構成しています。このループで，L3SW1やL3SW2ではなく，L2SW3がルートブリッジ

になってしまった場合，STPによってL3SW1とL3SW2の間を直接接続しているポートのどちらかが，論理的に停止するブロッキングポートとなります。つまり，L3SW1とL3SW2の間のリングアグリケーションを用いて接続している回線が，ブロッキングされ，直接通信ができなくなってしまうのです。

　VRRPでは，VRRP広告（Advertisement）パケットを用いて情報を交換します。このときに，224.0.0.18のマルチキャストアドレスを用いるため，レイヤ3以上の機器（ルータやL3SWなど）を越えて通信することはできません。図1では，PC収容サブネット1〜3はL2SW経由で中継できるので問題ありませんが，FWと接続されているFW-L3SW間サブネットや，サーバと接続されている内部サーバ収容サブネットでは，L3SW1とL3SW2がVRRPの情報を交換できなくなります。したがって，解答は，**FW-L3SW間サブネット**，**内部サーバ収容サブネット**です。

(2)

本文中の空欄穴埋め問題です。STPのアルゴリズムに関して，適切な内容を答えます。

空欄c

　ルートブリッジであるL3SW1での，すべてのポートに対するポートの役割を答えます。

　STPでは，ルートブリッジを決定した後，それぞれのブリッジでルートブリッジに一番近いポートであるルートポートを決定します。その後，各リンクごとにルートブリッジに近い方を指定ポートとします。ルートブリッジのすべてのポートは，ルートブリッジに存在するため，必ず指定ポートとなります。したがって，解答は**指定**です。

空欄d

　L2SW3において，L3SW2に接続するポートの役割を答えます。

　下線②より，L3SW1に最も小さいブリッジプライオリティ値を設定するので，ルートブリッジはL3SW1です。図1のL3SW1 − L3SW2 − L2SW3のループでは，L3SW1の両方のポートが指定ポート，L3SW2とL2SW3のL3SW1と接続している方のポートがルートポートとなります。L3SW2とL2SW3では，下線②より，L3SW2に2番目に小さいブリッジプライオリティ値を設定しているので，L3SW2の方のポートが指定ポートです。そうすると，L2SW3において，L3SW2に接続するポートはルートポートでも指定ポートでもないため，非指定ポートとなります。したがって，解答は**非指定**です。

空欄e

　STPのネットワークでトポロジの変更が必要になったときにクリアするテーブルを答えます。

　MACアドレステーブルで，MACアドレスを保持する時間（エージングタイム）は，通常は300秒（5分）です。STPのネットワークでトポロジの変更が必要になったとき，MACアドレステーブルの内容が残っていると，古いトポロジで通信しようとして，通信が途切れるお

それがあります。そのため，STPのネットワークでトポロジの変更要求を検出すると，エージングタイムを短縮するなどしてMACアドレスをクリアします。したがって，解答は**MACアドレス**です。

設問3

〔RSTPを用いる方式〕に関する問題です。RSTPの仕組みや，RSTPとSTPの違いについて考えていきます。

(1)

本文中の空欄穴埋め問題です。RSTPの状態遷移について考えていきます。

空欄f

　RSTPによって構成されるトポロジにおいて，スイッチRに接続するポートのダウンを検知したときに，スイッチAがスイッチBをどう判定するかを答えます。

　〔RSTPを用いる方式〕(3)に，「スイッチAは，受信したプロポーザル内のブリッジプライオリティ値やパスコストと，自身がもつブリッジプライオリティ値やパスコストを比較する」とあります。ブリッジプライオリティ値やパスコストを比較することで，スイッチAに対してスイッチBが上位のスイッチか下位のスイッチかを判断します。空欄fの後に，「スイッチBにアグリーメントを送信し，指定ポートをルートポートにする」とあるので，スイッチBの方のポートをルートポートにする，つまりスイッチBが上位で，ルートブリッジに近いと判断したことが分かります。したがって，解答は**上位のスイッチ**です。

(2)

　本文中の下線③「内部NWに障害が発生したときの，トポロジの再構成に掛かる時間を短縮」について，トポロジの再構成に掛かる時間を短縮できる理由を二つ挙げます。

　〔RSTPを用いる方式〕の表3「RSTPで追加されたポートの役割」に代替ポートがあり，説明として，「通常，ディスカーディングの状態であり，ルートポートのダウンを検知したら，すぐにルートポートになり，フォワーディングの状態になるポート」とあります。つまり，ポート故障時の代替ポートを事前に決定しており，ルートポートのダウンを検知したら，すぐにルートポートになり，フォワーディングの状態にすることができます。したがって，解答の一つは，**ポート故障時の代替ポートを事前に決定しているから**，となります。

　また，〔現行の内部NW調査〕(2)(3)に，「転送遅延に設定した待ち時間が経過したら」とあり，RTPでは，転送遅延に設定した待ち時間だけ，転送遅延が起こります。しかし，RSTPでは，ルートポートのダウンを検知したらすぐにポートの状態遷移を行います。したがって，もう一つの解答は，**転送遅延がなく，ポートの状態遷移を行うから**，です。

　〔スイッチのスタック機能を用いる方法〕に関する問題です。スタックL3SWとすることでの，運用負荷の軽減や帯域の有効活用について考えていきます。

(1)

　本文中の下線④「スイッチの情報収集や構成管理などの維持管理に係る運用負荷の軽減」について，運用負荷を軽減できる理由を答えます。

　〔スイッチのスタック機能を用いる方式〕に，「新L3SW1と新L3SW2をスタック用ケーブルで接続し，1台の論理スイッチ（以下，スタックL3SWという）として動作させる」とあります。つまり，新L3SW1と新L3SW2の2台のL3SWを1台のスイッチとして管理できることになり，運用負荷を軽減させることができます。

　したがって，解答は，**2台のL3SWを1台のスイッチとして管理できるから**，です。

(2)

　本文中の下線⑤「回線帯域の有効利用」について，内部NWで，スタックL3SW～新L2SW以外に回線帯域を有効利用できるようになる二つの区間のうち，一つを答えます。

　図1より，L3SW1とL3SW2がスタックL3SWとしてまとまると，STPやRSTPのように片方のリンクをブロッキングする必要がなくなります。〔スイッチのスタック機能を用いる方式〕に，「新ディレクトリサーバ及び新内部DNSサーバに実装される二つのNICに，アクティブ／アクティブのチーミングを設定し，スタックL3SWに接続する」とあるので，スタックL3SWと新ディレクトリサーバ間，及びスタックL3SWと新内部DNSサーバ間で二つのNICを使ったチーミングでの帯域の有効利用ができることになります。

　したがって，解答は，**スタックL3SW～新ディレクトリサーバ**，または，**スタックL3SW～新内部DNSサーバ**です。

　図3の構成について，STP及びRSTPを不要にしている技術を二つ答えます。また，STP及びRSTPが不要になる理由についても考えていきます。

技術

　設問4で考えたとおり，図3ではスイッチのスタック機能と，リンクアグリゲーションを使用しています。スタック用ケーブルで新L3SW1と新L3SW2を接続しており，回線をリンクアグリゲーションで一つにまとめています。これらの二つの技術によって，STPやRSTPで

の冗長化が不要となっています。したがって，解答は，**スタック，リンクアグリゲーション**です。

理由

スタックやリンクアグリゲーションでは，論理的に一つのスイッチや回線にまとまっています。そのため，機器や回線を冗長化したときに発生するループがない構成となり，STP及びRSTPを不要としています。したがって，解答は，**ループがない構成だから，**です。

設問6

〔新社内システムへの移行の検討〕に関する問題です。現行システムを新社内システムへ段階的に移行するときに設定する作業について，順に考えていきます。

(1)

表4中の下線⑥「現行のディレクトリサーバから新ディレクトリサーバへデータを移行する」によって発生する現行のディレクトリサーバから新ディレクトリサーバ宛ての通信について，現行のL3SW1とスタックL3SW間を流れるイーサネットフレームをキャプチャしたときに確認できる送信元MACアドレス及び宛先MACアドレスをもつ機器をそれぞれ答えていきます。

送信元MACアドレスをもつ機器

図4「ステップ1完了時のネットワーク構成（抜粋）」によると，図1の現行のL3SW1から，VLAN11を経由して新社内システムの新L3SW1に接続しています。現行のディレクトリサーバはL3SW1に直接接続しており，新ディレクトリサーバはスタックL3SWに直接接続しています。つまり，現行のディレクトリサーバから新ディレクトリサーバへデータを移行するときの物理的な通信経路は，現行のディレクトリサーバ → 現行のL3SW1 → スタックL3SW → 新ディレクトリサーバとなります。そのため一見，L3SW経由での通信でMACアドレスが付け替わるように見えます。

しかし，図1のディレクトリサーバのサブネットは172.17.11.0/24のVLAN11で，途中のL3SW1～スタックL3SWもVLAN11です。さらに，〔新社内システムへの移行の検討〕に「新ディレクトリサーバ及び新内部DNSサーバに，172.17.11.0/24のIPアドレスブロックから未使用のIPアドレスを割り当てる」とあるので，すべてが172.17.11.0/24のIPアドレスブロックでの，同じネットワーク内の通信となります。そのため，L3SWを経由していても，ルータ越えは行われず，直接のMACアドレスでの通信となります。

したがって，現行のディレクトリサーバから新ディレクトリサーバへの通信で，送信元MACアドレスをもつ機器は，**現行のディレクトリサーバ**です。

宛先MACアドレスをもつ機器

現行のディレクトリサーバから新ディレクトリサーバへの通信が，同じネットワークでの

データリンク層の直接通信となるので，新ディレクトリサーバの MAC アドレスが宛先となります。

したがって，宛先 MAC アドレスをもつ機器は，**新ディレクトリサーバ**です。

(2)

表4中の下線⑦「現行の社内システムに接続された PC から，新公開 Web サーバの動作確認を行う」によって発生する現行の PC から新公開 Web サーバ宛ての通信について，現行の L3SW1 とスタック L3SW 間を流れるイーサネットフレームをキャプチャしたときに確認できる送信元 MAC アドレス及び宛先 MAC アドレスをもつ機器をそれぞれ答えていきます。

送信元 MAC アドレスをもつ機器

現行の社内システムに接続された PC から，新公開 Web サーバに通信するためには，図1＋図4の経路では，L2SW3 に接続された PC を例にとると，PC → L2SW3 → 現行の L3SW1 → スタック L3SW → 新 FW1 か新 FW2 → スタック L2SW → 新公開 Web サーバとなります。図1の注記2より，PC 収容サブネット1の IP アドレスブロックは 171.17.101.0/24 の VLAN ID 101 なので，現行の L3SW1 ～新 L3SW1 間の VLAN11（172.17.11.0/24）とはネットワークが異なります。そのため，現行の L3SW1 とスタック L3SW 間では，送信元 MAC アドレスは現行の L3SW1 のものに変更されます。

したがって，送信元 MAC アドレスをもつ機器は，**現行の L3SW1** です。

宛先 MAC アドレスをもつ機器

図4より，スタック L3SW から新公開 Web サーバへ通信するためには，新 FW1 か新 FW2 とスタック L2SW を経由する必要があります。表5より，新 FW1，新 FW2 の IP アドレスは 172.16.254.1 で，注1）より，共有する仮想 IP アドレスとなります。この IP アドレスは，現行の L3SW1 ～新 L3SW1 間の VLAN11（172.17.11.0/24）とはネットワークが異なるので，スタック L3SW では，一度自身の MAC アドレスを宛先 MAC アドレスにして送られてきたパケットを取得し，ルーティングを行って中継する必要があります。

したがって，宛先 MAC アドレスをもつ機器は，**スタック L3SW** です。

(3)

本文中の下線⑧「新公開 Web サーバ及び新外部 DNS サーバには，172.16.254.0/24 の IP アドレスブロックから未使用の IP アドレスを割り当てる」について，新公開 Web サーバに割り当てることができる IP アドレスの範囲を，表1及び表5～7の設定内容を踏まえて答えます。

表1で，172.16.254.0/24 のネットワーク範囲で割り当てられている IP アドレスは，公開 Web サーバと外部 DNS サーバの割当範囲である 172.16.254.10 ～ 172.16.254.100 です。また，デフォルトゲートウェイの IP アドレスに 172.16.254.1 が使用されています。表5～7では，表5で新公開 Web サーバと新外部 DNS サーバのデフォルトゲートウェイの IP アドレスに，仮想 IP アドレ

スとして172.16.254.1が使用されています。これらのIPアドレスは設定不可能です。

ここで，表6のスタックL3SWの静的経路情報で，宛先ネットワークアドレスに172.16.254.128,
サブネットマスクが255.255.255.128が割り当てられています。この経路ではネクストホップが
新FW1，新FW2となっており，新FW1，新FW2にスタックL2SW経由で接続されるネットワー
クに，このネットワークアドレスに所属するホストアドレスを割り当てることができると考えら
れます。具体的には，サブネットマスクが25ビットなので，ブロードキャストアドレスを除い
て172.16.254.128〜172.16.254.254までが割当可能範囲となります。これらのIPアドレスの中に，
すでに使用したIPアドレスはありません。

したがって，解答は，**172.16.254.128〜172.16.254.254**です。

(4)

表8中の下線⑨「現行のFW1とL2SW1間，及び現行のFW2とL2SW2間を接続している
LANケーブルを抜く」を行わないときに発生する問題を答えます。

表8の「ステップ3の作業手順（抜粋）」では，現行の社内システムから新社内システムに切り
替えます。作業名「DMZのネットワーク構成変更作業」を行うときの状況を考えてみると，表
1より，現行のFW1，FW2が共有する仮想IPアドレスは172.16.254.1です。同様に，表5で新
FW1，新FW2が共有する仮想IPアドレスも172.16.254.1となります。現行のFWと新FWの
仮想IPアドレスが重複するため，現行のFW1とL2SW1間，及び現行のFW2とL2SW2間を
接続しているLANケーブルを抜かないと，二つの仮想IPアドレスが重複してしまいます。

したがって，解答は，**現行のFWと新FWの仮想IPアドレスが重複する**，です。

(5)

表8中の下線⑩「ステップ4で，新サーバに不具合が見つかったときの切戻しに掛かる作業
量を減らすために，現行のL2SW1と新L2SW1間を接続する」の作業後に，新公開Webサーバ
に不具合が見つかり，現行の公開Webサーバに切り替えるときに行う，新FW1及び新FW2
の設定変更の内容を答えます。また，インターネットから現行の公開Webサーバに接続する
ときに経由する機器名を，【転送経路】の表記法に従い，経由する順にすべて列挙していきます。

変更内容

下線⑧より，新公開Webサーバには172.16.254.0/24のIPアドレスブロックから未使用の
IPアドレスを割り当てます。このIPアドレスはプライベートアドレスで，現行の公開Webサー
バとは異なります。

〔社内システムの概要〕に「FW1及びFW2に静的NATを設定し，インターネットから受
信したパケットの宛先IPアドレスを，公開Webサーバ及び外部DNSサーバのプライベー
トIPアドレスに変換している」とあり，〔新社内システムへの移行の検討〕に「新FW1及び新
FW2には，インターネットから受信したパケットの宛先IPアドレスを，新公開Webサーバ

及び新外部DNSサーバのプライベートIPアドレスに変換する静的NATを設定する」とあります。どちらも静的NATを設定して変換するので，新FW1及び新FW2の静的NATの変換後のIPアドレスを，新公開Webサーバから現行の公開WebサーバのIPアドレスに変更することで，現行の公開Webサーバへの切り戻しが可能となります。

　したがって，解答は，**静的NATの変換後のIPアドレスを，新公開Webサーバから現行の公開WebサーバのIPアドレスに変更する**，です。

経由する機器名

　インターネットから現行の公開Webサーバに接続するとき，表8の最初の作業で「インターネット接続回線の切替作業」が終わっているので，インターネットからの接続は新ルータ1から新L2SW0を経由して新FW1または新FW2に到達します。なお，〔新社内システムへの移行の検討〕に「新FW1及び新FW2は，アクティブ／スタンバイのクラスタ構成にする」とあるので，通常は新FW1に到達します。新FW1では，静的NATの設定変更で，現行の公開WebサーバのIPアドレスに変換します。現行の公開Webサーバは現行のL2SW1に接続されており，下線⑩に「現行のL2SW1と新L2SW1間を接続する」とあるので，新L2SW1からL2SW1を経由することで，現行の公開Webサーバに到達できます。

　したがって，解答は，**新ルータ1 → 新L2SW0 → 新FW1 → 新L2SW1 → L2SW1**です。

(6)

　表8中の下線⑪「インターネットから新公開Webサーバに接続できることを確認する」によって発生する通信について，新FWの通信ログで確認できる通信を二つ答えます。

　正常にDMZのネットワーク構成変更作業が完了した場合，新公開Webサーバと新外部DNSサーバが新社内システムで稼働します。このとき，インターネットから新公開Webサーバに接続するためには，先に新外部DNSサーバ宛てのDNS通信を行い，新公開WebサーバへのIPアドレスを取得してから，新公開Webサーバ宛てのWeb通信を行います。

　したがって，新FWの通信ログで確認できる通信は，**新公開Webサーバ宛てのWeb通信，新外部DNSサーバ宛てのDNS通信**の二つです。

(7)

　表8中の空欄穴埋め問題です。変更するIPアドレスを答えます。

空欄g

　スタックL3SWのVLAN11のVLANインタフェースに設定されているIPアドレスについて，内部NWのネットワーク構成変更作業で変更するIPアドレスを考えます。

　スタックL3SWのIPアドレスについては，〔新社内システムへの移行の検討〕「スタックL3SWのVLAN11のVLANインタフェースに，未使用のIPアドレスである172.17.11.101を，一時的に割り当てる」とあり，表5の注2) に，172.17.11.1が「L3SW1とL3SW2が共有

する仮想IPアドレス」とあります。表1と注2)より，172.17.11.1はもともと，現行のL3SW1とL3SW2が共有する仮想IPアドレスで，重複するため一時的に別のIPアドレスを割り当てています。移行が終わった後には，スタックL3SWでは，正規の仮想IPアドレスである172.17.11.1に変更します。

したがって，解答は，**172.17.11.1**です。

(8)

表8中の下線⑫「スタックL3SWにDHCPリレーエージェント」について，スタックL3SWは，PCから受信したDHCPDISCOVERメッセージのgiaddrフィールドに，受信したインタフェースのIPアドレスを設定して，新内部DNSサーバに転送します。DHCPサーバ機能を提供している新内部DNSサーバは，giaddrフィールドの値を何のために使用するかを答えます。

PC収容サブネット1，2，3ではそれぞれネットワークが異なり，DHCPのスコープによるIPアドレスの割当て範囲が変わってきます。新社内システムでは図4の注記2に，「スタックL3SWには，VLAN101～VLAN103に関する設定を行わない」とあり，VLANを用いてPCが収容されているサブネットを識別することができません。そのため，スタックL3SWの各インタフェースに設定したIPアドレスを使用して，PCが収容されているサブネットをインタフェースのIPアドレスで識別します。

したがって，解答は，**PCが収容されているサブネットを識別し，対応するDHCPのスコープからIPアドレスを割り当てるため**，です。

解答例

出題趣旨

> 企業のネットワークを設計するときに，RSTP（Rapid Spanning Tree Protocol）を用いる方式や，スタック機能を用いる方式など，様々な方式を選択できるようになった。企業活動がITによって成り立っている現在，これらの技術を正しく選択して，情報システムの可用性向上を図ることは，どの企業においても重要な課題の一つである。
>
> このような状況を基に，本問では，社内システムの更改と移行を事例に取り上げた。現行のSTPをRSTPに変更したときの方式，スタック機能を用いたときの方式を検討し，それぞれの特徴を解説した。
>
> 本問では，多くの企業のネットワークに利用されているRSTP，スタック機能を題材に，受験者が修得した技術と経験が，ネットワーク設計，構築，移行の実務で活用できる水準かどうかを問う。

設問1

(1)　a　フォワーダ　　　　　　　　　b　プライオリティ値

(2)　内部DNSサーバ

設問2

(1)　**比較対象**　MACアドレス

　　　サブネット　FW-L3SW間サブネット，内部サーバ収容サブネット

(2)　c　指定　　　　　　d　非指定　　　　　　e　MACアドレス

設問3

(1)　f　上位のスイッチ

(2)　・| ポ | ー | ト | 故 | 障 | 時 | の | 代 | 替 | ポ | ー | ト | を | 事 | 前 | に | 決 | 定 | し | て | い | る | か | ら |　(24字)

　　　・| 転 | 送 | 遅 | 延 | が | な | く | ， | ポ | ー | ト | の | 状 | 態 | 遷 | 移 | を | 行 | う | か | ら |　(21字)

設問4

(1)　| 2 | 台 | の | L | 3 | S | W | を | 1 | 台 | の | ス | イ | ッ | チ | と | し | て | 管 | 理 | で | き | る | か | ら |　(25字)

(2)　スタックL3SW　〜　新ディレクトリサーバ　**又は**

　　　スタックL3SW　〜　新内部DNSサーバ

設問5

　　　技術　スタック，リンクアグリゲーション

　　　理由　| ル | ー | プ | が | な | い | 構 | 成 | だ | か | ら |　(11字)

設問6

(1)　**送信元MACアドレスをもつ機器**　現行のディレクトリサーバ

　　　宛先MACアドレスをもつ機器　新ディレクトリサーバ

(2)　**送信元MACアドレスをもつ機器**　現行のL3SW1

　　　宛先MACアドレスをもつ機器　スタックL3SW

(3)　172.16.254.128　〜　172.16.254.254

(4)　| 現 | 行 | の | F | W | と | 新 | F | W | の | 仮 | 想 | I | P | ア | ド | レ | ス | が | 重 | 複 | す | る | 。 |　(24字)

(5)　**変更内容**　| 動 | 的 | N | A | T | の | 変 | 換 | 後 | の | I | P | ア | ド | レ | ス | を | ， | 新 | 公 | 開 | W | e | b |
　　　　　　　　| サ | ー | バ | か | ら | 現 | 行 | の | 公 | 開 | W | e | b | サ | ー | バ | の | I | P | ア | ド | レ | ス | に |
　　　　　　　　| 変 | 更 | す | る | 。 |　(53字)

　　　経由する機器　新ルータ1→新L2SW0→新FW1→新L2SW1→L2SW1

(6) ・新公開Webサーバ宛てのWeb通信
　　　・新外部DNSサーバ宛てのDNS通信

(7) g　172.17.11.1

(8)

| P | C | が | 収 | 容 | さ | れ | て | い | る | サ | ブ | ネ | ッ | ト | を | 識 | 別 | し | ， | 対 | 応 | す | る | D | H | C |
| P | の | ス | コ | ー | プ | か | ら | I | P | ア | ド | レ | ス | を | 割 | り | 当 | て | る | た | め | | | | | |

(49字)

採点講評

　問1では，社内システムの更改を題材に，STP，RSTP及びスタック機能を用いたときの方式の違いと，現行の社内システムから新社内システムへの移行について出題した。全体として，正答率は低かった。

　設問2は，(1)，(2)ともに正答率がやや低かった。STPの用語はRSTPでも用いられるので，是非知っておいてほしい。サブネットについて，STPとVRRPの構成を正しく把握し，設計上の問題点を発見することは，ネットワークを設計する上で非常に重要である。

　設問3 (2)は，正答率が低かった。トポロジの再構成に掛かる時間を短縮できる理由を問う問題であり，本文中に示されたRSTPで追加されたポートの役割，STPとRSTPの状態遷移の違いを読み取り，もう一歩踏み込んで考えてほしい。

　設問6 (1)～(5)は，正答率がやや低かった。移行設計では，現行の社内システムと新社内システムの構成を正しく把握し，移行期間中の構成，経路情報，作業手順などを理解することが重要である。本文中に示された条件を読み取り，正答を導き出してほしい。

7

ネットワークエンジニアと英語力

　ネットワークエンジニアとして活躍する場合，レベルアップに伴い英語力が必要となる場面は増えていきます。具体例としてよくあるのが，ルータなどのネットワーク機器を導入するときにマニュアルが英語のみなので読みこなさないと設定できない，また，トラブルシューティングを行う際に技術情報が英語でしか得られない，などの状況です。また，サポートへの技術的な質問なども英語で行わなければならない場合もあります。そのため，ネットワーク関連の技術者には，英語力，特に英語の読み書きに関する力が求められることが多いです。

　また，P.138のコラムでも紹介したシスコ技術者認定試験のうち，最高レベルのCCIE（Cisco Certified Internetwork Expert）試験の実施は英語のみです。ネットワークスペシャリスト試験だけでなく，さらにレベルアップしていこうと考えるときには，英語での受験も視野に入ってきます。そのため，英語力を向上させることは，技術者としてのスキルアップの方向性を広げる選択肢となります。

　ただ，エンジニアに必要な英語力は，TOEICや英検などの一般的な英語の試験で求められるものとはだいぶ違います。科学技術の分野では，日常会話やビジネス会話のためのいわゆる一般的な英語力ではなく，専門用語を中心とした英語力が必要です。専門分野の英語には普段の生活では見慣れないような用語が多く出てきますが，文法は比較的単純なことが多いので，慣れれば案外，短時間で読めるようになるものです。

　具体的な学習方法としては，「自分が学習したい分野」「専門知識が必要な分野」を定めて，それに合わせた書籍などで学習することが一番近道です。興味のある分野の洋書を読んでみることもいいですし，CCIEなどの参考書も効果的です。ただ，いきなり難しい本に手を出すと大変なので，初級者向けの絵の多い本（For Dummiesシリーズなど）が親しみやすくていいかもしれません。

　英語学習で大切なことは，興味をもてる教材で学習することです。自分のやりたいこと，学びたい分野に結び付けて，楽しくスキルアップしていきましょう。

第**8**章

ネットワーク管理

ネットワークスペシャリスト試験の午後問題では，設計，構築だけでなく，運用管理についてもよく出題されます。継続的にネットワークのサービスを提供するために，運用管理は欠かせません。また，設計したネットワークを実際に利用するためには，ネットワークシステムの移行が必要になってきます。

本章では，運用管理の考え方や手法，システムの導入や現行システムからの移行，事業継続マネジメントについて学びます。

8-1 ネットワーク運用管理

ネットワークは，設計して構築するだけではありません。継続的にサービスを提供するためには，日々の運用管理が重要です。近年では，ネットワークの運用管理にITILなどのITサービスマネジメントの考え方が適用されてきています。

8-1-1 運用管理

ネットワーク運用管理とは，ネットワークシステム全体を管理する業務です。効率良く円滑に日々，ネットワークが使用できるように維持管理します。

運用管理には，特に問題が起こっていないときに行う通常運用や，障害が起こったときに行う障害時運用，そして，定期的なメンテナンスやシステム拡張などの変更を行う保守の3種類の作業があります。

運用管理での管理項目

運用管理で実施する管理項目には，主に次のようなものがあります。

①構成管理

ネットワークの構成要素を管理します。ルータやスイッチなどの**物理的な構成要素**と，IPアドレスや設定情報などの**論理的な構成要素**の両方を管理します。

②セキュリティ管理

不正アクセスやウイルスなどの脅威からネットワークシステムを守ります。ファイアウォールやIDSなどのログから，不正アクセスの兆候を確認したりします。

③資源管理

サーバの電源や施設など，設備に関する管理を行います。

勉強のコツ

従来の運用管理には特に標準がなく，経験則によって行われることが多いのですが，近年ではITILを中心とした運用管理も行われています。
試験では両方出てくるので，運用管理の考え方に加えて，ITサービスマネジメントやITILのマネジメントについても理解を深めておきましょう。

④性能管理

　ネットワークの性能を維持できるように管理します。システムに必要なネットワークの速度が維持されているかについて，**閾値**を決めて，その値を超えることがないかを確認します。

⑤障害管理

　ネットワークで発生する障害を管理します。障害ごとに検出方法や対策などを検討して実施します。

■ 運用管理とITサービスマネジメント

　運用管理は，すでにあるシステムを基に管理を行うことです。これに対し，ITサービスマネジメントは，運用管理が基本になっていますが，それだけではありません。ITサービスマネジメントとは，**システムの運用や保守などを，顧客の要求を満たす「ITサービス」としてとらえ体系化**し，これを効果的に提供するための統合されたプロセスアプローチです。ITサービスマネジメントでは，計画（Plan），実行（Do），点検（Check），処置（Act）のPDCAマネジメントサイクルによってサービスマネジメントの目的を達成します。それに基づき，ITサービス全体をマネジメントする仕組みとして**ITSMS**（IT Service Management System：ITサービスマネジメントシステム）を構築します。

　ネットワーク運用管理者の役割は，ネットワークの利用者に対してサービスを提供し，業務に役立ててもらうことです。従来の運用管理は，依頼が発生したときに対応する**リアクティブ**（受動的）な運用が中心でした。しかしITサービスマネジメントでは，自発的に貢献する**プロアクティブ**（能動的）な取り組みが推奨されます。

　運用管理者が運用以外にもプロアクティブにかかわっていくことで，より良いITサービスを提供することができるというのが，ITサービスマネジメントの基本的な考え方です。

■ ITIL

　ITIL（Information Technology Infrastructure Library）は，ITサービスマネジメントのフレームワークで，現在，デファクトスタンダードとして世界中で活用されています。ITサービスマ

用語

閾値（しきい値）とは，ある特定の値であり，動作を確認したり性能を満たしているか判断したりする際の基準となる値です。
ネットワーク機器などでは，ある特定の値（上限または下限）を決めておき，その範囲から外れた場合には障害があったと判断し，管理者に通知します。

過去問題をチェック

ITILとITサービスマネジメントに関する問題が，ネットワークスペシャリスト試験で出題されています。
【ITILとITサービスマネジメント】
・平成21年秋 午後Ⅱ 問2
　設問1（穴埋め問題）

8

参考

ITILの最新バージョンは，2019年にリリースされたITIL 4です。
なお，情報処理技術者試験のカリキュラムは，JIS規格であるJIS Q 20000:2020をもとに作成されています。ITILとの整合性も考慮されているため，どちらかを学習すれば両方に対応しやすくなります。

ネジメントに対する**ベストプラクティス**がまとめられたものであり，ITILを基にした規格が**JIS Q 20000**（**ISO/IEC 20000**）です。JIS Q 20000は，**ITSMS**の構築にあたって適用する運用管理手順でもあります。ITILがベストプラクティスとして，「このようにすればよい」という手法を示すのに対して，JIS Q 20000は**ITSMS適合性評価制度**として，ITSMSが適切に運用されていることを認定するために使用します。

ITILでは，**サービスライフサイクル**からサービスマネジメントにアプローチしています。サービスライフサイクルは，サービスマネジメントの構造や，様々なライフサイクル要素の関連などについての組織モデルです。サービスライフサイクルには5段階あり，それぞれの関係は次のようになっています。

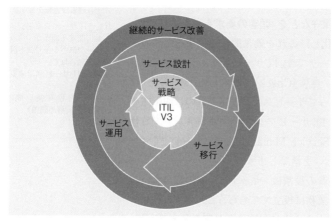

ITILにおけるサービスライフサイクル

1. **サービス戦略**：ITサービスの**指針を定義**する段階
2. **サービス設計**：適切なITサービスを**設計及び開発**する段階
3. **サービス移行**：サービスの実現を**計画立案及び管理**する段階
4. **サービス運用**：サービスの提供とサポートに**必要な活動を**する段階
5. **継続的サービス改善**：ITサービスの有効性と効率性を**継続的に改善**する段階

■ サービスマネジメントプロセス

JIS Q 20000では，ITSMSで行うべきサービスマネジメントプロセスについて，**サービス提供プロセス，関係プロセス，解決プロセス，統合的制御プロセス**の四つに大きく分類し，それぞれのプロセスで行う内容を具体的に定義しています。以下に，各プロセスで定義されている代表的な管理の概要とその機能を示します。

①サービスレベル管理（サービス提供プロセス）

サービスレベル管理（**SLM**：Service Level Management）の最終目標は，現在のすべてのITサービスに対して合意されたレベルを達成すること，そして将来のサービスが，合意された達成可能な目標値を満たすように提供されることです。SLMでは，サービスの利用者とサービスの提供者の間で**SLA**を締結し，**PDCAマネジメントサイクル**でサービスの維持，向上を図ります。

②サービス継続及び可用性管理（サービス提供プロセス）

サービス継続及び可用性管理では，ITサービスの継続性と可用性の両方を管理します。顧客と合意したサービス継続をあらゆる状況の下で満たすことを確実にするための活動が**ITサービス継続性管理**です。サービス継続に関する要求事項は，事業計画や**SLA**，リスクアセスメントに基づいて決定します。ITサービス継続性管理では，災害のインパクトを定量化するために**ビジネスインパクト分析**（BIA：Business Impact Analysis）や，サービス継続性に関する**リスク分析**（RA：Risk Analysis）を行います。

また，災害発生時に最小時間でITサービスを復旧させ，事業を継続させるために事業継続計画（**BCP**）を立て，**事業継続管理**（BCM：Business Continuity Management）を実施します。

すべてのサービスで提供されるサービス可用性のレベルが，費用対効果に優れた方法であり，合意されたビジネスニーズに合致するように実行するためのプロセスが**可用性管理**です。可用性管理は，次の四つの側面をモニタ，測定，分析，報告します。

- **可用性**：必要なときに合意された機能を実行する能力
- **信頼性**：合意された機能を中断なしに実行する能力
- **保守性**：障害の後，迅速に通常の稼働状態に戻す能力
- **サービス性**：外部プロバイダが契約条件を満たす能力

用語

SLA（Service Level Agreement）は，サービスの提供者と委託者との間で，提供されるサービスの内容と範囲，品質に対する要求事項を明確にし，さらにそれが達成できなかった場合のルールも含めて合意しておくことです。それを明文化した文書や契約書のこともSLAといいます。

用語

ビジネスインパクト分析とは，業務が停止・中断した場合に事業全体が受ける業務上・財務上の影響の度合いを分析することです。

8

③キャパシティ管理(サービス提供プロセス)

　容量，能力などシステムのキャパシティを管理し，最適なコストで合意された需要を満たすために，サービス提供者が十分な能力を備えることを確実にする一連の活動がキャパシティ管理です。キャパシティ管理は最初にサービスの設計で扱われ，**キャパシティ目標**を設定します。サービスがSLAの目標値を満たすように，サービスをモニタし，パフォーマンスを測定します。具体的には，CPU使用率，メモリ使用率，ファイルの使用量，ネットワークの利用率などを管理し，それぞれのリソースのしきい値を設定します。

④インシデント及びサービス要求管理(解決プロセス)

　顧客へのサービスを迅速に回復し，提供を続けるために，インシデントの対応，またはサービス要求の対応を行います。

　インシデントが起こったときに，できる限り迅速に通常の状態を再開させるためのプロセスがインシデント管理です。**インシデント**とは，ITサービスの計画外の中断，品質の低下のことです。インシデントについては識別，記録し，優先度付けを行います。

⑤問題管理(解決プロセス)

　一つまたは複数の**インシデント**の根本原因のことを問題といいます。その問題を突き止めて，登録し管理するのが問題管理です。問題の根本原因を見つけて診断するために調査を行います。原因を突き止めて対応することによって，インシデントの再発を防止します。

⑥構成管理(統合的制御プロセス)

　構成管理は，サービスや製品を構成するすべてのCI(Configuration Item：**構成品目**)を識別し，維持管理します。構成管理では，大規模で複雑なITサービスとインフラを管理するため，**CMS**(Configuration Management System：構成管理システム)を構築して一元管理します。CMSで使われるデータベースを構成管理データベース(**CMDB**：Configuration Management Database)といい，プロジェクト情報やツール，イベントなど様々な情報を一元管理します。

用語

インシデントとは，ITサービスの計画外の中断，品質の低下のことです。セキュリティの事故などもインシデントと呼ばれます。
そして，一つまたは複数のインシデントの根本原因のことを問題といいます。
インシデント管理では，とりあえずインシデントを解決し，その後，問題管理で原因を突き止めます。

過去問題をチェック

インシデント管理について，ネットワークスペシャリスト試験で以下の出題があります。
【インシデント管理】
・平成26年秋 午後Ⅰ 問3
　設問4

⑦変更管理（統合的制御プロセス）

　変更管理は，サービスやコンポーネント，文書の変更を安全かつ効率的に行うための管理です。事業やITからのRFC（Request for Change：変更要求）を受け取り，対応します。すべての変更はもれなくCMDBに記録し，反映させる必要があります。

　ITサービスに変更を加える要因には，単純なオペレーションだけでなく事業戦略やビジネスプロセスの変更など，様々なものがあります。そのため，顧客やユーザ，開発者，システム管理者，サービスデスクなどの様々な立場の利害関係者が定期的に集まり，変更をアセスメントするCAB（Change Advisory Board：変更諮問委員会）が開かれます。

⑧リリース及び展開管理（統合的制御プロセス）

　変更管理プロセスで承認された変更内容を，ITサービスの本番環境に正しく反映させる作業（リリース作業）を行うのがリリース管理及び展開管理です。リリース管理では，本番環境にリリースした確定版のすべてのソフトウェアのソースコードや手順書，マニュアルなどのCI（構成品目）を1か所にまとめて管理します。まとめておく書庫のことをDML（Definitive Media Library：確定版メディアライブラリ）といいます。

8

■ 運用管理のポイント

　運用管理に関しては，主に午後問題で出題されます。午後では実際の事例を基に出題されるので，組織的な解決策も含めて，様々な現実的な解答が要求されます。

　ネットワークの運用管理にあたって考慮するべきポイントであり，試験にもよく出題される内容としては以下のようなものがあります。

- システムを導入するだけでなく，**日々の運用**で管理する
- ログのチェックなどを日々行い，問題がないか確認する
- マニュアルを作成し，それを**最新の状態**に維持する
- 役割・責務を分担し，**窓口を一つ**にする
- トラブル報告（メールなど）は，数が多くなりすぎるとチェック機能が働かなくなるので，必要十分な数に絞る。そのために，同じ

原因と思われるトラブルは一つにまとめて報告できるようにする
- トラブルが起こったとき，回線の事業者に連絡する前に，自社のネットワークに問題がないか確認する
- 障害時の対応が適切かどうか，**訓練**をして確認する
- 関係する人の**負担**は，**極力少なくする**。具体的には，**自動化**する，**マニュアル**や**設定ファイル**などをあらかじめ用意しておく，といったことで負担を軽減する

それでは，次の午後問題を考えてみましょう。

問題

　ネットワークの再構築と運用に関する次の記述を読んで，設問に答えよ。

〔現在のネットワーク構成〕
　店舗の利用者は，ある店舗で会員登録をすれば，全国の全ての店舗でサービスを受けられるようになる。会員が利用するPC（以下，会員用PCという）は，インターネットに接続されている。会員が利用するネットワーク（以下，会員用NWという）の構成及びセキュリティ対策については，本部からのガイドラインはあるが，各FCに任されている部分が大きいので，FCごとに異なっており，本部では把握できていない。
　S社では，ネットワーク運用をT社に委託している。T社のデータセンタ（以下，DCという）に設置されている業務サーバ（以下，業務SVという）を使用する業務用ネットワーク（以下，業務用NWという）だけが，全ての店舗に共通している。
　このたびS社では，会員用NWの監視をアウトソーシングすることにした。詳細な検討については，ネットワーク管理者のD君が担当することとなった。

過去問題をチェック

運用管理については，ネットワークスペシャリスト試験ではこの問のように，設問の一つを使って出題されることが多いです。
【運用管理】
・平成22年秋 午後Ⅱ 問1 設問5
（システムの運用管理方式の設計について）
・平成24年秋 午後Ⅱ 問2 設問2
（利用及び障害対応について）
・平成30年秋 午後Ⅰ 問2 設問4
（ネットワーク監視の改善策の立案について）
・令和元年秋 午後Ⅰ 問1 設問2
（ネットワーク監視方法について）
・令和3年春 午後Ⅱ 問2 設問4
（トラフィック監視の導入について）
・令和4年春 午後Ⅱ 問2 設問4
（監視サーバによる監視の検討について）
・令和5年春 午後Ⅱ 問1 設問1
（プロキシサーバの監視運用について）

〔ネットワーク監視サービスの検討〕

　D君は，幾つかの会社から提案してもらい，費用とサービス内容を比較した結果，C社のサービスに絞った。C社提案の新ネットワーク構成を図に示す。

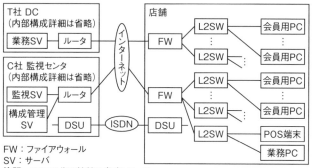

FW：ファイアウォール
SV：サーバ
注記　DSUの先の接続は省略している。

図　C社提案の新ネットワーク構成

　C社の提案には，ネットワーク監視サービスの提供だけでなく，業務用NWを含めたネットワーク構成の見直しも含まれていた。さらに，セキュリティ対策と運用上の作業負荷を極力抑えられるように，新たな機器の導入と保守サービスの提案も含まれていた。次は，C社提案の要約である。

（1）　運用上の考慮点

　保守費用を抑えるために，なるべく店舗の担当者が対応できるように，次のような仕組みと作業マニュアルを用意する。

・FW又はアクセス回線に障害が発生した場合は，店舗の担当者が，利用可能なもう1台のFWにL2SWを付け替える。

・L2SWが故障した場合は，店舗の担当者が，あらかじめ用意してある予備機と交換する。

・店舗側のL2SWの設定情報は，構成管理SVに保存しておき，簡易型ファイル転送用プロトコルであるTFTPを用いてデータを転送する。その作業は，店舗の担当者がL2SWにログインし，構成管理SVのIPアドレスとファイル名を指定したコマンドを投入して行う。

・FWの設定や各種セキュリティ対策用ファイルの更新は，C社からリモートで実施する。通常はインターネット経由で行うが，障害時に備え，ISDN回線も利用できるようにする。DSUとFWの接続には，一般的にRJ-45と呼ばれるモジュラジャックが付いているケーブルを用いる。

(2) C社の監視サービス

・ネットワークと機器の状態は，監視センタに設置された監視SVで監視する。

・監視対象となる機器は，SNMP v1/v2c対応の機器を導入する。監視の対象範囲にコミュニティ名を付け，監視SVがこれを指定して，対象機器に問い合わせる。

・監視SVは，対象機器に一定間隔で問合せを行い，対象機器の異常を検知した場合，監視用のコンソールに状況を表示するとともに，S社の担当者にメールで通知する。

〔ネットワークの再構築〕

　S社は，C社の提案を採用し，ネットワークを再構築することを決定した。D君は，運用フェーズに備えて，店舗の担当者が実施する作業マニュアルの整備を進めていくことにした。作業マニュアルにおけるL2SWの交換作業手順を表に示す。

表　L2SWの交換作業手順

項番	作業内容
①	故障したL2SWに接続されている全てのケーブルを抜く
②	予備のL2SWにログインして，IPアドレスを設定する
③	L2SWをFWに接続する
④	（設問の関係で省略）
⑤	L2SWに設定情報を保存し，それをリブートする
⑥	（設問の関係で省略）
⑦	会員用PCが利用できることを確認する

　S社と各FCは，新たな契約内容で合意し，移行計画に基づいてネットワークの再構築を進めていくことになった。

設問 運用フェーズにおける考慮事項について，（1）～（3）に答
えよ。

(1) 店舗側のFWが故障した場合，メールによる障害通知運用
に支障を来すことがある。その内容を40字以内で述べよ。

(2) 上記（1）の状況の回避方法を，30字以内で述べよ。

(3) 表中の④及び⑥の作業内容を，それぞれ25字以内で述
べよ。

（平成23年秋 ネットワークスペシャリスト試験 午後Ⅰ 問3 設問3・問題文抜粋・一部改）

解 説

運用フェーズにおける考慮事項についての問題文抜粋（一部改）
です。

(1)

C社の監視サービスでは，ネットワークと機器の状態は，監視セン
タに設置された監視SVで監視します。図の構成では，監視SV
はC社監視センタに，店舗のFWやL2SWは店舗にあり，インターネッ
トからFWを経由して通信を行います。そのため，店舗側のFWが
故障した場合は，FWだけでなく，その配下にあるL2SWに対する
監視がすべて行えなくなり，異常として検知されます。これらがS
社の担当者にメールで通知されると，FW，L2SWそれぞれの検知
内容が送られるので大量のメールとなってしまいます。そうすると
重要なものを見落としてしまう可能性が高くなり，障害復旧が遅れ
てしまうおそれがあります。したがって解答は，**S社の担当者にメー
ルが大量に送られ，重要なものを見落としてしまう**となります。

(2)

FWの故障から派生した障害検知の場合，原因は一つです。こ
れら原因が同じと思われる検知メールを一つのメールにまとめる
ことで，大量のメールに埋もれずにすみます。したがって解答は，
複数の検知内容を一つのメールにまとめるようにするとなります。

(3)

表中の④は，③でL2SWをFWに接続した後に行う作業です。

⑤に「L2SWに設定情報を保存し」とあるので，④は設定情報を設定する作業となることが分かります。問題文「(1) 運用上の考慮点」に「店舗側のL2SWの設定情報は，構成管理SVに保存しておき，簡易型ファイル転送用プロトコルであるTFTPを用いてデータを転送する」とあるので，このデータ転送が必要な作業であることが分かります。したがって④の解答は，**L2SWの設定情報を構成管理SVから転送する**です。

　表中の⑥は，⑤でL2SWの設定が終わった後，⑦で会員用PCが利用できることを確認するために行うことです。今回の作業はL2SWの交換なので，設定が終わったときには会員用PCはまだL2SWに接続されていません。そのため，接続して利用できるようにする必要があります。したがって⑥の解答は，**会員用PCをL2SWに接続する**となります。

≪解答≫

(1)　S社の担当者にメールが大量に送られ，重要なものを見落としてしまう。（33字）

(2)　複数の検知内容を一つのメールにまとめるようにする。（25字）

(3)　④ L2SWの設定情報を構成管理SVから転送する（22字）

　　⑥ 会員用PCをL2SWに接続する（15字）

‖ ▶▶ 覚えよう！

- ☐　サービスサポートは日々の運用，サービスデリバリは中長期的な計画と改善
- ☐　運用管理では，マニュアルを作り自動化して，人の負担を少なくする

8-1-2 🔲 システムの導入，現行システムからの移行

システムの導入や現行システムからの移行を行う際には，円滑に進むように事前に計画しておくことが重要です。特にメールシステムの場合は，新システムにデータを移行させる必要があるので注意深く行います。

🔲 システムの導入

システムを稼働環境に導入するためには，資産の引き継ぎ，稼働環境の準備，実施計画の作成などが必要です。

導入時には運用テストを行いますが，その際は運用テスト計画を作成し，実際の運用環境でテストを行います。

🔲 現行システムからの移行

システムの移行方式には，全システムを一度に移行する**単純移行方式**や，特定の一部（パイロットシステム）だけを先行して移行する**パイロット移行方式**，新旧環境での並行運用を行う**並行運用移行方式**などがあります。システムの移行時には，失敗しても最低限，現行システムは稼働できるようにするため，問題発生時に元に戻せることが大切です。

🔲 メールシステムの移行

メールシステムを移行する場合，単純にサーバを変えるだけでは，これまでのメールや移行中のメールが失われるおそれがあります。

サーバの切替え時には，DNSの応答結果によって，新サーバへの切替え後も旧サーバにメールが送られることがあるので，しばらくは**新旧サーバを並行稼働**させる必要があります。また，メールの情報をサーバに保管する場合には，IMAPを利用して，クライアントのメール情報を**サーバに転送**する必要があります。

📖 過去問題をチェック

ネットワークシステムの移行については，ネットワークスペシャリスト試験では以下の出題があります。

【ネットワークシステムの移行】
・平成21年秋 午後Ⅰ 問2（新しくWebメールに移行する場合の作業内容について）
・平成23年秋 午後Ⅱ 問2 設問5（メールサービスの移行方法の設計について）
・平成24年秋 午後Ⅱ 問2 設問5（IPv6対応作業やトランスレータ導入などの，ネットワークシステムの再構築作業について）
・平成28年秋 午後Ⅰ 問3 設問3（メールサーバの移行について）
・平成28年秋 午後Ⅱ 問1 設問5（機能拡張に関する移行計画について）
・令和元年秋 午後Ⅱ 問1 設問4（新システムへの段階的移行について）
・令和3年春 午後Ⅱ 問1 設問6（新社内システムへの移行について）
・令和4年春 午後Ⅱ 問2 設問5（コンテナ仮想化技術を利用した移行について）
・令和5年春 午後Ⅱ 問1 設問3（インターネット接続の切替えについて）

8

‖▶▶ 覚 え よ う！

☐ 現行システムからの移行時には，サービスを元に戻せることが大事

☐ 移行後しばらくは，新旧サーバの並行稼働が必要

8-1-3 ◯ 事業継続マネジメント

　災害などが発生した場合でも，ネットワークシステムを復旧させ，なるべく業務に支障が出ないようにすることが大切です。そのための考え方に，リスクマネジメントと，その一環である事業継続マネジメントがあります。

◼ リスクマネジメント

　リスクマネジメントでは，リスクに関して組織を指揮し，管理します。その際に行われるのが**リスクアセスメント**であり，リスク分析によって情報資産に対する脅威と脆弱性を洗い出し，そのリスクの大きさを算出します。

　リスクの大きさは，そのリスクの**発生確率**と，事象が起こったときの**影響の大きさ**とを組み合わせたもので，金額などで算出されます。そして，リスクの大きさに基づき，それぞれのリスクに対してリスク評価を行います。

◼ リスク対応

　リスクを評価した後で，それぞれのリスクに対してどのように対応するかを決めるのが**リスク対応**です。その方法には，次の四つがあります。

①最適化(低減)

　損失の発生確率や被害額を**減少させる**ような対策を行うことです。一般的なセキュリティ対策はこれに当たります。

②回避

　リスクの根本原因を排除し，リスクを**ゼロ**にすることでリスクを処理します。リスクの高いサーバの運用をやめる，などがその一例です。

③移転

　リスクを第三者へ移転します。保険をかけるなどして，リスク発生時の費用負担を外部に転嫁するなどの方法があります。

用語

リスク分析の手法の代表的なものに，日本情報経済社会推進協会(JIPDEC：旧日本情報処理開発協会)が開発した**JRAM**(JIPDEC Risk Analysis Method)があります。JIPDECでは2010年に，新たなリスクマネジメントシステムとして**JRMS2010**(Japan Risk Management verification System 2010)を公表しました。

用語

リスク対応の考え方には，リスクコントロールとリスクファイナンスがあります。**リスクコントロール**は，技術的な対策など，何か行動することで対策を行うことですが，**リスクファイナンス**は**資金面で対応**することです。

④保有（受容）

リスクに対して特に対応はせず，そのことを受容します。

それでは，次の問題を考えてみましょう。

問題

個人情報の漏えいに関するリスク対応のうち，リスク回避に該当するものはどれか。

ア　個人情報の重要性と対策費用を勘案し，あえて対策をとらない。
イ　個人情報の保管場所に外部の者が侵入できないように，入退室をより厳重に管理する。
ウ　個人情報を含む情報資産を外部のデータセンタに預託する。
エ　収集済みの個人情報を消去し，新たな収集を禁止する。

（平成29年春 情報処理安全確保支援士試験 午前Ⅱ 問9）

解説

リスク対応では，リスクの根本原因を取り除き，リスクをゼロにすることがリスク回避に該当します。情報を消去して新たな収集を禁止すると，情報漏えいの対象そのものがなくなるのでリスクがゼロになります。したがって，エが正解です。

アはリスク保有（受容），イはリスク最適化（低減），ウはリスク移転に該当します。

≪解答≫エ

■ 事業継続マネジメント

　リスクマネジメントの一種である**事業継続マネジメント**（BCM: Business Continuity Management）は，リスク発生時に企業がいかに事業の継続を図り，サービスの欠落を最小限にするかを目的とする経営手段です。BCMの成果物をBCP（Business Continuity Plan：事業継続計画）といいます。

　BCPは，企業が事業の継続を行う上で基本となる計画です。災害や事故などが発生したときに，**目標復旧時点**（RPO：Recovery Point Objective）以前のデータを復旧し，**目標復旧時間**（RTO：Recovery Time Objective）以内に再開できるようにするために事前に計画を策定しておきます。

 過去問題をチェック

事業継続の観点については，ネットワークスペシャリスト試験では以下の出題があります。
【事業継続】
・平成24年秋 午後Ⅰ問1 設問1（穴埋め問題）
・平成23年秋 午後Ⅰ問2 設問1 (2)（RPOを求める問題）
・平成29年秋 午後Ⅱ問1 設問4 (3)（RTO）

||▶▶▶ 覚 え よ う！

- [ ] 　リスクマネジメントでは，リスク分析を行い，評価し，対応する
- [ ] 　リスク発生時にサービスを継続する経営手段がBCM，その計画がBCP

8-2 ネットワーク監視と障害対応

　ネットワークを適切に運用管理するためには，日々のネットワーク監視が欠かせません。障害が発生したときの対応も重要です。また，近年は運用管理のツールが充実しており，管理を自動化して改善することが可能になっています。

8-2-1 ◯ ネットワーク監視

　ネットワークを監視するときは，OSI基本参照モデルのどのレイヤで監視するのかを意識し，複数のレイヤでの監視を行います。また，通信できているかどうかだけでなく，そのトラフィック量や，セキュリティについても意識して監視することが大切です。

■ ネットワーク監視

　ネットワーク監視では，主にOSI基本参照モデルでのネットワーク層以下でネットワークが正常に接続されているかを監視し，トランスポート層以上でサービスが提供されているかどうかを確認します。それぞれのレイヤで監視できる内容に違いがあるので，複数のレイヤで監視することが大切です。
　主なネットワーク監視手法には，次のものがあります。

● ping

　ICMPタイプ8のエコー要求パケットとタイプ0のエコー応答パケットを使用して，ネットワーク層以下でパケットが送信されているかどうかを，pingコマンドでIPアドレスを指定して確認します。
　ネットワーク監視では，定期的にpingを発行してネットワークが接続されているかどうかを確認し，障害を検知します。ネットワーク接続の監視は，**死活監視**とも呼ばれます。

● telnet

　telnetは，リモート接続を行うコマンドです。IPアドレスとポート番号を指定して接続を行います。トランスポート層〜アプリ

過去問題をチェック
ネットワーク監視については，午後で次のような出題があります。
【ネットワーク監視の改善策】
・平成30年秋 午後Ⅰ 問2
　設問4
【ネットワーク監視方法】
・令和元年秋 午後1 問1
　設問2
・令和4年春 午後Ⅱ 問2
　設問4
・令和5年春 午後Ⅱ 問2
　設問1
【ログ監視】
・令和元年秋 午後Ⅱ 問2
　設問6
【トラフィック監視】
・令和3年春 午後Ⅱ 問2
　設問1，設問4

ケーション層のレイヤで、ポート番号を使用して接続できること
が確認できます。

● curl

curlは、様々なプロトコルを用いてURLで指定したネットワー
クとの送受信を行うためのコマンドです。よく使用されるのは、
HTTPリクエストやSMTPリクエストなどを簡単に発行すると
きですが、TLSにも対応しており、HTTPS、SMTPSなどでも
使用可能です。curlコマンドで定期的にURLへの接続を監視す
ることにより、サービスの提供状況を把握できます。

● SNMP

ルータやスイッチ、サーバなどのネットワーク機器に設定した
SNMPエージェントからMIB情報を取得することで、ネットワー
クの様々な情報を収集できます。ネットワーク機器やサーバの情
報がすべて取得できるので、下位層から上位層すべての監視が
可能です。単に接続できるかどうかという情報で障害を検知す
るだけでなく、後述するようにトラフィックを監視するためにも
利用されます。

ただし、トランスポート層にUDPを使用してアプリケーショ
ンとして稼働するので、**ネットワークが正常に稼働していること
が監視の前提**となります。

■ トラフィック監視

トラフィック監視とは、ネットワークを流れるデータ量を監視
することです。トラフィック監視を行う手法としては、次のもの
があります。

● SNMP

SNMPエージェントから、監視装置などに設定するSNMPマ
ネージャにMIB情報を集約することで、ネットワークの各所で
のトラフィック情報を確認できます。例えば、インタフェースで
受信したパケットの総オクテット数である**ifInOctets**や送信した
パケットの総オクテット数**ifOutOctets**の情報を定期的に取得す
ることで、時間当たりの通信量を計算することができます。

●パケット取得（スニッフィング）

　パケットを取得（スニッフィング）するパケットキャプチャ用の
ソフトウェアを用いることで，ネットワークを流れるパケットの
詳細を知ることができます。通過したデータの詳細な分析を行う
場合に有効です。

●フロー監視

　ネットワークトラフィックのフロー監視を行うプロトコルに，
sFlow や NetFlow があります。sFlow は RFC 3176 として公開さ
れており，ネットワークをモニタリングするプロトコルです。IP
アドレス，ポート番号，プロトコルなどからフローデータを生成
し，どのフローの通信量が多いかを特定できます。NetFlow は
Cisco 社独自の仕様です。

◼ ログ監視

　ログ監視は，機器のイベントログやサーバのアクセスログなど
を監視し，より詳細なネットワーク情報を得る方法です。ログ監
視は，次の手法で行います。

●時刻同期

　NTP（Network Time Protocol）は，時刻を同期するための
プロトコルです。ログ監視で複数のログを利用する場合には，
NTP を利用してログの時刻を同期させておく必要があります。
また，単に時間を合わせるだけではなく，タイムゾーンなどの環
境も統一しておく必要があります。

●SYSLOG

　SYSLOG は，IP ネットワークでログをやり取りするためのプ
ロトコルです。SYSLOG メッセージは，UDP または TCP を用い
て送信されます。TLS による暗号化も可能です。サーバやネッ
トワーク機器などのログ情報をログ監視サーバなどの管理機器
に送信するのに用いられます。

●ログ監視サーバ

　複数のログを一元管理し，障害検知や証拠保全に用いられる

関連

　パケット解析については，
1章（1-1-3）のコラム「パ
ケット解析のすすめ」で，
具体的なツールについては
同コラム側注の「勉強のコ
ツ」で紹介しています。ト
ラフィック監視には，パ
ケット解析で用いられる
ツールが大活躍します。

8

のがログ監視サーバです。ログを人手で監視するのは大変なので，ログ監視ソフトウェアを用いるのが一般的です。

■ セキュリティ監視

セキュリティ監視は，ネットワーク全体でセキュリティが守られているかどうかを監視する手法です。サーバやPCなど，ネットワーク上の様々な機器や，ネットワークの状況を監視します。

●ファイアウォールによる監視

ファイアウォールでは，不正なパケットの侵入を防ぎます。単に防御するだけでなく，ファイアウォールのアクセスログを監視することで，セキュリティ攻撃を検知できます。

また，WAF（Web Application Firewall）を利用することで，Webアクセスでの攻撃を詳細に監視することができます。

●エージェントによるセキュリティ監視

セキュリティルールに従っているかどうかを検査するエージェントと呼ばれるソフトウェアをPCなどの機器にインストールすることで，個々の機器を監視します。マルウェア対策ソフトを集中管理するサーバ製品などでは，マルウェア感染をネットワーク全体で検知することが可能となります。

●侵入検知装置による監視

IDSやIPSなどの侵入検知装置を用いることで，ネットワーク上の攻撃を監視することが可能となります。IPSでは，検知だけではなく防御も行います。

■ バグトラッキングシステム

　バグトラッキングシステム(BTS：Bug Tracking System)は，ソフトウェアのバグ(エラーや欠陥)を特定，記録，追跡し，解決するためのシステムです。修正計画や修正履歴を管理することで，バグを効率的に解決することができます。

　バグトラッキングシステムには，独自のシステムのほかに，プロジェクト管理ツールの一部として提供されるものがあります。

▶▶ 覚えよう！

- ☐ ネットワーク監視では，pingやSNMPが主に用いられる
- ☐ ログ監視を行うためには，NTPでの時刻同期が必要

8

8-2-2 ◯ 障害対応

　障害対応では，様々な手法を用いながら，状況を正確に把握して原因を特定します。また，障害対応を行うための仕組みを構築することも大切です。

■ 障害対応の基本

　障害対応（トラブルシューティング）で大切なことは，**状況を正確に把握**することです。ネットワークが複雑化している現在，障害発生時にどこに原因があるのかを把握することが難しくなっています。例えば，「インターネットに接続できない」という障害が発生した場合には，その原因はネットワークなのかサーバの機器なのか，それともPCのアプリケーションの不具合なのかは，調べてみないと分かりません。実際にどのような障害なのかを，状況を正確に確認しながら追及することは非常に重要です。

■ 障害対応の手順

　障害対応を行うためには，あらかじめ**障害対応マニュアル**などに手順を記載しておき，それに従って対応を進めていくことが大切です。障害対応の手順としては一般的に次のようなことが行われます。

●障害のタイプの切り分け

　障害が発生したとき，その障害がどのようなタイプかを切り分けて，それに合わせて対応します。具体的な障害のタイプには，次のようなものがあります。

- ・ネットワークがつながらない
- ・サービスで不具合が発生して利用できない
- ・パフォーマンスが低下する
- ・機器が故障して利用できない

●障害状況の把握

　障害発生時には，その状況や影響範囲を正確に把握することが大切です。例えば，次のような情報を把握し，原因の特定や

復旧に役立てます。

・障害が発生したサービスやネットワーク
・障害が発生しているユーザ数，拠点数，機器数
・障害発生日時（いつごろから発生しているか）
・障害発生前に変更した内容（ネットワーク構成やソフトウェア
　など）
・現在の状況（障害の発生が継続しているか，復旧されたか）
・発生する頻度（継続的に発生しているか，ときどき，または繰
　り返し発生しているか）

●障害対応記録の確認

　障害が発生したとき，すでに同じ障害が発生していてそれに
対応した記録があれば活用します。そのため，将来的に活用で
きるように，障害対応の記録を残し，必要に応じて検索できるよ
うにしておくことが大切です。

●暫定対応（ワークアラウンド）

　障害からの回復に時間がかかる場合は，暫定的に対応するこ
とを考えます。暫定的な対応策のことをワークアラウンドといい
ます。例えば，正常時に使用するネットワーク回線に障害が発
生した場合，バックアップ回線に切り替えて運用を継続する方
法などがあります。この場合，ネットワーク帯域が確保できない
ことがあるので，重要度に応じて業務を停止させるなどの判断も
必要になります。

●恒久対応

　原因が判明した後は，今後の障害発生を防ぐために恒久的な
対応を行います。機器の増強や交換の必要が生じるなど，すぐ
に対応できない場合には，暫定対応と組み合わせて順次切り替
えていきます。

■ 障害対応の手法

障害対応の手法としては，次のようなものがあります。

●ネットワーク解析

pingやtelnetなどでネットワークやサービスが正常に稼働しているかを確認したり，SNMPで詳細なネットワークの状況を確認することで，障害が発生しているネットワークを特定します。トラフィック状況も確認することで，どのような障害なのか詳細情報を得ることができます。

●ログ解析

ログ管理サーバに蓄積されたログをもとに，障害の状況やその原因を解析します。ログ解析を行うことで，アクセスしているサーバなど，ネットワーク解析よりも詳細な情報を得ることができます。

■ 障害のリスクを評価する手法

信頼性工学の視点で行う設計では，次のような手法で障害のリスクを評価します。

●FTA

FTA（Fault Tree Analysis：故障木解析）は，発生しうる障害の原因を分析するトップダウンの手法です。特定の障害に対して，その障害が発生する原因を，表面的なものから根本的なものまで洗い出し，それらの関係をゲート（論理を表す図記号）で関連付けた樹形図（木）で表します。

●FMEA

FMEA（Failure Mode and Effects Analysis：故障モード影響解析）は，信頼性を定性的に評価するボトムアップの手法です。システムの構成品目の故障モードに着目して，故障の推定原因を列挙し，システムへの影響を評価することによって分析します。

▶▶▶ 覚 え よ う ！

☐ 障害対応には，暫定対応（ワークアラウンド）と恒久対応がある

☐ 障害のリスクを評価する手法に，FTAやFMEAがある

8-2-3 🔘 ネットワーク管理の改善

ネットワーク管理は，プロトコルや機器を組み合わせることで自動化できます。また，ソフトウェアや運用手法の仕組みを変えることで，ネットワーク管理の改善も可能です。

📖 **過去問題をチェック**
ネットワーク管理の改善については，午後で次のような出題があります。
【ネットワーク運用管理の自動化】
・令和3年春 午後Ⅰ 問1
　設問3

🔲 ネットワーク管理の自動化

ネットワーク管理を行うときに，ネットワークの構成を把握することは大切です。しかし，ネットワーク構成図などを手作業で作成していると，ネットワーク構成が変更された場合に反映されないことがあり，ネットワーク管理に支障が生じます。そのため，ネットワーク構成の管理に役立つ手法がいくつかあります。

●LLDPとSNMP

データリンク層で接続する隣接の機器を発見するためのプロトコルに，**LLDP**（Link Layer Discovery Protocol）があります。スイッチなどのレイヤ2（データリンク層）の機器が隣接する機器に自身の機器情報を送ることで接続構成を把握します。機器情報には，IPアドレスや機種，ポート，OSのバージョンなどの情報が含まれています。同じような情報を交換するプロトコルに，Cisco独自のCDP（Cisco Discovery Protocol）があります。

LLDPで取得した機器情報を**SNMP**でLLDP-MIBとして送ることで，監視サーバでネットワーク構成を自動的に把握することができます。

●REST API

REST APIは，HTTPを利用してデータをやり取りする手法です。最近のクラウド機器を中心に，REST APIを利用したネットワーク管理が可能になっています。具体的には，REST APIを利用してIPアドレスなどの構成情報を入手することで，ネットワークの接続状況を自動的に管理することができます。

🔲 運用管理の改善

運用管理（Operation，略してOps）は，運用だけを単独で改善しようとしてもなかなか上手くいきません。ほかの技術と組み合

8

わせることで，運用管理を大幅に改善させることができるようになります。運用管理の改善には，次のような手法があります。

●DevOps

ソフトウェア開発手法の一つで，開発チームと運用チームが協力する体制を作ることを**DevOps**といいます。DevOpsは概念ですが，開発と運用が協力して行うために，ツールを使用して自動化し，組織文化を改善します。

DevOpsでは，Dockerなどの構成管理ツールを利用することで，サーバなどのインフラの構築を自動化します。また，Jenkinsなどの継続的インテグレーションツールを利用することで，ビルドやデプロイなどの開発で行われる作業を自動化します。

●MLOps

MLOpsとは，機械学習（Machine Learning）チームと運用チームが協力する体制を作ることです。ネットワーク監視，特にログ監視については機械学習によって障害や不正を検知することが可能です。そのため，機械学習による監視ツールを導入するのですが，ただ導入しただけでは変化に対応できないため，継続的インテグレーションを協力して行う必要があります。

🔲 保守の改善

保守は，ネットワークなどのシステムに変更を加えて改修や調整を行う作業です。機器やソフトウェアの修理などが該当します。保守はソフトウェア保守とハードウェア保守に分けられ，それぞれ改善するための方法があります。

●ソフトウェア保守

ソフトウェア保守では，ソフトウェアの改修を効率化するために，文書化してドキュメントを整備しておくことが重要です。**リバースエンジニアリング**は，完成したソースコード（プログラム）から仕様を把握することです。保守のために仕様書を残しておくことで，改修作業が容易になります。

また，ソフトウェアの動作を変えずに内部のソースコードを見やすく改変することを**リファクタリング**といいます。リファクタ

> 🔍 **用語**
>
> 継続的インテグレーションとは，プログラムや機器の構成管理などの情報を中心となるリポジトリ（格納場所）で管理することです。ビルドとはコンパイルやドキュメントの生成，テストの実行などの一連の工程で，デプロイは本番の環境に作成したものを配置することです。継続的インテグレーションツールでは，ビルドやデプロイを自動化して，継続的に最新の状態にすることができます。

リングによって，ソフトウェアの改善が行いやすくなります。

●ハードウェア保守

　ネットワーク機器は，経年劣化により故障することがよくあります。物理的な機器の故障が起こりやすい部分としては，静電気による半導体製品（メモリなど）の故障などが挙げられます。LANの配線が複雑だと保守が大変になるので，分かりやすく配置する，ラベルを付けておくなどの対応が必要となります。

▶▶▶ 覚 え よ う ！

- □ ツールやプロトコルを活用することで，ネットワーク管理を自動化できる
- □ 動作を変えずに保守しやすく内部を変更するリファクタリング

8

8-3 演習問題

8-3-1 ● 午前問題

問1 バグトラッキングシステム　　CHECK ▶ □□□

バグトラッキングシステムの説明として，最も適切なものはどれか。

ア　ソースコードを画面に表示しながら，プログラムの実行及び中断，変数の値の
表示などの，バグの発見を支援する機能を提供する。

イ　テストケース及びテストプログラムの開発を支援して，バグの発見を容易にす
る。

ウ　バグの数とソースプログラムの諸元から，品質管理のためのメトリクスを算定
する。

エ　発見されたバグの内容，バグが発生したソフトウェアのバージョンなどを記録
し，その修正計画や修正履歴を管理する。

問2 FTA　　CHECK ▶ □□□

信頼性工学の視点で行うシステム設計において，発生し得る障害の原因を分析する
手法であるFTAの説明はどれか。

ア　システムの構成品目の故障モードに着目して，故障の推定原因を列挙し，シス
テムへの影響を評価することによって，システムの信頼性を定性的に分析する。

イ　障害と，その中間的な原因から基本的な原因までの全てを列挙し，それらをゲー
ト（論理を表す図記号）で関連付けた樹形図で表す。

ウ　障害に関するデータを収集し，原因について"なぜなぜ分析"を行い，根本原
因を明らかにする。

エ　多角的で，互いに重ならないように定義したODC属性に従って障害を分類し，
どの分類に障害が集中しているかを調べる。

問3 BCP   CHECK ▶ □□□

BCPの説明はどれか。

ア　企業の戦略を実現するために，財務，顧客，内部ビジネスプロセス，学習と成長という四つの視点から戦略を検討したもの

イ　企業の目標を達成するために，業務内容や業務の流れを可視化し，一定のサイクルをもって継続的に業務プロセスを改善するもの

ウ　業務効率の向上，業務コストの削減を目的に，業務プロセスを対象としてアウトソースを実施するもの

エ　事業の中断・阻害に対応し，事業を復旧し，再開し，あらかじめ定められたレベルに回復するように組織を導く手順を文書化したもの

8

■ 午前問題の解説

問1　　　　　　　　　　　　　　　（令和6年春 ネットワークスペシャリスト試験 午前Ⅱ 問25）
《解答》エ

　バグトラッキングシステム（BTS：Bug Tracking System）は，ソフトウェア開発におけるバグの報告，追跡，管理を行うためのシステムです。修正計画や修正履歴を管理することで，ソフトウェア開発チームはバグを効率的に解決することができます。したがって，エが正解です。
ア　デバッガの説明です。
イ　テスト支援ツールの説明です。
ウ　ソフトウェアメトリクスツールの説明です。

問2　　　　　　　　　　　　　　　（令和3年春 ネットワークスペシャリスト試験 午前Ⅱ 問24）
《解答》イ

　FTA（Fault Tree Analysis：故障の木解析）は，製品の故障や，その原因を分析するための手法です。障害の原因について，その中間的な原因から基本的な原因までのすべてを列挙し，それらをゲート（論理を表す図記号）で関連付けた樹形図で表します。それぞれの原因の発生頻度を求めることで，システムの信頼性を定量的に分析できます。したがって，イが正解です。
ア　FMEA（Failure Mode and Effect Analysis：故障モード影響解析）の説明です。
ウ　根本原因解析（RCA：Root Cause Analysis）をなぜなぜ分析で行う場合の説明です。
エ　ODC（Orthogonal Defect Classification）分析の説明です。

問3　　　　　　　　　　　　　　　　　　　（令和4年秋 高度共通 午前Ⅰ 問23）
《解答》エ

　BCP（Business Continuity Plan：事業継続計画）は，企業が事業の継続を行う上で基本となる計画です。災害など，事業が中断・阻害される状況に対応し，事業を復旧させ回復するための手順を規定しています。したがって，エが正解です。
ア　BSC（Balanced Score Card：バランススコアカード）の説明です。
イ　BPM（Business Process Management：ビジネスプロセスマネジメント）の説明です。
ウ　BPO（Business Process Outsourcing：ビジネスプロセスアウトソーシング）の説明です。

8-3-2 ○ 午後問題

> **問題** **ネットワーク運用管理の自動化** CHECK ▶ □□□

ネットワーク運用管理の自動化に関する次の記述を読んで，設問1〜3に答えよ。

A社は，中堅の中古自動車販売会社であり，東京に本社のほか10店舗を構えている。

〔現状の在庫管理システム〕

A社では，在庫管理システムを導入している。本社及び店舗では，社内の全ての在庫情報を把握できる。在庫管理システムは，本社の在庫管理サーバ，DHCPサーバ，DNSサーバ，本社及び店舗に2台ずつある在庫管理端末，並びにこれらを接続するレイヤ2スイッチ（以下，L2SWという）から構成される。在庫管理端末はDHCPクライアントである。

本社と店舗との間は，広域イーサネットサービス網（以下，広域イーサ網という）を用いてレイヤ2接続を行っている。L2SWにVLANは設定していない。

本社の在庫管理サーバでは，在庫情報の管理と，在庫管理システム全ての機器のSNMPによる監視を行っている。在庫管理システムで利用するIPアドレスは192.168.1.0/24であり，各機器にはIPアドレスが一つ割り当てられている。

店舗が追加される際には，その都度，情報システム部の社員が現地に出向き，L2SWと在庫管理端末を設置している。店舗のL2SWは，在庫管理サーバからSSHによるリモートログインが可能である。

現状の在庫管理システムの構成を，図1に示す。

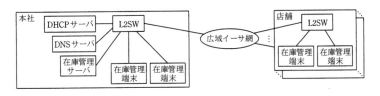

図1 現状の在庫管理システムの構成（抜粋）

A社は，販売エリアの拡大に着手することにした。またこの機会に，新たに顧客サービスとして全ての店舗でフリーWi-Fiを提供することにした。情報システム部のBさんは上司から，ネットワーク更改について検討するよう指示された。

Bさんが指示を受けたネットワーク更改の要件を次に示す。

・WAN回線は，広域イーサ網からインターネットに変更する。
・全ての店舗にフリーWi-Fiのアクセスポイント（以下，Wi-Fi APという）を導入する。
・既存の在庫管理システムの機器は継続利用する。
・フリーWi-Fiやインターネットを経由して社外から在庫管理システムに接続させない。
・店舗における機器の新設・故障交換作業は，店舗の店員が行えるようにする。
・SNMPによる監視及びSSHによるリモートログインの機能は，在庫管理サーバから分離し，新たに設置する運用管理サーバに担わせる。

〔新ネットワークの設計〕

　Bさんは，本社と店舗との接続に，インターネット接続事業者であるC社が提供する法人向けソリューションサービスを利用することを考えた。このサービスでは，インターネット上にL2 over IPトンネルを作成する機能をもつルータ（以下，RTという）を用いる。RTの利用構成を図2に示す。

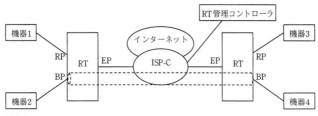

[___] : L2 over IPトンネル
BP：ブリッジポート　　　EP：外部接続ポート　　　ISP-C：C社のネットワーク
RP：ルーティングポート
注記1　RPに接続された機器1，機器3は，インターネットと通信する。
注記2　BPに接続された機器2，機器4は，閉域網内で通信する。

図2　RTの利用構成

　Bさんが調査した内容を次に示す。
・RTは物理インタフェース（以下，インタフェースをIFという）として，BP，EP，RPをもつ。
・EPは，ISP-CにPPPoE接続を行い，グローバルIPアドレスが一つ割り当てられる。RTには，C社から出荷された時にPPPoEの認証情報があらかじめ設定されている。
・RPに接続した機器は，RTのNAT機能を介してインターネットにアクセスできる。インターネットからRPに接続した機器へのアクセスはできない。
・RPに接続した機器とBPに接続した機器との間の通信はできない。
・RTの設定及び管理は，C社データセンタ上のRT管理コントローラから行う。他の

機器からは行うことができない。
- RTがRT管理コントローラと接続するときには，RTのクライアント証明書を利用する。
- RT管理コントローラは，EPに付与されたIPアドレスに対し，pingによる死活監視及びSNMPによるMIBの取得を行う。

Bさんが考えた，ネットワーク更改後の在庫管理システムの構成を，図3に示す。

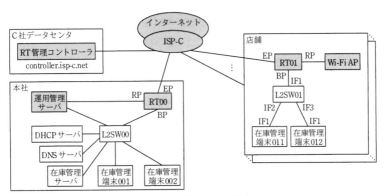

注記1 網掛け部分は，ネットワーク更改によって追加される箇所を示す。
注記2 controller.isp-c.net は，RT管理コントローラのFQDNである。
注記3 IF1，IF2，IF3は，IF名を示す。

図3 ネットワーク更改後の在庫管理システムの構成（抜粋）

本社に設置するRTと店舗に設置するRT間でポイントツーポイントのトンネルを作成し，本社を中心としたスター型接続を行う。店舗のRTのBPは，トンネルで接続された本社のRTのBPと同一ブロードキャストドメインとなる。

Bさんが考えた，新規店舗への機器の導入手順を次に示す。
- 情報システム部は，店舗に設置する機器一式，構成図，手順書及びケーブルを店舗に送付する。そのうちL2SW，Wi-Fi APについては，本社であらかじめ初期設定を済ませておく。
- 店員は，送付された構成図を参照して各機器を接続し，電源を投入する。
- RTは，自動でISP-CにPPPoE接続し，インターネットへの通信が可能な状態になる。
- RTは，RT管理コントローラに，①REST APIを利用してRTのシリアル番号とEPのIPアドレスを送信する。
- RTは，RT管理コントローラが保持する最新のファームウェアバージョン番号を受け取る。
- RTは，RTで動作しているファームウェアバージョンが古い場合は，RT管理コン

トローラから最新ファームウェアをダウンロードし、更新後に再起動する。
- RTは、RT管理コントローラから本社のRTのIPアドレスを取得する。
- RTは、本社のRTとの間にレイヤ2トンネル接続を確立する。
- 店員は、Wi-Fi AP配下のWi-Fi端末及び②在庫管理端末から通信試験を行う。
- 店員は、作業完了を情報システム部に連絡する。

〔構成管理の自動化〕

Bさんは、③店舗から作業完了の連絡を受けた後で確認を行うために、LLDP（Link Layer Discovery Protocol）を用いてBP配下の接続構成を自動で把握することにした。RT、L2SW及び在庫管理端末は、必要なIFからOSI基本参照モデルの第 [a] 層プロトコルであるLLDPによって、隣接機器に自分の機器名やIFの情報を送信する。隣接機器は受信したLLDPの情報を、LLDP-MIBに保持する。

なお、全ての機器でLLDP-MED（LLDP Media Endpoint Discovery）を無効にしている。

運用管理サーバは、L2SWと在庫管理端末から [b] によってLLDP-MIBを取得して、L2SWと在庫管理端末のポート接続リストを作成する。さらに、運用管理サーバは、[c] が収集したRTのLLDP-MIBの情報をREST APIを使って取得して、ポート接続リストに加える。

ポート接続リストとは、[b] で情報を取得する対象の機器（以下、自機器という）のIFと、そこに接続される隣接機器のIFを組みにした表である。ある店舗で想定されるポート接続リストの例を、表1に示す。

表1　ある店舗で想定されるポート接続リストの例

行番号	自機器名	自機器のIF名	隣接機器名	隣接機器のIF名
1	RT01	BP	L2SW01	IF1
2	L2SW01	IF1	RT01	BP
3	L2SW01	IF2	在庫管理端末011	IF1
4	L2SW01	IF3	在庫管理端末012	IF1
5	在庫管理端末011	IF1	L2SW01	IF2
6	在庫管理端末012	IF1	L2SW01	IF3

注記1　行番号は、設問のために付与したものである。
注記2　表1中のBPは、ブリッジポートのIF名である。

Bさんは上司にネットワーク更改案を提案し、更改案が採用された。

設問1 〔現状の在庫管理システム〕について,(1)〜(3)に答えよ。

　(1) 名前解決に用いるサーバのIPアドレスを,在庫管理端末に通知するサーバは何か。図1中の機器名で答えよ。

　(2) 図1の構成において,在庫管理システムのセグメントのIPアドレス数に着目すると,店舗の最大数は計算上幾つになるか。整数で答えよ。

　(3) 本社のL2SWのMACアドレステーブルに何も学習されていない場合,在庫管理サーバが監視のために送信したユニキャストのICMP Echo requestは,本社のL2SWでどのように転送されるか。30字以内で述べよ。このとき,監視対象機器に対するIPアドレスとMACアドレスの対応は在庫管理サーバのARPテーブルに保持されているものとする。

設問2 〔新ネットワークの設計〕について,(1)〜(4)に答えよ。

　(1) C社がRTを出荷するとき,RTにRT管理コントローラをIPアドレスではなくFQDNで記述する利点は何か。50字以内で述べよ。

　(2) 本文中の下線①について,RTがRT管理コントローラに登録する際に用いる,OSI基本参照モデルでアプリケーション層に属するプロトコルを答えよ。

　(3) 本文中の下線②について,店舗の在庫管理端末から運用管理サーバにtracerouteコマンドを実行すると,どの機器のIPアドレスが表示されるか。図3中の機器名で全て答えよ。

　(4) 図3において,全店舗のWi-Fi APから送られてくるログを受信するサーバを追加で設置する場合に,本社には設置することができないのはなぜか。ネットワーク設計の観点から,30字以内で述べよ。

設問3 〔構成管理の自動化〕について,(1)〜(4)に答えよ。

　(1) 本文中の　 a 　に入れる適切な数値を答えよ。

　(2) 本文中の　 b 　に入れる適切なプロトコル名及び　 c 　に入れる適切な機器名を,本文中の字句を用いて答えよ。

　(3) 本文中の下線③について,情報システム部は,何がどのような状態であるという確認を行うか。25字以内で述べよ。ただし,機器などの物品は事前に検品され,初期不良や故障はないものとする。

　(4) 図3において,情報システム部の管理外のL2SW機器(以下,L2SW-Xという)がL2SW01のIF2と在庫管理端末011のIF1の間に接続されたとき,表1はどのようになるか。適切なものを解答群の中から三つ選び,記号で答えよ。ここで,L2SW-XはLLDPが有効になっているが,管理用IPアドレスは情報システム部で把握していないものとする。また,接続の前後で行番号の順序に変更はないものとする。

解答群

 ア 行番号3が削除される。

 イ 行番号3の隣接機器名が変更される。

 ウ 行番号5が削除される。

 エ 行番号5の隣接機器名が変更される。

 オ 自機器名L2SW-Xの行が存在する。

 カ 隣接機器名L2SW-Xの行が存在する。

（令和3年春 ネットワークスペシャリスト試験 午後I 問1）

■ 午後問題の解説

　ネットワーク運用管理の自動化に関する問題です。この問では，システムの全国展開を題材に，自動化する際によく使われるネットワーク，システム，及びプロトコルに関する知識や理解が問われています。SNMPやMIB, REST APIなどのアプリケーションの知識と，L2 over IPトンネルやLLDPなどのデータリンクの知識の両方が求められ，幅広い知識が必要な問題となります。

設問1

　〔現状の在庫管理システム〕に関する問題です。現状の在庫管理システムで管理しているIPアドレスの数や，MACアドレスやARPテーブルの状況について問われています。

(1)

　名前解決に用いるサーバのIPアドレスを在庫管理端末に通知するサーバは何かを，図1中の機器名で答えます。

　〔現状の在庫管理システム〕に，「在庫管理端末はDHCPクライアントである」とあります。DHCP（Dynamic Host Configuration Protocol）は，ホストにIPアドレスなどの設定情報を自動的に設定する仕組みです。名前解決に用いるサーバはDNS（Domain Name System）サーバで，DNSサーバのIPアドレスの設定情報はDHCPサーバからDHCPクライアントに送られます。

　したがって，解答は**DHCPサーバ**です。

(2)

　図1の構成において，在庫管理システムのセグメントのIPアドレス数に着目すると，店舗の最大数は計算上幾つになるかを整数で答えます。

　〔現状の在庫管理システム〕に，「在庫管理システムは，本社の在庫管理サーバ，DHCPサーバ，DNSサーバ，本社及び店舗に2台ずつある在庫管理端末，並びにこれらを接続するレイヤ2スイッチ（以下，L2SWという）から構成される」とあり，IPアドレスが確実に必要な機器は，在庫管理サーバ，DHCPサーバ，DNSサーバの三つと，本社及び店舗に2台ずつある在庫管理端末です。L2SWについては，通常は必要ありませんが，「在庫管理システム全ての機器のSNMPによる監視を行っている」「各機器にはIPアドレスが一つ割り当てられている」とあるので，L2SWにもIPアドレスが1つ必要なことが分かります。

　また，「在庫管理システムで利用するIPアドレスは192.168.1.0/24であり，各機器にはIPアドレスが一つ割り当てられている」とあるので，割り当てられるホストアドレスは，ネットワークアドレスとブロードキャストアドレスを除いた，192.168.1.1 ～ 192.168.1.254の254個です。図

1より，本社のL2SWにはDHCPサーバ，DNSサーバ，在庫管理サーバ，2台の在庫管理サーバの計5台が接続されており，必要なIPアドレスはL2SWも含めて6個です。各店舗では2台の在庫管理端末とL2SWで3個のIPアドレスが必要となります。254個のIPアドレスを各店舗に割り振るとすると，店舗の最大数は以下の式で計算できます。

$(254 − 6) ÷ 3 = 248 ÷ 3 = 82$　余り2

余った2個のIPアドレスは新たな店舗に割り当てることはできないので，店舗の最大数は82となります。したがって，解答は**82**です。

(3)

本社のL2SWのMACアドレステーブルに何も学習されていない場合，在庫管理サーバが監視のために送信したユニキャストのICMP Echo requestは，本社のL2SWでどのように転送されるかを答えます。

在庫管理サーバから監視対象機器にICMP Echo requestを送る場合に，在庫管理サーバのARPテーブルに監視対象機器のMACアドレスが保持されていなければ，先にARP requestを送って監視対象機器のIPアドレスに対するMACアドレスを取得します。しかし，設問文中に，「監視対象機器に対するIPアドレスとMACアドレスの対応は在庫管理サーバのARPテーブルに保持されているものとする」とあるので，すでにMACアドレスが取得されており，ARPでのMACアドレスの解決は必要ありません。そのため，監視対象機器のMACアドレスに向けて最初にICMP Echo requestを送ります。このとき，本社のL2SWのMACアドレステーブルに何も学習されていない場合，本社のL2SWはMACアドレスでのフィルタリングができないので，受け取ったICMP Echo requestをL2SWの入力ポート以外の全てのポートに転送します。

したがって，解答は，**L2SWの入力ポート以外の全てのポートに転送される**，です。

設問2

〔新ネットワークの設計〕に関する問題です。L2 over IPトンネルを作成する機能をもつルータを用いた，C社が提供する法人向けソリューションサービスについて，その機能や使用するプロトコル，及び利点や欠点について問われています。

(1)

C社がRTを出荷するとき，RTにRT管理コントローラをIPアドレスではなくFQDNで記述する利点を答えます。

図3より，RT管理コントローラはC社データセンタにあります。C社はインターネット接続事業者で，ネットワーク構成を変更し，それに伴いIPアドレスも変更する可能性があります。RT管理コントローラにFQDN（controller.isp-c.net）を設定し，RTにFQDNで記述することで，

RT管理コントローラのIPアドレスが変更された場合でもRTの設定変更が不要となります。

　したがって，解答は，**RT管理コントローラのIPアドレスが変更された場合でもRTの設定変更が不要である**，です。

(2)

　本文中の下線①「REST APIを利用してRTのシリアル番号とEPのIPアドレスを送信する」について，RTがRT管理コントローラに登録する際に用いる，OSI基本参照モデルでアプリケーション層に属するプロトコルを答えます。

　REST API (RESTful API) とは，Webシステムを外部から利用するためのAPI (Application Programming Interface) です。システムの設計に際しては，REST (Representational State Transfer) の原則と呼ばれる四つの設計原則に従います。設計原則のうちの一つに「統一インタフェース」があり，情報の取得，作成，更新，削除といった操作は，すべてHTTPメソッドを利用することになっています。そのため，REST APIを利用する際に用いるプロトコルは，HTTP (HyperText Transfer Protocol) となります。したがって，解答は**HTTP**です。

　また，HTTPを用いる場合，インターネットを経由する場合にはセキュリティのため暗号化する必要があり，通常はTLS (Transport Layer Security) と合わせてHTTPS (HTTP over TLS) とします。そのため，**HTTPS**でも正解となります。

(3)

　本文中の下線②「在庫管理端末から通信試験を行う」について，店舗の在庫管理端末から運用管理サーバにtracerouteコマンドを実行すると，どの機器のIPアドレスが表示されるかを，図3中の機器名で答えます。tracerouteコマンドは，宛先のホストまでのネットワーク経路をリスト表示するコマンドです。途中で経由するルータや宛先のホストを順に表示していきます。

　〔新ネットワークの設計〕では，「インターネット上にL2 over IPトンネルを作成する機能をもつルータ（以下，RTという）を用いる」とあり，図2「RTの利用構成」で，RTのBP（ブリッジポート）間でL2 over IPトンネルが作成されることが分かります。このトンネル内はレイヤ2での通信なので，経由するルータはありません。図3「ネットワーク更改後の在庫管理システムの構成（抜粋）」で考えると，店舗のRT01のBPと本社のRT00のBPがL2 over IPトンネルで接続するので，在庫管理端末から運用管理サーバはL2 over IPトンネルからL2SW00を経由してレイヤ2（データリンク層）で直接つながります。そのため，店舗の在庫管理端末から運用管理サーバにtracerouteコマンドを実行すると，すぐに運用管理サーバのIPアドレスのみが表示されます。

　したがって，解答は**運用管理サーバ**です。

8

(4)

　図3において，全店舗のWi-Fi APから送られてくるログを受信するサーバを追加で設置する場合に，本社には設置することができないのはなぜかを，ネットワーク設計の観点から答えます。

　図2より，RT間でL2 over IPトンネルを利用できるのは，BP間のみです。RP（ルーティングポート）は，RTでルーティングを行い，EP（外部接続ポート）を通じてISP-C経由のインターネットで通信します。

　図3より，店舗のWi-Fi APはRPに接続されており，C社データセンタのRT管理コントローラとは通信可能です。しかし，〔新ネットワークの設計〕に「RPに接続した機器とBPに接続した機器との間の通信はできない」とあり，店舗から本社にはBP経由でしかアクセスができません。そのため，RPに接続した店舗のWi-Fi APは，本社に設置したログ受信サーバにはアクセスできないことになります。

　したがって，解答は，**店舗から本社にはBP経由でしかアクセスができないから**，です。

設問3

　〔構成管理の自動化〕に関する問題です。自動化の対象となるプロトコルや機器，及び自動化の対象外となる機器について問われています。

(1)

　本文中の空欄穴埋め問題です。空欄に適切な数値を答えます。

空欄a

　LLDPのOSI基本参照モデルの階層を答えます。

　LLDP(Link Layer Discovery Protocol)は，隣接する機器に自分の情報を広告（Advertise）するためのプロトコルで，OSI基本参照モデルのデータリンク層（第2層）に相当します。したがって，解答は**2**です。

(2)

　本文中の空欄穴埋め問題です。適切なプロトコル名や機器名を，本文中の字句を用いて答えます。

空欄b

　LLDP-MIBを取得するときに使用する適切なプロトコル名を答えます。

　MIB（Management Information Base）は，SNMP（Simple Network Management Protocol）エージェントがもつ情報の集合のことです。SNMPでは，SNMPマネージャがSNMPエージェントから，MIBを取得します。したがって，解答は**SNMP**です。

空欄c

　RTのLLDP-MIBの情報をREST APIを使って収集するときに使用する適切な機器名を答えます。

　〔構成管理の自動化〕に，「RT，L2SW及び在庫管理端末は，必要なIFからOSI基本参照モデルの第2層（空欄a）プロトコルであるLLDPによって，隣接機器に自分の機器名やIFの情報を送信する」とあります。そのため，RTはLLDPの情報を，LLDP-MIBに保持しています。また，「RT管理コントローラは，EPに付与されたIPアドレスに対し，pingによる死活監視及びSNMPによるMIBの取得を行う」とあり，RTのEPに付与されたIPアドレスを用いることで，RTのLLDP-MIBをRT管理コントローラで取得できます。RT管理コントローラではREST APIを使うことができるので，RT管理コントローラからRTのLLDP-MIBの情報を取得できます。したがって，解答は**RT管理コントローラ**です。

(3)

　本文中の下線③「店舗から作業完了の連絡を受けた後で確認を行う」について，情報システム部は，何がどのような状態であるという確認を行うかを答えます。

　〔新ネットワークの設計〕の新規店舗への機器の導入手順で，「情報システム部は，店舗に設置する機器一式，構成図，手順書及びケーブルを店舗に送付する」「店員は，送付された構成図を参照して各機器を接続し，電源を投入する」とあり，情報システム部が送付した構成図をもとに店員が機器を導入することが分かります。さらに，〔構成管理の自動化〕に，「LLDP（Link Layer Discovery Protocol）を用いてBP配下の接続構成を自動で把握する」とあり，BP配下の接続構成は，LLDPを用いて自動で把握できます。情報システム部では，自動で取得した各機器の接続構成と，最初に送付した構成図を比較し，各機器の接続構成が構成図どおりであることを確認します。

　したがって，解答は，**各機器の接続構成が構成図どおりであること**，です。

(4)

　図3において，情報システム部の管理外のL2SW機器（以下，L2SW-Xという）がL2SW01のIF2と在庫管理端末011のIF1の間に接続されたとき，表1はどのようになるかを答えます。

　図3より，L2SW01のIF2と在庫管理端末011のIF1の間にL2SW-Xが接続されると，

　　L2SW01（IF2）― L2SW-X ―（IF1）在庫管理端末011

というかたちになります。

　表1の行番号3では，自機器名がL2SW01の隣接機器が在庫管理端末011，隣接機器のIF名がIF1となっていますが，間にL2SW-Xが入ってくることで，隣接機器名がL2SW-Xに変更されます。そのため，イの「行番号3の隣接機器名が変更される」が解答の一つになります。

　また，表1の行番号5では，自機器名が在庫管理端末011の隣接機器がL2SW01，隣接機器のIF名がIF2となっていますが，間にL2SW-Xが入ってくることで，隣接機器名がL2SW-Xに変更されます。そのため，エの「行番号5の隣接機器名が変更される」が解答の一つになります。

　さらに，行番号3と行番号5が変更されることで，隣接機器名L2SW-Xの行が2行，存在することになります。そのため，カの「隣接機器名L2SW-Xの行が存在する」が，解答の一つとなります。

　したがって，解答は，イ，エ，カです。

　なお，設問文中に「L2SW-XはLLDPが有効になっているが，管理用IPアドレスは情報システム部で把握していないものとする」とあるので，L2SW-XはSNMPで情報を取得する対象の機器ではありません。〔構成管理の自動化〕に，「SNMP(空欄b)で情報を取得する対象の機器(以下，自機器という)」とあり，自機器名にSNMPで情報を取得する対象として情報システム部が把握していないL2SW-Xが自動で追加されることはありません。そのため，オの「自機器名L2SW-Xの行が存在する」は誤りとなります。

解答例

出題趣旨

　省力化のために，ネットワークの設定や運用の自動化を行うことが増えてきている。これは，インターネットの普及によって全国どこでも同質のネットワークが入手しやすくなったことや，システムから直接操作できるAPIを備えたネットワーク機器が増えてきたことが背景にある。

　具体的な例として，コントローラによるネットワーク機器の集中管理や，ネットワーク構成管理の自動化がよく行われる。

　本問では，システムの全国展開を題材に，自動化する際によく使われるネットワーク，システム，及びプロトコルに関する知識，理解を問う。

設問1

(1)　DHCPサーバ

(2)　82

(3)　L2SWの入力ポート以外の全てのポートに転送される。

(26字)

設問2

(1)　RT管理コントローラのIPアドレスが変更された場合でもRTの設定変更が不要である。　(41字)

(2)　HTTP　**又は**　HTTPS

(3)　運用管理サーバ

(4)　| 店 | 舗 | か | ら | 本 | 社 | に | は | B | P | 経 | 由 | で | し | か | ア | ク | セ | ス | が | で | き | な | い | か | ら |

(26字)

設問3

(1)　a　2

(2)　b　SNMP

　　　c　RT管理コントローラ

(3)　| 各 | 機 | 器 | の | 接 | 続 | 構 | 成 | が | 構 | 成 | 図 | ど | お | り | で | あ | る | こ | と |　(20字)

(4)　イ，エ，カ

採点講評

> 　問1では，システムの全国展開を題材に，ネットワークの設定や運用の自動化について出題した。全体として，正答率は平均的であった。
>
> 　設問1 (3)の正答率は平均的であった。レイヤ2スイッチでフラッディングが生じる条件は基本的な知識なので，よく理解してほしい。
>
> 　設問2 (3)は，正答率が低かった。tracerouteコマンドはトラブルシュートの場面でよく用いられるものなので，動作原理を理解してほしい。
>
> 　設問3 (3)は，正答率が高かった。LLDPを用いた確認であることを読み落とした解答が散見された。本文中に示された条件をきちんと読み取り，正答を導き出してほしい。

8

第 **9** 章

仮想化とクラウド

近年，急速な勢いで発展してきたクラウドコンピューティングを支える技術が，仮想化技術とストレージ技術です。ネットワークスペシャリスト試験では，午後試験での定番になりつつある分野です。
本章では，第8章までで学んできた知識を基本に，仮想化技術，クラウド技術について学習します。具体的には，仮想化機構や仮想化の方式，SAN，NAS，クラウドの実現方法について学んでいきます。最後の総仕上げとして，実践的な知識を身につけていきましょう。

9-1 仮想化

仮想化とは，コンピュータの物理的な構成と，それを利用するときの論理的な構成を自由に対応させる考え方です。ここでは，仮想化の方式やそれを実現するための技術について説明します。

仮想化とは

仮想化の具体例としては，仮想OSを用いて1台の物理サーバで複数の仮想マシンを稼働させ，それぞれを1台のコンピュータとして利用したり，クラスタリングによって複数台のコンピュータを一つにまとめたりすることが挙げられます。

サーバの仮想化では，ハードウェアである物理サーバと仮想化ソフトウェアを使って，論理的なイメージである仮想サーバを構築します。

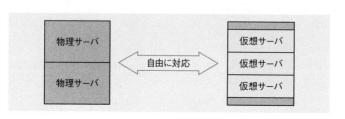

サーバの仮想化

クライアントの仮想化では，仮想環境を構築するサーバ上で，PCの構成情報などについて仮想化ソフトウェアを使って管理します。

仮想化技術は，クラウドコンピューティングの基盤技術でもあります。仮想化を行うことで物理的な制約がなくなり，自由に様々な環境を構築することが可能になります。

勉強のコツ

仮想化については，最近の午後問題では定番として出題されています。
細かい仮想化の知識よりも，その仕組みについて問われる傾向があります。そのため，これまでの基礎知識をベースに，仮想化がどのように行われているかを，具体例を基にしっかり理解しておきましょう。

用語

クラウドコンピューティングとは，ネットワークやインターネットの利用を前提としたコンピュータの利用形態です。ユーザはネットワーク経由で，コンピュータの処理を**サービス**として利用することができます。クラウドコンピューティングの利用形態には，**SaaS**，**PaaS**，**IaaS**などがあります。仮想化技術は，これらの実現に欠かせない基盤技術です。

9-1-1 ● 仮想化機構

　仮想化を行うことで自由度は増えますが，メリットばかりとは限りません。仮想化にはメリットとデメリットがあり，サーバやクライアントなど，様々な仮想化方式があります。

■ 仮想化のメリット

　仮想化のメリットには，次のようなものがあります。

①経済性
- ハードウェアを集約して**台数を削減**できる
- ハードウェアの資源（リソース）を効率良く活用できる
- 物理的なサーバの運用管理業務を減らすことができる

②**拡張性**
- ハードウェアを柔軟に拡張できる

③**独立性**
- ハードウェアとOSやアプリケーションを切り離すことで，ハードウェアに依存せずにOSなどを選べる

　特に，ハードウェアの台数を減らし，効率良く資源を活用でき，コストを下げられる可能性が高いという経済性の観点から導入が進んでいます。

■ 仮想化のデメリット

　メリットがある反面，仮想化によるデメリットもあります。主なデメリットは次のようなものです。

①**仮想化によるオーバヘッド**
- 仮想化ソフトウェア自体がCPUやメモリなどのリソースを消費するので，ソフトウェア処理によるオーバヘッドが大きい
- ネットワークやVLANが複雑になり，仮想化ネットワークによる独自の制御が必要となる

参考

仮想化を行うとハードウェア上で仮想マシンを構築するので，ハードウェアの制約を受けずにOSを選ぶことができます。
具体的には，何世代も前のOSしか動かないような古いハードウェア上でも，仮想化ソフトを導入することで，最新のOSを使用してサーバを構築することが可能になります。

9

②設計や管理が複雑になる

- 物理サーバと仮想サーバの両方の設計や管理を行う必要があるので，それらの作業が複雑になる
- 物理サーバと仮想サーバだけでなく仮想スイッチなども管理するので，ネットワーク運用も煩雑になる

　仮想化ネットワークの構築には，ネットワークの知識に加えて仮想化の知識も必要になり，要求されるレベルが上がってきます。

発展

仮想化やクラウドコンピューティングのスキルは，要求されるレベルが高い分，それを満たした人材が不足しているのが現状です。これらの技術を身に付けることができれば，現時点で仕事の需要は非常に多いでしょう。

■ サーバ仮想化技術

　サーバ上で仮想化を実現する方式には，大きく分けてホストOS型とハイパーバイザ型の2種類があります。

　ホストOS型は，ホストOSのミドルウェアとしてサーバ仮想化ソフトウェアをインストールする方式です。通常のサーバやPCに仮想化ソフトをインストールして使用します。

　ハイパーバイザ型は，仮想化機構を動作させるためのOSを必要としない方式です。ハードウェア上で直接稼働するハイパーバイザ型のソフトウェアによって仮想化を実現します。

　図で比較すると，次のようになります。

参考

Windows 10で利用できる「Hyper-V」では，ゲストのOSとしてUbuntu（Linuxのディストリビューションの一つ）などをインストールして，仮想マシンとして動かすことが可能です。

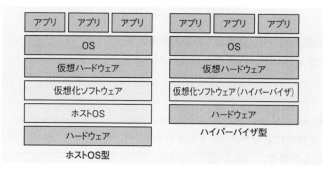

ホストOS型とハイパーバイザ型

過去問題をチェック

ハイパーバイザ型については，ネットワークスペシャリスト試験では以下の出題があります。
【ハイパーバイザ型】
・平成22年秋 午後Ⅱ 問2
・令和4年春 午後Ⅱ 問2
・平成20年秋 午後Ⅱ 問1
（テクニカルエンジニア（ネットワーク）試験）

　ホストOS型はOS経由でハードウェアを制御するため，性能面ではハイパーバイザ型に劣ります。そうしたことから，最近では仮想化ソフトウェアはハイパーバイザ型が主流になっています。

　また，サーバの仮想化を行うことで物理サーバを統合することをサーバコンソリデーションといいます。

それでは，問題を解いてみましょう。

問 題

　複数のサーバを用いて構築されたシステムに対するサーバコンソリデーションの説明として，適切なものはどれか。

　　ア　各サーバに存在する複数の磁気ディスクを，特定のサーバから利用できるようにして，資源の有効活用を図る。
　　イ　仮想化ソフトウェアを利用して元のサーバ数よりも少なくすることによって，サーバ機器の管理コストを削減する。
　　ウ　サーバのうちいずれかを監視専用に変更することによって，システム全体のセキュリティを強化する。
　　エ　サーバの故障時に正常なサーバだけで瞬時にシステムを再構成し，サーバ数を減らしてでも運転を継続する。

（令和2年10月 高度共通 午前Ⅰ 問5）

解 説

　サーバコンソリデーションとは，サーバの仮想化を行うことで物理サーバを統合する方法です。仮想化ソフトウェアを利用して，複数の物理サーバを仮想化し，1台の物理サーバに統合します。統合することで物理サーバが元のサーバ数よりも少なくなるため，サーバ機器の管理コストが削減されます。したがって，イが正解です。
ア　SAN（Storage Area Network）などを利用した，磁気ディスクの共用化の仕組みに関する説明です。
ウ　監視サーバを用いたセキュリティ管理の説明です。
エ　サーバをクラスタリングし，フェールオーバなどで正常なサーバに仮想サーバを移動させることで実現できることです。

≪解答≫イ

9

■クライアント仮想化技術

　サーバだけでなくクライアントも仮想化技術を用いて仮想化することができます。クライアントの仮想化では，クライアント

に関する情報をサーバに保持しておき，ネットワーク経由でそれ
をクライアントに転送して利用します。転送されたクライアント
の情報を操作するために使う機器を**シンクライアント**（TC）とい
います。シンクライアントには次のような方式があります。

①ネットワークブート型

　PCのネットワークブートの仕組みを利用した方式です。サー
バに保存したクライアントのイメージファイルをシンクライアン
トがネットワーク経由でダウンロードし，OSやアプリケーション
を実行します。CPUとメモリはシンクライアントのものを使うた
め通常のPCと同様に使用できますが，起動のたびに大量のネッ
トワークトラフィックが発生します。

②画面転送型

　OSやアプリケーションをサーバ側で実行し，画面出力のみを
シンクライアントに転送する方式です。画面情報と操作情報だ
けをやり取りするため，ネットワークトラフィックが少なくなり
ます。現在は，画面転送型が主流です。
　画面転送型を実現するサーバの方式には，次のようなものが
あります。

1. ターミナルサービス方式

　サーバにユーザがそれぞれログインし，利用する方式です。
通常のサーバにリモートログインする方式を利用します。

2. ブレード方式

　ブレードサーバを利用する方式で，1クライアントごとに1
ブレードを割り当てることでマルチユーザに対応します。

3. デスクトップ仮想化方式

　仮想化の環境である**仮想デスクトップ基盤**（VDI：Virtual
Desktop Infrastructure）を整備し，仮想デスクトップを稼働
させます。VDIサーバを用意し，仮想PCを必要に応じて稼働
させます。

過去問題をチェック

クライアント仮想化に関す
る問題が，ネットワークス
ペシャリスト試験で出題さ
れています。
【VDIサーバへのログイン】
・平成29年秋 午前Ⅱ 問20
【仮想デスクトップ基盤の
導入】
・平成29年秋 午後Ⅰ 問2

参考

VDIの技術には，PCの環境
をそのまま仮想マシンとし
て動作させるデスクトップ
仮想化，デスクトップの表
示と操作を利用者の端末か
ら行うプレゼンテーション
仮想化，アプリケーション
を仮想アプリケーションと
して動作させるアプリケー
ション仮想化など様々なも
のがあります。

それでは，次の問題を考えてみましょう。

問 題

内部ネットワーク上のPCからインターネット上のWebサイトを参照するときは，DMZ上のVDI（Virtual Desktop Infrastructure）サーバにログインし，VDIサーバ上のWebブラウザを必ず利用するシステムを導入する。インターネット上のWebサイトから内部ネットワーク上のPCへのマルウェアの侵入，及びPCからインターネット上のWebサイトへのデータ流出を防止するのに効果がある条件はどれか。

ア　PCとVDIサーバ間は，VDIの画面転送プロトコル及びファイル転送を利用する。

イ　PCとVDIサーバ間は，VDIの画面転送プロトコルだけを利用する。

ウ　VDIサーバが，プロキシサーバとしてHTTP通信を中継する。

エ　VDIサーバが，プロキシサーバとしてVDIの画面転送プロトコルだけを中継する。

（平成29年秋 ネットワークスペシャリスト試験 午前Ⅱ 問20）

解 説

PCからWebサイトを参照するとき，VDIサーバ上のWebブラウザを利用すると，HTTP通信を行う必要があるのは，Webサイトとブラウザ間のみになります。VDIサーバからPCへは，画面転送プロトコルを用いて画面の情報だけを送るようにすれば，マルウェアの侵入や不要なデータ転送などを防ぐことができます。したがって，イが正解です。

ア　ファイル転送を行うと，データ流出のリスクが高まります。

ウ　HTTP通信によるマルウェア感染のおそれが生じます。

エ　Webサーバからの通信は画面転送プロトコルではないため，単純にプロキシサーバでの中継はできません。

≪解答≫イ

■ 仮想ネットワーク

　サーバやクライアントを仮想化すると，それに伴いネットワークも仮想化する必要があります。同じ物理サーバ内でそれぞれの仮想サーバの仮想NICへの通信が発生し，それを制御するために仮想スイッチなどの仮想ネットワークが必要になるからです。仮想サーバと仮想スイッチの関係は，次の図のようなイメージです。

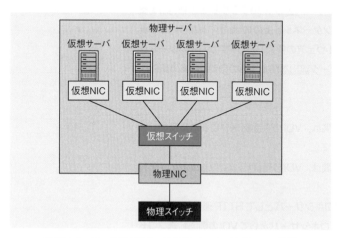

仮想スイッチ，仮想NICと，物理スイッチ，物理NICの関係

　仮想サーバがネットワークを通じて外部とやり取りするためのNICが仮想NICです。物理サーバ内では，仮想スイッチが仮想NICとのやり取りを管理します。そして，物理サーバの物理NICは，物理スイッチと接続し，仮想スイッチを経由した通信を実現します。

　仮想化で用いられる物理サーバに接続する物理NICには，主に次の四つの役割があります。

1. 各**仮想サーバのデータ**を，仮想スイッチなどを経由して転送する
2. **仮想化ソフトウェア，ハイパーバイザ**など，仮想化に関連する管理情報を転送する
3. ストレージ装置とのやり取りを行う（IP-SANなど）
4. 障害発生時や負荷を調整するときなどに，仮想サーバを他の物理サーバに移動する

　このような構成なので，仮想化で用いる物理NICは，通常の物理サーバで使うものより高速である必要があります。そのために，**リンクアグリゲーション**や，次に紹介する**チーミング**などの技術を用いて物理回線を束ねて高速化を図ることもよく行われます。

■ 仮想化関連の技術

　仮想化は発展途上であるため，様々な新しい技術が考案されています。現在使われている代表的な技術を次に示します。

①チーミング

　複数の機器をまとめて，**帯域増大**や**負荷分散**，**冗長化**を行う仕組みです。具体的には，NICを論理的に束ねて一つに見せる技術です。スイッチとサーバ間の接続では**リンクアグリゲーション**，NICでは**チーミング**を行うという方法をとると1本の回線として扱われるので，ループ構成になりません。チーミングしたNICでの負荷分散としては，MACアドレスやIPアドレスで分散したり，明示的に選択したりするなどの方法があります。

②ライブマイグレーション

　仮想マシンを稼働させたままの状態で他のサーバに移行させる機能です。仮想化機構での負荷分散では，想定した負荷と実際の負荷が異なり，物理サーバによって負荷に差が生じることがあります。そういった場合にライブマイグレーションを行い，稼働中の仮想サーバを他の物理サーバに移動させることで，負荷を平準化できます。また，物理サーバのメンテナンスでは，仮想サーバを別のサーバに移行させてから行うことも可能になります。

③EVB（Edge Virtual Bridging）

　サーバを仮想化した際のネットワークに関する規格です。IEEE 802.1Qbgとして策定されていましたが，現在はIEEE 802.1Q（VLANの規格）に組み込まれています。仮想スイッチは仮想化ソフトウェアとして動作するのが基本ですが，それではサーバに負荷がかかり処理速度が下がります。そこで，仮想スイッチが担っていた処理を物理NICや物理スイッチに**オフロード**させます。具体的には，物理NICでオフロードする**VEB**（Virtual Ethernet Bridge）

 過去問題をチェック

チーミングについては，ネットワークスペシャリスト試験では以下の出題があります。
【チーミング】
・平成22年秋 午後Ⅱ 問2
（チーミングを行ったNICの具体的な負荷分散方法について）
・平成23年秋 午後Ⅱ 問2
（チーミングとリンクアグリゲーションを使用する具体的な問題）
・平成30年秋 午前Ⅱ 問22
（チーミングに関する午前問題）
・令和3年春 午後Ⅱ 問1 設問4
（チーミングとリンクアグリゲーションでスタックL3SWを接続）

9

 用語

オフロード（Offload）とは負荷を下げることで，システムの負荷を軽減させること，またはその仕組みです。EVBでは，他のハードウェアに処理を移すことで仮想スイッチの負荷を軽減させます。

や，物理スイッチでオフロードする**VEPA**（Virtual Ethernet Port Aggregator）などの仕組みがあります。

それでは，次の問題を考えてみましょう。

問題

ネットワークインタフェースカード（NIC）のチーミングの説明として，適切なものはどれか。

　ア　処理能力を超えてフレームを受信する可能性があるとき，一時的に送信の中断を要求し，受信バッファがあふれないようにする。

　イ　接続相手のNICが対応している通信規格又は通信モードの違いを自動的に認識し，最適な速度で通信を行うようにする。

　ウ　ソフトウェアでNICをエミュレートし，1台のコンピュータに搭載している物理NICの数以上のネットワークインタフェースを使用できるようにする。

　エ　一つのIPアドレスに複数のNICを割り当て，負荷分散，帯域の有効活用，及び耐障害性の向上を図る。

（平成30年秋 ネットワークスペシャリスト試験 午前Ⅱ 問22）

解説

　ネットワークインタフェースカードのチーミングとは，複数のインタフェースを束ねて一つのチームにする技術です。一つのIPアドレスに複数のNICを割り当てることができ，負荷分散，帯域の有効活用，及び耐障害性の向上に活用できます。したがって，エが正解です。アはフロー制御または輻輳制御，イはオートネゴシエーション，ウは仮想NICの説明です。

≪解答≫エ

■コンテナ仮想化

コンテナ技術は，仮想化技術の一つです。実行環境を他のプロセスから隔離し，その中でアプリケーションを動作させます。

1台のサーバで複数のコンテナを稼働させることができ，また，コンテナ単位での移動も容易です。

コンテナを使用した仮想化では，次のような構成で，OSの上にコンテナ管理ソフトウェア（Dockerなど）をインストールします。

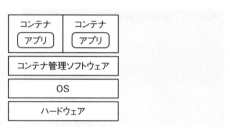

コンテナ仮想化

コンテナを使用するコンテナサーバでは，仮想ルータやスイッチ，NICを利用することで，複数のコンテナを管理することが可能となります。複数のコンテナを統合的に管理することをコンテナオーケストレーションといい，必要に応じて実行，停止を行うことができます。

過去問題をチェック

コンテナ仮想化については，次の出題があります。
【コンテナ仮想化】
・令和4年春 午後Ⅱ 問2
　設問2

発展

コンテナを作成するプラットフォームの代表にDockerがあります。複数のコンテナをまとめて，コンテナオーケストレーションを行うソフトウェアとしては，Kubenetesが使用されることが多いです。

9

▶▶▶ 覚 え よ う ！

☐　サーバ仮想化の方式には，ホストOS型とハイパーバイザ型がある

☐　チーミングでNICを束ねて，リンクアグリゲーションで回線を束ねる

仮想化は様々な場面で使われている

　ネットワークスペシャリスト試験で「仮想化」をテーマにするときにはサーバやPCの仮想化が取り上げられることが多いのですが，仮想化の手法は以前から様々な場面で使われています。

　例えば通信回線では，1本の物理回線を仮想化して複数の論理回線（仮想回線）にして使うことがよくあります。IP-VPNや広域イーサネットなどは，その一例です。

　また，複数のハードディスクをまとめて一つの仮想的なハードディスクとして扱い，信頼性と性能を向上させるRAIDがあります。試験でよく出てくるLB（負荷分散装置）によるサーバの多重化も，クライアントから見るとLBがあたかも1台のサーバのようなので，仮想化の一例です。その他，言語のプラットフォームなどでハードウェアの違いを吸収し，どんなハードウェアでも同じプログラムが動くようにするJava仮想マシンなども仮想化によるものです。

　ほかに，実際の店舗を構えず，インターネット上にWebサイトをもち，そこで販売を行うことを仮想店舗といいます。現実の三次元空間と似た映像をリアルタイムに生成し，その中で行動できる仮想現実（人工現実感）などもあります。エアギターやエア友達など，現実にはいないものを存在しているように振る舞うことも仮想化の一例と言えるかもしれません。

　このように，仮想化とは，物理的な枠にとらわれず，自由に必要なものが得られる環境全体を指します。技術を理解するときには，その詳細な内容だけでなく，「これによって何が仮想化できて，どういうときに便利なのか」という，利用する側の視点も忘れないようにしましょう。

9-1-2 ◯ 仮想ネットワーク

　仮想ネットワークは，SDNを用いてソフトウェアで動的に定義されます。SDNの代表的な技術には，OpenFlowがあります。

◻ SDN

　SDN（Software-Defined Networking）とは，ネットワークの構成や機能，性能などをソフトウェアだけで動的に設定する技術です。

　これまでネットワークの構成を変更する場合には，ケーブルの接続を変えたり，新しいルータやスイッチを用意したりするなど，ネットワーク管理者が物理的に動いて作業をしなければならないことが多くありました。それに対しSDNでは，ソフトウェアの設定のみでネットワークを構築できるため，運用が非常に効率的になります。

　SDNはネットワークの仮想化技術によって実現でき，後述するOpenFlowなどがその代表的な方式です。

　SDNの基本アーキテクチャは，次の図のように3層で構成されています。

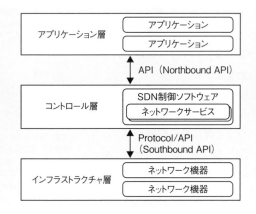

SDNのアーキテクチャ

　一番下のインフラストラクチャ層は，実際にデータ転送を行うネットワーク機器のレイヤです。これらの機器の制御には，OpenFlowなどの標準プロトコルや，機器ごとに定義されたAPI（Application Programming Interface）を利用します。この部分のAPIのことを，Southbound APIと呼ぶこともあります。

　真ん中のコントロール層は，機器を制御する中心部となるレイヤです。インフラストラクチャ層のネットワーク機器のそれぞれの違いを吸収して抽象化した機能とし，アプリケーション層に提供します。アプリケーション層とやり取りを行うAPIのことを，Northbound APIと呼ぶこともあります。

　一番上のアプリケーション層では，これらのAPIを通して，ネットワークの様々な処理をプログラムすることが可能になります。

■ OpenFlow

　OpenFlowは，各フレームがもつMACアドレスやVLANタグ，IPアドレス，ポート番号などのような特徴をフローとして扱い，そのフローをベースにスイッチングを行い，経路を柔軟に制御できるようにするための標準化規格です。信頼性の高い通信を提供するため，通信にはTCPに加えてTLSを用い，セキュアチャネルと呼ばれる通信路を確立します。

　OpenFlowの代表的な特徴に，制御用のネットワークとパケット処理用のネットワークが分離されている点があります。制御用のネットワークはコントロールプレーン，パケット処理用のネットワークはデータプレーンと呼ばれます。

　コントロールプレーンでは，OpenFlowコントローラと呼ばれる機器を用意し，経路制御などの管理機能を実行します。データプレーンでは，OpenFlowスイッチと呼ばれる機器がパケットのデータ転送を行います。コントロールプレーンとデータプレーンは分離させて別々に用意する必要がありますが，物理的に分離させる必要はなく，仮想ネットワークを構築することで対応可能です。

過去問題をチェック

OpenFlowを基本にした仮想化技術の問題が，ネットワークスペシャリスト試験で出題されています。
【OpenFlow】
・平成25年秋 午後Ⅱ 問2
・平成29年秋 午前Ⅱ 問13
・平成30年秋 午前Ⅱ 問13
・令和元年秋 午前Ⅱ 問12
【SDNとクラウドの活用】
・平成29年秋 午後Ⅱ 問1
【SDN方式】
・平成30年秋 午後Ⅱ 問2
OpenFlowの仕組みを理解するために，上記の午後Ⅱ問題をひととおり解いてみるのがおすすめです。

発展

OpenFlowには1.0, 1.1, 1.2, 1.3, 1.4のバージョンがあり，少しずつ変化しています。例えば，OpenFlow1.1では，TLSを用いないTCP単独での平文通信も可能となっています。現在のバージョンは1.4ですが，1.3が使われることも多いです。

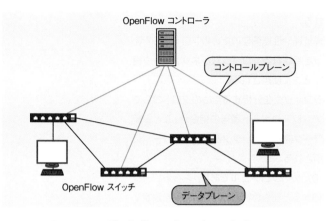

OpenFlowのデータプレーンとコントロールプレーン

OpenFlowでは，フローテーブルと呼ばれるテーブルがあり，**フローエントリ**と呼ばれる処理のルールと，そのルールに当てはまったときのアクション（動作）の組合せを登録します。ルールには，送信元や宛先のMACアドレスだけでなく，IPアドレスやポート番号，VLAN IDなどがあり，様々なルールが利用可能です。

OpenFlowコントローラでは，あらかじめ設定されているフローエントリの情報をOpenFlowスイッチに送信する**プロアクティブ型**の設定が可能です。それだけでなく，OpenFlowスイッチが未知のパケットを受け取ったときにOpenFlowコントローラに指示を仰いで処理を判断するリアクティブ型の設定も可能です。OpenFlowコントローラは，ソフトウェアでフローテーブルを柔軟に管理することで，自由なネットワーク制御を実現します。

それでは，次の問題を考えてみましょう。

9

問題

SDN（Software-Defined Networking）で利用されるOpenFlowプロトコルの説明として，適切なものはどれか。ここで，ネットワーク機器はOpenFlowに対応しているものとする。

ア　ネットワーク機器の制御のためのプロトコルであり，ネットワーク機器のフローテーブルの情報をコントローラから提供

するときに使用される。

イ ネットワークの構成管理や性能管理のためのプロトコルであり，管理マネージャと呼ばれるプログラムがネットワーク機器のMIBを取得するときに使用される。

ウ ネットワークのトラフィックを分析するためのプロトコルであり，フロー（IPアドレスやポート番号の組合せ）ごとの統計情報を，ネットワーク機器がコレクタと呼ばれるサーバに送信するときに使用される。

エ レイヤ2の冗長化のためのプロトコルであり，ネットワーク機器がループを検知するときや障害時の迂回ルートを決定するときなどに，ネットワーク機器間の通信に使用される。

（平成29年秋 ネットワークスペシャリスト試験 午前Ⅱ 問13）

解説

OpenFlowプロトコルとは，制御部と転送部を分離したアーキテクチャで，OpenFlowコントローラと呼ばれる制御部からネットワークテーブルの情報を提供して制御を行います。したがって，アが正解です。

イ SNMP（Simple Network Management Protocol）の説明です。

ウ sFlowの説明です。

エ STP（Spanning Tree Protocol）の説明です。

≪解答≫ア

■VXLAN

VXLAN（Virtual eXtensible Local Area Network）は，イーサネットフレームをカプセル化することで，レイヤ3のネットワーク上に論理的なレイヤ2ネットワークを構築するためのトンネリングプロトコルです。レイヤ2ネットワークであるOpenFlowのネットワークを，オーバーレイ方式を用いてIPネットワークで透過させる場合などに使用されます。

RFC 7348で規定されており，24ビットのVNI（VXLAN Network Identifier）を用いて，約1,677万個のネットワークを構成することができます。

過去問題をチェック

VXLANについての問題が，ネットワークスペシャリスト試験で出題されています。
【VXLANの導入】
・平成27年秋 午後Ⅱ 問2 設問5
・令和6年春 午後Ⅱ 問1 設問1

参考

オーバーレイ方式とは，仮想化に対応したスイッチを直接つなぐことが難しい環境で，IPトンネルなどの技術を利用してカプセル化を行い，フレームを転送する方式です。

VTEP（VXLAN Tunnel End Point）は，VXLANトンネルのエンドポイントで，VXLANのカプセル化及びカプセル化の解除を行います。

EVPN（Ethernet Virtual Private Network）は，レイヤ2のVPN技術です。RFC 7432及びRFC 8365で規定されており，オーバーレイ方式のネットワーク（オーバーレイネットワーク）を制御するための情報を交換します。VXLANのネットワークにEVPNを適用した場合，コントロールプレーンにEVPNを用いてオーバーレイネットワークを制御し，データプレーンにVXLANを用いてイーサネットフレームを転送することができます。

■ イーサネットファブリック

ファブリック（Fabric）とは，一つまたは複数のスイッチによって構成されるネットワーク全体のトポロジー（構成の形態）のことです。

従来のイーサネットネットワークでの問題点に，「ループするトポロジーが形成できない」というものがあります。そのため，STP（Spanning Tree Protocol）などのプロトコルで，ループを回避する設定を行ってきました。そうすると，ブロッキングポートの部分のネットワークが活用されず，ムダの多いネットワークになりがちでした。

この問題を解決するために考えられたのが，イーサネットファブリックです。イーサネットファブリックは，高スループットで高効率なイーサネットネットワークを構築し，性能や運用性を向上させるための新しいイーサネットネットワークの技術です。後述するTRILLなどの仕組みを利用して，自由度が高く，そのうえ効率のいいネットワークを実現します。

■ TRILL

TRILL（Transparent Interconnection of Lots of Links）は，IETFで標準化が進められている規格で，イーサネットで経路を冗長化する技術です。FCoEやサーバの仮想化と相性がよく，組み合わせて使われることが多くなっています。RFC6325で"Routing Bridge"として定義されています。

TRILLはSTPとは違い，冗長化するだけでなく高速化も実現

9

過去問題をチェック

TRILLを基本にしたルーティングを行うブリッジの問題が，ネットワークスペシャリスト試験で出題されています。
【TRILL】
・平成24年秋 午後Ⅱ 問1
TRILLやFCoEとの組合せなど，仮想化の仕組みを理解するためには，この問題が役に立ちます。

します。イーサネットでの経路が複数あるとき，経路の長さ（パスコスト）が最も短いものを選ぶことはSTPと同じです。しかしTRILLでは，経路の長さが同じ場合には，一定のアルゴリズムで経路を選択し，負荷分散を図ります。このため，使わない経路はなくなり，効率的なデータ伝送が可能になります。

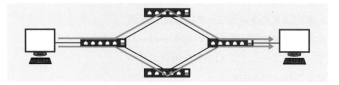

TRILLでは複数の経路を選択することができる

TRILLでは，OpenFlowなどと同様に，データプレーンとコントロールプレーンを分けて実装されます。そのため，LANとSANのネットワークを統合するときに管理しやすいという利点があります。

■ NFV

NFV（Network Functions Virtualization）とは，ネットワーク機器の機能を仮想マシンとして実現する方式です。SDNとは異なり，サーバではなくネットワーク機器を仮想化します。ルータ，スイッチ，ファイアウォールなどの専用機器を仮想化機構の仮想マシンとして動作させることで，設備投資や運用コストを低減させることが可能になります。

▶▶▶ 覚 え よ う ！

- [ ] コントロール層は，Northbound APIでアプリケーション層と，Southbound APIでインフラストラクチャ層とやり取り
- [ ] OpenFlowでは，データプレーンとコントロールプレーンを分離

9-1-3 ◯ ストレージ

　ストレージとは，ハードディスクやCD-Rなど，データやプログラムを記録するための装置のことです。従来はサーバに直接，外部接続装置や内蔵装置として接続するのが一般的でしたが，近年ではネットワークを通じて，コンピュータとは別の場所にある装置と接続することも多くなっています。

◯ SAN

　SAN（Storage Area Network）は，ストレージを扱うための専用のネットワークです。通常のLANよりも高速で効率的にデータ転送を行うことができます。
　それでは，次の問題を考えてみましょう。

過去問題をチェック

SANについては，ネットワークスペシャリスト試験の午前では，この問題のように用語について問われることが多く，深い知識が要求されるのは午後Ⅱです。例えば，次のような出題があります。
[SAN]
・平成24年秋 午後Ⅱ 問1（LANとSANの統合について）

9

問題

　磁気ディスク装置や磁気テープ装置などのストレージ（補助記憶装置）を，通常のLANとは別の高速な専用ネットワークで構成する方式はどれか。

　ア　DAFS　　イ　DAS　　ウ　NAS　　エ　SAN

（平成23年秋 ネットワークスペシャリスト試験 午前Ⅱ 問7）

解説

　ストレージを専用ネットワークで構成するのがSANなので，エが正解です。イのDASはストレージを直接接続する方式，ウのNASは，通常のネットワークを利用して接続する方式です。アのDAFS（Direct Access File System）は，クラスタ環境向けのファイル共用プロトコルで，多数のサーバから構築された環境を一つのファイルシステムとして使用できるようにするための方式です。

《解答》エ

■SANで使用されるプロトコル

　SANでは，ファイルごとではなくディスクのブロックごとにデータにアクセスするため，アプリケーション層のプロトコルとして，SCSI（スカジー）プロトコルが用いられます。

　そして，SCSIデータを転送するために，**ファイバチャネルで**はトランスポート層のプロトコルとしてFCP（Fibre Channel Protocol）を用います。ファイバチャネルでは，物理層から順に，FC-0，FC-1，FC-2，FC-3，FC-4の五つのFCの階層モデルが定義されていますが，FCPはFC-4に該当します。

　また，SANには，ファイバチャネルを使った**FC-SAN**だけでなく，通常のIPネットワークを使った**IP-SAN**があります。IP-SANでは，TCP/IP通信を用いてSCSIデータを送ります。IP-SANを実現するためのプロトコルには，FCプロトコルをIPでカプセル化する**FCIP**（Fibre Channel over IP）や，FCを使わずにSCSIプロトコルを直接利用するiSCSI（Internet Small Computer System Interface）などがあります。

　さらに，TCP/IP通信を使うのではなく，データリンク層のレベルで拡張イーサネットを使用してFCフレームを転送する技術としてFCoE（Fibre Channel over Ethernet）があります。

　それぞれのプロトコルについて比較できるように簡単にプロトコルスタックをまとめると，次のようになります。白地がファイバチャネルのプロトコル，グレーの網掛けがTCP/IPなどの通常のプロトコル，色の網掛けがファイバチャネルとTCP/IPなどを結び付けるプロトコルです。

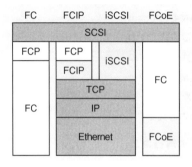

それぞれのSANのプロトコルスタック

用語

SCSI（Small Computer System Interface）とは，周辺機器とコンピュータとの間でデータのやり取りを行うインタフェース規格です。主にDASにおいて，ハードディスクなどをコンピュータに直接接続するのに用いられる規格です。

過去問題をチェック

FC-SANとIP-SANについては，ネットワークスペシャリスト試験では以下の出題があります。特にiSCSIについては何度も出題されています。
【FC-SANとIP-SAN】
・平成22年秋 午後Ⅱ 問1
・平成24年秋 午後Ⅱ 問1
　（FCoEについて）
・平成18年秋 午後Ⅱ 問2
　（テクニカルエンジニア（ネットワーク）試験）

前ページの図のように，FCoEではTCP/IP通信でのカプセル化を行わないので，通信は同じデータリンクの範囲に限られますが，より効率的にパケットを転送することができます。

■ FCoE

FCoEは，イーサネット上でFCの通信を行うために，FCフレームをイーサネットフレームの中にカプセル化する技術です。具体的には，次のようなかたちで，VLANに対応したFCoEフレームを構成します。

宛先 MAC アドレス	送信元 MAC アドレス	VLAN タグ	タイプ (FCoE)	バー ジョン	リザーブ	データ (平均2,112 バイト)	FCS

FCoEフレームの構成

FCoEでは，IEEE 802.1QのVLANタグを使用します。また，その後のタイプでFCoEフレームであることを示します。

イーサネットでは，データの大きさは最大1,500バイト（MTU：Maximum Transmission Unit）です。しかし，FCoEでは平均2,112バイトと，1,500バイトよりも大きくなっています。そのため，FCoEを利用するにはイーサネットのMTUを大きくするジャンボフレームを活用する必要があります。

また，イーサネットはフレームが確実に届くことを保証していないのに対し，FCではデータが途中で失われることがなく，確実に届くことを保証します。そのため，FCoEを用いることで，パケットロスのない通信，つまりロスレスイーサネットを実現できます。

それでは，次の問題を考えてみましょう。

過去問題をチェック
FCoEについての問題は，ネットワークスペシャリスト試験の午後でも出題されています。
【FCoE】
・平成24年秋 午後Ⅱ 問1
（FCoEを利用するネットワーク）

問題

FC（ファイバチャネル）フレームをイーサネットで通信するFCoEの説明のうち，適切なものはどれか。

ア　イーサネットのパケットサイズに合わせて，FCフレームサイズが調整される。

イ　通信のオーバヘッドを小さくするために，UDPを用いる。

ウ　通信の信頼性を確保するために，TCPを用いる。

エ　転送ロスを発生させないための拡張がされたイーサネットで，FCフレームを通信する。

（平成25年秋 ネットワークスペシャリスト試験 午前Ⅱ 問7）

解説

FCoEは，FCフレームをイーサネット上で通信するためのプロトコルで，転送ロスを発生させないためにイーサネットが拡張されています。したがって，エが正解です。

ア　FCフレームサイズは，イーサネットを拡張することでジャンボフレームに対応しています。

イ，ウ　FCoEはレイヤ2（データリンク層）レベルの技術であるため，TCPやUDPは関係ありません。

≪解答≫エ

■ NAS

NAS（Network Attached Storage）とは，ネットワークに直接接続するファイルサービス専用のサーバです。インターネットを経由してアクセスするNASのことを，オンラインストレージといいます。

それでは，次の問題を考えてみましょう。

NAS（Network Attached Storage）の構成図として適切な
ものはどれか。ここで，図の ● はストレージの管理専用のファイ
ルシステムを，二重線はストレージアクセス用のプロトコルを使
用する専用ネットワークを意味するものとする。

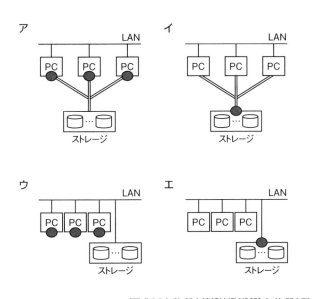

(平成22年秋 基本情報技術者試験 午前 問15)

　NASでは，ストレージが直接LANに接続します。そして，ス
トレージ管理専用のファイルシステムはサーバにインストールさ
れます。したがって，エが正解です。
　イはSANの構成図です。SANやNASでは，アやウのように，
ストレージ管理用のファイルシステムをPCにインストールする必
要はありません。

≪解答≫エ

ファイル共有のためのプロトコルには，Windowsで主にファイル共有に利用される**SMB**（Server Message Block）や，UNIX系OSの多くでサポートする**NFS**（Network File System）などが利用されます。そのため，新たにクライアントPCに何も設定しなくても，NASを利用することができます。

■NAS関連の技術

NASに関連する技術には，次のようなものがあります。

①RAID

NASでは，ハードディスクが故障してもデータが失われないようにするために**RAID**（Redundant Arrays of Inexpensive Disks）を使用することが多いです。データを二重化するためのRAID1や，ディスクアクセスを高速化するためのRAID0，そして，パリティを分散させて信頼性と性能を両方上げるRAID5やRAID6がよく用いられています。

②NASゲートウェイ

NASゲートウェイは，NASからストレージ本体を取り除いたものです。ストレージは別の場所のものを利用します。NASゲートウェイを用いると**ストレージにSANを利用**することができ，柔軟にストレージを増加させることが可能になります。NASゲートウェイでは，SMBなどのファイル共有プロトコルを，SCSIなどの入出力プロトコルに変換します。ユーザはあたかもNASを使っているように感じられる，SANを利用した環境です。

 用語

SMBは，Windowsに標準で用意されているアプリケーション層のプロトコルです。具体的には，Windowsの「コンピュータ」や「ネットワーク」で使われている，他のコンピュータ上のファイルを利用できるようにする仕組みのことです。SMBをWindows以外のOSでも利用できるように拡張したCIFS（Common Internet File System）というプロトコルもあります。

 過去問題をチェック

【NASゲートウェイ】
・平成18年秋 午後Ⅱ 問2（テクニカルエンジニア（ネットワーク）試験）

◼ シン・プロビジョニング

物理的なサーバでは通常，ハードディスクやSSDなどのストレージの容量は決まっています。その物理的なストレージ容量を仮想化して，必要に応じて自由に変化させることができる技術がシン・プロビジョニングです。

シン・プロビジョニングでは，仮想化された論理的なストレージをボリュームといいます。このボリュームは，実際の物理的な容量とは無関係に設定することができます。例えば，物理的な容量が1Tバイトのハードディスクを，サーバが仮想的に5Tバイトのボリュームとして使うことができます。

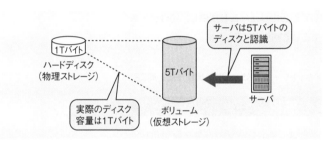

シン・プロビジョニング

ボリュームは，物理ストレージの容量しか実データを管理できませんが，実際にデータ量が増えてきたら物理ストレージを追加することで対応できます。物理的な容量が増えたときに新たにサーバを設定し直す必要がないため，事前のキャパシティプランニングが不要です。

それでは，次の問題を考えてみましょう。

9

問題

ストレージ技術におけるシン・プロビジョニングの説明として，適切なものはどれか。

ア 同じデータを複数台のハードディスクに書き込み，冗長化する。

イ 一つのハードディスクを，OSをインストールする領域とデータを保存する領域とに分割する。

ウ ファイバチャネルなどを用いてストレージをネットワーク化する。

エ 利用者の要求に対して仮想ボリュームを提供し，物理ディスクは実際の使用量に応じて割り当てる。

(平成24年秋 ネットワークスペシャリスト試験 午前Ⅱ 問22)

解説

シン・プロビジョニングとは，ストレージの容量を仮想化して管理することにより，必要に応じて装置を追加して対応できるようにする技術です。利用者の要求に応じて仮想ボリュームを提供するので，エが正解です。

アはミラーリング，イはパーティション分割，ウはSANの説明です。

≪解答≫エ

▶▶▶ 覚えよう！

☐ SANをTCP/IP上で実現するiSCSI FCIP。Ethernet上で実現するFCoE

☐ NASの信頼性アップにRAID，NASのSAN利用にNASゲートウェイを利用する

9-2 クラウド

近年，仮想化技術を利用した様々なクラウドサービスが提供されています。クラウドの方式も多様で，従来のネットワークをクラウドに移行することも増えてきています。

9-2-1 クラウドとは

クラウドとは，ネットワークを利用してコンピュータの資源を利用する形態です。クラウドを利用することによって，処理やデータの格納などのサービスをネットワーク経由で行うことができるようになります。

クラウドコンピューティング

クラウドコンピューティングとは，ソフトウェアやデータなどを，インターネットなどのネットワークを通じてサービスというかたちで必要に応じて提供する方式です。クラウドと呼ばれることもあります。クラウドには，不特定多数の利用者を対象に運用される**パブリッククラウド**と，特定の企業や組織に向けて提供される**プライベートクラウド**があります。また，プライベートクラウドとパブリッククラウドを組み合わせて利用する形態のことを**ハイブリッドクラウド**といいます。

クラウドコンピューティングの代表的なサービスの形態には，次のようなものがあります。

- SaaS（Software as a Service）
  ソフトウェア（アプリケーション）をサービスとして提供する
- PaaS（Platform as a Service）
  OSやミドルウェアなどの基盤（プラットフォーム）を提供する
- IaaS（Infrastructure as a Service）
  ハードウェアやネットワークなどのインフラを提供する

図にすると，次のようなかたちになります。

参考

クラウドサービスプロバイダが提供する主なサービスに，Amazon の AWS（Amazon Web Service），Google の GCP（Google Cloud Platform），Microsoft のAzureなどがあります。

参考

パブリッククラウドの普及に伴い，情報システムを使用者自身が管理する従来の仕組みを**オンプレミス**と呼ぶことがあります。

9

発展

SaaS，**PaaS**，**IaaS** は，クラウドの構成要素においてクラウド側のサービスをどこまで利用するかという観点で分類したものです。その他のサービスには，端末のデスクトップ環境をネットワーク越しに提供する**DaaS**（Desktop as a Service）や，サーバレスでアプリケーションの機能のみを作成できる**FaaS**（Function as a Service）などがあります。

サーバ			
ユーザデータ			
アプリケーション			
OS			
ハードウェア	IaaS	PaaS	SaaS

SaaS, PaaS, IaaSで提供される構成要素

■ クラウドのメリット

　ネットワークシステムの構築を行う際，社内で用意する代わりにクラウドを利用するメリットとしては，次のものが挙げられます。

●初期投資が不要

　クラウドでは，新しいシステムを構築するときに，事前にサーバやストレージ，ネットワーク機器などを用意する必要がありません。利用した分だけ料金を支払う**従量課金**が一般的なので，初期投資が不要であり，運用費用のみが必要となります。

●高価なリソースを安価に利用できる

　特にパブリッククラウドでは，データセンタやネットワークなどの資源を他社と共有することになるため，自社で用意するのに比べて安価に利用できます。

●スケーラビリティが向上

　必要に応じて機器を追加できるため，需要が大きくなったときにサーバやネットワークなどのリソースを簡単に増やせます。そのため，スケーラビリティが向上し，状況に応じて柔軟なシステムを構築できます。

■ クラウドの注意点

　クラウドの利用もメリットばかりではありません。従来のシステムに比べ，次の点に注意する必要があります。

●データの社外での保管

クラウドサービスを利用すると，データがクラウドサービスプロバイダのサーバに保管されます。そのため，個人情報や機密情報などを扱う場合には注意が必要です。特に，**国外にサーバがある**サービスも多いため，データの規約（日本国外に持ち出せないなど）を確認し，適切に対処する必要があります。

●カスタマイズや管理に制限がかかる

クラウドを利用すると，サービスで提供されている範囲では柔軟なシステム構築が可能です。しかし，サーバの物理構成などを自由に編成することはできないので，システムの状況によっては問題が出てきます。例えば，昔作ったシステムをそのまま移行しようとすると，ソフトウェアやネットワークプロトコルが対応しておらず移行できない，ということもあります。

●インターネット接続が必要

クラウドサービスは，インターネット接続が前提のサービスです。そのため，インターネットに接続できない環境では利用することができません。また，大量のデータをやり取りする場合，ネットワークの遅延で業務が滞ることもあります。

◻ Infrastructure as a Code

クラウドサービスは，APIを呼び出すことにより構築・設定が行えます。そのため，APIの呼出しをプログラミングしてコードとして記述し，管理することが可能です。この考え方をInfrastructure as a Code（コードとしてのインフラ）といい，そのコードをバージョン管理することによって，インフラの管理を容易にすることができます。

9

▶▶ 覚 え よ う ！

☐ SaaSはソフトウェア，PaaSはプラットフォーム，IaaSはインフラが提供される

☐ Infrastructure as a Codeで，インフラをコードとしてバージョン管理

9-2-2 ● クラウドの方式

クラウドを利用する際に考慮することに，Well-Architected
フレームワークの五つの観点があります。クラウドサービスで
は，仮想サーバやネットワークだけでなく，データ処理や運用
管理などの様々な機能が利用できます。

■ Well-Architectedフレームワークの五つの観点

クラウドサービスの活用のノウハウをまとめた，Amazon
の AWS で提唱されているベストプラクティス集に，Well-
Architectedフレームワークがあります。クラウドを利用して適
切に設計・構築・運用できるように，次の五つの観点がまとめら
れています。

① 運用上の優秀性

システムのモニタリング，変更管理，継続的な運用プロセス，
手順の改善，通常・障害時の運用業務など，運用管理を行う上
でしっかりと考えておくことが大切です。

② セキュリティ

データの機密性や完全性を確保すること，ユーザの権限を管
理すること，セキュリティを監視することなどを考える必要があ
ります。

③ 信頼性

障害を防止すること，障害時に迅速に復旧できることを考えま
す。障害時に自動的に切替えができるような仕組みづくりが大切
です。

④ パフォーマンス効率

クラウドのリソースを効率的に利用し，必要十分なシステムに
することが求められます。性能要件や需要の変化に応じて適切
にリソースを切り替えていくことが大切です。

⑤ コスト最適化

　適切なコストの把握や，必要に応じたリソースの確保により，無駄をなくしつつ効率的に動作するシステムを作ることが大切です。

■ クラウドサービスの種類

　クラウドでは様々なサービスが提供されています。主なサービスには次のようなものがあります。

●アクセス制御サービス

　クラウドを利用する場合には，適切なアクセス制御を行うことが重要です。アクセス制御は，ユーザを確認する**認証**だけでなく，ユーザがどのリソースにアクセスできるかを決める**認可**の制御が必要となります。クラウドサービスでは，ユーザごとにその**役割(ロール)**や権限の範囲を設定することで，必要に応じたアクセスが可能となります。

●コンピューティングサービス

　サーバのリソースを仮想的に提供するサービスです。もともとは単に仮想サーバとして提供されていましたが，現在では主に次のようなサービスがあります。

・仮想サーバ

　ハイパーバイザ型の仮想型などを利用して，仮想的にサーバを提供するサービスです。IaaS，PaaS，SaaSのどのような形でも提供できます。

・サーバレス

　サーバなどのリソースを意識することなく，アプリケーションをデプロイ(構築)しただけで実行することができる，サーバを利用しないサービスです。

・コンテナ

　コンテナというかたちでOSやアプリケーションをまとめて仮想化するサービスです。コンテナをベースにサービスを作

9

関連
仮想サーバや，コンテナでの仮想化技術については，「9-1-1 仮想化機構」で取り上げています。

成することで，複数のコンテナを統合的に管理するコンテナオーケストレーションを行うことができます。

●ネットワークサービス

クラウドを利用することで，ネットワークシステムは様々な機能を実現できます。クラウド内では**仮想的なプライベートネットワーク**を構築し，サービス間での通信を行うことができます。クラウドサービスで設定するネットワークの内容には，次のものがあります。

・ルーティング・ゲートウェイ

ルートテーブルを設定して，プライベートネットワーク内の静的ルーティングを設定します。インターネットとの間にインターネットゲートウェイを指定して，外部との通信を制御します。NATゲートウェイも設定し，NATによるアドレス変換も設定できます。

・VPN

VPN（Virtual Private Network）を設定することで，プライベートネットワーク間の通信を行うことができます。1対1でのピアリングを設定することで，インターネットを経由せずに通信することも可能です。

・負荷分散

負荷分散（Load Balancing）を行い，複数のサーバに処理を割り振ることが可能です。負荷分散のルールには，IPアドレスやポート番号で指定するもの，Cookieを使用するものなど使い分けることが可能です。

・オートスケーリング

自動でサーバの台数を増やすなど，アクセスに応じてリソースを変更することが可能です。

・CDN

CDN（Contents Delivery Network）とは，Webの動画などのコンテンツをインターネット経由で配信するために最適化されたネットワークのことです。コンテンツ配信網とも呼ばれます。

CDNでは，1か所のサーバから配信するのではなく，いくつものキャッシュサーバに大本のサーバの内容をミラーリングし，そこから配信することで効率的なコンテンツ配信を実現します。具体的には次のようなかたちで配信し，ネットワークやサーバにかかる負荷を低減させます。

発展

CDNの実例としては, Amazon CloudFrontがあります。これはコンテンツ配信のためのネットワークで, リオデジャネイロやワルシャワ, マルセイユなど, 世界中の様々な都市にキャッシュサーバを展開しています。

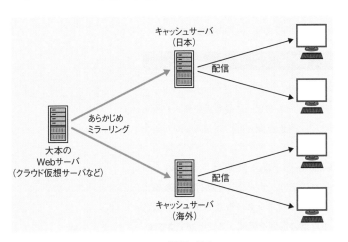

CDNでの配信の流れ

CDNでは，キャッシュサーバを多数設置するPOP（Point Of Presence：配信拠点）を複数もちます。その中から，端末のインターネット上の所在地に対して最適なPOPを配信元としてコンテンツを配信します。

それでは，次の問題を考えてみましょう。

問題

Webコンテンツを提供する際にCDN（Content Delivery Network）を利用することによって，副次的に影響を軽減できる脅威はどれか。

ア　DDoS攻撃
イ　Man-in-the-Browser攻撃
ウ　パスワードリスト攻撃
エ　リバースブルートフォース攻撃

（令和6年春 ネットワークスペシャリスト試験 午前Ⅱ 問16）

解説

CDNは，Webコンテンツを効率的に配信するためのネットワークです。複数のサーバを用意し，ユーザーに最も近いサーバからコンテンツを提供することで，遅延を減らし，高速なコンテンツの配信を可能にします。

DDoS（Distributed Denial of Service）攻撃は，大量のトラフィックを目標とするサーバに送り，サービスを妨害する攻撃です。CDNを使用すると，攻撃トラフィックが複数のサーバに分散されるため，副次的にDDoS攻撃の影響を軽減することができます。したがって，アが正解です。

イ　Man-in-the-Browser攻撃は，ブラウザに侵入してユーザーの操作を盗聴，改ざんする攻撃です。CDNの利用とは関係ありません。

ウ　パスワードリスト攻撃は，パスワードのリストを使用して総当たり攻撃を行うものです。CDNの利用とは関係ありません。

エ　リバースブルートフォース攻撃は，パスワードを固定してユーザー名を変化させながら行う総当たり攻撃です。CDNの利用とは関係ありません。

≪解答≫ア

・DNSサービス

DNSサービスを設定し，ドメインの設定や名前解決などが可能です。

●ストレージサービス

クラウドサービスでは，様々なストレージサービスが提供されています。ストレージは自動的に複製してバックアップが取られるため，高い耐久性を実現できます。

ストレージは使用量に応じて課金されるため，あらかじめ容量を決めておく必要はありません。アクセスする頻度に応じて，ストレージクラス（低頻度アクセス，高頻度アクセスなど）が設定され，クラスによって料金が変わります。

暗号化やアクセス制御も，状況に応じて設定することが可能です。

●データベースサービス

データベースサービスでは，データベースに最適化されたサービスを提供します。そのため，ハードウェアの要件やパッチの適用などを気にする必要がありません。従来からのリレーショナルデータベースのサービスも提供されていますが，よりクラウドに最適化されたNoSQLデータベースサービスも数多くあります。

●運用管理サービス

運用管理サービスでは，環境構築に関わるサービスを自動化することで，状況に応じたシステムを構築することが容易になります。システム利用の需要を予測し，必要に応じてリソースを提供できることを**プロビジョニング**といいます。クラウドサービスを利用することで，プロビジョニングを自動的に行うことができるようになります。

また，機器の構成管理や，障害などの通知を行うサービスもあります。

■ ローカルブレイクアウト

　ローカルブレイクアウト（Local Breakout：LBO）は，企業や組織のネットワークで本社やデータセンターなどを経由せずに，直接インターネットに接続する方式です。トラフィックが本社を経由する必要がなくなり，ネットワークの遅延が減少し，帯域幅の効率的な利用が可能となります。

　性能が向上する反面，複数の拠点でセキュリティ対策を行う必要があるため，管理が複雑になる可能性があります。

　ローカルブレイクアウトを実現するために，SD-WAN（Software Defined-Wide Area Network）を利用し，各拠点のインターネットトラフィックを最適化する方法があります。また，クラウドセキュリティサービスを利用することで，各拠点のセキュリティ管理を集中させ，効率的に運用することが可能です。

■ ゼロトラスト

　従来のオンプレミス環境では，ファイアウォールなどを社内の「信用できる領域」と社外の「信用できない領域」の境界に設置して，社内のセキュリティを守るという境界型防御が中心でした。クラウド環境では，社外からシステムに接続する機会が増えるので，境界型ではサイバー攻撃を防護しきれません。

　ゼロトラストとは，社内外すべてを「信用できない領域」として，すべての通信を検査し認証を行うという考え方です。すべてのデバイス，ユーザ，通信，ネットワークを監視し，認証・認可を行うことで，クラウド環境でも安全な通信を実現できます。

　ゼロトラストアーキテクチャについて記載されているNIST SP800-207では，次のゼロトラストの基本的な七つの考え方が記載されています。

1. すべてのデータソースとコンピューティングサービスをリソースとみなす
2.. ネットワークの場所に関係なく，すべての通信を保護する
3. 企業リソースへのアクセスをセッション単位で付与する
4. リソースへのアクセスは，クライアントアイデンティティ，アプリケーション／サービス，リクエストする資産の状態，その他の行動属性や環境属性を含めた動的ポリシーにより

決定する

5. すべての資産の整合性とセキュリティ動作を監視し，測定する

6. すべてのリソースの認証と認可を行い，アクセスが許可される前に厳格に実施する

7. 資産，ネットワークのインフラストラクチャ，通信の現状について可能な限り多くの情報を収集し，セキュリティ体制の改善に利用する

　クラウドサービスを利用する場合には，従来のネットワークシステムの枠組みにとわられず，柔軟に最適なものを選択していくことが大切です。

▶▶▶ 覚えよう！

☐ **クラウドサービスでは，プロビジョニングを自動的に行うことができる**

☐ **ゼロトラストでは，すべての通信に対して認証・認可を行う**

9

9-2-3 ◯ クラウドへの移行

　クラウドへの移行では，ホストやプラットフォームを移行するだけではなく，新しい手段を選ぶ方法もあります。また，ハイブリッドクラウドも選択できます。

■ クラウドへの移行

　すでにオンプレミス環境で運用しているシステムをクラウドに移行する場合には，各システムの業務上の重要性や，稼働しているインフラ（サーバ，ネットワーク機器，電話など）によって移行する際の戦略が異なります。クラウドの移行戦略には大きく分けて次の六つがあり，特性に応じて最適な戦略を選択することが大切です。

①ホストの移行（REHOST）

　サーバなどのソフトをそのまま移行します。アプリケーションの変更がないため，比較的短期間で移行できます。移行の難易度は低いといえます。

②プラットフォームの移行（REPLATFORM）

　アプリケーションの基本的な部分は変更しないものの，アーキテクチャの一部を変更します。例えば，データベースをクラウドに最適化して変更するなどです。

③再購入（REPURCHASE）

　既存のアプリケーションを捨てて，新しい手段を提供するものを購入します。例えば，SaaSを利用して既存のWebサーバなどを置き換えることで，新しい手段で要件を実現します。

④リファクタリング／再設計（REFACTOR/RE-ARCHITECT）

　アプリケーションを再設計して，クラウドに最適化したものに作り変えます。

⑤ 廃止（RETIRE）

　見直しを行い，不要な機能やアプリケーション自体を廃止します。

⑥ 保持（RETAIN）

何もせず，オンプレミス環境で利用し続けます。

すべてをクラウド環境に移行させる必要はなく，オンプレミス環境と合わせたハイブリッドクラウドも選択肢の一つです。また，一度にすべて移行させる必要もなく，段階的に変更していく方法もあります。

■ 移行ツール

オンプレミス環境からクラウド環境に移行するために，移行ツールが用意されています。例えば，次のような目的のための移行ツールがあり，必要に応じて使い分けることができます。

・オンプレミス環境のアプリケーションやインフラの状況を調査
・データベース移行（REPLATFORM）
・オンプレミス環境のサーバを仮想環境のホストに変換してクラウドに移行（REHOST）
・移行時に専用ネットワークを用意するサービス

クラウドでも，移行するときには様々な機器やネットワークが関わってくるため，手順をしっかり考え，組み合わせて行うことが大切です。

■ マルチクラウド

マルチクラウドとは，複数のクラウドサービス事業者が提供する異なるクラウド環境を組み合わせて利用する戦略のことです。企業は業務に最適なクラウド環境を選び，それらを自由に組み合わせることで，最適な環境を構築できます。

マルチクラウドの主な利点は，一つのサービス事業者に依存する状態となる**ベンダーロックイン**を避け，最適な価格のサービスを利用できるようにすることです。また，マルチクラウド環境では，一つのクラウドサービスで障害が発生しても，別のサービスを利用することで，全体としての業務停止を避けることができます。

ただし，マルチクラウド環境では，異なる環境での管理が難

過去問題をチェック

マルチクラウドについては，次の出題があります。
【マルチクラウド利用による可用性の向上】
・令和5年春 午後Ⅱ 問1

しくなります。マルチホーム接続を利用すると，障害時にネットワークが切り替わるようなルーティング設定が必要となります。また，セキュリティ，データ管理などが複雑になります。さらに，各クラウドサービスで料金体系が異なるため，コスト管理も重要な課題となります。

　複雑な環境設定が必要ですが，マルチクラウドを適切に運用すれば可用性も向上し，最適なクラウド環境を手に入れられます。

▶▶▶ 覚えよう！

- ☐　クラウド環境への移行では，単に移行するだけでなく，再設計して最適化することも可能
- ☐　クラウド環境への移行には，様々なツールが利用できる

仮想化やクラウドを体験してみよう

　ネットワーク技術を学ぶ上で一番いい方法は，実際に機器を設定して動かして使ってみることです。しかし，従来のルータやスイッチなどのネットワーク機器は高価なものが多いため，個人で試すのは難しいのが悩みの種でした。筆者は，昔はよく，中古のネットワーク機器をオークションや中古ショップで見つけて，友人同士でもち寄って実験したりしていました。

　しかし，今は仮想化の時代です。これはつまり，「実機をもっていなくても，ネットワークをいろいろと試してみることができる」ということなのです。昔から，Cisco製品のシミュレータなど，仮想的にネットワークを試せるものはありましたが，今は実際に動くものを手軽に利用することが可能になっています。

　仮想ネットワーク，クラウドコンピューティングの実習として最も手軽でおすすめなのが，AWS（Amazon Web Service）です。Amazon EC2で仮想サーバを立てることができ，Webサービスを気軽に立ち上げることが可能です。またそれだけでなく，この章でも紹介しましたが，CDNをAmazon CloudFrontで体験することもできます。さらに，データベースを勉強したい場合には，Amazon RDSでDBサーバを立てることも可能です。GCP（Google Cloud Platform）やMicrosoft Azureなどのクラウドサービスでも，同様のことが実現可能です。

　OpenFlowなどはソフトウェア技術ですので，PCやクラウド上に作成したLinuxサーバ上で自分で動かしてみることができます。OpenFlowのフレームワークとしては，Rubyで動くTremaや，Pythonで動くRyuなど，様々なものがあります。

　仮想化技術は複雑なので学ぶことは多くなりましたが，その分安価になり，学習のためのコストは下がりました。せっかくの仮想化の恩恵をうまく利用して，実践的に学習をしていきましょう。

関連

AWSの日本語ページのURLは以下です。
https://aws.amazon.com/jp/
最大12か月間の試用が可能なので，動かして実験し，勉強するだけなら無料アカウントで十分です。
その他の仮想環境も，無料または安価で試せるものが多いので，いろいろ探してみましょう。楽しみながら探す過程でいろいろな技術に触れることができるので，いい勉強になります。

9

9-3 演習問題

9-3-1 ● 午後問題

問題 仮想化技術の導入　　　　　　　　　　　CHECK ▶ ☐☐☐

仮想化技術の導入に関する次の記述を読んで，設問1～5に答えよ。

U社は社員3,000人の総合商社である。U社では多くの商材を取り扱っており，商材ごとに様々なアプリケーションシステム（以下，APという）を構築している。APは個別の物理サーバ（以下，APサーバという）上で動作している。U社の事業拡大に伴ってAPの数が増えており，主管部署であるシステム開発部はサーバの台数を減らすなど運用改善をしたいと考えていた。そこで，システム開発部では，仮想化技術を用いてサーバの台数を減らすことにし，Rさんを担当者として任命した。

現在のU社ネットワーク構成を図1に示す。

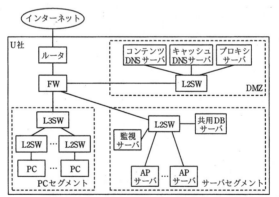

FW：ファイアウォール　L2SW：レイヤ2スイッチ　L3SW：レイヤ3スイッチ
DB：データベース
注記　ルータ，FW，L2SW，L3SW，コンテンツDNSサーバ，キャッシュDNSサーバ，プロキシサーバ，共用DBサーバ，監視サーバは冗長構成であるが，図では省略している。

図1　現在のU社ネットワーク構成（抜粋）

現在のU社ネットワーク構成の概要を次に示す。
・DMZ，サーバセグメント，PCセグメントにはプライベートIPアドレスを付与している。

- キャッシュDNSサーバは，社員が利用するPCやサーバからの問合せを受け，ほかのDNSサーバへ問い合わせた結果，得られた情報を応答する。
- コンテンツDNSサーバは，PCやサーバのホスト名などを管理し，PCやサーバなどに関する情報を応答する。
- プロキシサーバは，PCからインターネット向けのHTTP通信及びHTTPS（HTTP over TLS）通信をそれぞれ中継する。
- APは，共用DBサーバにデータを保管している。共用DBサーバは，事業拡大に必要な容量と性能を確保している。
- APごとに2台のAPサーバで冗長構成としている。
- APサーバ上で動作する多くのAPは，HTTP通信を利用してPCからアクセスされるAP（以下，WebAPという）であるが，TCP/IPを使った独自のプロトコルを利用してPCからアクセスされるAP（以下，専用APという）もある。
- 監視サーバは，DMZやサーバセグメントにあるサーバの監視を行っている。

〔サーバ仮想化技術を利用したAPの構成〕

Rさんは，WebAPと専用APの2種類のAPについて，サーバ仮想化技術の利用を検討した。サーバ仮想化技術では，物理サーバ上で複数の仮想的なサーバを動作させることができる。

Rさんが考えたサーバ仮想化技術を利用したAPの構成を図2に示す。

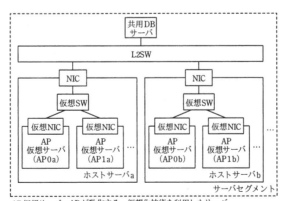

AP仮想サーバ：APが動作する，仮想化技術を利用したサーバ
ホストサーバ：複数のAP仮想サーバを収容する物理サーバ
仮想SW：仮想L2SW　　　NIC：ネットワークインタフェースカード
注記　（ ）内はAP仮想サーバ名を示し，AP名とそのAP仮想サーバが動作するホストサーバの識別子で構成する。一例として，AP0aは，AP名がAP0のAPが動作する，ホストサーバa上のAP仮想サーバ名である。

図2　サーバ仮想化技術を利用したAPの構成

　ホストサーバでは，サーバ仮想化を実現するためのソフトウェアである ┌─ ア ─┐ が動作する。ホストサーバは仮想SWをもち，NICを経由してL2SWと接続する。

　AP仮想サーバは，ホストサーバ上で動作する仮想サーバとして構成する。AP仮想サーバの仮想NICは仮想SWと接続する。

　一つのAPは2台のAP仮想サーバで構成する。2台のAP仮想サーバでは，冗長構成をとるためにVRRPバージョン3を動作させる。サーバセグメントでは複数のAPが動作するので，VRRPの識別子としてAPごとに異なる ┌─ イ ─┐ を割り当てる。①可用性を確保するために，VRRPを構成する2台のAP仮想サーバは，異なるホストサーバに収容するように設計する。

　VRRPの規格では，最大 ┌─ ウ ─┐ 組の仮想ルータを構成することができる。また，②マスタとして動作しているAP仮想サーバが停止すると，バックアップとして動作しているAP仮想サーバがマスタに切り替わる。

　一例として，AP仮想サーバ（AP0a）とAP仮想サーバ（AP0b）とで構成される，AP名がAP0のIPアドレス割当表を表1に示す。

表1　AP0のIPアドレス割当表

割当対象	IPアドレス
AP0a と AP0b の VRRP 仮想ルータ	192.168.0.16/22
AP0a の仮想 NIC	192.168.0.17/22
AP0b の仮想 NIC	192.168.0.18/22

　APごとに，AP仮想サーバの仮想NICで利用する二つのIPアドレスとVRRP仮想ルータで利用する仮想IPアドレスの計三つのIPアドレスの割当てと，一つのFQDNの割当てを行う。APごとに，コンテンツDNSサーバにリソースレコードの一つである ┌─ エ ─┐ レコードとしてVRRPで利用する仮想IPアドレスを登録し，FQDNとIPアドレスの紐付けを定義する。PCにインストールされているWebブラウザ及び専用クライアントソフトウェアは，DNSの ┌─ エ ─┐ レコードを参照して接続するAPのIPアドレスを決定する。

〔コンテナ仮想化技術を利用したWebAPの構成〕

　次に，Rさんはコンテナ仮想化技術の利用を検討した。WebAPと専用APに分け，まずはWebAPについて利用を検討した。コンテナ仮想化技術では，あるOS上で仮想的に分離された複数のアプリケーションプログラム実行環境を用意し，複数のAPを動作させることができる。

　Rさんが考えた，コンテナ仮想化技術を利用したWebAP（以下，WebAPコンテナという）の構成を図3に示す。

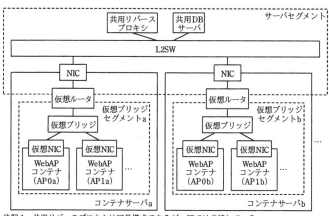

注記1 共用リバースプロキシは冗長構成であるが，図では省略している。
注記2 （ ）内はWebAPコンテナ名を示し，AP名とそのWebAPコンテナが動作するコンテナサーバの識別子で構成する。一例として，AP0aは，AP名がAP0のAPが動作する，コンテナサーバa上のWebAPコンテナ名である。

図3 WebAPコンテナの構成

コンテナサーバでは，コンテナ仮想化技術を実現するためのソフトウェアが動作する。コンテナサーバは仮想ブリッジ，仮想ルータをもち，NICを経由してL2SWと接続する。WebAPコンテナの仮想NICは仮想ブリッジと接続する。

WebAPコンテナは，仮想ルータの上で動作するNAPT機能とTCPやUDPのポートフォワード機能を利用して，PCや共用DBサーバなどといった外部のホストと通信する。コンテナサーバ内の仮想ブリッジセグメントには，新たにIPアドレスを付与する必要があるので，プライベートIPアドレスの未使用空間から割り当てる。また，③複数ある全ての仮想ブリッジセグメントには，同じIPアドレスを割り当てる。

WebAPコンテナには，APごとに一つのFQDNを割り当て，コンテンツDNSサーバに登録する。

WebAPコンテナでは，APの可用性を確保するために，共用リバースプロキシを新たに構築して利用する。共用リバースプロキシは負荷分散機能をもつHTTPリバースプロキシとして動作し，クライアントからのHTTPリクエストを受け，④ヘッダフィールド情報からWebAPを識別し，WebAPが動作するWebAPコンテナへHTTPリクエストを振り分ける。振り分け先であるWebAPコンテナは複数指定することができる。振り分け先を増やすことによって，WebAPの処理能力を向上させることができ，また，個々のWebAPコンテナの処理量を減らして負荷を軽減できる。

共用リバースプロキシ，コンテナサーバには，サーバセグメントの未使用のプライベートIPアドレスを割り当てる。共用リバースプロキシ，コンテナサーバのIPアドレ

ス割当表を表2に，コンテナサーバaで動作する仮想ブリッジセグメントaのIPアドレ
ス割当表を表3に示す。

表2　共用リバースプロキシ，コンテナサーバのIPアドレス割当表（抜粋）

割当対象	IPアドレス
共用リバースプロキシ	192.168.0.98/22
コンテナサーバa	192.168.0.112/22
コンテナサーバb	192.168.0.113/22

表3　仮想ブリッジセグメントaのIPアドレス割当表（抜粋）

割当対象	IPアドレス
仮想ルータ	172.16.0.1/24
WebAPコンテナ（AP0a）	172.16.0.16/24
WebAPコンテナ（AP1a）	172.16.0.17/24

　共用リバースプロキシは，振り分け先であるWebAPコンテナが正常に稼働してい
るかどうかを確認するためにヘルスチェックを行う。ヘルスチェックの結果，正常な
WebAPコンテナは振り分け先として利用され，異常があるWebAPコンテナは振り分
け先から外される。振り分けルールの例を表4に示す。

表4　振り分けルールの例（抜粋）

AP名	（設問のため省略）	WebAPコンテナ名	振り分け先
AP0	ap0.u-sha.com	AP0a	192.168.0.112:8000
		AP0b	192.168.0.113:8000
AP1	ap1.u-sha.com	AP1a	192.168.0.112:8001
		AP1b	192.168.0.113:8001

　PCが，表4中のAP0と行う通信の例を次に示す。

(1)　PCのWebブラウザは，http://ap0.u-sha.com/へのアクセスを開始する。

(2)　PCはDNSを参照して，ap0.u-sha.comの接続先IPアドレスとして［　オ　］を取
得する。

(3)　PCは宛先IPアドレスが［　オ　］，宛先ポート番号が80番宛てへ通信を開始する。

(4)　PCからのリクエストを受けた共用リバースプロキシは振り分けルールに従って
振り分け先を決定する。

(5)　共用リバースプロキシは宛先IPアドレスが192.168.0.112，宛先ポート番号が
［　カ　］番宛てへ通信を開始する。

(6)　仮想ルータは宛先IPアドレスが192.168.0.112，宛先ポート番号が［　カ　］番宛

てへの通信について，⑤ポートフォワードの処理によって宛先IPアドレスと宛先ポート番号を変換する。

(7)　WebAPコンテナAP0aはコンテンツ要求を受け付け，対応するコンテンツを応答する。

(8)　共用リバースプロキシはコンテンツ応答を受け，PCに対応するコンテンツを応答する。

(9)　PCはコンテンツ応答を受ける。

WebAPコンテナであるAP0aとAP1aに対するPCからのHTTP接続要求パケットの例を図4に示す。

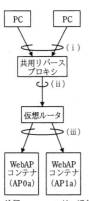

（ⅰ）の箇所で通信が確認できるHTTP接続要求パケット

送信元IPアドレス	送信元ポート番号	宛先IPアドレス	宛先ポート番号
192.168.145.68	30472	192.168.0.98	80
192.168.145.154	31293	192.168.0.98	80

（ⅱ）の箇所で通信が確認できるHTTP接続要求パケット

送信元IPアドレス	送信元ポート番号	宛先IPアドレス	宛先ポート番号
192.168.0.98	54382	192.168.0.112	8000
192.168.0.98	34953	192.168.0.112	8001

（ⅲ）の箇所で通信が確認できるHTTP接続要求パケット

送信元IPアドレス	送信元ポート番号	宛先IPアドレス	宛先ポート番号
192.168.0.98	54382	172.16.0.16	80
192.168.0.98	34953	172.16.0.17	80

注記　──▶　は，通信の方向を示す。

図4　AP0aとAP1aに対するPCからのHTTP接続要求パケットの例

〔コンテナ仮想化技術を利用した専用APの構成〕

　Rさんは，専用APはTCP/IPを使った独自のプロトコルを利用するので，HTTP通信を利用するWebAPと比較して，通信の仕方に不明な点が多いと感じた。そこで，コンテナ仮想化技術を導入した際の懸念点について上司のO課長に相談した。次は，コンテナ仮想化技術を利用した専用AP（以下，専用APコンテナという）に関する，RさんとO課長の会話である。

Rさん：専用APですが，APサーバ上で動作する専用APと同じように，専用APコンテナとして動作させることができたとしても，⑥PCや共用DBサーバなどといった外部のホストとの通信の際に，仮想ルータのネットワーク機能を使用しても専用APが正常に動作することを確認する必要があると考えています。

O課長：そうですね。専用APはAPごとに通信の仕方が違う可能性があります。APサーバと専用APコンテナの構成の違いによる影響を受けないことを確認する必要がありますね。それと，⑦同じポート番号を使用する専用APが幾つかあるので，これらの専用APに対応できる負荷分散機能をもつ製品が必要になります。

Rさん：分かりました。

Rさんは専用APで利用可能な負荷分散機能をもつ製品の調査をし，WebAPと併せて検討結果を取りまとめ，O課長に報告した。

Rさんが，サーバの台数を減らすなど運用改善のために検討したまとめを次に示す。

・第一に，リソースの無駄が少ないことやアプリケーションプログラムの起動に要する時間を短くできる特長を生かすために，コンテナ仮想化技術の利用を進め，順次移行する。

・第二に，コンテナ仮想化技術の利用が適さないAPについては，サーバ仮想化技術の利用を進め，順次移行する。

・第三に，移行が完了したらAPサーバは廃止する。

〔監視の検討〕

次に，Rさんが考えた，監視サーバによる図3中の機器の監視方法を表5に示す。

表5　図3中の機器の監視方法（抜粋）

項番	監視種別	監視対象	設定値
1	ping 監視	共用リバースプロキシ	192.168.0.98
2		コンテナサーバ a	192.168.0.112
3		コンテナサーバ b	192.168.0.113
4	TCP 接続監視	WebAP コンテナ（AP0a）	192.168.0.112:8000
5		WebAP コンテナ（AP0b）	192.168.0.113:8000
6	URL 接続監視	共用リバースプロキシ	http://ap0.u-sha.com:80/index.html
7		WebAP コンテナ（AP0a）	http://192.168.0.112:8000/index.html
8		WebAP コンテナ（AP0b）	http://192.168.0.113:8000/index.html

監視サーバは3種類の監視を行うことができる。ping監視は，監視サーバが監視対象の機器に対してICMPのエコー要求を送信し，一定時間以内に　　キ　　を受信するかどうかで，IPパケットの到達性があるかどうかを確認する。TCP接続監視では，監視サーバが監視対象の機器に対してSYNパケットを送信し，一定時間以内に　　ク　　パケットを受信するかどうかで，TCPで通信ができるかどうかを確認する。

URL接続監視では，監視サーバが監視対象の機器に対してHTTP　　ケ　　メソッド
でリソースを要求し，一定時間以内にリソースを取得できるかどうかでHTTPサーバ
が正常稼働しているかどうかを確認する。ping監視でWebAPコンテナの稼働状態
を監視することはできない。⑧表5のように複数の監視を組み合わせることによって，
監視サーバによる障害検知時に，監視対象の状態を推測することができる。

〔移行手順の検討〕

　Rさんは，コンテナ仮想化技術を利用したWebAPの移行手順を検討した。

　2台のAPサーバで構成するAP0を，WebAPコンテナ（AP0a）とWebAPコンテナ
（AP0b）へ移行することを例として，WebAPの移行途中の構成を図5に，WebAPの
移行手順を表6に示す。

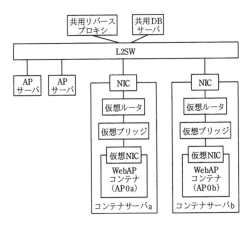

図5　WebAPの移行途中の構成（抜粋）

表6　WebAPの移行手順

項番	概要	内容
1	WebAP コンテナの構築	コンテナサーバ上に WebAP コンテナを構築する。
2	共用リバースプロキシの設定	WebAP コンテナに合わせて振り分けルールの設定を行う。
3	WebAP コンテナ監視登録	監視サーバに WebAP コンテナの監視を登録する。
4	動作確認	⑨テスト用の PC を用いて動作確認を行う。
5	DNS 切替え	DNS レコードを書き換え，AP サーバから WebAP コンテナへ切り替える。
6	AP サーバ監視削除	監視サーバから AP サーバの監視を削除する。
7	AP サーバの停止	⑩停止して問題ないことを確認した後に AP サーバを停止する。

　Rさんは表6のWebAPの移行手順をO課長に報告した。次は，WebAPの移行手順に関する，O課長とRさんの会話である。

O課長：今回の移行はAPサーバとWebAPコンテナを並行稼働させてDNSレコードの書換えによって切り替えるのだね。

Rさん：そうです。同じ動作をするので，DNSレコードの書換えが反映されるまでの並行稼働期間中，APサーバとWebAPコンテナ，どちらにアクセスが行われても問題ありません。

O課長：分かりました。並行稼働期間を短くするためにDNS切替えの事前準備は何があるかな。

Rさん：はい。⑪あらかじめ，DNSのTTLを短くしておく方が良いですね。

O課長：そうですね。移行手順に記載をお願いします。

Rさん：分かりました。

O課長：動作確認はどのようなことを行うか詳しく教えてください。

Rさん：はい。WebAPコンテナ2台で構成する場合は，⑫次の3パターンそれぞれでAPの動作確認を行います。一つ目は，全てのWebAPコンテナが正常に動作している場合，二つ目は，2台のうち1台目だけWebAPコンテナが停止している場合，最後は，2台目だけWebAPコンテナが停止している場合です。また，障害検知の結果から，正しく監視登録されたことの確認も行います。

O課長：分かりました。良さそうですね。

　APを，仮想化技術を利用したコンテナサーバやホストサーバに移行することによって期待どおりにサーバの台数を減らせる目途が立ち，システム開発部では仮想化技術の導入プロジェクトを開始した。

設問1　〔サーバ仮想化技術を利用したAPの構成〕について，(1) ～ (3)に答えよ。

　(1)　本文中の　ア　～　エ　に入れる適切な字句又は数値を答えよ。

　(2)　本文中の下線①について，2台のAP仮想サーバを同じホストサーバに収容した場合に起きる問題を可用性確保の観点から40字以内で述べよ。

　(3)　本文中の下線②について，マスタが停止したとバックアップが判定する条件を50字以内で述べよ。

設問2 〔コンテナ仮想化技術を利用したWebAPの構成〕について,(1)~(4)に答えよ。

(1) 本文中の下線③について,複数ある全ての仮想ブリッジセグメントで同じIPアドレスを利用して問題ない理由を40字以内で述べよ。

(2) 本文中の下線④について,共用リバースプロキシはどのヘッダフィールド情報からWebAPを識別するか。15字以内で答えよ。

(3) 本文中の オ に入れる適切なIPアドレス,及び カ に入れる適切なポート番号を答えよ。

(4) 本文中の下線⑤について,変換後の宛先IPアドレスと宛先ポート番号を答えよ。

設問3 〔コンテナ仮想化技術を利用した専用APの構成〕について,(1),(2)に答えよ。

(1) 本文中の下線⑥について,専用APごとに確認が必要な仮想ルータのネットワーク機能を二つ答えよ。

(2) 本文中の下線⑦について,どのような仕組みが必要か。40字以内で答えよ。

設問4 〔監視の検討〕について,(1) ~ (3)に答えよ。

(1) 本文中の キ ~ ケ に入れる適切な字句を答えよ。

(2) 本文中の下線⑧について,表5中の項番2,項番4,項番7で障害検知し,それ以外は正常の場合,どこに障害が発生していると考えられるか。表5中の字句を用いて障害箇所を答えよ。

(3) 本文中の下線⑧について,表5中の項番4,項番7で障害検知し,それ以外は正常の場合,どこに障害が発生していると考えられるか。表5中の字句を用いて障害箇所を答えよ。

設問5 〔移行手順の検討〕について,(1) ~ (4)に答えよ。

(1) 表6中の下線⑨について,WebAPコンテナで動作するAPの動作確認を行うために必要になる,テスト用のPCの設定内容を,DNS切替えに着目して40字以内で述べよ。

(2) 表6中の下線⑩について,APサーバ停止前に確認する内容を40字以内で述べよ。

(3) 本文中の下線⑪について,TTLを短くすることによって何がどのように変化するか。40字以内で述べよ。

(4) 本文中の下線⑫について,3パターンそれぞれでAPの動作確認を行う目的を二つ挙げ,それぞれ35字以内で述べよ。

(令和4年秋 ネットワークスペシャリスト試験 午後Ⅱ 問2)

■ 午後問題の解説

仮想化技術の導入に関する問題です。この問では，サーバ仮想化技術の利用やコンテナ仮想化技術の利用を題材に，ネットワーク構成に視点を置いて，可用性の確保方法やコンテナ仮想化技術を踏まえた監視方法，アプリケーションシステムの移行方法，移行する上での課題について問われています。

この問は，以下の段落で構成されています。

段落	出題される設問
〔サーバ仮想化技術を利用したAPの構成〕	設問1
〔コンテナ仮想化技術を利用したWebAPの構成〕	設問2
〔コンテナ仮想化技術を利用した専用APの構成〕	設問3
〔監視の検討〕	設問4
〔移行手順の検討〕	設問5

コンテナ仮想化技術の知識については問題文に記述があるため，問題文をしっかり読み，ネットワークの状況を理解して答えることが大切です。

設問1

〔サーバ仮想化技術を利用したAPの構成〕に関する問題です。サーバ仮想化技術の知識と，VRRPを利用したAP仮想サーバの可用性確保について問われています。

(1)

本文中の空欄穴埋め問題です。サーバ仮想化の関連技術について，適切な字句又は数値を答えます。

空欄ア

サーバ仮想化を実現するためのソフトウェアについて考えます。

サーバ上で仮想化を実現する方式には，大きく分けてホストOS型とハイパーバイザ型の2種類があります。ホストOS型は，ホストOSの中にミドルウェアとしてサーバ仮想化ソフトウェアをインストールする方式です。ハイパーバイザ型では，サーバのハードウェア上で直接稼働するハイパーバイザと呼ばれるサーバ仮想化ソフトウェアを利用して，仮想化を実現します。

図2のホストサーバaやbは，仮想SWなどを利用して，ハードウェア上で直接仮想化を実現しているため，ハイパーバイザ型だと考えられます。したがって解答は，**ハイパーバイザ**です。

空欄イ

VRRP（Virtual Router Redundancy Protocol）の識別子について考えます。

VRRPは，複数のルータを仮想的に一つのルータに見せることで，デフォルトゲートウェイを冗長化するためのプロトコルです。VRRPでは，仮想ルータごとにVRRPグループを作成し，グループを識別するためにVRIDを利用します。したがって解答は，**VRID**です。

空欄ウ

VRRPの規格で作成できる，仮想ルータの最大数を考えます。

RFC5798（Virtual Router Redundancy Protocol（VRRP）Version 3 for IPv4 and IPv6）によると，VRRPパケットフォーマットで割り当てられたVRID（Virtual Rtr ID）は8ビットです。そのため，最大数は$(11111111)_2 = (255)_{10}$です。0は使用できず，1〜255の範囲で割り当てる必要があるので，割り当てられる仮想ルータの最大数は255になります。したがって解答は，**255**です。

空欄エ

VRRPで利用する仮想IPアドレスを登録する時のDNSリソースレコードについて考えます。

DNSリソースレコードのうち，FQDNに対応するIPアドレスを登録するレコードはAレコードです。Aレコードでは，一つのFQDNに対して複数のIPアドレスを登録することができます。したがって解答は，**A**です。

(2)

本文中の下線①「可用性を確保するために，VRRPを構成する2台のAP仮想サーバは，異なるホストサーバに収容するように設計する」について，2台のAP仮想サーバを同じホストサーバに収容した場合に起きる問題を，可用性確保の観点から40字以内で記述します。

2台のAP仮想サーバを同じホストサーバに収容すると，そのホストサーバが停止したときに，収容されているAP仮想サーバが2台とも停止してしまいます。このような構成では，1台のルータが停止してももう1台が稼働することで可用性を確保するVRRPの利点が生かせません。したがって解答は，**ホストサーバが停止した場合，AP仮想サーバが2台とも停止する**，です。

(3)

本文中の下線②「マスタとして動作しているAP仮想サーバが停止すると，バックアップとして動作しているAP仮想サーバがマスタに切り替わる」について，マスタが停止したとバックアップが判定する条件を50字以内で記述します。

VRRPでは，マスタがバックアップに，定期的にVRRPアドバタイズメント（VRRP広告）を送ることで，正常に稼働していることを確認します。バックアップでは，マスタからのVRRPアドバタイズメントが決められた時間内に受信しなくなると，マスタが故障したと判断します。

マスタの故障を検知すると，バックアップとして動作している AP 仮想サーバがマスタに切り替わります。したがって解答は，**バックアップが，VRRP アドバタイズメントを決められた時間内に受信しなくなる**，です。

設問2

　〔コンテナ仮想化技術を利用した WebAP の構成〕に関する問題です。コンテナサーバ内で利用される IP アドレスや，HTTP で識別に利用される情報，ポートフォワードなどの処理で変換される IP アドレスとポート番号について問われています。

(1)

　本文中の下線③「複数ある全ての仮想ブリッジセグメントには，同じ IP アドレスを割り当てる」について，複数ある全ての仮想ブリッジセグメントで同じ IP アドレスを利用して問題ない理由を 40 字以内で記述します。

　〔コンテナ仮想化技術を利用した WebAP の構成〕での下線③の前に，「コンテナサーバ内の仮想ブリッジセグメントには，新たに IP アドレスを付与する必要があるので，プライベート IP アドレスの未使用空間から割り当てる」とあり，コンテナサーバ内の仮想ブリッジセグメントで，仮想ルータや仮想 NIC が通信するために，プライベート IP アドレスが必要です。さらにその前に，「WebAP コンテナは，仮想ルータの上で動作する NAPT 機能と TCP や UDP のポートフォワード機能を利用して，PC や共用 DB サーバなどといった外部のホストと通信する」とあり，仮想ルータが NAPT 機能を使用するので，コンテナサーバに付与した IP アドレスは仮想ルータで変換され，外部で使用されることはありません。そのため，各コンテナサーバ内の仮想ブリッジセグメントで同じ IP アドレスを設定していても，外部との通信には利用されず，問題は起こりません。したがって解答は，**外部ではコンテナサーバに付与した IP アドレスが利用されることはないから**，です。

(2)

　本文中の下線④「ヘッダフィールド情報から WebAP を識別し，WebAP が動作する WebAP コンテナへ HTTP リクエストを振り分ける」について，共用リバースプロキシが WebAP を識別するためのヘッダフィールド情報を，15 字以内で答えます。

　HTTP リクエストヘッダのうち，WebAP を識別できる情報には，ホスト（Host）ヘッダフィールドがあります。ホストリクエストヘッダは必須で，リクエストが送信される先のサーバのホスト名とポート番号を指定します。したがって解答は，**ホストヘッダフィールド**です。

(3)

本文中の空欄穴埋め問題です。表4中のAP0と行う通信について，適切なIPアドレスやポート番号を答えます。

空欄オ

DNSを参照して得る，ap0.u-sha.comの接続先IPアドレスについて考えます。

表4より，ap0.u-sha.comの振り分け先IPアドレスは二つあり，実際の通信はどちらかに割り振られます。割り振るためのサーバには，共用リバースプロキシがあります。〔コンテナ仮想化技術を利用したWebAPの構成〕に，「共用リバースプロキシを新たに構築して利用する。共用リバースプロキシは負荷分散機能をもつHTTPリバースプロキシとして動作」とあるので，HTTPでの通信はいったん共用リバースプロキシが受け取ります。表2を見ると，共用リバースプロキシのIPアドレスは192.168.0.98なので，DNSではこちらのIPアドレスを返答すると考えられます。したがって解答は，**192.168.0.98**です。

空欄カ

宛先IPアドレスが192.168.0.112への通信での，宛先ポート番号について考えます。

表4より，ap0.u-sha.comで割り当てられるWebAPコンテナの振り分け先には，192.168.0.112:8000と192.168.0.113:8000の二つがあります。振り分け先の表記は，＜IPアドレス＞：＜ポート番号＞の形式なので，192.168.0.112のIPアドレスでは，ポート番号は8000となります。したがって解答は，**8000**です。

(4)

本文中の下線⑤「ポートフォワードの処理によって宛先IPアドレスと宛先ポート番号を変換する」について，変換後の宛先IPアドレスと宛先ポート番号を答えます。

図4「AP0aとAP1aに対するPCからのHTTP接続要求パケットの例」で，「（ⅱ）の箇所で通信が確認できるHTTP接続要求パケット」を見ると，空欄カで考えた，宛先IPアドレスが192.168.0.112，宛先ポート番号が8000の通信では，送信元ポート番号は54382となっています。仮想ルータでポートフォワードの処理を行うことで，（ⅱ）から（ⅲ）で，宛先IPアドレスと宛先ポート番号が変換されますが，送信元はそのままです。図4の「（ⅲ）の箇所で通信が確認できるHTTP接続要求パケット」を見ると，送信元ポート番号が54382の通信は1行目で，宛先IPアドレスは172.16.0.16，宛先ポート番号は80に変換されています。したがって，宛先IPアドレスは**172.16.0.16**，宛先ポート番号は**80**です。

設問3

〔コンテナ仮想化技術を利用した専用APの構成〕に関する問題です。専用APの構成について，コンテナ仮想化技術を利用するときに確認する必要があることが問われています。

(1)

　本文中の下線⑥「PCや共用DBサーバなどといった外部のホストとの通信の際に，仮想ルータのネットワーク機能を使用しても専用APが正常に動作することを確認する必要があると考えています」について，専用APごとに確認が必要な仮想ルータのネットワーク機能を二つ答えます。

　専用APについては，本文中の最初の段落に，「TCP/IPを使った独自のプロトコルを利用してPCからアクセスされるAP」という説明があります。専用APの通信は，HTTP通信とは異なる通信の仕方で，独自のポート番号を使用して行うと考えられます。NAPT機能やポートフォワード機能など，ポート番号を変換するネットワーク機能は，専用APではWebAPと異なる挙動となるおそれがあるため，正常に動作することを確認する必要があります。したがって解答は，**NAPT機能**，及び，**ポートフォワード機能**です。

(2)

　本文中の下線⑦「同じポート番号を使用する専用APが幾つかあるので，これらの専用APに対応できる負荷分散機能をもつ製品が必要になります」について，どのような仕組みが必要かを，40字以内で答えます。

　専用APをポート番号だけで識別すると，同じポート番号を使用する複数の専用APを区別できません。専用APごとにIPアドレスを用意し，複数のIPアドレスを設定することで，IPアドレスごとに専用APを識別できる仕組みがあれば，IPアドレスとポート番号の組合せで，それぞれの処理を区別することができます。したがって解答は，**複数のIPアドレスを設定し，IPアドレスごとに専用APを識別する仕組み**，です。

設問4

　〔監視の検討〕に関する問題です。3種類の異なる監視について，その特徴や検知できる障害の種類について考えていきます。

(1)

　本文中の空欄穴埋め問題です。それぞれの監視に利用するパケットについて，適切な字句を答えます。
　空欄キ
　　ping監視で，一定時間以内に受信するべきパケットを考えます。
　　pingでは，ICMP（Internet Control Message Protocol）で定義される，タイプ8のエコー要求（echo request）を送信します。正常に監視対象の機器にパケットが到達すると，タイプ0のエコー応答が返送されます。したがって解答は，**エコー応答**です。

空欄ク

TCP接続監視で，一定時間以内に受信するべきパケットを考えます。

TCP（Transmission Control Protocol）では，最初に通信相手との間にコネクション確立を行います。最初に監視サーバからSYNパケットが送られ，正常に通信が行われている場合には，監視対象の機器からSYN/ACKパケットが返送されます。最後に再度監視サーバからACKパケットが送られることで，3ウェイハンドシェイクでのコネクション確立が成功します。問われているのは2番目のパケットなので，解答は**SYN/ACK**です。ACK/SYN，SYN＋ACKなど，SYNとACKの両方が記述されていれば正解です。

空欄ケ

URL接続監視で，監視サーバがリソースを要求するためのHTTPメソッドについて考えます。

HTTPリクエストでは，指定したURLのデータを取得する場合には，GETメソッドを使用します。したがって解答は，**GET**です。

(2)

本文中の下線⑧「表5のように複数の監視を組み合わせることによって，監視サーバによる障害検知時に，監視対象の状態を推測することができる」について，表5中の項番2，項番4，項番7で障害検知し，それ以外は正常の場合に考えられる障害箇所を，表5中の字句を用いて答えます。

表5より，項番2はコンテナサーバaのping監視，項番4はAP0aのTCP接続監視，項番7はAP0aのURL接続監視です。項番2のコンテナサーバaでping監視に失敗しているので，コンテナサーバaのサーバ自体が稼働していないと考えられます。コンテナサーバaにはAP0aが含まれるため，コンテナサーバaに障害が発生し，そのためAP0aにアクセスできず，項番4，項番7でも障害が検知されたと考えられます。したがって解答は，**コンテナサーバa**です。

(3)

本文中の下線⑧「表5のように複数の監視を組み合わせることによって，監視サーバによる障害検知時に，監視対象の状態を推測することができる」について，表5中の項番4，項番7で障害検知し，それ以外は正常の場合に考えられる障害箇所を，表5中の字句を用いて答えます。

設問4 (2)とは異なり，項番2のping監視には成功しているので，コンテナサーバa自体は稼働していると考えられます。項番4のTCP接続監視で障害を検知しているので，WebAPコンテナ（AP0a）は正常に稼働していないと考えられます。WebAPコンテナ（AP0a）が正常に稼働していないので，項番7でもURLのリソースが取得できなかったと考えられます。したがって解答は，**WebAPコンテナ（AP0a）**です。

設問5

〔移行手順の検討〕に関する問題です。WebAPの移行手順について、動作確認に必要な設定やパターンについて考えていきます。

(1)

表6中の下線⑨「テスト用のPCを用いて動作確認を行う」について、WebAPコンテナで動作するAPの動作確認を行うために必要になる、テスト用のPCの設定内容を、DNS切替えに着目して40字以内で記述します。

表6「WebAPの移行手順」を見ると、動作確認は項番4で、次の項番5でDNS切替えを行うことになっています。つまり、テスト用のPCでの動作確認の段階では、WebAPコンテナのIPアドレスはDNSに登録されていません。テスト用のPCでは、WebAPコンテナ内のAPのFQDNに対するIPアドレスの名前解決が必要ですが、DNSが使えないため、PC内のhostsファイルに手動で設定する必要があります。テスト用のPCにあるhostsファイルに、APのFQDNとIPアドレスの対応を記載することで、DNS切替え前に、動作確認のテストが実現できます。したがって解答は、**APのFQDNとIPアドレスをPCのhostsファイルに記載する**、です。

(2)

表6中の下線⑩「停止して問題ないことを確認した後にAPサーバを停止する」について、APサーバ停止前に確認する内容を40字以内で記述します。

表6中の項番5でDNS切替えを行った後は、新しい通信はWebAPコンテナに接続します。APサーバでは、切替え前のアクセスが継続されますが、APサーバを停止させる前に、処理が終了していることを確認する必要があります。切替え後にはAPサーバへの新たなアクセスはないので、APサーバに対するPCからのアクセスがなくなっていることを確認することで、停止して問題ないと判断できます。したがって解答は、**APサーバに対するPCからのアクセスがなくなっていることを確認する**、です。

(3)

本文中の下線⑪「あらかじめ、DNSのTTLを短くしておく方が良いですね」について、TTLを短くすることによって何がどのように変化するかを、40字以内で記述します。

DNSのTTL（Time To Live：有効期間）は、資源レコードの有効期間（秒）で、キャッシュに保持される時間となります。TTLを短くすることで、キャッシュDNSサーバで、DNSキャッシュを保持する時間が短くなり、切替えが早くなります。したがって解答は、**キャッシュDNSサーバのDNSキャッシュを保持する時間が短くなる**、です。

(4)

　本文中の下線⑫「次の3パターンそれぞれでAPの動作確認を行います」について，3パターンそれぞれでAPの動作確認を行う目的を二つ挙げ，それぞれ35字以内で記述します。

　本文中の記述から，3パターンでのWebAPコンテナの稼働状況をまとめると，次のようになります。

パターン	1台目	2台目
一つ目	○	○
二つ目	×	○
三つ目	○	×

　二つ目と三つ目では，片方のWebAPコンテナだけが稼働している状態です。1台ずつ確認できるので，両方行うことで，WebAPコンテナ2台が正しく構築されたことを確認できます。

　また，すべてのパターンで，最初に共用リバースプロキシがアクセスを受け付けて振り分けるので，正しく振り分けられるかどうかの確認ができます。具体的には，一つ目のパターンでは2台に割り振り，二つ目と三つ目では停止したコンテナを避けて振り分けるように，共用リバースプロキシの設定が正しく行われたことを確認できます。

　したがって解答は，**WebAPコンテナ2台が正しく構築されたことを確認するため**，及び，**共用リバースプロキシの設定が正しく行われたことを確認するため**，です。

解答例

出題趣旨

　ハードウェア能力の拡大によってハイパーバイザによるサーバ仮想化技術は数多く利用されてきたが，近年では，ゲストOSを必要とせずCPUやメモリなどの負荷が小さいなどリソースの無駄が少ないことや，アプリケーションプログラムの起動に要する時間を短くできるなどの理由でコンテナ仮想化技術の利用が進んでいる。

　本問では，サーバ仮想化技術の利用やコンテナ仮想化技術の利用を題材に，ネットワーク構成に視点を置いて，可用性の確保方法やコンテナ仮想化技術を踏まえた監視方法，アプリケーションシステムの移行方法，移行する上での課題について問う。

設問1

(1)　ア　ハイパーバイザ　　イ　VRID　　　ウ　255　　　　エ　A

(2)　ホストサーバが停止した場合，AP仮想サーバが2台とも停止する。（31字）

(3)　バックアップが，VRRPアドバタイズメントを決められた時間内に受信しなくなる。（39字）

設問2

(1)　外部ではコンテナサーバに付与したIPアドレスが利用されることはないから（35字）

(2)　ホストヘッダフィールド（11字）

(3)　オ　192.168.0.98　　　　　　カ　8000

(4)　宛先IPアドレス　172.16.0.16　　宛先ポート番号　80

設問3

(1)　・NAPT機能　　　　・ポートフォワード機能

(2)　複数のIPアドレスを設定し，IPアドレスごとに専用APを識別する仕組み（35字）

設問4

(1)　キ　エコー応答　　　　　　　ク　SYN/ACK　　　　　ケ　GET

(2)　コンテナサーバa

(3)　WebAPコンテナ（AP0a）

設問5

(1)　APのFQDNとIPアドレスをPCのhostsファイルに記載する。（33字）

(2)　APサーバに対するPCからのアクセスがなくなっていることを確認する。（34字）

(3)　キャッシュDNSサーバのDNSキャッシュを保持する時間が短くなる。（33字）

(4)　・WebAPコンテナ2台が正しく構築されたことを確認するため（29字）

　　・共用リバースプロキシの設定が正しく行われたことを確認するため（30字）

採点講評

　問2では，サーバ仮想化技術の利用やコンテナ仮想化技術の利用を題材に，ネットワーク構成に視点を置いて，可用性の確保方法やコンテナ仮想化技術を踏まえた監視方法，アプリケーションシステムの移行方法，移行する上での課題について出題した。全体として正答率は平均的であった。

　設問1(3)は，正答率が低かった。VRRPは可用性確保のためによく利用される技術であり，動作原理について正確に理解してほしい。

　設問2 (2)は，正答率が低かった。HTTPのヘッダフィールド情報のうち，ホストヘッダフィールドを用いてアプリケーションを識別する技術はリバースプロキシでよく利用される。HTTPプロトコルの特徴を踏まえ理解を深めてほしい。

　設問5 (4)は，正答率が低かった。本問の動作確認を行う目的は，移行手順に記載の作業が正しく行われたことを確認するためである。共用リバースプロキシの動作確認だけに着目した解答が散見された。本文中に示された状況をきちんと読み取り，正答を導き出してほしい。

付録

令和6年度春
ネットワークスペシャリスト試験

Q | 午前Ⅰ 問題

問題文中で共通に使用される表記ルール

各問題文中に注記がない限り，次の表記ルールが適用されているものとする。

1. 論理回路

図記号	説明
	論理積素子（AND）
	否定論理積素子（NAND）
	論理和素子（OR）
	否定論理和素子（NOR）
	排他的論理和素子（XOR）
	論理一致素子
	バッファ
	論理否定素子（NOT）
	スリーステートバッファ
	素子や回路の入力部又は出力部に示される○印は，論理状態の反転又は否定を表す。

2．回路記号

図記号	説明
—⋁⋁⋁—	抵抗（R）
—⊣⊢—	コンデンサ（C）
—▷⊢	ダイオード（D）
⼀ᄃ　⼀ᄃ	トランジスタ（Tr）
⊥	接地
—▷—	演算増幅器

問1 ATM（現金自動預払機）が1台ずつ設置してある二つの支店を統合し，統合後の支店にはATMを1台設置する。統合後のATMの平均待ち時間を求める式はどれか。ここで，待ち時間はM/M/1の待ち行列モデルに従い，平均待ち時間にはサービス時間を含まず，ATMを1台に統合しても十分に処理できるものとする。

〔条件〕
(1) 統合後の平均サービス時間：T_s
(2) 統合前のATMの利用率：両支店とも ρ
(3) 統合後の利用者数：統合前の両支店の利用者数の合計

ア　$\dfrac{\rho}{1-\rho} \times T_s$　　　イ　$\dfrac{\rho}{1-2\rho} \times T_s$　　　ウ　$\dfrac{2\rho}{1-\rho} \times T_s$　　　エ　$\dfrac{2\rho}{1-2\rho} \times T_s$

問2 符号長7ビット，情報ビット数4ビットのハミング符号による誤り訂正の方法を，次のとおりとする。

受信した7ビットの符号語 $x_1\,x_2\,x_3\,x_4\,x_5\,x_6\,x_7 (x_k = 0$ 又は1$)$ に対して

$$c_0 = x_1 \quad\quad + x_3 \quad\quad + x_5 \quad\quad + x_7$$
$$c_1 = \quad\quad x_2 + x_3 \quad\quad\quad\quad + x_6 + x_7$$
$$c_2 = \quad\quad\quad\quad\quad\quad x_4 + x_5 + x_6 + x_7$$

（いずれも mod 2 での計算）
を計算し，$c_0,\ c_1,\ c_2$ の中に少なくとも一つは0でないものがある場合には，
$$i = c_0 + c_1 \times 2 + c_2 \times 4$$
を求めて，左からiビット目を反転することによって誤りを訂正する。

受信した符号語が1000101であった場合，誤り訂正後の符号語はどれか。

ア　1000001　　　イ　1000101　　　ウ　1001101　　　エ　1010101

問3 各ノードがもつデータを出力する再帰処理 f (ノード n)を定義した。この処理を，図の2分木の根（最上位のノード）から始めたときの出力はどれか。

〔f（ノード n）の定義〕
1. ノード n の右に子ノード r があれば，f(ノード r)を実行
2. ノード n の左に子ノード l があれば，f(ノード l)を実行
3. 再帰処理 f (ノード r)，f (ノード l)を未実行の子ノード，又は子ノードがなければ，ノード自身がもつデータを出力
4. 終了

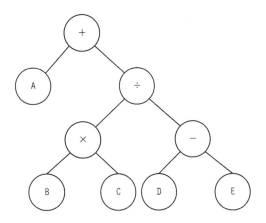

ア　＋÷－ED×CBA　　　　　　　イ　ABC×DE－÷＋
ウ　E－D÷C×B＋A　　　　　　　エ　ED－CB×÷A＋

問4 量子ゲート方式の量子コンピュータの説明として，適切なものはどれか。

ア　演算は2進数で行われ，結果も2進数で出力される。
イ　特定のアルゴリズムによる演算だけができ，加算演算はできない。
ウ　複数の状態を同時に表現する量子ビットと，その重ね合わせを利用する。
エ　量子状態を変化させながら観測するので，100℃以上の高温で動作する。

問5 システムの信頼性設計に関する記述のうち，適切なものはどれか。

ア フェールセーフとは，利用者の誤操作によってシステムが異常終了してしまうことのないように，単純なミスを発生させないようにする設計方法である。

イ フェールソフトとは，故障が発生した場合でも機能を縮退させることなく稼働を継続する概念である。

ウ フォールトアボイダンスとは，システム構成要素の個々の品質を高めて故障が発生しないようにする概念である。

エ フォールトトレランスとは，故障が生じてもシステムに重大な影響が出ないように，あらかじめ定められた安全状態にシステムを固定し，全体として安全が維持されるような設計方法である。

問6 三つの資源X〜Zを占有して処理を行う四つのプロセスA〜Dがある。各プロセスは処理の進行に伴い，表中の数値の順に資源を占有し，実行終了時に三つの資源を一括して解放する。プロセスAと同時にもう一つプロセスを動かした場合に，デッドロックを起こす可能性があるプロセスはどれか。

プロセス	資源の占有順序		
	資源 X	資源 Y	資源 Z
A	1	2	3
B	1	2	3
C	2	3	1
D	3	2	1

ア B, C, D　　　イ C, D　　　ウ Cだけ　　　エ Dだけ

問7　入力がAとB，出力がYの論理回路を動作させたとき，図のタイムチャートが得られた。この論理回路として，適切なものはどれか。

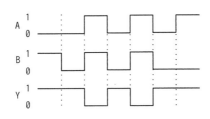

問8　ビットマップフォントよりも，アウトラインフォントの利用が適している場合はどれか。

　　ア　英数字だけでなく，漢字も表示する。
　　イ　各文字の幅を一定にして表示する。
　　ウ　画面上にできるだけ高速に表示する。
　　エ　文字を任意の倍率に拡大して表示する。

問9　ストアドプロシージャの利点はどれか。

　　ア　アプリケーションプログラムからネットワークを介してDBMSにアクセスする場合，両者間の通信量を減少させる。
　　イ　アプリケーションプログラムからの一連の要求を一括して処理することによって，DBMS内の実行計画の数を減少させる。
　　ウ　アプリケーションプログラムからの一連の要求を一括して処理することによって，DBMS内の必要バッファ数を減少させる。
　　エ　データが格納されているディスク装置へのI/O回数を減少させる。

問10　CSMA/CD方式のLANに接続されたノードの送信動作として，適切なものはどれか。

　　ア　各ノードに論理的な順位付けを行い，送信権を順次受け渡し，これを受け取ったノードだけが送信を行う。
　　イ　各ノードは伝送媒体が使用中かどうかを調べ，使用中でなければ送信を行う。衝突を検出したらランダムな時間の経過後に再度送信を行う。
　　ウ　各ノードを環状に接続して，送信権を制御するための特殊なフレームを巡回させ，これを受け取ったノードだけが送信を行う。
　　エ　タイムスロットを割り当てられたノードだけが送信を行う。

問11　ビット誤り率が0.0001％の回線を使って，1,500バイトのパケットを10,000個送信するとき，誤りが含まれるパケットの個数の期待値はおよそ幾らか。

ア　10　　　　　　　　イ　15　　　　　　　　ウ　80　　　　　　　　エ　120

問12　3Dセキュア2.0（EMV 3-D セキュア）は，オンラインショッピングにおけるクレジットカード決済時に，不正取引を防止するための本人認証サービスである。3Dセキュア2.0で利用される本人認証の特徴はどれか。

　　ア　利用者がカード会社による本人認証に用いるパスワードを忘れた場合でも，安全にパスワードを再発行することができる。
　　イ　利用者の過去の取引履歴や決済に用いているデバイスの情報から不正利用や高リスクと判断される場合に，カード会社が追加の本人認証を行う。
　　ウ　利用者の過去の取引履歴や決済に用いているデバイスの情報にかかわらず，カード会社がパスワードと生体認証を併用した本人認証を行う。
　　エ　利用者の過去の取引履歴や決済に用いているデバイスの情報に加えて，操作しているのが人間であることを確認した上で，カード会社が追加の本人認証を行う。

問13　公開鍵暗号方式を使った暗号通信をn人が相互に行う場合，全部で何個の異なる鍵が必要になるか。ここで，一組の公開鍵と秘密鍵は2個と数える。

ア　$n+1$　　　　　　イ　$2n$　　　　　　ウ　$\dfrac{n(n-1)}{2}$　　　　　　エ　n^2

問14　自社製品の脆弱性に起因するリスクに対応するための社内機能として，最も適切なものはどれか。

　　ア　CSIRT
　　イ　PSIRT
　　ウ　SOC
　　エ　WHOISデータベースの技術連絡担当

問15 PCからサーバに対し，IPv6を利用した通信を行う場合，ネットワーク層で暗号化を行うときに利用するものはどれか。

ア IPsec　　　　イ PPP　　　　ウ SSH　　　　エ TLS

問16 オブジェクト指向におけるクラス間の関係のうち，適切なものはどれか。

ア クラス間の関連は，二つのクラス間でだけ定義できる。
イ サブクラスではスーパークラスの操作を再定義することができる。
ウ サブクラスのインスタンスが，スーパークラスで定義されている操作を実行するときは，スーパークラスのインスタンスに操作を依頼する。
エ 二つのクラスに集約の関係があるときには，集約オブジェクトは部分となるオブジェクトと，属性及び操作を共有する。

問17 ソフトウェア信頼度成長モデルの一つであって，テスト工程においてバグが収束したと判定する根拠の一つとして使用するゴンペルツ曲線はどれか。

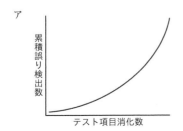

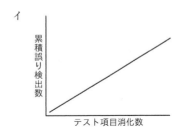

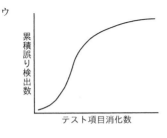

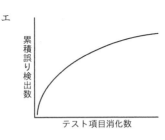

問18　EVMで管理しているプロジェクトがある。図は，プロジェクトの開始から完了予定までの期間の半分が経過した時点での状況である。コスト効率，スケジュール効率がこのままで推移すると仮定した場合の見通しのうち，適切なものはどれか。

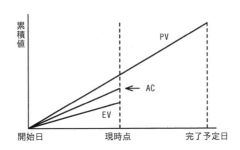

ア　計画に比べてコストは多くなり，プロジェクトの完了は遅くなる。

イ　計画に比べてコストは多くなり，プロジェクトの完了は早くなる。

ウ　計画に比べてコストは少なくなり，プロジェクトの完了は遅くなる。

エ　計画に比べてコストは少なくなり，プロジェクトの完了は早くなる。

問19　工場の生産能力を増強する方法として，新規システムを開発する案と既存システムを改修する案とを検討している。次の条件で，期待金額価値の高い案を採用するとき，採用すべき案と期待金額価値との組合せのうち，適切なものはどれか。ここで，期待金額価値は，収入と投資額との差で求める。

〔条件〕

・新規システムを開発する場合の投資額は100億円であって，既存システムを改修する場合の投資額は50億円である。

・需要が拡大する確率は70%であって，需要が縮小する確率は30%である。

・新規システムを開発した場合，需要が拡大したときは180億円の収入が見込まれ，需要が縮小したときは50億円の収入が見込まれる。

・既存システムを改修した場合，需要が拡大したときは120億円の収入が見込まれ，需要が縮小したときは40億円の収入が見込まれる。

・他の条件は考慮しない。

	採用すべき案	期待金額価値（億円）
ア	既存システムの改修	46
イ	既存システムの改修	96
ウ	新規システムの開発	41
エ	新規システムの開発	130

問20 サービスマネジメントにおけるサービスレベル管理の活動はどれか。

ア 現在の資源の調整と最適化とを行い，将来の資源要件に関する予測を記載した計画を作成する。

イ サービスの提供に必要な予算に応じて，適切な資金を確保する。

ウ 災害や障害などで事業が中断しても，要求されたサービス機能を合意された期間内に確実に復旧できるように，事業影響度の評価や復旧優先順位を明確にする。

エ 提供するサービス及びサービスレベル目標を決定し，サービス提供者が顧客との間で合意文書を交わす。

問21 システム監査基準（令和5年）によれば，システム監査において，監査人が一定の基準に基づいて総合的に点検・評価を行う対象とするものは，情報システムのマネジメント，コントロールと，あと一つはどれか。

ア ガバナンス   イ コンプライアンス
ウ サイバーレジリエンス   エ モニタリング

問22 情報システムに対する統制をITに係る全般統制とITに係る業務処理統制に分けたとき，ITに係る業務処理統制に該当するものはどれか。

ア サーバ室への入退室を制限・記録するための入退室管理システム
イ システム開発業務を適切に委託するために定めた選定手続
ウ 販売管理システムにおける入力データの正当性チェック機能
エ 不正アクセスを防止するためのファイアウォールの運用管理

付録

問23 SOAの説明はどれか。

ア 会計，人事，製造，購買，在庫管理，販売などの企業の業務プロセスを一元管理することによって，業務の効率化や経営資源の全体最適を図る手法

イ 企業の業務プロセス，システム化要求などのニーズと，ソフトウェアパッケージの機能性がどれだけ適合し，どれだけかい離しているかを分析する手法

ウ 業務プロセスの問題点を洗い出して，目標設定，実行，チェック，修正行動のマネジメントサイクルを適用し，継続的な改善を図る手法

エ 利用者の視点から業務システムの機能を幾つかの独立した部品に分けることによって，業務プロセスとの対応付けや他ソフトウェアとの連携を容易にする手法

問24 EMS(Electronics Manufacturing Services)の説明として,適切なものはどれか。

ア 相手先ブランドで販売する電子機器の設計だけを受託し,製造は相手先で行う。

イ 外部から調達した電子機器に付加価値を加えて,自社ブランドで販売する。

ウ 自社ブランドで販売する電子機器のソフトウェア開発だけを外部に委託し,ハードウェア
は自社で設計製造する。

エ 生産設備をもつ企業が,他社からの委託を受けて電子機器を製造する。

問25 組込み機器のハードウェアの製造を外部に委託する場合のコンティンジェンシープランの記
述として,適切なものはどれか。

ア 実績のある外注先の利用によって,リスクの発生確率を低減する。

イ 製造品質が担保されていることを確認できるように委託先と契約する。

ウ 複数の会社の見積りを比較検討して,委託先を選定する。

エ 部品調達のリスクが顕在化したときに備えて,対処するための計画を策定する。

問26 企業が属する業界の競争状態と収益構造を,"新規参入の脅威","供給者の支配力","買い
手の交渉力","代替製品・サービスの脅威","既存競合者同士の敵対関係"の要素に分類して,
分析するフレームワークはどれか。

ア PEST分析
イ VRIO分析
ウ バリューチェーン分析
エ ファイブフォース分析

問27 フィージビリティスタディの説明はどれか。

ア 企業が新規事業立ち上げや海外進出する際の検証,公共事業の採算性検証,情報システ
ムの導入手段の検証など,実現性を調査・検証する投資前評価のこと

イ 技術革新,社会変動などに関する未来予測によく用いられ,専門家グループなどがもつ直
観的意見や経験的判断を,反復型アンケートを使って組織的に集約・洗練して収束すること

ウ 集団(小グループ)によるアイディア発想法の一つで,会議の参加メンバー各自が自由奔放
にアイディアを出し合い,互いの発想の異質さを利用して,連想を行うことによって,さらに
多数のアイディアを生み出そうという集団思考法・発想法のこと

エ 商品が市場に投入されてから,次第に売れなくなり姿を消すまでのプロセスを,導入期,
成長期,成熟(市場飽和)期,衰退期の4段階で表現して,その市場における製品の寿命を検
討すること

問28　IoTの技術として注目されている，エッジコンピューティングの説明として，最も適切なものはどれか。

　ア　演算処理のリソースをセンサー端末の近傍に置くことによって，アプリケーション処理の低遅延化や通信トラフィックの最適化を行う。
　イ　人体に装着して脈拍センサーなどで人体の状態を計測して解析を行う。
　ウ　ネットワークを介して複数のコンピュータを結ぶことによって，全体として処理能力が高いコンピュータシステムを作る。
　エ　周りの環境から微小なエネルギーを収穫して，電力に変換する。

問29　損益計算資料から求められる損益分岐点売上高は，何百万円か。

	単位　百万円
売上高	500
材料費（変動費）	200
外注費（変動費）	100
製造固定費	100
総利益	100
販売固定費	80
利益	20

　ア　225　　　　　　　　イ　300　　　　　　　ウ　450　　　　　　　エ　480

問30　不正競争防止法の不正競争行為に該当するものはどれか。

　ア　A社と競争関係になっていないB社が，偶然に，A社の社名に類似のドメイン名を取得した。
　イ　ある地方だけで有名な和菓子に類似した商品名の飲料を，その和菓子が有名ではない地方で販売し，利益を取得した。
　ウ　商標権のない商品名を用いたドメイン名を取得し，当該商品のコピー商品を販売し，利益を取得した。
　エ　他社サービスと類似しているが，自社サービスに適しており，正当な利益を得る目的があると認められるドメインを取得し，それを利用した。

A 午前Ⅰ　解答と解説

問1 《解答》エ

M/M/1の待ち行列モデルでの平均待ち時間 T_w は，利用率を ρ，平均サービス時間を T_s とすると，次の式で表されます。

$$T_w = \frac{\rho}{1-\rho} \times T_s$$

ここで，ATMが1台ずつ設置してある二つの支店を統合し，ATMを1台だけにすると，統合後の利用率は2倍となり，新たな利用率 ρ' は $\rho' = \rho \times 2 = 2\rho$ になります。そのため，統合後の待ち時間 T_w' は，次の式で計算できます。

$$T_w' = \frac{\rho'}{1-\rho'} \times T_s = \frac{2\rho}{1-2\rho} \times T_s$$

したがって，エが正解です。

問2 《解答》エ

この問題のハミング符号は，4ビットから成るデータに3ビットの冗長ビットを加えて7ビットにしたものです。このハミング符号では，正しくデータが送られた場合には，c_0, c_1, c_2 の演算結果はすべて 0 になるはずです。ここで，受信した符号語 1000101 について，c_0, c_1, c_2 の演算を行ってみると，

$c_0 = x_1 + x_3 + x_5 + x_7 = 1 + 0 + 1 + 1 = 3 \rightarrow 3 \bmod 2 = 1$

$c_1 = x_2 + x_3 + x_6 + x_7 = 0 + 0 + 0 + 1 = 1 \rightarrow 1 \bmod 2 = 1$

$c_2 = x_4 + x_5 + x_6 + x_7 = 0 + 1 + 0 + 1 = 2 \rightarrow 2 \bmod 2 = 0$

となり，誤りがあることが分かります。どこのビットが誤りかは，i を求める式より次のように導き出すことができます。

$i = c_0 + c_1 \times 2 + c_2 \times 4 = 1 + 1 \times 2 + 0 \times 4 = 3$

3ビット目の0が誤っていることが分かるので，これを修正して1にします。したがって，訂正後のハミング符号は 1010101 となり，エが正解です。

問3 《解答》エ

二分木の深さ優先探索（特に右の子ノードから探索を開始する後順の巡回）に関する問題です。

〔f(ノード n)の定義〕の手順に従ってノードのデータを出力すると，次のような実行順となります。

1. ノード（根が＋）の右に子ノードがあるので，ノード（根が÷）を実行
2. ノード（根が÷）の右に子ノードがあるので，ノード（根が－）を実行
3. ノード（根が－）の右に子ノードがあるので，ノード（根がE）を実行
4. ノード（根がE）には子ノードがないので，"E"を出力
5. ノード（根が－）の左に子ノードがあるので，ノード（根がD）を実行

6. ノード（根がD）には子ノードがないので，"D"を出力
7. ノード（根が－）には未実行の子ノードがなくなったので，"－"を出力
8. ノード（根が÷）の左に子ノードがあるので，ノード（根が×）を実行
9. ノード（根が×）の右に子ノードがあるので，ノード（根がC）を実行
10. ノード（根がC）には子ノードがないので，"C"を出力
11. ノード（根が×）の左に子ノードがあるので，ノード（根がB）を実行
12. ノード（根がB）には子ノードがないので，"B"を出力
13. ノード（根が×）には未実行の子ノードがなくなったので，"×"を出力
14. ノード（根が÷）には未実行の子ノードがなくなったので，"÷"を出力
15. ノード（根が＋）の左に子ノードがあるので，ノード（根がA）を実行
16. ノード（根がA）には子ノードがないので，"A"を出力
17. ノード（根が＋）には未実行の子ノードがなくなったので，"＋"を出力

　したがって，出力は"ED－CB×÷A＋"となり，エが正解です。

問4　　　　　　　　　　　　　　　　　　　　　　　　　　　　《解答》ウ

　量子ゲート方式の量子コンピュータは，量子ビットと呼ばれる情報の最小単位を利用します。量子ビットでは，0と1の状態を同時に表現することが可能で，これを重ね合わせの状態と呼びます。この重ね合わせの状態を利用し，複数の計算を同時に実行できるのが，量子ゲート方式の量子コンピュータの特徴です。したがって，ウが正解です。
ア　通常のコンピュータの説明です。
イ　量子アニーリングマシンなどでの，特定のアルゴリズム専用の量子コンピュータの特徴です。すべての量子ゲート方式の量子コンピュータが該当するわけではありません。
エ　量子コンピュータは一般的に極低温で動作します。

問5　　　　　　　　　　　　　　　　　　　　　　　　　　　　《解答》ウ

　システムの信頼性設計において，フォールトアボイダンスとは，個々の製品の品質を高めて故障が発生しないようにして信頼性を向上させる考え方です。したがって，ウが正解です。
ア　フールプルーフに関する記述です。
イ　フェールソフトとは，故障が発生した場合に機能を縮退させて稼働を継続させる概念です。
エ　フォールトトレランスとは，故障が生じてもシステムに重大な影響が出ないようにして，全体として安全が維持されるような設計方法です。ただし，システムを安全な状態に固定するのではなく，システムの二重化や予備のシステムの準備などで変化に対応できるようにします。

問6　　　　　　　　　　　　　　　　　　　　　　　　　　　　《解答》イ

　デッドロックは，資源の占有順序が異なり，互いのプロセスが占有している資源の解放を待っている状態になったときに発生します。プロセスAとBは，同じ占有順序で資源を確保するので，デッドロックは起こりません。プロセスAとC，およびプロセスAとDの場合は，資源1と2（または3）の占有順序が異なり，デッドロックの可能性があります。したがって，デッドロックを起こす可能性があるプロセスはC，Dとなり，イが正解です。

問7　　　　　　　　　　　　　　　　　　　　　　　　　　　　　　　　　《解答》ウ

　この問題では，入力がAとB，出力がYの論理回路の動作結果となるタイムチャートを理解し，該当する論理回路の種類を考えます。

　与えられたタイムチャートを左から確認すると，Aが0，Bが1のときにYが1となっています。順に，Aが0，Bが0のときにもYが1，Aが1，Bが1のときにYが0となります。その後，再びAが0，Bが0でYが1，Aが1，Bが1でYが0，Aが0，Bが0でYが1となります。最後に，Aが1，Bが0でYが1となっています。まとめると，入力A，Bの組合せが同じときには出力Yは同じで，次のようになります。

A	B	Y
0	0	1
0	1	1
1	0	1
1	1	0

　つまり，AとBの入力が同時に1のときだけYが0になります。これは，論理演算子（AND）の逆なので，否定論理積素子（NAND）です。解答群より，否定論理積素子（NAND）を表す論理回路はウなので，ウが正解です。

　ここで，論理回路の図記号は覚えておく必要はなく，問題文の表記ルール「1. 論理回路」で示されているので，そこで確認できます。

ア　排他的論理和素子（XOR）を表しています。
イ　論理一致素子を表しています。
エ　否定論理和素子（NOR）を表しています。

問8　　　　　　　　　　　　　　　　　　　　　　　　　　　　　　　　　《解答》エ

　ビットマップフォントは，ビットごとに白黒の値で表現するフォントです。アウトラインフォントは，文字の輪郭となる曲線をデータとしてもつフォントです。アウトラインフォントでは，ビットマップフォントに比べ，文字を任意の倍率に拡大して表示してもきれいな状態で表示されます。したがって，エが正解です。

ア　どちらのフォントでも，英数字と漢字を表示できます。
イ　文字の幅が一定であれば，どちらのフォントでも表示できます。
ウ　ビットマップフォントの方が高速に表示できます。

問9　　　　　　　　　　　　　　　　　　　　　　　　　　　　　　　　　《解答》ア

　ストアドプロシージャとは，データベースへの問合せを一連の処理としてまとめ，DBMSに保存したものです。使用するときはプロシージャ名を指定するだけなので，アプリケーションプログラムからネットワークを介してDBMSにアクセスする場合，両者間の通信量を減少させることができます。したがって，アが正解です。

　DBMSでの処理自体は，通常の問合せとまったく同じなので，イの実行計画の数が減少する，ウの必要バッファ数が減少する，エのディスク装置へのI/O回数が減少する，ということはありません。

問10　　　　　　　　　　　　　　　　　　　　　　　　　　　《解答》イ

　CSMA/CD（Carrier Sense Multiple Access with Collision Detection）方式では，最初に「Carrier Sense」を行い，各ノードは伝送媒体が使用中かどうかを調べます。使用中でなければ，「Multiple Access」で全ノードに向けて送信します。衝突が発生したら，「Collision Detection」で衝突を検出し，ランダムな時間の経過後に再度送信を行います。したがって，イが正解です。

ア　優先度による送信権（トークン）を利用したトークンパッシング方式です。

ウ　トークンパッシング方式のうちの一つ，トークンリング方式に関する記述です。

エ　TDM（Time Division Multiplexing：時分割多重）方式に関する記述です。

問11　　　　　　　　　　　　　　　　　　　　　　　　　　　《解答》エ

　1バイトは8ビットなので，一つのパケットは，

　　1,500［バイト］× 8［ビット／バイト］= 12,000［ビット］

となります。ビット誤り率は，送信されたビットのうち誤って受信されるビットの割合を表します。ビット誤り率0.0001％を小数で表すと，0.000001です。したがって，一つのパケットに含まれる誤りの個数の期待値は，

　　12,000［ビット］× 0.000001 = 0.012

となり，10,000個のパケットを送信するときの誤りが含まれるパケットの個数の期待値は，

　　0.012 × 10,000［個］= 120［個］

となります。したがって，エが正解です。

問12　　　　　　　　　　　　　　　　　　　　　　　　　　　《解答》イ

　3Dセキュア2.0（EMV 3-Dセキュア）は，オンラインショッピングにおけるクレジットカード決済時に不正取引を防止するための本人認証サービスです。本人認証の方法としては，利用者の過去の取引履歴や決済に用いているデバイスの情報から不正利用や高リスクと判断される場合に，カード会社が追加の本人認証を行う，というものがあります。したがって，イが正解です。この認証方式はリスクベース認証と呼ばれます。

ア　パスワード再発行の安全性に関する内容です。

ウ　パスワードと生体認証を併用した，多要素認証に関する内容です。

エ　デバイスの認証に加えて，操作しているのが人間であることを確認する本人認証の方法に関する内容です。

問13　　　　　　　　　　　　　　　　　　　　　　　　　　　《解答》イ

　公開鍵暗号方式では，1人ずつ公開鍵と秘密鍵の鍵ペア（キーペア）を作成するため，鍵が2個必要です。人数が増えると，1人につき2個必要となるため，n人が相互に暗号通信を行う場合には，$2 \times n = 2n$［個］が必要となります。したがって，イが正解です。

問14 《解答》イ

PSIRT（Product Security Incident Response Team）は，製品のセキュリティに関するインシデントに対応し，その脆弱性を管理するためのチームです。自社製品の脆弱性に起因するリスクに対応するための社内機能としては，PSIRTが適切です。したがって，イが正解です。

ア CSIRT（Computer Security Incident Response Team）は，組織全体の情報セキュリティインシデントに対応するチームです。

ウ SOC（Security Operations Center）は，組織の情報セキュリティを継続的に監視・分析し，対応する機能です。

エ WHOISデータベースの技術連絡担当は，ドメイン名やIPアドレスの所有者情報を管理する役割をもった人の連絡先です。

問15 《解答》ア

PCからサーバに対する通信をネットワーク層で暗号化して行うことができるプロトコルに，IPsec（Security Architecture for Internet Protocol）があります。IPsecは，IPv6には標準で対応しています。したがって，アが正解です。

イ PPP（Point-to-Point Protocol）は，電話回線などを用いて2点間を接続してデータ通信を行うための通信プロトコルです。

ウ SSH（Secure Shell）は，ネットワーク上で遠隔操作を行うためのプロトコルです。セッション層で暗号化を行います。

エ TLS（Transport Layer Security）は，PCとサーバ間のTCP（Transmission Control Protocol）通信を安全に行うためのプロトコルです。トランスポート層で，TCPヘッダーも含めて暗号化を行います。

問16 《解答》イ

オブジェクト指向におけるクラス間の関係に，"継承（インヘリタンス）"があります。サブクラス（子クラス）はスーパークラス（親クラス）から属性やメソッドを継承し，またそれらをオーバーライド（再定義）することができます。この特性により，コードの再利用性が高まり，保守性も向上します。したがって，イが正解です。

ア 一つのクラスは複数の他のクラスと関連付けることができます。

ウ サブクラスのインスタンスはスーパークラスで定義された操作を直接利用できます。

エ "集約"とは，あるクラスが他のクラスの一部となる関係です。属性や操作を共有するわけではありません。

問17 《解答》ウ

ソフトウェア信頼度成長モデルの一つであるゴンペルツ曲線では，時間の経過とともにバグの発見・修正が進み，最終的に収束する様子を表現します。テストが軌道に乗るまでの初期はバグの発見が少なく，その後急速にバグが発見され，徐々にその数が減少し，最後にはほぼ水平になる形状の曲線となります。したがって，ウがゴンペルツ曲線と一致します。

ア 指数関数的な曲線です。このような結果になると，バグは収束していないと判断されます。

イ 一次関数的な曲線です。テストの誤り検出数は，このような直線的な増加とならないことが

一般的です。

エ　対数関数的な曲線です。テスト工程では，初期の誤り検出は少なく，徐々に増えていくことが一般的です。

問18　　　　　　　　　　　　　　　　　　　　　　　　　　　　《解答》ア

EVM（Earned Value Management）は，プロジェクトの進捗とコストを同時に管理するための手法です。PV（Planned Value：計画値）とAC（Actual Cost：実コスト），そしてEV（Earned Value：出来高）を利用し，コスト効率（CPI：Cost Performance Index）とスケジュール効率（SPI：Schedule Performance Index）を算出します。

CPIはEV／ACで求められ，値が1より大きい場合，予算内に収まっていることを示します。逆に，値が1より小さい場合は予算オーバーを示します。図の現時点では，AC＞EVとなっているので，値は1より小さくなると考えられ，計画に比べてコストは多くなると予想できます。

SPIはEV／PVで求められ，値が1より大きい場合，スケジュールが進んでいることを示します。逆に，値が1より小さい場合はスケジュールが遅れていることを示します。図の現時点では，PV＞EVとなっているので，値は1より小さくなると考えられ，プロジェクトの完成は遅くなると予想できます。

まとめると，計画に比べてコストは多くなり，プロジェクトの完了は遅くなる見通しとなります。したがって，アが正解です。

問19　　　　　　　　　　　　　　　　　　　　　　　　　　　　《解答》ア

工場の生産能力を増強する方法として，新規システムを開発する案と既存システムを改修する案を比較し，採用すべき案と期待金額価値（億円）を求めます。

〔条件〕より，新規システムを開発する場合の投資額は100億円です。需要が拡大する確率は70％，需要が縮小する確率は30％で，需要が拡大したときは180億円の収入が見込まれ，需要が縮小したときは50億円の収入が見込まれます。そのため，見込まれる収入は次の式で計算できます。

180［億円］×0.7 + 50［億円］×0.3 = 126［億円］+ 15［億円］= 141［億円］

期待金額価値は，収入と投資額との差で求めるので，141［億円］－ 100［億円］= 41［億円］となります。

同様に，既存システムを改修した場合の投資額は50億円です。需要が拡大・縮小する確率は同じで，需要が拡大したときは120億円の収入が見込まれ，需要が縮小したときは40億円の収入が見込まれます。そのため，見込まれる収入は，次の式で計算できます。

120［億円］×0.7 + 40［億円］×0.3 = 84［億円］+ 12［億円］= 96［億円］

期待金額価値は，収入と投資額との差で求めるので，96［億円］－ 50［億円］= 46［億円］となります。

期待金額価値が高い案を採用するという条件から，期待金額価値が46億円となる，既存システムを改修する案が適切です。したがって，解答はアとなります。

付録

問20 《解答》エ

サービスレベル管理では，サービス提供者が顧客との間にSLA（Service Level Agreement：サービス品質保証）という合意文書を交わします。SLAには，提供するITサービス及びサービス目標が記述されます。したがって，エが正解です。

ア　サービスの計画での活動となります。

イ　サービスの予算業務及び会計業務での活動となります。

ウ　サービス継続管理の活動となります。

問21 《解答》ア

システム監査基準（令和5年）では，前文の中の"システム監査上の判断尺度"において，監査人が一定の基準に基づいて総合的に点検・評価を行う対象として，「ITシステムのガバナンス、マネジメント、コントロール」を挙げています。マネジメント，コントロールのほかにガバナンスが挙げられており，ガバナンスとは，組織の所有者が組織行動を制御するための仕組みになります。したがって，アが正解です。

イ　コンプライアンスは，組織が法律や規則を遵守するための仕組みを指します。ガバナンスの一部を構成します。

ウ　サイバーレジリエンスは，サイバーセキュリティの観点での組織の復旧力を指します。ガバナンスの一部を構成します。

エ　モニタリングは，システムの稼働状況を監視することを指します。監査対象となるマネジメント，コントロール，ガバナンスの具体的な実施手段の一つです。

問22 《解答》ウ

金融庁"財務報告に係る内部統制の評価及び監査に関する実施基準（令和元年）"のITの統制の構築によると，ITに対する統制活動は，全般統制と業務処理統制の二つに分けられます。複数の業務処理統制に関係する方針を統制するのが全般統制で，それぞれのシステムにおいて，業務プロセスに組み込んで内部統制を行うのが業務処理統制です。

販売管理システムにおける入力データの正当性チェック機能は，具体的な業務処理の一部として行われるデータの正当性チェックを指しているため，ITに係る業務処理統制に該当します。したがって，ウが正解です。

ア，イ，エは，情報システム全体の運用を統制するためのものであり，ITに係る全般統制に該当します。

問23 《解答》エ

SOA（Service Oriented Architecture）は，サービス（機能）を中心とした手法で，利用者の視点で分けた各業務システムを独立した部品とします。独立した部品に分けることによって，業務プロセスとの対応付けやソフトウェアの連携を容易にすることができます。したがって，エが正解です。

ア　ERP（Enterprise Resource Planning）の説明です。

イ　フィット＆ギャップ分析の説明です。

ウ　PDCAサイクルによる継続的改善の説明です。

問24　　　　　　　　　　　　　　　　　　　　　　　　　　　　　　　　《解答》エ

　EMS（Electronics Manufacturing Services）とは，電子機器の受託生産を行うサービスです。生産設備をもつ企業が，他社からの委託を受けて電子機器を製造します。したがって，エが正解です。

ア　設計受託の説明です。
イ　VAR（Value Added Reseller：付加価値再販業者）の説明です。
ウ　ソフトウェア開発のアウトソーシングの説明です。

問25　　　　　　　　　　　　　　　　　　　　　　　　　　　　　　　　《解答》エ

　コンティンジェンシープラン（Contingency Plan：緊急時対応計画）とは，組織が危機または災害発生による非常事態に備えて，継続した企業運営のためにあらかじめ策定しておくものです。組込み機器のハードウェアの製造を外部に委託する場合には，災害時にハードウェアを調達できなくなるリスクがあります。部品調達のリスクが顕在化したときに備えて，対処するための計画を策定したものは，コンティンジェンシープランに記述する内容に含まれます。したがって，エが正解です。

ア　平常時に実施する，リスク低減策です。
イ　平常時に品質担保のために実施する，委託先との契約です。
ウ　平常時の委託先選定の方法です。

問26　　　　　　　　　　　　　　　　　　　　　　　　　　　　　　　　《解答》エ

　企業が属する業界の競争状態と収益構造を，"新規参入の脅威"，"供給者の支配力"，"買い手の交渉力"，"代替製品・サービスの脅威"，"既存競合者同士の敵対関係"の五つの要素に分類して，分析するフレームワークは，ファイブフォース分析と呼ばれます。したがって，エが正解です。

ア　PEST分析は，政治（Political），経済（Economic），社会（Social），技術（Technological）の各要素を分析し，外部環境の影響を評価する手法です。
イ　VRIO分析は，価値（Value），希少性（Rarity），模倣不可能性（Imitability），組織（Organization）の四つの要素を分析し，持続可能な競争優位を評価するフレームワークです。
ウ　バリューチェーン分析は，企業が提供する製品やサービスの付加価値が事業活動のどの部分で生み出されているかを分析する手法です。

問27　　　　　　　　　　　　　　　　　　　　　　　　　　　　　　　　《解答》ア

　フィージビリティスタディとは，新規事業の立ち上げや海外進出など，特定のプロジェクトや計画が実行可能であるかどうかを事前に評価するための調査や検証のことを指します。これは，具体的な投資前の評価であり，企業が新規事業立ち上げや海外進出する際の検証，公共事業の採算性検証，情報システムの導入手段の検証に利用されます。したがって，アが正解です。

イ　デルファイ法に関する記述です。
ウ　ブレーンストーミングに関する記述です。
エ　製品ライフサイクルに関する記述です。

付録

問28 《解答》ア

　エッジコンピューティングとは，端末の近くにサーバを配置する手法です。演算処理のリソースを端末の近くに置いて，アプリケーション処理の低遅延化や通信トラフィックの効率化を行います。したがって，アが正解です。

イ　ウェアラブル端末の説明です。

ウ　グリッドコンピューティングの説明です。

エ　エネルギーハーベスティングの説明です。

問29 《解答》ウ

　表の項目のうち，固定費は製造固定費＋販売固定費＝ 100 ＋ 80 ＝ 180［百万円］です。変動費は材料費＋外注費＝ 200 ＋ 100 ＝ 300［百万円］で，売上高は 500［百万円］です。つまり，売上に対する変動費の割合は，300 ／ 500 ＝ 0.6 となります。損益分岐点では，利益が 0 なので，売上高と売上原価が等しくなります。そのため，損益分岐点売上高を x［百万円］とすると，x ＝ 0.6x ＋ 180 となり，0.4x ＝ 180，x ＝ 450［百万円］となります。したがって，ウが正解です。

問30 《解答》ウ

　不正競争防止法は，事業者間の不正な競争を防止し，公正な競争を確保するための法律です。他人の著名な商品にただ乗りする著名表示冒用行為は，不正競争防止法で明確に禁止されています。商標権のない商品名を用いたドメイン名を取得し，当該商品のコピー商品を販売し，利益を取得することは著名表示冒用行為で，不正競争行為に該当します。したがって，ウが正解です。

ア　競争関係になく偶然に類似のドメイン名を取得したのであれば，不正競争とはいえません。

イ　地域限定の商品名を他の地方で使用した場合，その商品が有名ではないため不正競争には該当しない可能性があります。

エ　他社サービスと類似しているが自社サービスに適しており，正当な利益を得る目的があると認められる場合には，不正競争には該当しない可能性があります。

Q 午前II 問題

問1　BGP-4におけるASに関する記述として，適切なものはどれか。

　ア　あるルータが作成したRouter-LSAが伝播するルータの集合である。
　イ　接続されるルータの数，ブロードキャストやマルチキャストの使用の有無，トポロジ種別
　　などによって区分けされたネットワーク群であり，Helloプロトコルによって隣接関係を確立
　　する。
　ウ　同一の管理ポリシーによって管理されるネットワーク群であり，2オクテット又は4オクテッ
　　トのAS番号によって識別される。
　エ　リンクステート型の共通のプロトコルを使用して，ルーティング情報を相互に交換するルー
　　タの集合である。

問2　CS-ACELP（G.729）による8kビット／秒の音声符号化を行うVoIPゲートウェイ装置において，
　　パケットを生成する周期が20ミリ秒のとき，1パケットに含まれる音声ペイロードは何バイトか。

　ア　20　　　　　　　　イ　160　　　　　　　ウ　200　　　　　　エ　1,000

問3　1時間当たりの平均通話回数が60で，平均保留時間は120秒である。呼損率を0.1にしたいと
　　き，必要な回線数は最低幾らか。ここで，表中の数値は加わる呼量（アーラン）を表す。

表　即時式完全群負荷表

回線数 ＼ 呼損率	0.1
3	1.271
4	2.045
5	2.881
6	3.758

付録

　ア　3　　　　　　　　イ　4　　　　　　　　ウ　5　　　　　　　エ　6

問4 二つのルーティングプロトコル RIP-2 と OSPF とを比較したとき，OSPF だけに当てはまる特徴はどれか。

 ア 可変長サブネットマスクに対応している。
 イ リンク状態のデータベースを使用している。
 ウ ルーティング情報の更新にマルチキャストを使用している。
 エ ルーティング情報の更新を30秒ごとに行う。

問5 5個のノードA～Eから構成される図のネットワークにおいて，Aをルートノードとするスパニングツリーを構築した。このとき，スパニングツリー上で隣接するノードはどれか。ここで，図中の数値は対応する区間のコストを表すものとする。

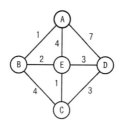

 ア AとE   イ BとC   ウ CとD   エ DとE

問6 IPv4 における ARP の MAC アドレス解決機能を IPv6 で実現するプロトコルはどれか。

 ア DHCPv6   イ ICMPv6   ウ IGMPv2   エ RIPng

問7 IPv4 の IP マルチキャストアドレスに関する記述として，適切なものはどれか。

 ア 127.0.0.1 は IP マルチキャストアドレスである。
 イ 192.168.1.0/24 のネットワークの IP マルチキャストアドレスは 192.168.1.255 である。
 ウ IP マルチキャストアドレスの先頭の4ビットは 1111 である。
 エ IP マルチキャストアドレスの先頭の4ビットを除いた残りの28ビットは，受信するホストのグループを識別するために利用される。

問8 リモートアクセス環境において，認証情報やアカウンティング情報をやり取りするプロトコルはどれか。

　ア　CHAP　　　　　　イ　PAP　　　　　　ウ　PPTP　　　　　　エ　RADIUS

問9 ホストAからホストBにTCPを用いてデータを送信するとき，TCPセグメントのシーケンス番号と受信確認番号(肯定応答番号)に関する記述のうち，適切なものはどれか。

　ア　AがBからの応答を待たずに，続けて送信する場合のシーケンス番号は，直前に送信したTCPセグメントのシーケンス番号と送信データのオクテット数の和である。
　イ　Aは，送信するTCPセグメントのシーケンス番号と受信確認番号を0から1ずつ増加させ，最大値65,535に達すると0に戻す。
　ウ　Bが受信したTCPセグメントにおいて，受信確認番号がシーケンス番号より小さい場合は，そのTCPセグメントはエラー後に再送されたものである。
　エ　Bは，受け取ったTCPセグメントのシーケンス番号を受信確認番号として応答する。

問10 インターネットプロトコルのTCPとUDP両方のヘッダーに存在するものはどれか。

　ア　宛先IPアドレス　　　　　　　　　イ　宛先MACアドレス
　ウ　生存時間(TTL)　　　　　　　　　エ　送信元ポート番号

問11 IPv4ネットワークで使用されるIPアドレスaとサブネットマスクmからホストアドレスを求める式はどれか。ここで，"〜"はビット反転の演算子，"|"はビットごとの論理和の演算子，"&"はビットごとの論理積の演算子を表し，ビット反転の演算子の優先順位は論理和，論理積の演算子よりも高いものとする。

　ア　〜a & m　　　　　　　　　　　　イ　〜a | m
　ウ　a & 〜m　　　　　　　　　　　　エ　a | 〜m

付録

問12 IPv4ネットワークにおいて，サブネットマスクが255.255.255.0である四つのネットワーク 192.168.32.0，192.168.33.0，192.168.34.0，192.168.35.0を，CIDRを使って最小のスーパーネットにしたときの，ネットワークアドレスとサブネットマスクの組合せとして，適切なものはどれか。

	ネットワークアドレス	サブネットマスク
ア	192.168.32.0	255.255.248.0
イ	192.168.32.0	255.255.252.0
ウ	192.168.35.0	255.255.248.0
エ	192.168.35.0	255.255.252.0

問13 ネットワークを構成するホストのIPアドレスとして用いることができるものはどれか。

ア　127.16.10.255/8　　　　　　　　イ　172.16.10.255/16
ウ　192.168.255.255/24　　　　　　 エ　224.168.10.255/8

問14 OSPFとRIPのIPv6対応に関する記述のうち，適切なものはどれか。

ア　OSPFはバージョン2で対応している。
イ　OSPFはバージョン3で対応している。
ウ　RIPはバージョン1で対応している。
エ　RIPはバージョン2で対応している。

問15 IP電話の音声品質を表す指標のうち，ノイズ，エコー，遅延などから算出されるものはどれか。

ア　MOS値　　　　　　イ　R値　　　　　　ウ　ジッタ　　　　　　エ　パケット損失率

問16 Webコンテンツを提供する際にCDN（Content Delivery Network）を利用することによって，副次的に影響を軽減できる脅威はどれか。

ア　DDoS攻撃　　　　　　　　　　　イ　Man-in-the-Browser攻撃
ウ　パスワードリスト攻撃　　　　　　エ　リバースブルートフォース攻撃

問17　RLO（Right-to-Left Override）を利用した手口はどれか。

　　ア　"マルウェアに感染している"といった偽の警告を出して，利用者を脅し，マルウェア対策
　　　　ソフトの購入などを迫る。
　　イ　脆弱性があるホストやシステムをあえて公開して，攻撃の内容を観察する。
　　ウ　ネットワーク機器の設定を不正に変更して，MIB情報のうち監視項目の値の変化を検知し
　　　　たとき，セキュリティに関するイベントをSNMPマネージャ宛てに通知させる。
　　エ　文字の表示順を変える制御文字を利用して，ファイル名の拡張子を偽装する。

問18　暗号化装置における暗号化処理時の消費電力を測定するなどして，当該装置内部の秘密情報
　　　を推定する攻撃はどれか。

　　ア　キーロガー　　　　　　　　　　　　　イ　サイドチャネル攻撃
　　ウ　スミッシング　　　　　　　　　　　　エ　中間者攻撃

問19　なりすましメール対策に関する記述のうち，適切なものはどれか。

　　ア　DMARCでは，"受信メールサーバが受信メールをなりすましと判定したとき，受信メール
　　　　サーバは送信元メールサーバに当該メールを送り返す"，というDMARCポリシーを設定で
　　　　きる。
　　イ　IP25Bでは，ISPが自社の受信メールサーバから他社ISPの動的IPアドレスの25番ポート
　　　　への接続をブロックする。
　　ウ　S/MIMEでは，電子メール送信者は，自身の公開鍵を使ってデジタル署名を生成し，送信
　　　　する電子メールに付与する。電子メール受信者は，電子メール送信者の秘密鍵を使ってデジ
　　　　タル署名を検証する。
　　エ　SPFでは，ドメインのDNSで，そのドメインを送信元とする電子メールの送信に用いても
　　　　よいメールサーバのIPアドレスをSPFレコードにあらかじめ記述しておく。

問20　マルウェアの検出手法であるビヘイビア法を説明したものはどれか。

　　ア　あらかじめ特徴的なコードをパターンとして登録したマルウェア定義ファイルを用いてマ
　　　　ルウェア検査対象を検査し，同じパターンがあればマルウェアとして検出する。
　　イ　マルウェアに感染していないことを保証する情報をあらかじめ検査対象に付加しておき，
　　　　検査時に不整合があればマルウェアとして検出する。
　　ウ　マルウェアへの感染が疑わしい検査対象のハッシュ値と，安全な場所に保管されている原
　　　　本のハッシュ値を比較し，マルウェアを検出する。
　　エ　マルウェアへの感染によって生じるデータの読込みの動作，書込みの動作，通信などを監
　　　　視して，マルウェアを検出する。

問21 IPsecに関する記述のうち，適切なものはどれか。

ア　ESPのトンネルモードを使用すると，暗号化通信の区間において，エンドツーエンドの通信で用いる元のIPヘッダーを含めて暗号化できる。

イ　IKEはIPsecの鍵交換のためのプロトコルであり，ポート番号80が使用される。

ウ　暗号化アルゴリズムとして，HMAC-SHA1が使用される。

エ　二つのホストの間でIPsecによる通信を行う場合，認証や暗号化アルゴリズムを両者で決めるためにESPヘッダーではなくAHヘッダーを使用する。

問22 PCI Express 3.0，PCI Express 4.0及びPCI Express 5.0を比較した記述のうち，適切なものはどれか。

ア　1レーンの片方向最大転送レートは，PCI Express 4.0はPCI Express 3.0の2倍，PCI Express 5.0 は PCI Express 4.0の2倍である。

イ　PCI Express 3.0はそれ以前のPCI Express 1.1及びPCI Express 2.0と後方互換性があるが，PCI Express 4.0はそれ以前のものと後方互換性がない。

ウ　いずれも，規格上の最大レーン数は32レーンである。

エ　いずれも，シリアル転送において8b/10b変換を採用している。

問23 ジョブの多重度が1で，到着順にジョブが実行されるシステムにおいて，表に示すジョブA～Cを処理するとき，ジョブCが到着してから実行が終了するまでのターンアラウンドタイムは何秒か。ここで，OSのオーバーヘッドは考慮しない。

単位 秒

ジョブ	到着時刻	処理時間 （単独実行時）
A	0	5
B	2	6
C	3	3

ア　11　　　　　　イ　12　　　　　　ウ　13　　　　　　エ　14

問24 安全性と信頼性について，次の方針でプログラム設計を行う場合，その方針を表す用語はどれか。

〔方針〕
不特定多数の人が使用するプログラムには，自分だけが使用するプログラムに比べて，より多く，データチェックの機能を組み込む。プログラムが処理できるデータの前提条件を文書に書いておくだけでなく，プログラムについては前提条件を満たしていないデータが入力されたときは，エラーメッセージを表示して再入力を促すものとする。

ア　フールプルーフ　　　　　　　　　イ　フェールセーフ
ウ　フェールソフト　　　　　　　　　エ　フォールトトレランス

問25 バグトラッキングシステムの説明として，最も適切なものはどれか。

ア　ソースコードを画面に表示しながら，プログラムの実行及び中断，変数の値の表示などの，バグの発見を支援する機能を提供する。
イ　テストケース及びテストプログラムの開発を支援して，バグの発見を容易にする。
ウ　バグの数とソースプログラムの諸元から，品質管理のためのメトリクスを算定する。
エ　発見されたバグの内容，バグが発生したソフトウェアのバージョンなどを記録し，その修正計画や修正履歴を管理する。

A｜午前Ⅱ　解答と解説

問1 《解答》ウ

BGP-4（Border Gateway Protocol version 4）は，ルーティングプロトコルの一つで，AS（Autonomous System：自律システム）間の通信に利用します。ASとは，インターネットにつながる同一の管理ポリシで管理されるネットワーク群で，BGPでは2オクテット又は4オクテットのAS番号によって識別されます。したがって，ウが正解です。

ア，イ，エは，OSPF（Open Shortest Path First）のエリアに関する記述です。

問2 《解答》ア

CS-ACELP（G.729）は，音声を符号化した後，8kビット／秒に圧縮するプロトコルです。8kビット／秒で20ミリ秒の音声データのパケットを送信するときのデータ量は，次の式で計算できます。

$$\frac{8000[ビット／秒] \times 20[ミリ秒／パケット]}{1000[ミリ秒／秒] \times 8[ビット／バイト]} = 20[バイト／パケット]$$

1パケットに含まれるデータ量（＝音声ペイロード）は，20バイトとなります。したがって，アが正解です。

問3 《解答》イ

即時式完全群負荷表をもとに，呼損率を0.1以下にするのに必要な回線数を求めていきます。即時式完全群負荷表はアーランB表とも呼ばれ，回線数と呼損率に対応する呼量を示したものです。

最初に，呼量（アーラン）を計算します。呼量は，平均通話回数と平均保留時間の積で求められます。この問題では，平均通話回数が60［回／時間］，平均保留時間が120［秒］なので，アーランは次の式で求められます。

$$\frac{60[回／時間] \times 120[秒／時間]}{3600[秒／時間]} = 2[アーラン]$$

次に，呼量を用いて表から必要な回線数を読み取ります。回線数が4のときの呼量が2.045と2を超えるため，最低限必要な回線数は4となります。したがって，イが正解です。

ア　回線数3では，呼損率0.1のときの呼量は1.271であり，呼量2では呼損率0.1を超えると考えられるため不適切です。

ウ，エ　回線数5以上でも，呼量2での呼損率は0.1未満となります。しかし，最低ではなく，無駄が生じる可能性があります。

問4　　　　　　　　　　　　　　　　　　　　　　　　　　　　　《解答》イ

　RIP-2（Routing Information Protocol-2）は，距離ベクトル型ルーティングプロトコルで，ルータのホップ数をもとにルーティングします。OSPF（Open Shortest Path First）は，リンクステート（状態）型ルーティングプロトコルで，リンク状態のデータベースを使用します。したがって，イが正解です。

ア，ウ　どちらにも当てはまります。

エ　RIP-2だけに当てはまります。

問5　　　　　　　　　　　　　　　　　　　　　　　　　　　　　《解答》エ

　スパニングツリーとは，ループをもたない，木構造のネットワークのことです。スパニングツリーを構成するための方法が，スパニングツリープロトコル（Spanning Tree Protocol：STP）です。スパニングツリーの構築では，ルートノードからスパニングツリープロトコルに従って，論理的に接続を切り離すブロッキングポート（非指定ポート）を決めていきます。

　図のネットワークでは，Aをルートノードとしています。ルートノードAからB～Eそれぞれのノードの中で最もルートノードに近いポートをルートポートとします。それぞれのルータごとにルートポートを選択すると，次のようになります。

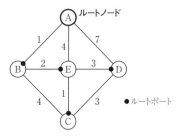

　Eのノードでは，A－Eの直接の経路でのコスト4より，A－B－Eと経由したときのコスト1＋2＝3の方が小さいので，ルートポートは左側のポートとなります。Cのノードでは，A－B－E－Cと経由するときの1＋2＋1＝4が最小のコストなので，まん中のポートがルートポートとなります。Dのポートでは，A－B－E－Dと経由するときの1＋2＋3＝6が最小のコストなので，左側のポートがルートポートとなります。

　続いて，各セグメント（AとBの間など）において，最もルートノードに近いポートである代表ポート（指定ポート）を決めます。各セグメントで代表ポートを決めると，次のようになります。

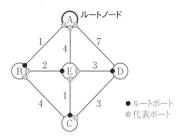

　A－B, A－E, A－Dのセグメントでは, Aの側のポートが代表ポートです。B－E, B－Cでは, Bの方がルートノードに近いので, Bの側のポートが代表ポートになります。E－C, E－Dでは, Eの方がルートノードに近いので, Eの側のポートが代表ポートになります。C－Dでは, Cまでのコストが4, Dまでのコストが6なので, より小さいCの側のポートが代表ポートになります。

　残ったポートがブロッキングポート(非指定ポート)です。スパニングツリーでは, ブロッキングポートは論理的に切断されます。ブロッキングポートを指定すると, 次のようになります。

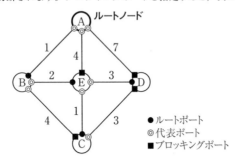

　選択肢のうち, ブロッキングポートが存在しないセグメントは, DとEの間だけとなります。したがって, エが正解です。
ア　Eの側のポートがブロッキングポートとなります。
イ　Cの側のポートがブロッキングポートとなります。
ウ　Dの側のポートがブロッキングポートとなります。

問6　　　　　　　　　　　　　　　　　　　　　　　　　　　　《解答》イ

　ARP (Address Resolution Protocol) は, IPv4で使用される, IPアドレスからMACアドレスを調べる仕組みです。IPv6では, MACアドレスを求める処理をICMPv6 (Internet Control Message Protocol for IPv6)を用いて行います。ICMPv6では, 近隣探索 (Neighbor discovery) メッセージを使用することで, IPアドレスからMACアドレスを取得することができます。したがって, イが正解です。
ア　IPv6でDHCPを用いてIPアドレスを自動割当てするためのプロトコルです。
ウ　マルチキャストグループに参加するためのプロトコルです。
エ　IPv6で使用できるルーティングプロトコルです。

問7　　　　　　　　　　　　　　　　　　　　　　　　　　　　《解答》エ

　IPv4のIPマルチキャストアドレスは, 特定のホストグループに対してパケットを配信するためのアドレスです。マルチキャストアドレスにはクラスDのIPアドレスが使用されます。アドレス範囲は224.0.0.0 ～ 239.255.255.255で, 2進数での先頭の4ビットは1110となっています。マルチキャストアドレスの先頭の4ビットを除いた残りの28ビットは, 受信するホストのグループを識別するために利用されます。したがって, エが正解です。
ア　127.0.0.1は, 自分自身を示すループバックアドレスとして使用されるIPアドレスです。
イ　192.168.1.255は, ローカルネットワーク (192.168.1.0/24) 内のすべてのホストにパケットを配信するブロードキャストアドレスです。
ウ　IPv4のマルチキャストアドレスの先頭4ビットは1110です。

問8　　　　　　　　　　　　　　　　　　　　　　　　　　　　　　《解答》エ

　リモートアクセス環境において，認証（Authentication）情報やアカウンティング（Accounting）情報をやり取りするプロトコルには，RADIUS（Remote Authentication Dial In User Service）があります。RADIUSでは，AAA（Authentication，Authorization，Accounting）プロトコルに基づいて，認証情報だけでなく，認可（Authorization）やアカウンティング情報をやり取りします。したがって，エが正解です。

ア　CHAP（Challenge-Handshake Authentication Protocol）は，ハッシュ関数を用いてパスワード認証を行うプロトコルです。

イ　PAP（Password Authentication Protocol）は，平文のパスワードで認証を行うプロトコルです。

ウ　PPTP（Point to Point Tunneling Protocol）は，PPP（Point-to-Point Protocol）を拡張したトンネリングプロトコルです。VPN（Virtual Private Network）を構築するために利用されます。

問9　　　　　　　　　　　　　　　　　　　　　　　　　　　　　　《解答》ア

　TCP（Transmission Control Protocol）では，送信したデータの位置を表すシーケンス番号と，次に受信すべきデータのシーケンス番号を示す受信確認番号（肯定応答番号）を使用し，データが正常に送受信されていることを確認します。ホストAがホストBに対してデータを連続して送信する場合，新しいTCPセグメントのシーケンス番号は，前のTCPセグメントの最後のデータの次の番号になります。そのため，前のシーケンス番号と送信したデータのオクテット数の和が，新しいシーケンス番号となります。したがって，アが正解です。

イ　シーケンス番号は，TCPの接続確立時にランダムに初期化され，その後は送信されるデータのオクテット数に応じて増加します。シーケンス番号は32ビットのため，最大値は65,535ではなく，約43億です。

ウ　受信確認番号は，ホストBが次に期待するTCPセグメントのシーケンス番号を示すため，受信確認番号がシーケンス番号より小さいという状況は基本的に起こりません。

エ　ホストBは，次に期待するTCPセグメントのシーケンス番号を受信確認番号として応答します。

問10　　　　　　　　　　　　　　　　　　　　　　　　　　　　　　《解答》エ

　TCP（Transmission Control Protocol）とUDP（User Datagram Protocol）はどちらもトランスポート層のプロトコルです。両方ともヘッダーに送信元ポート番号と宛先ポート番号をもち，通信を行うサービスやプロセスを特定します。したがって，エが正解です。

ア，ウ　IPヘッダーに存在します。

イ　イーサネットヘッダーに存在します。

問11　　　　　　　　　　　　　　　　　　　　　　　　　　　　　　《解答》ウ

　IPv4ネットワークで使用されるサブネットマスクは，2進数で表現したときに，ネットワークアドレスを1，ホストアドレスを0で示すアドレスです。ホストアドレスを取り出すためにはまず，サブネットマスク（m）を全ビット反転（〜）させてホストアドレスの方のみを1としたビット（〜 m）を作成します。IPアドレス（a）からホストアドレス部分のみ取り出す演算をマスク演算といい，論理積（＆）を利用することで実現できます。具体的には，a ＆ 〜 m を計算することになるので，ウが正解です。

問12　　　　　　　　　　　　　　　　　　　　　　　　　《解答》イ

CIDR（Classless Inter-Domain Routing）は，従来のクラスによる IP アドレスの割り当てを限定しないアドレス方式です。CIDR を使用することで，サブネットマスクを使って任意の範囲の IP アドレスを指定できます。四つのネットワーク 192.168.32.0，192.168.33.0，192.168.34.0，192.168.35.0 に対して，ネットワークアドレスを 2 進数に変換すると，次のようになります。

```
192.168.32.0 : 11000000 10101000 00100000 00000000
192.168.33.0 : 11000000 10101000 00100001 00000000
192.168.34.0 : 11000000 10101000 00100010 00000000
192.168.35.0 : 11000000 10101000 00100011 00000000
```

四つのアドレスを比べると，上位 22 ビットまでが共通で，23 ビット目以降が異なることが分かります。これらを最小のスーパーネットにまとめるためには，上位 22 ビットをネットワークアドレスとして指定する必要があります。この場合のネットワークアドレスは，ホストアドレスをすべて 0 にしたアドレスで，192.168.32.0 となり，サブネットマスクは 255.255.252.0 となります。したがって，イが正解です。

問13　　　　　　　　　　　　　　　　　　　　　　　　　《解答》イ

ネットワークを構成するホストの IP アドレスとして用いることができるのは，クラス A 〜クラス C までの，グローバル IP アドレスまたはプライベート IP アドレスに割り当てられているアドレスです。具体的には，クラス A は 1.0.0.0 〜 126.255.255.255，クラス B は 128.0.0.0 〜 191.255.255.255，クラス C は 192.0.0.0 〜 223.255.255.255 となります。

アの 127.16.10.255/8 はクラス A のアドレスですが，127.0.0.1 〜 127.255.255.255 の範囲内となり，自分自身を表すループバックアドレスとして定義されています。そのため，ホストの IP アドレスとして用いることはできません。

エの 224.168.10.255/8 は，クラス D（224.0.0.0 〜 239.255.255.255）の IP アドレスです。クラス D の IP アドレスはマルチキャストアドレスなので，ホストの IP アドレスとしては使用できません。

また，ネットワークのネットワークアドレス（ホスト部分のビットがすべて 0）と，ブロードキャストアドレス（ホスト部分のビットがすべて 1）は，ホストの IP アドレスとして用いることはできません。選択肢イ，ウの IP アドレスを 2 進数に直してホストアドレス部分に下線を引くと，次のようになります。

```
      IPアドレス               2進数
イ 172. 16. 10.255   10101100 00010000 00001010 11111111
ウ 192.168.255.255   11000000 10101000 11111111 11111111
```

ウはホスト部分のビットがすべて 1 なのでブロードキャストアドレスとなり，ホストの IP アドレスとしては使用できません。したがって，イが正解です。

問14　《解答》イ

OSPF（Open Shortest Path First）とRIP（Routing Information Protocol）はどちらもルーティングプロトコルです。OSPFはバージョン3でIPv6をサポートし始めました。したがって，イが正解です。

ア　OSPFのバージョン2ではまだIPv6をサポートしていません。

ウ，エ　RIPはバージョン1やバージョン2ではIPv6をサポートしていません。RIPng（RIP next generation）というバージョンで初めてIPv6をサポートしました。

問15　《解答》イ

IP電話の音声品質を表す数値で，ノイズの影響を考慮した信号の大きさ，エコーや遅延などによる劣化などから算出される値はR値です。ITU-T G.107で標準化されています。したがって，イが正解です。

ア　MOS値は，主観的な通話品質の平均値です。

ウ　ジッタ（揺らぎ）は，音声の乱れの一因で，パケットの伝送時間が一定しない状況です。

エ　パケット損失率は，ネットワークの品質を表す指標の一つで，正常に配送できなかったパケットの割合を示します。

問16　《解答》ア

CDN（Content Delivery Network）は，Webコンテンツを効率的に配信するためのネットワークです。複数のサーバを用意し，ユーザーに最も近いサーバからコンテンツを提供することで，遅延を減らし，高速なコンテンツの配信を可能にします。

DDoS（Distributed Denial of Service）攻撃は，大量のトラフィックを目標とするサーバに送り，サービスを妨害する攻撃です。CDNを使用すると，攻撃トラフィックが複数のサーバに分散されるため，副次的にDDoS攻撃の影響を軽減することができます。したがって，アが正解です。

イ　Man-in-the-Browser攻撃は，ブラウザに侵入してユーザーの操作を盗聴，改ざんする攻撃です。CDNの利用とは関係ありません。

ウ　パスワードリスト攻撃は，パスワードのリストを使用して総当たり攻撃を行うものです。CDNの利用とは関係ありません。

エ　リバースブルートフォース攻撃は，パスワードを固定してユーザー名を変化させながら行う総当たり攻撃です。CDNの利用とは関係ありません。

問17　《解答》エ

Unicodeの制御文字の一つであるRLO（Right-to-Left Override）は，文字の表示順を「左→右」から「右→左」に変更します。このRLOを悪用して拡張子を見えにくくし，ファイル名を偽装する攻撃の手口があります。したがって，エが正解です。

ア　警告詐欺，サポート詐欺などと呼ばれる，偽のセキュリティ警告による詐欺の手口です。

イ　ハニーポットの説明です。

ウ　ネットワーク機器への不正アクセスを検知する手法です。SNMPのTrapを送信する設定を操作しています。

付録

問18　　　　　　　　　　　　　　　　　　　　　　　　　　　　　　《解答》イ

　消費電力を測定する電力解析攻撃など，暗号装置の動作状況を様々な物理的手段で観察することにより内部の情報を得ようとする攻撃全般を，サイドチャネル攻撃といいます。したがって，イが正解です。

ア　キー入力を監視して記録するソフトウェアです。

ウ　SMSを用いたフィッシング詐欺です。

エ　二者間の通信の間に割り込んで中継することで，内容を盗み見る攻撃です。

問19　　　　　　　　　　　　　　　　　　　　　　　　　　　　　　《解答》エ

　SPF（Sender Policy Framework）は，ドメインの所有者が許可したメールサーバからのみメールが送信されるようにするための送信ドメイン認証技術です。DNSに登録されたSPFレコードには，そのドメインからメールを送信することが許可されているメールサーバのIPアドレスが記録されています。受信したメールサーバがIPアドレスを確認することで，不正なメールサーバからのなりすましメールを防ぐことができます。したがって，エが正解です。

ア　DMARC（Domain-based Message Authentication, Reporting, and Conformance）は，送信ドメイン認証技術の一つで，認証に失敗したメールの操作方法は，受信者がポリシーとして設定します。しかし，なりすましメールを検出した場合にそのメールを送り返すというポリシーは存在しません。

イ　IP25B（Inbound Port 25 Blocking）は，外部から内部への不正な25番ポートへの接続をブロックする手法です。具体的には，他社ISP（Internet Service Provider）の動的IPアドレスから自社の受信メールサーバの接続をブロックします。

ウ　S/MIME（Secure / Multipurpose Internet Mail Extensions）では，送信者は自身の秘密鍵を使ってデジタル署名を生成し，受信者は送信者の公開鍵を使ってデジタル署名を検証します。選択肢では，公開鍵と秘密鍵が逆となっています。

問20　　　　　　　　　　　　　　　　　　　　　　　　　　　　　　《解答》エ

　マルウェアの検出方法の一つであるビヘイビア法は，マルウェアの振る舞いを観測して検出する手法です。マルウェアの感染や発病によって生じる，データの読込み，書込み，通信などの動作を監視して，感染を検出します。したがって，エが正解です。

ア　パターンマッチングによる検出法の説明です。

イ　チェックサム法による検出法の説明です。

ウ　コンペア法による検出法の説明です。

問21　　　　　　　　　　　　　　　　　　　　　　　　　　　　　　《解答》ア

　IPsecのセキュリティプロトコルのうちESP（Encapsulated Security Payload）は，データの暗号化と認証をサポートします。ESPのトンネルモードを使用すると，暗号化通信の区間では，元のIPヘッダーを含めて暗号化できます。したがって，アが正解です。

イ　IKE（Internet Key Exchange protocol）では，UDPのポート番号500番が用いられます。

ウ　IPsecには様々な暗号化アルゴリズムが用いられます。HMAC-SHA1は，ハッシュ関数を用いたメッセージ認証のアルゴリズムで，暗号化には行えません。

エ　認証や暗号化アルゴリズムの決定は，IKEで行います。また，AH（Authentication Header）
　ではデータの認証を行い，暗号化は行いません。

問22　　　　　　　　　　　　　　　　　　　　　　　　　　　　　《解答》ア

　PCI Express（Peripheral Component Interconnect Express）は，コンピュータのマザーボード
の拡張スロットの接続規格です。デバイス間の高速な通信を可能にし，バージョンごとに，転送レー
ト，後方互換性，レーン数，転送方式などが異なります。

　PCI Express 3.0の1レーンの片方向最大転送レートは，約8GB/sです。PCI Express 4.0はそ
れの2倍の約16GB/sで，PCI Express 5.0はさらにその2倍の約32GB/sとなります。したがって，
アが正解です。

イ　PCI Express 4.0は，それ以前のバージョン（PCI Express 3.0，2.0，1.1）と後方互換性があり
　ます。

ウ　PCI Expressの規格上の最大レーン数は16レーンです。

エ　PCI Express 2.0までは8b/10b変換を採用していましたが，PCI Express 3.0からはより効率
　的な128b/130b変換が採用されています。

問23　　　　　　　　　　　　　　　　　　　　　　　　　　　　　《解答》ア

　ジョブは到着順に処理されるので，到着時刻からA，B，Cの順に実行されます。このとき，到
着と処理の順番を図示すると，以下のようになります。

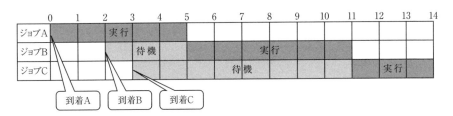

　ジョブCは3秒後に到着しますが，他のジョブが終わるまでの3秒後から11秒後までの8秒間待
機します。さらに，ジョブCの実行に3秒かかるので，ターンアラウンドタイムは8＋3＝11秒に
なります。したがって，アが正解です。

問24　　　　　　　　　　　　　　　　　　　　　　　　　　　　　《解答》ア

　プログラム設計を行う場合において，前提を満たしていないデータの入力など，想定外の動作
が行われても不具合が起こらないようにするという考え方を，フールプルーフといいます。したがっ
て，アが正解です。

イ　フェールセーフは，システムに障害が発生したとき，安全側に制御する方法です。

ウ　フェールソフトは，システムに障害が発生したとき，障害が起こった部分を切り離すなどし
　て最低限のシステムの稼働を続ける方法です。

エ　フォールトトレランスは，システムの一部で障害が起こっても，全体でカバーして機能停止
　を防ぐという設計手法です。

付録

問25 《解答》エ

バグトラッキングシステム (BTS：Bug Tracking System) は，ソフトウェア開発におけるバグの報告，追跡，管理を行うためのシステムです。修正計画や修正履歴を管理することで，ソフトウェア開発チームはバグを効率的に解決することができます。したがって，エが正解です。

ア　デバッガの説明です。

イ　テスト支援ツールの説明です。

ウ　ソフトウェアメトリクスツールの説明です。

Q 午後I　問題

問1　コンテンツ配信ネットワークに関する次の記述を読んで，設問に答えよ。

　　D社は，ゲームソフトウェア開発会社で三つのゲーム（ゲームα，ゲームβ，ゲームγ）をダウンロード販売している。D社のゲームはいずれも利用者の操作するゲーム端末上で動作し，ゲームの進捗データやスコアはゲーム端末内に暗号化保存される。D社のゲームは世界中に利用者がおり，ゲーム本体及びゲームのシナリオデータ（以下，両方をゲームファイルという）はインターネット経由で配信されている。

〔現状の配信方式〕
　　D社は，ゲームファイルの配信のためのデータセンターを所有している。
　　D社データセンターの構成を図1に示す。

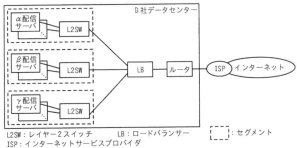

L2SW：レイヤー2スイッチ　　　LB：ロードバランサー　　［‥‥］：セグメント
ISP：インターネットサービスプロバイダ
注記　α配信サーバは，ゲームαのゲームファイルを配信するサーバである（β，γも同様）。

図1　D社データセンターの構成（抜粋）

　　ゲーム端末は，インターネット経由でゲームごとにそれぞれ異なるURLにHTTPSでアクセスする。LBは，プライベートIPアドレスが設定されたHTTPの配信サーバにアクセスを振り分ける。また，①LBは配信サーバにHTTPアクセスによって死活確認を行い，動作が停止している配信サーバに対してはゲーム端末からのアクセスを振り分けない。
　　ゲームファイルの配信に利用するIPアドレスとポート番号を，表1に示す。

表1　ゲームファイルの配信に利用するIPアドレスとポート番号

内容	URL	LB		配信サーバ	
		IPアドレス	ポート	所属セグメント	ポート
ゲームα	https://alpha.example.net/	203.x.11.21	443	172.21.1.0/24	80
ゲームβ	https://beta.example.net/	203.x.11.21	443	172.22.1.0/24	80
ゲームγ	https://gamma.example.net/	203.x.11.21	443	172.23.1.0/24	80

注記　203.x.11.21はグローバルIPアドレス

付録

　D社が導入しているLBのサーバ振分けアルゴリズムには，ラウンドロビン方式及び最少接続数方式がある。ラウンドロビン方式は，ゲーム端末からの接続を接続ごとに配信サーバに順次振り分ける方式である。最少接続数方式は，ゲーム端末からの接続をその時点での接続数が最も少ない配信サーバに振り分ける方式である。

　D社のゲームファイル配信では，振り分ける先の配信サーバの性能は同じだが，接続ごとに配信するゲームファイルのサイズに大きなばらつきがあり，配信に掛かる時間が変動する。各配信サーバへの同時接続数をなるべく均等にするために，LBの振分けアルゴリズムとして　　ア　　方式を採用している。

　ゲームβの配信性能向上が必要になる場合には，表1中の所属セグメント　　イ　　にサーバを増設する。

〔配信方式の見直し〕

　D社は，ゲームファイルの大容量化と利用者のグローバル化に伴い，ゲームファイルの配信をコンテンツ配信ネットワーク（以下，CDNという）事業者のE社のサービスで行うことにした。

　E社CDNは，多数のキャッシュサーバを設置する配信拠点（以下，POPという）を複数もち，その中から，ゲーム端末のインターネット上の所在地に対して最適なPOPを配信元としてコンテンツを配信する。

　あるPOPが端末からアクセスを受けると，POP内でLBがキャッシュサーバにアクセスを振り分ける。E社CDNのキャッシュサーバにコンテンツが存在しない場合は，D社データセンターの配信サーバからE社CDNのキャッシュサーバにコンテンツが同期される。

　配信方式の見直しプロジェクトはXさんが担当することになった。Xさんは，E社が提供しているBGP anycast方式のPOP選択方法を調査した。XさんがE社からヒアリングした内容は次のとおりである。

　E社BGP anycast方式では，同じアドレスブロックを同じAS番号を用いてシンガポールPOP及び東京POPの両方からBGPで経路広告する。シンガポールPOPと東京POPの間は直接接続されていない。ゲーム端末が接続するISPでは，E社ASの経路情報を複数の隣接したASから受信する。どの経路情報を採用するかはBGPの経路選択アルゴリズムで決定される。ゲーム端末からのHTTPSリクエストのパケットは，決定された経路で隣接のASに転送される。

　BGP anycast方式によるE社の経路広告イメージを図2に示す。

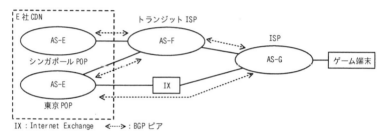

IX : Internet Exchange　◀---▶ : BGP ピア

注記　AS-EはE社のAS，AS-Gはゲーム端末が接続するISPのASを示す。

図2　BGP anycast方式によるE社の経路広告イメージ

　図2でIXは，レイヤー2ネットワーク相互接続点であり，接続された隣接のAS同士がBGPで直接接続することができる。

　BGPでの経路選択では，LP（LOCAL_PREF）属性については値が　ウ　経路を優先し，MED（MULTI_EXIT_DISC）属性については値が　エ　経路を優先する。

　E社では，LP属性とMED属性が経路選択に影響を及ぼさないように設定している。これによって②E社のあるPOPからゲーム端末へのトラフィックの経路は，そのPOPのBGPルータが受け取るAS Path長によって選択される。

　Xさんは，BGPのセキュリティ対策として何を行っているか，E社の担当者に確認した。E社BGPルータは，③隣接ASのBGPルータとMD5認証のための共通のパスワードを設定していると説明を受けた。また，④アドレスブロックやAS番号を偽った不正な経路情報を受け取らないための経路フィルタリングを行っていると説明があった。

〔配信拠点の保護〕

　D社ではDDoS攻撃を受けることが何度かあった。そこでXさんは，コンテンツ配信サーバへのDDoS攻撃対策について，どのような対策を行っているかE社の担当者に確認したところ，E社ではRFC 5635の中で定義されたDestination Address RTBH（Remote Triggered Black Hole）Filtering（以下，RTBH方式という）のDDoS遮断システムを導入しているとの回答があった。E社POPの概要を図3に示す。

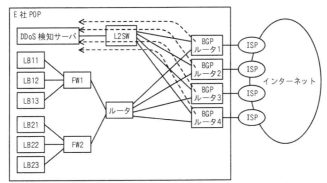

◄----：NetFlowパケットの送信方向　　　FW：ファイアウォール
注記　装置間の接続とISPの接続は，全て10Gビットイーサネットである。

図3　E社POPの概要（抜粋）

　E社のDDoS遮断システムは，RFC 3954で定義されるNetFlowで得た情報を基にDDoS攻撃の宛先IPアドレスを割り出し，該当IPアドレスへの攻撃パケットを廃棄することで，ほかのIPアドレスへの通信に影響を与えないようにする。DDoS検知サーバは，E社POP内の各BGPルータとiBGPピアリングを行っている。

　E社のBGPルータは，インターネット側インタフェースから流入するパケットの送信元と宛先のIPアドレス，ポート番号などを含むNetFlowパケットを生成する。生成されたNetFlowパケットはDDoS検知サーバに送信される。DDoS検知サーバは，送られてきたNetFlowパケッ

トを基に独自アルゴリズムでDDoS攻撃の有無を判断し，攻撃を検知した場合はDDoS攻撃の宛先IPアドレスを取得する。

DDoS検知サーバは，検知したDDoS攻撃の宛先IPアドレスへのホスト経路を生成しRTBH方式の対象であることを示すBGPコミュニティ属性を付与して各BGPルータに経路広告する。RTBH方式の対象であることを示すBGPコミュニティ属性が付いたホスト経路を受け取った各BGPルータは，そのホスト経路のネクストホップを廃棄用インタフェース宛てに設定することで，DDoS攻撃の宛先IPアドレス宛ての通信を廃棄する。

DDoS遮断システムの今後の開発予定をE社技術担当者に確認したところ，RFC 8955で定義されるBGP Flowspecを用いる対策(以下，BGP Flowspec方式)をE社が提供する予定であることが分かった。

BGP Flowspec方式では，DDoS検知サーバからのiBGPピアリングで，DDoS攻撃の宛先IPアドレスだけではなく，DDoS攻撃の送信元IPアドレス，宛先ポート番号などを組み合わせてBGPルータに広告して該当の通信をフィルタリングすることができる。

Xさんは，⑤BGP Flowspec方式の方が有用であると考え，E社技術担当者に早期提供をするよう依頼した。

Xさんは，E社CDNとDDoS遮断システムを導入する計画を立て，計画はD社内で承認された。

設問1 〔現状の配信方式〕について答えよ。
(1) 本文中の下線①について，HTTPではなくICMP Echoで死活確認を行った場合どのような問題があるか。50字以内で答えよ。
(2) 本文中の ア に入れる適切な字句を，本文中から選んで答えよ。また，本文中の イ に入れる適切なセグメントを，表1中から選んで答えよ。
(3) HTTPSに必要なサーバ証明書はどの装置にインストールされているか。必ず入っていなければならない装置を一つだけ選び，図1中の字句で答えよ。

設問2 〔配信方式の見直し〕について答えよ。
(1) 本文中の ウ ， エ に入れる適切な字句を，"大きい"，"小さい"のいずれかから選んで答えよ。
(2) 本文中の下線②について，図2でAS-E東京POPにAS-GからのHTTPSリクエストのパケットが届く場合，E社トラフィックはどちらの経路から配信されるか。途中通過する場所を，図2中の字句で答えよ。ここで，AS Path長以外は経路選択に影響せず，途中に無効な経路や経路フィルタリングはないものとする。
(3) 本文中の下線③の設定をすることで何を防いでいるか。"BGP"という字句を用いて10字以内で答えよ。
(4) 本文中の下線④について，フィルタリングせずに不正な経路を受け取った場合に，コンテンツ配信に与える悪影響を"不正な経路"という字句を用いて40字以内で答えよ。

設問3〔配信拠点の保護〕について答えよ。

(1)　図3において，インターネットからBGPルータ1を経由してLB11にHTTPS Flood攻撃があったとき，FW1でフィルタリングする方式と比較したRTBH方式の長所は何か。30字以内で答えよ。

(2)　本文中の下線⑤について，RTBH方式と比較したBGP Flowspec方式の長所は何か。30字以内で答えよ。

問2 SD-WANによる拠点接続に関する次の記述を読んで,設問に答えよ。

　G社は,本社とデータセンター及び二つの支店をもつ企業である。G社では,業務拡大による支店の追加が計画されている。支店の追加によるネットワーク構成の変更について,SD-WANを活用することで,設定作業を行いやすくするとともにWANの冗長化も行うという改善方針が示された。そこで,情報システム部のJさんが設計担当としてアサインされ,対応することになった。G社の現行ネットワーク構成を図1に示す。

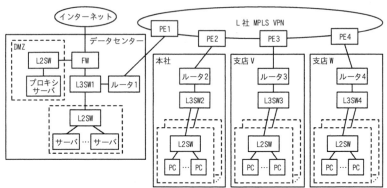

FW:ファイアウォール　L2SW:レイヤー2スイッチ　L3SW:レイヤー3スイッチ
PE:プロバイダエッジルータ　MPLS VPN:MPLS VPN サービス網
注記 └┄┄┘はサブネットを示す。

図1　G社の現行ネットワーク構成(抜粋)

〔現行ネットワーク概要〕
　G社の現行ネットワーク概要を次に示す。
・G社には,データセンター,本社,支店V及び支店Wの四つの拠点がある。これらの拠点は,L社が提供するMPLS VPN(以下,L社VPNという)を介して相互に接続している。
・各拠点のPCとサーバは,データセンターのプロキシサーバを経由してインターネットへアクセスする。
・データセンターのFWは,パケットフィルタリングによるアクセス制御を行っている。
・PE1～4は,L社VPNの顧客のネットワークを収容するために設置した,プロバイダエッジルータ(以下,PEルータという)である。
・ルータ1～4は,拠点間を接続する機器であり,L社のPEルータと対向する [　　ア　　] エッジルータである。
・L社のPEルータは,G社との間のBGPピアにas-overrideを設定している。この設定によって,G社の複数の拠点で同一のAS番号を用いる構成が可能になっている。一般に,PEルータにおけるas-override設定の有無によって,経路情報交換の処理をする際にやり取りされる経路情報が異なったものとなる。例えば,本社のルータ2に届く支店Vの経路情報は,①as-override設定の有無で表1となる。②G社現行ネットワークで利用している各拠点のIPアドレスとAS番号を表2に示す。

表1　本社のルータ2に届く支店Vの経路情報

	Prefix	AS PATH
as-override 設定無し	a	64500　65500
as-override 設定有り	a	b

注記　64500は，L社VPNのAS番号である。

表2　各拠点のIPアドレスとAS番号一覧

ネットワーク	IPアドレス	AS番号
データセンター	10.1.0.0/16	c
DMZ	x.y.z.0/28	
本社	10.2.0.0/16	d
支店V	10.3.0.0/16	e
支店W	10.4.0.0/16	f

注記　x.y.z.0は，グローバルアドレスを示す。

〔現行の経路制御概要〕

　G社の現行の経路制御の概要を次に示す。

・拠点内は，OSPFによって経路制御を行っている。

・拠点間は，BGP4によって経路制御を行っている。

・OSPFエリアは全てエリア0である。

・ルータ1～4で二つのルーティングプロトコル間におけるルーティングを可能にするために，経路情報の　イ　をしている。このとき，一方のルーティングプロトコルで学習された経路がもう一方のルーティングプロトコルを介して③再び同じルーティングプロトコルに渡されることのないように経路フィルターが設定されている。

・全拠点からインターネットへのhttp/https通信ができるように，　ウ　のサブネットを宛先とする経路をOSPFで配布している。この経路情報は，途中BGP4を経由して，④3拠点（本社，支店V，支店W）のルータ及びL3SWに届く。

・BGP4において，AS内部の経路交換はiBGPが用いられるのに対し，各拠点のルータとPEルータとの経路交換では　エ　が用いられる。

・L社VPNと接続するために，AS番号65500が割り当てられている。このAS番号はインターネットに接続されることのないASのために予約されている番号の範囲に含まれる。このようなAS番号を　オ　AS番号という。

・L社VPNのAS番号は64500である。

〔SD-WAN導入検討〕

　Jさんは，SD-WANを取り扱っているネットワーク機器ベンダーK社の技術者に相談しながら検討することにした。また，K社がインターネット経由でクラウドサービスとして提供しているSD-WANコントローラーの活用を検討することにした。

　K社のSD-WAN装置とSD-WANコントローラーの主な機能を次に示す。

・SD-WANコントローラーは，SD-WAN装置に対して独自プロトコルを利用して，オーバーレ

付録

イ構築に必要な情報の収集と配布を行うことで，複数のSD-WAN装置を集中管理する。
- アンダーレイネットワークとして，MPLS VPNとインターネット回線が利用可能である。
- オーバーレイネットワークは，SD-WAN装置間のIPsecトンネルで構築される。IPsecトンネルの確立ではSD-WAN装置のIPアドレスが用いられる。IPsecトンネルの端点をTE（Tunnel Endpoint）と呼ぶ。
- オーバーレイネットワークは，アプリケーショントラフィックを識別したルーティングを行う。このように，アプリケーショントラフィックを識別したルーティングを　カ　ルーティングという。
- SD-WANコントローラーがSD-WAN装置に配布する主な情報は，SD-WAN装置ごとのオーバーレイの経路情報と，⑤IPsecトンネルを構築するために必要な情報の2種類がある。
- SD-WANコントローラーとSD-WAN装置間の通信はTLSで保護される。
- SD-WAN装置は，VRF（Virtual Routing and Forwarding）による独立したルーティングインスタンス（以下，RIという）を複数もつ。そのうちの一つのRIはコントロールプレーンで用いられ，他のRIはデータプレーンで用いられる。
- SD-WAN装置は，RFC 5880で規定されたBFD（Bidirectional Forwarding Detection）機能を有する。

　Jさんは，K社のSD-WANをG社ネットワークへ導入する方法を検討し，実施する項目として次のとおりポイントをまとめた。
- 各拠点のルータをK社の提供するSD-WAN装置に置き換える。各拠点のSD-WAN装置を2台構成とする冗長化は次フェーズで検討する。
- SD-WAN装置の設定については，K社がクラウドサービスとして利用者に提供するSD-WANコントローラーで集中管理する。
- 拠点ごとに新規にインターネット接続回線を契約し，SD-WAN装置に接続する。
- 拠点のSD-WAN装置間に，インターネット経由とL社VPN経由でIPsecトンネルを設定する。
- ⑥拠点のSD-WAN装置のトンネルインタフェースで，BFDを有効化する。
- 全体的な経路制御はSD-WANコントローラーとSD-WAN装置で行う。
- PCからインターネットへのアクセスは現行のままデータセンターのプロキシサーバ経由とし，各拠点から直接インターネットアクセスできるようにすることは次フェーズで検討する。
　Jさんが検討した，G社のSD-WAN装置導入後のネットワーク構成を図2に示す。

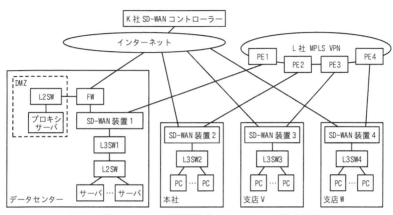

図2　G社のSD-WAN装置導入後のネットワーク構成（抜粋）

〔SD-WANトンネル検討〕

Jさんは，図2のネットワーク構成におけるSD-WAN装置間のIPsecトンネルの構成について検討した。Jさんが考えたSD-WAN装置間のIPsecトンネルの構成を図3に示す。

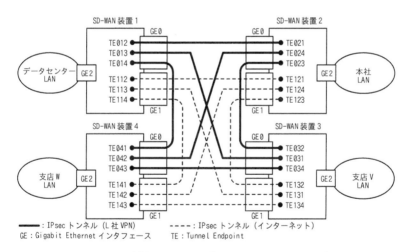

―――：IPsecトンネル（L社VPN）　-----：IPsecトンネル（インターネット）
GE：Gigabit Ethernet インタフェース　TE：Tunnel Endpoint

図3　Jさんが考えたSD-WAN装置間のIPsecトンネルの構成

Jさんは，このIPsecトンネルの構成を前提として，今後設計するSD-WANの動作を次のようにまとめた。

・SD-WANコントローラーは，各拠点のSD-WAN装置から経路情報を受信し，それらにポリシーを適用して，全拠点のSD-WAN装置に経路情報をアドバタイズする。

・このときアドバタイズされる経路情報は，SD-WAN装置にローカルに接続されたネットワーク情報とそれぞれのSD-WAN装置がもつTE情報である。

付録

・拠点間の通信は，⑦L社VPNを優先的に利用し，L社VPNが使えないときはインターネットを経由する。

Jさんは，これらの検討結果を基に報告を行い，SD-WAN導入の方針が承認された。

設問1　本文中の　　ア　　～　　カ　　に入れる適切な字句を答えよ。

設問2　〔現行ネットワーク概要〕について答えよ。

(1)　本文中の下線①について，as-override設定の前後における経路情報の違いについて，表1中の　　a　　，　　b　　を埋めて表を完成させよ。

(2)　本文中の下線②について，G社現行ネットワークで用いられているAS番号は何か。表2中の　　c　　～　　f　　を埋めて表を完成させよ。

設問3　〔現行の経路制御概要〕について答えよ。

(1)　本文中の下線③について，経路フィルターによって防止することが可能な障害を20字以内で答えよ。

(2)　本文中の下線④について，3拠点のL3SWにこの経路情報が届いたときのOSPFのLSAのタイプを答えよ。また，支店VのL3SW3にこのLSAが到達したとき，そのLSAを生成した機器は何か。図1中の機器名で答えよ。

設問4　〔SD-WAN導入検討〕について答えよ。

(1)　本文中の下線⑤について，SD-WANコントローラーから送られる情報を二つ挙げ，それぞれ25字以内で答えよ。

(2)　本文中の下線⑥について，トンネルインタフェースにBFDを設定する目的を，"IPsecトンネル"という用語を用いて35字以内で答えよ。

設問5　〔SD-WANトンネル検討〕について答えよ。

(1)　本文中の下線⑦について，通常時に本社のPCから支店VのPCへの通信が通過するTEはどれか。図3中の字句で全て答えよ。

(2)　(1)において支店VのL社VPN接続回線に障害があった場合，本社のPCから支店VのPCへの通信が通過するTEはどれか。図3中の字句で全て答えよ。

問3　ローカルブレイクアウトによる負荷軽減に関する次の記述を読んで，設問に答えよ。

　A社は，従業員300人の建築デザイン会社である。東京本社のほか，大阪，名古屋，仙台，福岡の4か所の支社を構えている。本社には100名，各支社には50名の従業員が勤務している。
　A社は，インターネット上のC社のSaaS（以下，C社SaaSという）を積極的に利用する方針にしている。A社情報システム部ネットワーク担当のBさんは，C社SaaS宛ての通信がHTTPSであることから，ネットワークの負荷軽減を目的に，各支社のPCからC社SaaS宛ての通信を，本社のプロキシサーバを利用せず直接インターネット経由で接続して利用できるようにする，ローカルブレイクアウトについて検討することにした。

〔現在のA社のネットワーク構成〕
　現在のA社のネットワーク構成を図1に示す。

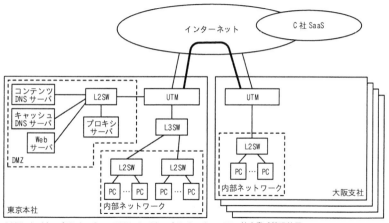

L2SW：レイヤー2スイッチ　　L3SW：レイヤー3スイッチ　　UTM：統合脅威管理装置
━━━：IPsecトンネル

図1　現在のA社のネットワーク構成（抜粋）

　現在のA社のネットワーク構成の概要を次に示す。
・本社及び各支社はIPsec VPN機能をもつUTMでインターネットに接続している。
・プロキシサーバは，従業員が利用するPCのHTTP通信，HTTPS通信をそれぞれ中継する。プロキシサーバではセキュリティ対策として各種ログを取得している。
・DMZや内部ネットワークではプライベートIPアドレスを利用している。
・PCには，DHCPを利用してIPアドレスの割当てを行っている。
・PCが利用するサーバは，全て本社のDMZに設置されている。
・A社からインターネット向けの通信については，本社のUTMでNAPTによるIPアドレスとポート番号の変換をしている。

〔現在のA社のVPN構成〕

A社は，UTMのIPsec VPN機能を利用して，本社をハブ，各支社をスポークとする [ア] 型のVPNを構成している。本社と各支社との間のVPNは，IP in IPトンネリング（以下，IP-IPという）でカプセル化し，さらにIPsecを利用して暗号化することでIP-IP over IPsecインタフェースを構成し，2拠点間をトンネル接続している。①本社のUTMと支社のUTMのペアではIPsecで暗号化するために同じ鍵を共有している。②この鍵はペアごとに異なる値が設定されている。

③IPsecの通信モードには，トランスポートモードとトンネルモードがあるが，A社のVPNではトランスポートモードを利用している。

A社のVPNを構成するIPパケット構造を図2に示す。

(1)	元の IP パケットを IP-IP でカプセル化した IP パケット	IP ヘッダー	元の IP パケット	
			元の IP ヘッダー	元の IP ペイロード

(2)	(1)の IP パケットを更に IPsec で暗号化した IP パケット	IP ヘッダー	ESP ヘッダー	元の IP パケット		ESP トレーラ	ESP 認証データ
				元の IP ヘッダー	元の IP ペイロード		

注記 元の IP パケットは，DMZ や内部ネットワークから送信された IP パケットを示す。

図2 A社のVPNを構成するIPパケット構造

VPNを構成するために，本社と各支社のUTMには固定のグローバルIPアドレスを割り当てている。④IP-IP over IPsecインタフェースでは，IP Unnumbered設定が行われている。また，⑤IP-IP over IPsecインタフェースでは，中継するTCPパケットのIPフラグメントを防止するための設定が行われている。

〔プロキシサーバを利用した制御〕

BさんがUTMについて調べたところ，追加ライセンスを購入することでプロキシサーバ（以下，UTMプロキシサーバという）として利用できることが分かった。

Bさんは，ネットワークの負荷軽減のために，各支社のPCからC社SaaS宛ての通信は，各支社のUTMプロキシサーバをプロキシサーバとして指定することで直接インターネットに向けることを考えた。また，各支社のPCからその他インターネット宛ての通信は，通信相手を特定できないことから，各種ログを取得するために，これまでどおり本社のプロキシサーバをプロキシサーバとして指定することを考えた。各支社のPCから，C社SaaS宛てとその他インターネット宛ての通信の流れを図3に示す。

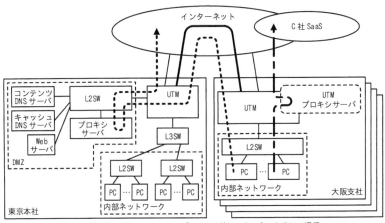

図3　各支社のPCから，C社SaaS宛てとその他インターネット宛ての通信の流れ

　Bさんは，各支社のPCが利用するプロキシサーバを制御するためにプロキシ自動設定（以下，PACという）ファイルとWebプロキシ自動検出（以下，WPADという）の導入を検討することにした。

〔PACファイル導入検討〕
　BさんはPACファイルの作成方法について調査した。PACファイルはJavaScriptで記述する。PACファイルに記述するFindProxyForURL関数の第1引数であるurlにはアクセス先のURLが，第2引数であるhostにはアクセス先のURLから取得したホスト名が渡される。これらの引数に渡された値を様々な関数を用いて条件分けし，利用するプロキシサーバを決定する。FindProxyForURL関数の戻り値が"DIRECT"ならば，プロキシサーバを利用せず直接通信を行う。戻り値が"PROXY host:port"ならば，指定されたプロキシサーバ（host）のポート番号（port）を利用する。
　テスト用に大阪支社のUTMを想定したPACファイルを作成した。Bさんが作成した大阪支社のUTMのPACファイルを図4に示す。

付
録

```
function FindProxyForURL(url, host) {
  // (a)
  var ip = dnsResolve(host);

  // (b)
  if (localHostOrDomainIs(host, "localhost") ||
      isInNet(ip, "10.0.0.0", "255.0.0.0") ||
      isInNet(ip, "127.0.0.0", "255.0.0.0") ||
      isInNet(ip, "172.16.0.0", "255.240.0.0") ||
      isInNet(ip, "192.168.0.0", "255.255.0.0") ||
      dnsDomainIs(host, ".a-sha.jp")
     ) {
    return "DIRECT";
  }

  // (c)
  if (
      dnsDomainIs(host, "image.cdn.example") ||
      shExpMatch(host, "*.c-saas.example") ) {
    return "PROXY proxy.osaka.a-sha.jp:8080";
  }

  // (d)
  return "PROXY proxy.a-sha.jp:8080";
}
```

処理名	処理の説明文
(a)	host を IP アドレスに変換し，変数 ip に代入する。
(b)	host が localhost，又は(a)で宣言した ip がプライベート IP アドレスやループバックアドレス，又は host が A 社の社内利用ドメイン名に属する場合，FindProxyForURL 関数の戻り値として "DIRECT" を返す。
(c)	host が C 社 SaaS 利用ドメイン名に属する場合，又は host が C 社 SaaS 利用ドメイン名のシェルグロブ表現に一致する場合，FindProxyForURL 関数の戻り値として "PROXY proxy.osaka.a-sha.jp:8080" を返す。
(d)	(b)，(c)どちらにも該当しない場合，FindProxyForURL 関数の戻り値として "PROXY proxy.a-sha.jp:8080" を返す。

a-sha.jp：A社の社内利用ドメイン名
proxy.a-sha.jp：本社のプロキシサーバのFQDN
proxy.osaka.a-sha.jp：大阪支社のUTMプロキシ
　　　　　　　　　　　　サーバのFQDN

image.cdn.example：C 社 SaaS 利用ドメイン名　　　c-saas.example：C 社 SaaS 利用ドメイン名
注記　説明文中の host は，引数 host に渡された値（ホスト名）を示す。

図4　Bさんが作成した大阪支社のUTMのPACファイル

　Bさんは，テスト用のPCとテスト用のUTMプロキシサーバを用意し，作成したPACファイルを利用することで，テスト用のPCからC社SaaS宛ての通信が，期待どおりに本社のプロキシサーバを利用せずに，テスト用のUTMプロキシサーバを利用することを確認した。⑥Bさんは各支社のPACファイルを作成した。

〔WPAD導入検討〕
　WPADは，　イ　や　ウ　の機能を利用して，PACファイルの場所を配布するプロトコルである。PCやWebブラウザのWebプロキシ自動検出が有効になっていると，　イ　サーバや　ウ　サーバと通信を行い，アプリケーションレイヤープロトコルの一つである　エ　を利用して　エ　サーバからPACファイルのダウンロードを試みる。
　WPADの利用にはPCやWebブラウザのWebプロキシ自動検出を有効にするだけでよく，簡便である一方，悪意のある　イ　サーバや　ウ　サーバがあると⑦PCやWebブラウザが脅威にさらされる可能性も指摘されている。Bさんは，WPADは利用しないことにし，PCやWebブラウザのWebプロキシ自動検出を無効にすることにした。PCやWebブラウザにはPACファイルの　オ　を直接設定する。

　Bさんが検討した対応案が承認され，情報システム部はプロジェクトを開始した。

設問1　〔現在のA社のVPN構成〕について答えよ。

(1)　本文中の　ア　に入れる適切な字句を答えよ。

(2)　本文中の下線①について，本社のUTMと支社のUTMのペアで共有する鍵を何と呼ぶか答えよ。

(3)　本文中の下線②について，鍵は全て同じではなく，ペアごとに異なる値を設定することで得られる効果を，鍵の管理に着目して25字以内で答えよ。

(4)　本文中の下線③について，A社のVPNで利用しているトランスポートモードとした場合は元のIPパケット（元のIPヘッダーと元のIPペイロード）とESPトレーラの範囲を暗号化するのに対し，A社のVPNをトンネルモードとした場合はどの範囲を暗号化するか。図2中の字句で全て答えよ。

(5)　本文中の下線④について，IP Unnumbered設定とはどのような設定か。"IPアドレスの割当て"の字句を用いて30字以内で答えよ。

(6)　本文中の下線⑤について，中継するTCPパケットのIPフラグメントを防止するための設定を行わず，UTMでIPフラグメント処理が発生する場合，UTMにどのような影響があるか。10字以内で答えよ。

設問2　〔PACファイル導入検討〕について答えよ。

(1)　図4について，DMZにあるWebサーバにアクセスする際，プロキシサーバを利用する場合はプロキシサーバ名を答えよ。プロキシサーバを利用しない場合は"利用しない"と答えよ。

(2)　図4について，インターネット上にある https://www.example.com/foo/index.html にアクセスする際，プロキシサーバを利用する場合はプロキシサーバ名を答えよ。プロキシサーバを利用しない場合は"利用しない"と答えよ。

(3)　図4について，isInNet（ip, "172.16.0.0", "255.240.0.0"）のアドレス空間は，どこからどこまでか。最初のIPアドレスと最後のIPアドレスを答えよ。

(4)　図4について，変数ipがプライベートIPアドレスの場合，戻り値を"DIRECT"にすることで得られる効果を，"負荷軽減"の字句を用いて20字以内で答えよ。

(5)　本文中の下線⑥について，PACファイルは支社ごとに用意する必要がある理由を25字以内で答えよ。

設問3　〔WPAD導入検討〕について答えよ。

(1)　本文中の　イ　～　オ　に入れる適切な字句を答えよ。

(2)　本文中の下線⑦について，どのような脅威があるか。25字以内で答えよ。

付録

A 午後I 解答と解説

問1 コンテンツ配信ネットワーク

≪出題趣旨≫

Webビジネスの普及に伴い，コンテンツ配信の対象顧客は国内にとどまらず，海外にも広がってきている。

広域でのコンテンツ配信時には，自社で広域ロードバランサーを導入する方法と，コンテンツ配信ネットワーク（CDN：Content Delivery Network）を契約して配信を委託する方法がある。近年では，コンテンツ事業者側の運用負担の少ないCDNの利用が増えている。

また，コンテンツ配信を行う際にはDDoS攻撃への対策が必要である。

本問では，ロードバランサーやBGP，CDN，DDoS対策を題材として，コンテンツ配信ネットワークを実業務に活用できる水準かどうかを問う。

≪解答例≫

設問1

(1) ICMP Echoに応答するがHTTPサーバのプロセスが停止している状態を検知できない。（44字）

(2) ア　最少接続数　　　　イ　172.22.1.0/24

(3) LB

設問2

(1) ウ　大きい　　　　　エ　小さい

(2) IX

(3) 不正なBGP接続（8字）

(4) 不正な経路に含まれるアドレスブロックへのコンテンツ配信ができなくなる。（35字）

設問3

(1) 攻撃パケットを攻撃元に近いところで遮断できる。（23字）

(2) より細かい条件で選別して破棄することができる。（23字）

≪採点講評≫

　問1では，コンテンツ配信ネットワークを題材に，ロードバランサーやBGP，CDN，DDoS対策について出題した。全体として正答率は平均的であった。

　設問2では，(1)の正答率がやや低く，(4)の正答率が低かった。(1)では，BGPの基本を正しく理解していないと思われる解答が多かった。出題した属性は，BGPの中でも重要なものなので，理解を深めておいてほしい。

　(4)では，トラフィックの向きを逆方向に考えた誤答が多かった。BGPで受け取った経路がどのトラフィックに影響するか正しく理解し，正答を導き出してほしい。また，BGP運用に必要なIRR（Internet Routing Registry）や経路ハイジャック対策についての知識を是非身につけておいてほしい。

≪解説≫

　コンテンツ配信ネットワークに関する問題です。この問では，ロードバランサーやBGP，CDN，DDoS対策を題材として，コンテンツ配信ネットワークを実業務に活用できる水準かどうかが問われています。負荷分散やBGPのルーティング，DDoS対策など幅広い内容が問われており，様々な分野の知識が必要な問題です。

設問1

　〔現状の配信方式〕に関する問題です。現状のD社での死活確認の方法や負荷分散の方式，サーバ証明書の格納場所について考えていきます。

(1)

　本文中の下線①「LBは配信サーバにHTTPアクセスによって死活確認を行い」について，HTTPではなくICMP Echoで死活確認を行った場合に，どのような問題があるかを考えます。

　ICMP Echoでの死活確認は，pingコマンドなどを用いてIPアドレスに対して行われます。そのため，応答を確認することで，ネットワーク層レベルでの疎通確認は可能です。しかし，サーバが稼働していても，HTTPサーバのプロセスが停止している場合には障害を検知できません。HTTPアクセスを行うことで，HTTPプロセスの稼働を確認できます。したがって解答は，**ICMP Echoに応答するがHTTPサーバのプロセスが停止している状態を検知できない**，です。

(2)

　本文中の空欄穴埋め問題です。LBの振り分けについて，適切な字句やセグメントを答えていきます。

空欄ア

　D社のゲームファイル配信において採用していると考えられる，LBの振り分けアルゴリズムについて答えます。

　〔現状の配信方式〕には，「振り分ける先の配信サーバの性能は同じだが，接続ごとに配信するゲームファイルのサイズに大きなばらつきがあり，配信に掛かる時間が変動する」とあります。そのため，単純にラウンドロビン方式で順次振り分けてしまうと，サーバの負荷に大きなばら

つきが出てしまう可能性があります。各配信サーバへの同時接続数をなるべく均等にするためには，最少接続方式を選択し，ゲーム端末からの接続をその時点での接続数が最も少ない配信サーバに振り分けることが適切です。したがって解答は，**最少接続数**となります。

空欄イ

ゲームβの配信性能向上が必要になる場合に，サーバの増設を行うセグメントを答えます。

表1より，ゲームβの配信サーバの所属セグメントは，172.22.1.0/24です。サーバの増設を行う場合には，この所属セグメントに新たにサーバを追加することで，LBで負荷分散を行うことができます。したがって解答は，**172.22.1.0/24**です。

(3)

HTTPSに必要なサーバ証明書をインストールする装置について考えます。

図1より，インターネットから配信サーバへの通信は，必ずLBを経由します。表1や本文の記述より，ゲーム端末から配信サーバへの通信はいったんLBで終端し，IPアドレスを変更して転送します。そのため，LBにサーバ証明書をインストールしておき，LBで暗号化通信を復号することで，配信サーバではサーバ証明書が不要になります。そのため，必ず入っていなければならない装置はLBだけです。したがって解答は，**LB**です。

設問2

〔配信方式の見直し〕に関する問題です。BGPの経路選択の仕組みや選択される経路，MD5認証や経路フィルタリングの仕組みについて問われています。

(1)

本文中の空欄穴埋め問題です。BGPの経路選択について，優先する経路を選択する基準を答えていきます。

空欄ウ

LP（LOCAL_PREF）属性について考えます。

BGPでは，UPDATEメッセージに含まれる経路情報にパスアトリビュートを付加することによって，経路制御を行います。タイプコード5のLP属性は，外部のASに存在する宛先ネットワークアドレスの優先度を表すパスアトリビュートです。最適経路選択アルゴリズムの仕様では，1番目で，LP（LOCAL_PREF）の値が最も大きい経路情報を選択します。したがって解答は，**大きい**です。

空欄エ

MED（MULTI_EXIT_DISC）属性について考えます。

タイプコード4のMED属性は，自身のAS内に存在する宛先ネットワークアドレスの優先度（メトリック）を表すパスアトリビュートです。最適経路選択アルゴリズムの仕様では，4番目で，MED（MULTI_EXIT_DISC）の値が最も小さい経路情報を選択します。したがって解答は，**小さい**です。

(2)

　本文中の下線②「E社のあるPOPからゲーム端末へのトラフィックの経路は，そのPOPのBGP
ルータが受け取るAS Path長によって選択される」について，図2でAS-E東京POPにAS-Gから
のHTTPSリクエストのパケットが届く場合，E社トラフィックはどちらの経路から配信されるか
を答えます。

　AS-E東京POPにAS-GからのHTTPSリクエストのパケットが届く場合，レスポンスとなる配
信はAS-E東京POPからAS-Gに向けて送られます。AS-E東京POPからAS-Gに向けての経路には，
トランジットISPを経由するAS-E → AS-F → AS-Gの経路と，IXを経由するAS-E → IX → AS-Gの
経路の二つがあります。トランジットISPを経由する場合，AS Path長は3となります。〔配信方
式の見直し〕にある，図2の後の記述に「図2でIXは，レイヤー2ネットワーク相互接続点であり，
接続された隣接のAS同士がBGPで直接接続することができる」とあり，IXを経由する場合は直
接接続ということになります。そのため，ASの経路はAS-E → AS-Gとなり，AS Path長は2です。
設問文中に「AS Path長以外は経路選択に影響せず，途中に無効な経路や経路フィルタリングは
ないものとする」とあるので，AS Path長の短い，IXを経由する経路が選択されることになります。
したがって解答は，**IX**です。

(3)

　本文中の下線③「隣接ASのBGPルータとMD5認証のための共通のパスワードを設定」について，
設定をすることで防ぐものを，“BGP”という字句を用いて10字以内で答えます。

　BGPでは，二つのBGPピア間でMD5認証を設定できます。MD5認証では，両方のBGPピア
で同じパスワードを使用して設定し，パスワードが異なる場合には接続を拒否します。この仕組
みによって，不正なBGPルータからの接続を防ぐことができます。したがって解答は，**不正な
BGP接続**です。

(4)

　本文中の下線④「アドレスブロックやAS番号を偽った不正な経路情報を受け取らないための経
路フィルタリングを行っている」について，フィルタリングせずに不正な経路を受け取った場合に，
コンテンツ配信に与える悪影響を“不正な経路”という字句を用いて40字以内で答えます。

　BGPルータが不正な経路情報を受け取ったとき，その経路情報でルーティングを行ってしまう
と，本来の経路ではない不正なネットワークにパケットが中継されていくことになります。不正な
ルーティングが行われると，不正な経路に含まれるアドレスブロックでは，適切な宛先にパケッ
トが届かなくなります。そのため，コンテンツ配信ができなくなり，正常な通信に影響が出てしま
います。したがって解答は，**不正な経路に含まれるアドレスブロックへのコンテンツ配信ができ
なくなる**，です。

設問3

〔配信拠点の保護〕に関する問題です。DDoS攻撃の対策について、RTBH方式やBGP Flowspec方式の長所について考えていきます。

(1)

図3において、インターネットからBGPルータを経由してLB11にHTTPS Flood攻撃があったとき、FW1でフィルタリングする方式と比較したRTBH方式の長所を、30字以内で答えます。

〔配信拠点の保護〕にあるE社のDDoS遮断システムとして選択されているRTBH方式は、「RFC 3954で定義されるNetFlowで得た情報を基にDDoS攻撃の宛先IPアドレスを割り出し、該当IPアドレスへの攻撃パケットを廃棄することで、ほかのIPアドレスへの通信に影響を与えないようにする」とあります。図3より、BGPルータとDDoS検知サーバがNetFlowで通信を行っており、本文に「DDoS検知サーバは、E社POP内の各BGPルータとiBGPピアリングを行っている」とあります。そのため、BGPルータで該当IPアドレスへの攻撃パケットを廃棄することができます。FW1でフィルタリングする場合には、図3のネットワークではルータを経由した後になるので、BGPルータで遮断することで、攻撃パケットをより攻撃元に近いところで遮断でき、不要なパケットの流れを早く止めることができます。したがって解答は、**攻撃パケットを攻撃元に近いところで遮断できる**、です。

(2)

本文中の下線⑤「BGP Flowspec方式の方が有用である」について、RTBH方式と比較したBGP Flowspec方式の長所を、30字以内で答えます。

下線⑤の前の文に、「BGP Flowspec方式では、DDoS検知サーバからのiBGPピアリングで、DDoS攻撃の宛先IPアドレスだけではなく、DDoS攻撃の送信元IPアドレス、宛先ポート番号などを組み合わせてBGPルータに広告して該当の通信をフィルタリングすることができる」とあります。RTBH方式と比較したときのBGP Flowspec方式の特徴は、送信元IPアドレス、宛先ポート番号などを組み合わせることで、より細かい条件で選別して破棄することができることです。そのため、正常な通信を遮断してしまう可能性を減らすことができます。したがって解答は、**より細かい条件で選別して破棄することができる**、です。

問2 SD-WANによる拠点接続

≪出題趣旨≫

近年，SD-WANの企業ネットワークへの採用が進みつつある。SD-WAN技術の詳細は機器ベンダーによって違いがあるが，企業でSD-WANを導入して活用するには，SD-WANの動作原理やその基盤となっているIPネットワーク技術に関する理解が必要である。

本問では，企業ネットワークへのSD-WAN導入を題材として，SD-WANに関する基本的な仕組みや，SD-WAN導入に当たって必要となるIPネットワーク設計と構築に必要となる基本的なスキルを問う。

≪解答例≫

設問1　ア　カスタマー　　　　イ　再配布　　　　　ウ　DMZ
　　　　　エ　eBGP　　　　　　　オ　プライベート　　カ　ポリシーベース

設問2
- (1)　a　10.3.0.0/16　　　　b　64500　64500
- (2)　c　65500　　　　　　　d　65500　　　　　　e　65500　　　　　　f　65500

設問3
- (1)　ルーティングループによる障害　（14字）
- (2)　**タイプ**　Type5　又は　外部LSA
　　　　機器　　ルータ3

設問4
- (1)　・IPsecトンネル確立のためのIPアドレス　（21字）
　　　・IPsecトンネル確立のための鍵情報　（18字）
- (2)　IPsecトンネルに障害があった場合の検出を高速にする。　（28字）

設問5
- (1)　TE023，TE032
- (2)　TE123，TE132

≪採点講評≫

　問2では，企業ネットワークへの SD-WAN の導入を題材に，SD-WAN技術とその基盤となっているIPネットワーク技術について出題した。全体として正答率は平均的であった。

　設問3では，(2)の正答率が低かった。OSPFにおける経路情報交換の基本的な仕組みを正しく理解していない受験者が多いと推察される。OSPFがどのようにLSAを交換して経路表を作るかという動作の仕様や各LSAの役割などについては，OSPFの基本事項なので，しっかりと理解してほしい。

　設問4では，(2)の正答率が低かった。BFDのような障害検知のための技術はネットワークを安定的に稼働させるために役に立つ技術である。障害検知の手法や関連知識を広く身に付けておくことは重要である。

≪解説≫

　SD-WANによる拠点接続に関する問題です。この問では，企業ネットワークへのSD-WAN導入を題材として，SD-WANの基本的な仕組みや，SD-WAN導入に当たって必要となるIPネットワーク設計と構築に必要となる基本的なスキルが問われています。

　設問2でBGP，設問3でOSPFを中心に，複数のルーティングプロトコルの具体的な設定内容が問われており，少し難易度は高めです。SD-WANについては，設問4，5でIPsecが主に問われており，定番の内容で難易度は低めです。

設問1

　本文中の空欄穴埋め問題です。問題文全体の空欄について，適切な字句を順に答えていきます。

空欄ア

　ルータ1～4について，その名称を答えます。

　図1より，ルータ1～4は，L社MPLS VPNのPEルータ（プロバイダエッジルータ）と接続されています。L社のPEルータと対応する，カスタマー（顧客）側のルータのことを，カスタマーエッジルータといいます。したがって解答は，**カスタマー**です。

空欄イ

　ルータ1～4で二つのルーティングプロトコル間におけるルーティングを可能にするために行っていることを答えます。

　〔現行の経路制御概要〕によると，拠点内はOSPF，拠点間はBGP4によって経路制御を行っています。カスタマーエッジルータで，拠点内と拠点外の両方に接続するルータ1～4は，両方のプロトコルに対応する必要があります。このような場合には，一方のルーティングプロトコルで受け取った経路情報を，別のルーティングプロトコルに再配布することによって，異なるプロトコル間でのルーティングが可能となります。したがって解答は，**再配布**です。

空欄ウ

　全拠点からインターネットへのhttp/https通信ができるように，OSPFで配布する宛先の経路について考えます。

　〔現行ネットワーク概要〕に，「各拠点のPCとサーバは，データセンターのプロキシサーバを経由してインターネットへアクセスする」とあり，全拠点からのインターネットへのアクセスは

プロキシサーバを経由する必要があります。図1より，プロキシサーバはDMZのサブネットにあるため，OSPFでDMZのサブネットを宛先の経路として配布することで，プロキシサーバに接続できます。したがって解答は，**DMZ**です。

空欄エ

BGP4において，各拠点のルータとPEルータとの経路交換で用いられるBGPの種類を答えます。

BGPには，AS間でBGP情報をやり取りするeBGP（external BGP）と，AS内でBGP情報をやり取りするiBGP（internal BGP）の2種類があります。G社ネットワークにある各拠点のルータと，L社MPLS VPNにあるPEルータではASが異なるため，eBGPを用いる必要があります。したがって解答は，**eBGP**です。

空欄オ

AS番号65500について考えます。

AS番号のうち，64512～65534および4200000000～4294967294の範囲のAS番号は，プライベートAS番号として予約されています。プライベートAS番号は，インターネットに接続されない閉域網などでの利用に用いられます。したがって解答は，**プライベート**です。

空欄カ

アプリケーショントラフィックを識別したルーティングについて答えます。

宛先IPアドレスだけで行う通常のルーティングではなく，アプリケーションを識別して行うルーティングにポリシーベースルーティング（PBR）があります。ポリシーベースルーティングでは，アプリケーションを識別するために，プロトコルやポート番号などの情報を利用してルーティングすることができます。したがって解答は，**ポリシーベース**です。

設問2

〔現行ネットワーク概要〕に関する問題です。BGPでの経路情報やAS番号について，次の〔現行の経路制御概要〕の内容も利用して考えていきます。

(1)

本文中の下線①「as-override設定の有無で表1となる」について，as-override設定の前後における経路情報の違いについての表1の穴埋めを行います。

空欄a

本社のルータ2に届く支店Vの経路情報について，as-override設定が無し／有りの場合の両方でのPrefixについて考えます。

支店Vのネットワークアドレスは，表2のネットワーク"支店V"のIPアドレスより，10.3.0.0/16です。宛先ネットワークとなるPrefixでは，支店Vの10.3.0.0/16が設定されると考えられます。したがって解答は，**10.3.0.0/16**です。

空欄b

本社のルータ2に届く支店Vの経路情報について，as-override設定有りの場合のAS番号について考えます。

表1の注記や本文に，「64500は，L社VPNのAS番号である」とあるので，L社のPEルータのAS番号は64500です。〔現行の経路制御概要〕に，「L社VPNと接続するために，AS番号

65500が割り当てられている」とあり，このプライベートAS番号を，G社の複数の拠点で使用していると考えられます。

ここで，〔現行ネットワーク概要〕に，「L社のPEルータは，G社との間のBGPピアにas-overrideを設定している。この設定によって，G社の複数の拠点で同一のAS番号を用いる構成が可能になっている」とあります。L社のPEルータにおいて，BGPピアで，プライベートAS番号の65500を64500にオーバーライドすることで，同一のAS番号を用いる構成が可能となります。as-override設定無しのときのAS PATHが「64500 65500」で，65500を64500に変更するので，「64500 64500」となります。したがって解答は，**64500 64500**です。

(2)

本文中の下線②「G社現行ネットワークで利用している各拠点のIPアドレスとAS番号を表2に示す」について，G社現行ネットワークで用いられている各ネットワークのAS番号を答え，表2の穴埋めを行っていきます。

空欄c〜f

設問2 (1)で考えたとおり，as-overrideを設定することで，G社の複数の拠点で同一のAS番号を利用します。G社には，L社VPNと接続するために，プライベートAS番号65500が割り当てられており，このAS番号をすべての拠点で利用していると考えられます。したがって空欄c〜fの解答はすべて，**65500**です。

設問3

〔現行の経路制御概要〕に関する問題です。経路フィルターで防止可能な障害や，OSPFのLSAについて考えていきます。

(1)

本文中の下線③「再び同じルーティングプロトコルに渡されることのないように経路フィルターが設定されている」について，経路フィルターによって防止することが可能な障害を20字以内で答えます。

ルーティングプロトコルの経路情報パケットが，再び同じルータに戻ってくることをルーティングループといいます。ルーティングループが発生すると，適切にパケットを送信することができなくなります。経路フィルターでパケットを破棄することでルーティングループを防ぐことができ，それによる障害を防止できます。したがって解答は，**ルーティングループによる障害**，です。

(2)

本文中の下線④「3拠点(本社，支店V，支店W)のルータ及びL3SWに届く」について，OSPFのLSAのタイプと，LSAを生成した機器について考えていきます。

タイプ

3拠点のL3SWに経路情報が届いたときのOSPFのLSAのタイプを答えます。

〔現行の経路制御概要〕に，「OSPFエリアは全てエリア0である」とあるので，すべてのOSPFエリアは同一です。また，「経路情報は，途中BGP4を経由して」とあるので，外部のASを経由してOSPFの情報が届きます。LSAのタイプのうち，Type5がAS-External-LSA(外部LSA)

です。AS外部からの情報を受け取るのは、Type5のLSAだと考えられます。したがって解答は、**Type5**または**外部LSA**です。

機器

支店VのL3SW3にこのLSAが到達したとき、そのLSAを生成した機器は何かを、図1中の機器名で答えます。

Type5のLSAを作成するルータは、AS境界ルータです。図1より、支店VのL3SW3に対応するAS境界ルータは、ルータ3となります。したがって解答は、**ルータ3**です。

設問4

〔SD-WAN導入検討〕に関する問題です。SD-WANのIPsecトンネルや、BFDについて答えていきます。

(1)

本文中の下線⑤「IPsecトンネルを構築するために必要な情報」について、SD-WANコントローラーから送られる情報を二つ挙げ、それぞれ25字以内で答えていきます。

①

IPsecでは、1対1でIPsecトンネルを確立していきます。そのため、相手先のIPアドレスを知り、通信を行う必要があります。したがって解答は、**IPsecトンネル確立のためのIPアドレス**、です。

②

IPsecでは、事前共有鍵などを利用し、IPsecルータの認証を行います。IPsecトンネルの確立のためには、鍵情報が必要です。したがって解答は、**IPsecトンネル確立のための鍵情報**、となります。

(2)

本文中の下線⑥「拠点のSD-WAN装置のトンネルインタフェースで、BFDを有効化する」について、トンネルインタフェースにBFDを設定する目的を、"IPsecトンネル"という用語を用いて35字以内で答えます。

RFC 5880で規定されたBFD（Bidirectional Forwarding Detection）は、隣接するルータ間の生存状況を調べ、障害を高速に検知してルーティングプロトコルに通知する機能です。BFDを利用することで、IPsecトンネルに障害があった場合の検出を高速化することができます。したがって解答は、**IPsecトンネルに障害があった場合の検出を高速にする**、です。

設問5

〔SD-WANトンネル検討〕に関する問題です。図3「Jさんが考えたSD-WAN装置間のIPsecトンネルの構成」から、通常時と障害発生時の経路を考えていきます。

(1)

本文中の下線⑦「L社VPNを優先的に利用し、L社VPNが使えないときはインターネットを経由する」について、通常時に本社のPCから支店VのPCへの通信が通過するTEを、図3中の字句で全て答えていきます。

付録

図2と図3より，本社のPCが接続する装置はSD-WAN装置2，支店VのPCが接続する装置は
SD-WAN装置3です。通常時はL社VPNを優先的に利用するので，図3の実線となるIPsecトン
ネル（L社VPN）を利用します。SD-WAN装置2とSD-WAN装置3を直接接続しているL社VPNは，
TE023からTE032となります。したがって解答は，**TE023，TE032**です。

(2)

(1)において支店VのL社VPN接続回線に障害があった場合，本社のPCから支店VのPCへの
通信が通過するTEを，図3中の字句で全て答えていきます。

下線⑦に，「L社VPNが使えないときはインターネットを経由する」とあり，図3ではIPsecトン
ネル（インターネット）は点線で示されています。SD-WAN装置2とSD-WAN装置3を直接接続
しているIPsecトンネル（インターネット）は，TE123からTE132となります。したがって解答は，
TE123，TE132です。

問3　　　　　　　　　　　　　　　　**ローカルブレイクアウトによる負荷軽減**

≪出題趣旨≫

クラウドサービスを利用する企業はますます増加しており，社内システムのオンプレミス環境
からクラウド環境への移行が進んでいる。また，多くのクラウドサービスはHTTPSで提供され
ており，企業ネットワークではHTTPSを中心とした通信制御，トラフィックコントロールを求め
られることが増えてきた。PCやWebブラウザが利用するプロキシサーバの制御も必要である。
本問では，ローカルブレイクアウトを題材として，IPsec VPNの基本的な知識，及びプロキシ
自動設定やWebプロキシ自動検出について問う。

≪解答例≫

設問1

(1) ア　ハブアンドスポーク

(2) 事前共有鍵

(3) 鍵が漏えいした際の影響範囲を小さくできる。 （21字）

(4) IPヘッダー，元のIPパケット，ESPトレーラ

(5) インタフェースにIPアドレスの割当てを行わない設定 （25字）

(6) 転送負荷の増大 （7字）

設問2

(1) 利用しない

(2) proxy.a-sha.jp

(3) **最初**　172.16.0.0　　　　**最後**　172.31.255.255

(4) 本社のプロキシサーバの負荷軽減 （15字）

(5) | U | T | M | プ | ロ | キ | シ | サ | ー | バ | の | F | Q | D | N | が | 異 | な | る | か | ら | (21字)

設問3

(1)　イ　DHCP　　　　ウ　DNS　※順不同

　　　エ　HTTP　　　　オ　URL

(2) | 不 | 正 | な | プ | ロ | キ | シ | サ | ー | バ | に | 中 | 継 | さ | れ | る | 。 | (17字)

≪採点講評≫

　　問3では，ローカルブレイクアウトを題材に，IPsec VPNの基本的な知識，及びプロキシ自動設定やWebプロキシ自動検出を利用して，PCやWebブラウザが利用するプロキシサーバの制御方法について出題した。全体として正答率は平均的であった。

　　設問1では，(2)の正答率がやや低かった。事前共有鍵はIPsecの基本的な技術用語なので是非知ってお いてもらいたい。(3)の正答率が低かった。ESPヘッダーを含めた誤った解答が多かった。ESPヘッダーは，暗号化の範囲に含まれないことをしっかり理解してほしい。

　　設問2では，(3)の正答率が低かった。172.16.0.0や172.31.255.255はIPアドレスとして利用可能であるが，これらを含めない誤った解答が散見された。IPアドレスのアドレス空間を正しく理解することは，ネットワーク技術者として重要である。

　　設問3では，(1)オの正答率が低かった。企業などのインターネット接続は，プロキシサーバを組み合わせて構成されることが一般的である。PCやWebブラウザのプロキシ設定にはどのような種類があり，現場でどのように運用されているか，是非理解を深めてもらいたい。

≪解説≫

　　ローカルブレイクアウトによる負荷軽減に関する問題です。この問では，ローカルブレイクアウトを題材として，IPsec VPNの基本的な知識，及びプロキシ自動設定やWebプロキシ自動検出について問われています。IPsec VPNと，PACファイルの設定内容を中心に問われており，定番の内容です。PACファイルの設定については，正確な文法を知らなくても問題なく解けると考えられ，難易度は低めの問題です。

設問1

　　〔現在のA社のVPN構成〕に関する問題です。IPsecに関するトランスポートモードやトンネルモードなどの基礎知識や，A社のVPN構成で使用するIPsecの設定について問われています。

(1)

　　本文中の空欄穴埋め問題です。VPNの型について，適切な字句を答えます。

空欄ア

　　VPNを構成する型には，すべての拠点同士を接続するメッシュ型と，特定の拠点をハブとして，他の拠点への通信をすべて経由させるハブアンドスポーク型があります。本社をハブ，各支社をスポークとするのは，ハブアンドスポーク型のVPN構成となります。したがって解答は，**ハブアンドスポーク**です。

付録

(2)

　本文中の下線①「本社のUTMと支社のUTMのペアではIPsecで暗号化するために同じ鍵を共有」について，共有する鍵を何と呼ぶか答えます。

　IPsecを利用するときに，同じ鍵を共有して暗号化や認証を行います。このときの共通鍵のことを，事前共有鍵といいます。したがって解答は，**事前共有鍵**です。

(3)

　本文中の下線②「この鍵はペアごとに異なる値が設定」について，鍵はすべて同じではなく，ペアごとに異なる値を設定することで得られる効果を，鍵の管理に着目して25字以内で答えます。

　鍵をすべて同じにすると，鍵の管理は簡単ですが，鍵が漏えいした場合にすべてのペアが接続可能となってしまいます。ペアごとに異なる値を設定することで，鍵が漏えいした際の影響範囲を小さくすることができます。したがって解答は，**鍵が漏えいした際の影響範囲を小さくできる**，です。

(4)

　本文中の下線③「IPsecの通信モードには，トランスポートモードとトンネルモードがあるが，A社のVPNではトランスポートモードを利用している」について，A社のVPNをトンネルモードとした場合はどの範囲を暗号化するかを，図2中の字句ですべて答えます。

　図2の(1)については，「元のIPパケットをIP-IPでカプセル化したIPパケット」で，トランスポートモードでは元のIPパケットの部分だけ暗号化されます。IPsecの通信モードをトンネルモードとした場合，元のIPパケットに加えて，IPヘッダーの部分が暗号化されます。

　図2の(2)について，「(1)のIPパケットを更にIPsecで暗号化したIPパケット」では，ESPトレーラがあります。ESPトレーラは，データの長さを調整するためのパディングで，IPsecでは合わせて暗号化されます。

　二つを合わせると，解答は，**IPヘッダー，元のIPパケット，ESPトレーラ**となります。

(5)

　本文中の下線④「IP-IP over IPsec インタフェースでは，IP Unnumbered 設定」について，IP Unnumbered設定とはどのような設定かを，"IPアドレスの割当て"の字句を用いて30字以内で答えます。

　IP Unnumbered設定とは，インターネット側のインタフェースにIPアドレスの割当てを行わない設定です。したがって解答は，**インタフェースにIPアドレスの割当てを行わない設定**，となります。

(6)

　本文中の下線⑤「IP-IP over IPsec インタフェースでは，中継するTCPパケットのIPフラグメントを防止するための設定」について，中継するTCPパケットのIPフラグメントを防止するための設定を行わず，UTMでIPフラグメント処理が発生する場合，UTMにどのような影響があるかを，10字以内で答えます。

　IPフラグメントとは，IPパケットが大きすぎる場合に複数のIPパケットに分割することです。

UTMでIPフラグメント処理が発生する場合，パケットの分割には大きな負荷がかかるので，転送負荷が増大すると考えられます。したがって解答は，**転送負荷の増大**，です。

設問2

〔PACファイル導入検討〕に関する問題です。図4「Bさんが作成した大阪支社のUTMのPACファイル」の内容をもとに，経由するプロキシサーバや対象のIPアドレス範囲を求めていきます。また，支社ごとにPACファイルを用意する必要がある理由も問われています。

(1)

図4について，DMZにあるWebサーバにアクセスする際，プロキシサーバを利用する場合はプロキシサーバ名を答えます。

〔現在のA社のネットワーク構成〕に，「DMZや内部ネットワークではプライベートIPアドレスを利用している」とあり，DMZではプライベートIPアドレスが利用されています。図4の(b)に当たる条件式は，次のようになっています。

```
if (LocalHostOrDomainIs(host, "localhost") ||
  isInNet(ip, "10.0.0.0", "255.0.0.0") ||
  isInNet(ip, "127.0.0.0", "255.0.0.0") ||
  isInNet(ip, "172.16.0.0", "255.240.0.0") ||
  isInNet(ip, "192.168.0.0", "255.255.0.0") ||
  dnsDomainIs(host, ".a-sha.jp")
  ) {
  return "DIRECT";
}
```

isInNet(ip, "10.0.0.0", "255.0.0.0")はクラスAのプライベートIPアドレスに該当する範囲です。isInNet(ip, "172.16.0.0", "255.240.0.0")はクラスB，isInNet(ip, "192.168.0.0", "255.255.0.0")はクラスCのプライベートIPアドレスに該当します。DMZはこのどれかに当てはまると考えられるので，「return "DIRECT";」が実行されると考えられます。これは，プロキシサーバを利用せず直接通信することを示しており，設問文にプロキシサーバを利用しない場合は"利用しない"と答えるとあります。したがって解答は，**利用しない**です。

(2)

図4について，インターネット上にある https://www.example.com/foo/index.html にアクセスする際，プロキシサーバを利用する場合はプロキシサーバ名を答えます。

URL「https://www.example.com/foo/index.html」からFQDNを取り出すと，"www.example.com"となります。図4の(b)，(c)の条件には，このFQDNは当てはまりません。そのため，最後の(d)で，「return "PROXY proxy.a-sha.jp:8080";」が実行されると考えられます。これは，プロキシサーバ名proxy.a-sha.jpのポート番号8080番を利用するという意味です。したがって，プロキシサーバ名は**proxy.a-sha.jp**となります。

付録

(3)

図4について，isInNet(ip, "172.16.0.0", "255.240.0.0")のアドレス空間は，どこからどこまでかを，最初のIPアドレスと最後のIPアドレスで答えます。

isInNetの2番目の引数はネットワークアドレス，3番目の引数はサブネットマスクです。ネットワークアドレス172.16.0.0は，2進数に直すと次のようになります。

10101100 00010000 00000000 00000000

サブネットマスク255.240.0.0は，2進数に直すと次のようになります。

11111111 11110000 00000000 00000000

先頭から12ビットがネットワークアドレスです。

最初のIPアドレスは，ホスト部がすべて0のIPアドレスなので，ネットワークアドレスと同じになり，172.16.0.0となります。最後のIPアドレスは，ホスト部がすべて1のIPアドレスで，ブロードキャストアドレスとなります。サブネットアドレスを反転させ，ネットワークアドレスに加算（OR演算）にして，IPアドレスに直してみると，次のようになります。

10101100 00011111 11111111 11111111

これを8桁ごとに10進数に変換すると，172.31.255.255となります。

したがって，最初のIPアドレスは**172.16.0.0**，最後のIPアドレスは**172.31.255.255**です。

(4)

図4について，変数ipがプライベートIPアドレスの場合，戻り値を"DIRECT"にすることで得られる効果を，"負荷軽減"の字句を用いて20字以内で答えます。

図4の(b)では，プライベートIPアドレスはプロキシサーバを経由しない設定です。設問2（1）で考えたとおり，DMZのサーバへのアクセスがプロキシサーバを経由しないことになります。そのため，本社のプロキシサーバの負荷軽減の効果があり，性能の低下が避けられます。したがって解答は，**本社のプロキシサーバの負荷軽減**，です。

(5)

本文中の下線⑥「Bさんは各支社のPACファイルを作成した」について，PACファイルは支社ごとに用意する必要がある理由を25字以内で答えます。

図4は大阪支社のUTMのPACファイルです。図4の(c)では，「return "PROXY proxy.osaka.a-sha.jp:8080";」となっており，大阪支社のUTMプロキシサーバのFQDNが設定されています。〔現在のA社のVPN構成〕に，「VPNを構成するために，本社と各支社のUTMには固定のグローバルIPアドレスを割り当てている」とあり，各支社のUTMには異なるIPアドレスに対応するFQDNが割り当てられていると考えられます。そのため，支社ごとに(c)のFQDNの設定を変える必要があり，異なるPACファイルが必要です。したがって解答は，**UTMプロキシサーバのFQDNが異なるから**，です。

設問3

　〔WPAD導入検討〕に関する問題です。WPADの設定や利点と欠点，設定しない場合の代替方法について問われています。

(1)

　本文中の空欄穴埋め問題です。WPADやPACファイルの設定に関する内容について，適切な字句を答えていきます。

空欄イ，ウ，エ

　WPAD（Web Proxy Auto-Discovery Protocol）は，Webブラウザのプロキシ設定を自動化するプロトコルです。PCやWebブラウザのWebプロキシ自動検出が有効になっていると，DHCPサーバやDNSサーバと通信を行い，HTTPを利用してHTTPサーバからPACファイルのダウンロードを試みます。したがって，空欄イ，ウは **DHCP**，及び，**DNS**，空欄エは **HTTP** です。空欄イ，ウは順不問となります。

空欄オ

　WPADを利用しない場合に，PACファイルを参照する方法を考えます。PACファイルは，HTTPを利用して通信を行います。HTTPサーバのURLを指定して直接参照することで，PACファイルの内容を確認できます。したがって解答は，**URL** です。

(2)

　本文中の下線⑦「PCやWebブラウザが脅威にさらされる」について，どのような脅威があるかを，25字以内で答えます。

　WPADを利用し，DHCPサーバやDNSサーバと通信を行う場合，通信内容が正しいことが前提になります。DNSキャッシュポイズニング攻撃などで，不正なプロキシサーバの情報がDNSサーバに登録されたりすると，IPアドレスを偽装されるおそれがあります。IPアドレスを偽装されると，不正なプロキシサーバに中継され，PCやWebブラウザが脅威にさらされることとなります。したがって解答は，**不正なプロキシサーバに中継される**，です。

付録

Q 午後Ⅱ　問題

問1　データセンターのネットワークの検討に関する次の記述を読んで、設問に答えよ。

　　K社は国内にデータセンターを所有する大手EC事業者である。データセンターのネットワークには、VXLAN（Virtual eXtensible Local Area Network）を利用している。K社の情報システム部は、ネットワークの拡張性を向上させるためにEVPN（Ethernet VPN）の適用を計画しており、EVPNを用いたVXLANの技術検証を行うことを検討している。

〔VXLANの概要〕
　　RFC 7348で規定されたVXLANでは、VXLANヘッダー内の　　a　　ビットのVNI（VXLAN Network Identifier）を用いて、約1,677万個のレイヤー2のオーバーレイネットワークをレイヤー　　b　　のネットワーク上に構成できる。VXLANトンネルの端点であるVTEP（VXLAN Tunnel End Point）は、VXLANのカプセル化及びカプセル化の解除を行う。VTEP及びVXLANトンネルの構成例を図1に示す。

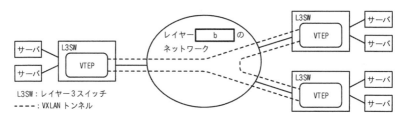

図1　VTEP及びVXLANトンネルの構成例

　　図1中のL3SWのVTEPは、サーバから受信したイーサネットフレームに、VXLANヘッダー、　　c　　ヘッダー及びIPv4ヘッダーを付加したIPパケット（以下、VXLANパケットという）を、宛先のVTEP（以下、リモートVTEPという）に転送する。転送されるVXLANパケットの送信元及び宛先には、各VTEPに割り当てられたIPアドレスを利用する。VXLANパケットの構造を図2に示す。

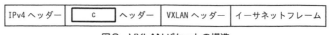

図2　VXLANパケットの構造

　　VTEPは、イーサネットフレームの宛先に応じてVXLANパケットの宛先を決定するための情報として、リモートVTEPから受信したVXLANパケットから次の情報を組み合わせて学習する。

・①リモートVTEPに接続されたサーバのMACアドレス
・②VXLANトンネルのVNI
・③リモートVTEPのIPアドレス

　K社の現行のネットワークでは，VTEPは，自身に接続されたサーバからリモートVTEPに接続されたサーバ宛てのイーサネットフレームを，次の方式を選択して転送する。
・イーサネットフレームが，VTEPによって学習されているサーバ宛てのユニキャストの場合には，図2中のIPv4ヘッダーの宛先IPアドレスに，リモートVTEPのIPアドレスをセットして転送する。
・④イーサネットフレームが，BUM（Broadcast，Unknown Unicast，Multicast）フレームの場合には，図2中のIPv4ヘッダーの宛先IPアドレスに，IPマルチキャストのグループアドレスをセットして転送する。

〔現行の検証ネットワーク〕
　K社は，現行のネットワークの維持管理のために，検証ネットワーク（以下，検証NWという）を構築している。現行の検証NWを図3に示す。

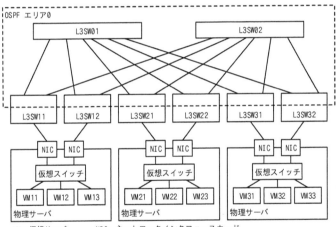

VM：仮想サーバ　　　NIC：ネットワークインタフェースカード

L3SW のループバックインタフェースの IP アドレス

機器名	IP アドレス/プレフィックス長
L3SW01	10.0.0.1/32
L3SW02	10.0.0.2/32
L3SW11	10.0.0.11/32
L3SW12	10.0.0.12/32
L3SW21	10.0.0.21/32
L3SW22	10.0.0.22/32
L3SW31	10.0.0.31/32
L3SW32	10.0.0.32/32

図3　現行の検証NW（抜粋）

図3の概要を次に示す。

・物理サーバに接続するL3SWのポートには，タグVLANを設定している。

・物理サーバの二つのNICはアクティブ／スタンバイ構成であり，L3SW11，L3SW21及び
　L3SW31に接続するNICをアクティブにしている。

・L3SWの経路制御にはOSPFを用いている。

・L3SWは，OSPFで交換するLSA (Link State Advertisement)の情報から[　d　]という
　データベースを作成する。次に，[　d　]を基に，それぞれのL3SWを根とする
　[　e　]ツリーを作成して，ルーティングテーブルに経路情報を登録する。

・⑤LSAに含まれるルータIDには，それぞれのL3SWのループバックインタフェースに割り当
　てたIPアドレスを使用している。

・⑥OSPFのECMP (Equal-Cost Multipath)によって，トラフィックを負荷分散している。

・PIM-SM (Protocol Independent Multicast - Sparse Mode)によるIPマルチキャストルーティ
　ングを用いており，L3SW01及びL3SW02にIPマルチキャストのランデブーポイントを設定
　している。

現行の検証NWのVLAN，VXLAN及びVTEPを図4に示す。

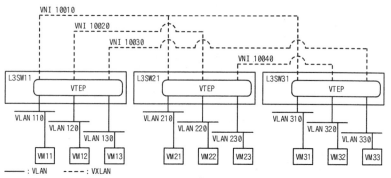

注記　L3SW12, L3SW22 及び L3SW32 の VTEP に係る構成は省略している。

VM の IP アドレスと VLAN ID

VM名	IPアドレス/プレフィックス長	VLAN ID
VM11	192.168.1.1/24	110
VM12	192.168.1.1/24	120
VM13	192.168.1.1/24	130
VM21	192.168.1.2/24	210
VM22	192.168.1.2/24	220
VM23	192.168.1.2/24	230
VM31	192.168.1.3/24	310
VM32	192.168.1.3/24	320
VM33	192.168.1.3/24	330

VXLAN のカプセル化に用いる対応表

機器名	VLAN ID	VNI	グループアドレス
	110	10010	239.0.0.1
L3SW11	120	10020	239.0.0.2
	130	10030	239.0.0.3
	210	10010	239.0.0.1
L3SW21	220	10020	239.0.0.2
	230	10040	239.0.0.4
	310	10010	239.0.0.1
L3SW31	320	10040	239.0.0.4
	330	10030	239.0.0.3

図4　現行の検証NWのVLAN，VXLAN及びVTEP(抜粋)

図4の概要を次に示す。
・図3の物理ネットワーク上に，VXLANトンネルを論理的に構成している。
・L3SW11，L3SW12，L3SW21，L3SW22，L3SW31及びL3SW32にVTEPを設定している。
・⑦VTEPのIPアドレスには，それぞれのL3SWのループバックインタフェースに割り当てた
　IPアドレスを使用している。
・VTEPのBUMフレームの転送には，IPマルチキャストを用いる設定にしている。
・VTEPでは，図4中の"VXLANのカプセル化に用いる対応表"に示す次の三つの情報を対応
　させてカプセル化を行っている。
　- 受信したイーサネットフレームの"VLAN ID"
　- VXLANトンネルの"VNI"
　- BUMフレームを転送するときに使うIPマルチキャストの"グループアドレス"

　レイヤー2のネットワークにおけるVM11及びVM23と各VMの通信可否を表1に示す。

表1　レイヤー2のネットワークにおけるVM11及びVM23と各VMの通信可否（抜粋）

通信先／通信元	VM11	VM12	VM13	…	VM31	VM32	VM33
VM11	－	×	×	…	○	×	×
VM23	ア	イ	ウ	…	エ	オ	カ

○：通信可　　　×：通信不可　　　－：通信元と通信先が同じ

〔現行の検証NWにおけるVTEPの動作〕
　図4中のVM11とVM31のARP通信におけるVTEPの動作を，次に示す。
(1)　L3SW11のVTEPでは，⑧VM11から受信したVM31のMACアドレスを問い合わせる
　ARP要求フレームに対してVXLANのカプセル化を行い，IPマルチキャストのグループア
　ドレスを宛先にして，グループに参加する全てのリモートVTEPに転送する。
(2)　L3SW12，L3SW21，L3SW22，L3SW31及びL3SW32のVTEPでは，受信したVXLAN
　パケットのカプセル化を解除して，対応するVLANにARP要求フレームをブロードキャス
　トする。
(3)　L3SW31のVTEPでは，⑨VM31から受信したARP応答フレームに対して，VXLANの
　カプセル化を行い，L3SW11のVTEP宛てに転送する。
(4)　L3SW11のVTEPでは，受信したVXLANパケットのカプセル化を解除して，VM11宛て
　にARP応答フレームを転送する。

　(1)〜(4)の動作完了後に確認できる，L3SW11及びL3SW31が学習したVXLANについて
の情報を，表2に示す。

付録

表2　L3SW11及びL3SW31が学習したVXLANについての情報

機器名	VM の MAC アドレス	VNI	リモート VTEP の IP アドレス
L3SW11	AC-αβ-F1-00-00-31	キ	ク
L3SW31	AC-αβ-F1-00-00-11	ケ	コ

注記1　AC-αβ-F1-00-00-11 は，VM11 の MAC アドレスである。
注記2　AC-αβ-F1-00-00-31 は，VM31 の MAC アドレスである。

〔EVPNの概要〕

　K社の情報システム部では，S課長から指示を受けたQ主任が，EVPNを用いたVXLANの技術検証を検討することになった。Q主任が調査したEVPNの概要を示す。

　RFC 7432及びRFC 8365で規定されたEVPNは，RFC 4760で規定されたMP-BGP (Multiprotocol Extensions for BGP-4)を用いて，オーバーレイネットワークを制御するための情報を交換する。VXLANのネットワークにEVPNを適用した場合，コントロールプレーンにEVPNを用いてオーバーレイネットワークを制御して，データプレーンにVXLANを用いてイーサネットフレームを転送する。

　図1の構成例に対してEVPNを適用した場合のEVPNの主な機能について，Q主任がK社の現行のネットワークと比較して確認した内容を次に示す。

機能1：リモートVTEPに関する情報の学習について

　　　　現行のネットワークでは，VTEPは受信したVXLANパケットからリモートVTEPの情報を学習する。EVPNを適用した場合，VTEPはMP-BGPを用いてリモートVTEPのIPアドレス及びVNIなどの情報をあらかじめ学習する。

機能2：リモートVTEPに接続されたサーバに関する情報の学習について

　　　　現行のネットワークでは，VTEPは受信したVXLANパケットから，リモートVTEPに接続されたサーバのMACアドレス，VNI及びリモートVTEPのIPアドレスの情報を学習する。EVPNを適用した場合，VTEPはMP-BGPを用いて，リモートVTEPに接続されたサーバのMACアドレス，VNI及びリモートVTEPのIPアドレスなどの情報をあらかじめ学習する。

機能3：サーバとの接続について

　　　　現行のネットワークでは，複数のVTEPとサーバの接続にリンクアグリゲーションを利用できない。EVPNを適用した場合，VTEPはMP-BGPを用いて，自身に接続されたサーバを識別するESI (Ethernet Segment Identifier)という識別子を交換できるようになる。同じESIを設定した論理インタフェースをもつ複数のVTEPは，サーバとの接続にリンクアグリゲーションを利用できる。

〔新検証NWの設計〕

　Q主任は，現行の検証NWを基に，EVPNを用いたVXLANを検証するためのネットワーク(以下，新検証NWという)を設計することにした。新検証NWを図5に示す。

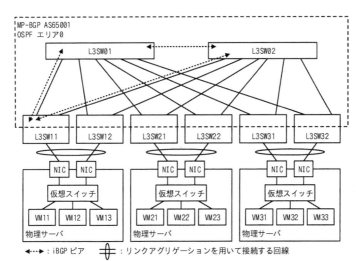

注記　iBGPピアのうち，L3SW01とL3SW02との間，L3SW01とL3SW11との間及びL3SW02とL3SW11との間を例として図示している。

図5　新検証NW（抜粋）

　現行の検証NWから新検証NWに流用される設計を次に示す。

・新検証NWのL3SW及びVMには，図3及び図4中のIPアドレス及びVLAN IDと同じ値を割り当てる。

・物理サーバに接続するL3SWのポートには，タグVLANを設定する。

・L3SWの経路制御にOSPFを用いて，現行の検証NWと同じ設定にする。

・新検証NWのVLAN，VXLAN及びVTEPを図4と同じ論理構成にする。

・L3SW11，L3SW12，L3SW21，L3SW22，L3SW31及びL3SW32にVTEPを設定する。

・VTEPには，それぞれのL3SWのループバックインタフェースに割り当てるIPアドレスを使用する。

　新検証NWに追加されるEVPNについての設計を次に示す。

・L3SWのEVPNを有効にする。

・L3SWにMP-BGPを設定して，ASを65001にする。

・⑩L3SW01及びL3SW02をMP-BGPのルートリフレクタにして，L3SW01とL3SW02との間でiBGPピアリングを行う。

・L3SW11，L3SW12，L3SW21，L3SW22，L3SW31及びL3SW32をルートリフレクタのクライアントにして，L3SW01及びL3SW02とiBGPピアリングを行う。

・iBGPのピアリングに使用するIPアドレスには，それぞれのL3SWのループバックインタフェースに割り当てるIPアドレスを使用する。

　新検証NWにおける，現行の検証NWから変更される設計を次に示す。

・現行の検証NWで用いていたIPマルチキャストルーティングについては，利用しない。

・VTEPのBUMフレームの転送には，IPユニキャストを用いる設定にする。
・物理サーバの二つのNICをアクティブ／アクティブ構成にして，リンクアグリゲーションを用いてL3SWに接続する。

　Q主任は，EVPNの機能1～3，図3～5を参照して，新検証NWの設計及びEVPNの機能を，上司のS課長に説明した。2人の会話を次に示す。

Q主任：EVPNの技術検証を行うための新検証NWを設計しました。図5のとおり，L3SWにMP-BGPを設定して，EVPNを用いたVXLANを構成するための物理ネットワークを構築します。VLAN, VXLAN及びVTEPについては，図4と同じ論理構成を組みます。

S課長：新検証NWでEVPNをどのように利用するのか教えてください。

Q主任：EVPNの"機能1"では，L3SWのVTEPはMP-BGPを利用して，リモートVTEPの情報をあらかじめ学習します。BUMフレームを受信したVTEPは，学習したリモートVTEPの情報を参照して，VLAN IDに対応するVNIをもつ各リモートVTEPを宛先に転送できるようになります。VTEPのBUMフレームの転送には，IPユニキャストを用いる設定にします。

S課長：IPマルチキャストルーティングを利用できないネットワークであっても拡張できるようになるのですね。ほかの機能についても説明してください。

Q主任：EVPNの"機能2"では，VTEPはMP-BGPを利用して，リモートVTEPに接続されたVMのMACアドレス，VNI及びリモートVTEPのIPアドレスをあらかじめ学習します。VTEPは，リモートVTEPに接続されたVM宛てのイーサネットフレームを，学習した情報を参照して転送します。"機能2"によって，BUMフレームのうちの　　f　　によるフラッディングの発生を低減できます。

S課長：ネットワーク負荷の軽減を期待できそうですね。ところで，図5中の物理サーバとL3SWの接続方法は，図3中の接続方法と異なるのですか。

Q主任：物理サーバとL3SWとの間は，⑪EVPNの"機能3"によって，リンクアグリゲーションを用いて接続します。同一の物理サーバに接続する2台のL3SWに作成するリンクアグリゲーションの論理インタフェースには，同一の物理サーバに接続されていることを識別させるために，同じ　　g　　を設定します。

S課長：新検証NWを使ってどのようなテストを実施するのか教えてください。

Q主任：VM同士の通信可否を確認します。

S課長：現行の検証NWから設定を変更するBUMフレームの転送についても，動作を確認してください。

Q主任：分かりました。⑫ARP要求フレームをカプセル化した全てのVXLANパケットをキャプチャして，宛先IPアドレスを確認します。

　Q主任が検討した新検証NWの設計及びテスト内容は，情報システム部で承認された。Q主任はEVPNの技術検証の実施のため，新検証NWの構築に着手した。

設問1　〔VXLANの概要〕について答えよ。

(1)　本文，図1及び図2中の　　a　　〜　　c　　に入れる適切な字句又は数値を答えよ。

(2)　本文中の下線①〜③について，それぞれの情報が図2中のどのヘッダー又はイーサネットフレームに含まれるか。図2中の字句を用いて答えよ。

(3)　本文中の下線④について，宛先IPアドレスをIPマルチキャストのグループアドレスにして転送する目的を，45字以内で答えよ。

設問2　〔現行の検証ネットワーク〕について答えよ。

(1)　本文中の　　d　　，　　e　　に入れる適切な字句を答えよ。

(2)　本文中の下線⑤について，K社においてルータIDは，OSPFのネットワーク内で何を識別するものか。20字以内で答えよ。

(3)　本文中の下線⑥について，ECMPを用いるために必要となる設計を，"経路"と"コスト"という字句を用いて45字以内で答えよ。

(4)　本文中の下線⑦について，VTEPのIPアドレスに物理インタフェースのIPアドレスではなく，ループバックインタフェースのIPアドレスを使用するのはなぜか。45字以内で答えよ。

(5)　表1中の　　ア　　〜　　カ　　に入れる適切な通信可否を，表1の凡例に倣い"○"又は"×"で答えよ。

設問3　〔現行の検証NWにおけるVTEPの動作〕について答えよ。

(1)　本文中の下線⑧について，VXLANパケットの宛先IPアドレスを答えよ。

(2)　本文中の下線⑨の動作について，L3SW31がL3SW11のVTEP宛てに転送するために，L3SW11からARP要求フレームを含むVXLANパケットを受信したときに学習する情報を，45字以内で答えよ。

(3)　表2中の　　キ　　〜　　コ　　に入れる適切な字句を，図3及び図4中の字句を用いて答えよ。

設問4　〔新検証NWの設計〕について答えよ。

(1)　本文中の下線⑩について，ルートリフレクタを用いる利点を"iBGP"という字句を用いて25字以内で答えよ。また，図5中のL3SW01及びL3SW02をルートリフレクタとして冗長化するときに，ループを防止するために設定するIDの名称を答えよ。

(2)　本文中の　　f　　，　　g　　に入れる適切な字句を，本文中の字句を用いて答えよ。

(3)　本文中の下線⑪について，現行の検証NWと比較したときの利点を25字以内で答えよ。

(4)　本文中の下線⑫について，VTEPは宛先IPアドレスにセットするリモートVTEPのIPアドレスをどのように学習するか。20字以内で答えよ。

(5)　本文中の下線⑫について，あるVLAN IDをセットされたARP要求フレームは，VTEPによってどのようなリモートVTEPに転送されるか。"VNI"という字句を用いて40字以内で答えよ。

付録

問2　電子メールを用いた製品サポートに関する次の記述を読んで，設問に答えよ。

　Y社は，企業向けにIT製品を販売する会社であり，電子メール（以下，メールという）を使用して，販売した製品のサポートを行っている。Y社では，取扱製品の増加に伴って，サポート体制の強化が必要になってきた。そこで，サポート業務の一部を，サポートサービス専門会社のZ社に委託することを決定し，Y社の情報システム部のX主任が，委託時のメールの運用方法を検討することになった。

　Y社のネットワーク構成を図1に，外部DNSサーバYが管理するゾーン情報を図2に，社内DNSサーバYが管理するゾーン情報を図3に示す。

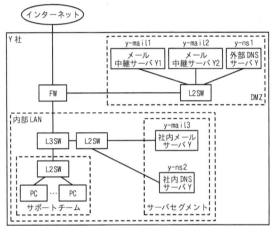

FW：ファイアウォール　L2SW：レイヤー2スイッチ　L3SW：レイヤー3スイッチ
注記　y-ns1，y-ns2，y-mail1，y-mail2，及びy-mail3はホスト名である。

図1　Y社のネットワーク構成（抜粋）

```
$TTL      172800
y-sha.com.                    IN    MX    20    y-mail1.y-sha.com.
y-sha.com.                    IN    MX    1     y-mail2.y-sha.com.
y-mail1.y-sha.com.            IN    A           200.a.b.1
y-mail2.y-sha.com.            IN    A           200.a.b.2
```
注記　200.a.b.1及び200.a.b.2はグローバルIPアドレスである。

図2　外部DNSサーバYが管理するゾーン情報（抜粋）

```
$TTL      172800
y-mail3.y-sha.lan.                  IN    A      192.168.1.1
mail.y-sha.lan.              60      IN    A      192.168.0.1
mail.y-sha.lan.              60      IN    A      192.168.0.2
y-mail1.y-sha.lan.                  IN    A      192.168.0.1
y-mail2.y-sha.lan.                  IN    A      192.168.0.2
```

図3　社内DNSサーバYが管理するゾーン情報（抜粋）

　Y社では，サポート契約を締結した顧客企業の担当者（以下，顧客という）からの製品サポート依頼を，社内メールサーバYに設定された問合せ窓口のメールアドレスである，support@y-sha.com で受け付けている。このメールアドレスはグループアドレスであり，support@y-sha.com 宛てのメールは，Y社のサポート担当者のメールアドレスに配信される。サポート担当者は，送信元メールアドレスが support@y-sha.com にセットされた製品サポートのメール（以下，サポートメールという）を，社内メールサーバYを使用して顧客に返信している。

〔Y社のネットワーク構成とセキュリティ対策の背景〕
　Y社のネットワーク構成とメールのなりすまし防止などの情報セキュリティ対策の背景について次に示す。
・サポート担当者が送信したサポートメールが①社内メールサーバYからメール中継サーバに転送されるとき，②DNSラウンドロビンによってメール中継サーバY1又はY2に振り分けられる。
・転送先のメール中継サーバが障害などで応答しないとき，社内メールサーバYは，他方のメール中継サーバ宛てに転送する機能をもつ。
・顧客が送信したサポートメールがメール中継サーバに転送されるときは，外部DNSサーバYに登録されたMXレコードの　　 a 　　値によって，平常時は，ホスト名が　　 b 　　のメール中継サーバが選択される。
・FWには，インターネットからDMZのサーバ宛ての通信に対して，静的NATが設定されている。

　FWに設定されている静的NATを表1に示す。

表1　FWに設定されている静的NAT（抜粋）

宛先のホスト	宛先 IP アドレス	変換後の IP アドレス
y-mail1.y-sha.com	ア	イ
y-mail2.y-sha.com	省略	省略

　送信元メールアドレスの詐称の有無に対しては，DNSの　　 c 　　と呼ばれる名前解決によって，送信元メールサーバのIPアドレスからメールサーバのFQDNを取得し，そのFQDNと送信元メールアドレスのドメイン名が一致した場合，詐称されていないと判定する検査方法が考えられる。しかし，③攻撃者は，自身が管理するDNSサーバのPTRレコードに不正な情報を登録することができるので，ドメイン名が一致しても詐称されているおそれがあることから，検査方法としては不十分である。このような背景から，受信側のメールサーバが送信元メールアドレスの詐称の有無を正しく判定できるようにする手法として，送信ドメイン認証が生まれた。
　送信ドメイン認証の技術には，送信元IPアドレスを基に，正規のサーバから送られたかどうかを検証するSPF（Sender Policy Framework）や，送られたメールのヘッダーに挿入された電子署名の真正性を検証するDKIM（DomainKeys Identified Mail）などがある。Y社ではSPF及びDKIMの両方を導入している。

〔Y社が導入しているSPFの概要〕

SPFでは，送信者のなりすましの有無を受信者が検証できるようにするために，送信者のドメインのゾーン情報を管理する権威DNSサーバに，SPFで利用する情報（以下，SPFレコードという）を登録する。Y社では，外部DNSサーバYにSPFレコードをTXTレコードとして登録している。

Y社が登録しているSPFレコードを図4に示す。

```
y-sha.com.    IN    TXT    "v=spf1 +ip4: [ ウ ]  +ip4: [ エ ]  -all "
```

図4　Y社が登録しているSPFレコード

Y社が導入しているSPFによる送信ドメイン認証の流れを次に示す。

（ⅰ）　サポート担当者は，送信元メールアドレスが support@y-sha.com にセットされたサポートメールを，顧客宛てに送信する。

（ⅱ）　サポートメールは，社内メールサーバYからメール中継サーバY1又はY2を経由して，顧客のメールサーバに転送される。

（ⅲ）　顧客のメールサーバは，メール中継サーバY1又はY2から，メール転送プロトコルである　[d]　の　[e]　コマンドで指定されたメールアドレスのドメイン名の　[f]　を入手する。顧客のメールサーバは，DNSを利用して，[f]　ドメインのゾーン情報を管理する外部DNSサーバYに登録されているSPFレコードを取得する。

（ⅳ）　顧客のメールサーバは，④取得したSPFレコードに登録された情報を基に，送信元のメールサーバの正当性を検査する。

（ⅴ）　正当なメールサーバから送信されたメールなので，なりすましメールではないと判断してメールを受信する。なお，正当でないメールサーバから送信されたメールは，なりすましメールと判断して，受信したメールの隔離又は廃棄などを行う。

〔Y社が導入しているDKIMの概要〕

DKIMは，送信側のメールサーバでメールに電子署名を付与し，受信側のメールサーバで電子署名の真正性を検証することで，送信者のドメイン認証を行う。電子署名のデータは，メールの　[g]　及び本文を基に生成される。

DKIMでは，送信者のドメインのゾーン情報を管理する権威DNSサーバを利用して，電子署名の真正性の検証に使用する鍵を公開する。鍵長は，2,048ビットより大きな鍵を利用することも可能である。しかし，DNSをトランスポートプロトコルである　[h]　で利用する場合は，DNSメッセージの最大長が　[i]　バイトという制限があるので，[i]　バイトに収まる鍵長として，一般に2,048ビットの鍵が利用される。

DKIMの電子署名には，第三者認証局（以下，CAという）が発行した電子証明書を利用せずに，各サイトの管理者が生成する鍵が利用できる。

Y社では，Y社のネットワーク運用管理者が生成した鍵などのDKIMで利用する情報（以下，DKIMレコードという）を，外部DNSサーバYにTXTレコードとして登録している。

Y社が登録しているDKIMレコードを図5に，DKIMレコード中のタグの説明を表2に示す。

```
sel.ysha._domainkey.y-sha.com.    IN    TXT    "v=DKIM1; k=rsa; t=s; p=（省略）"
```
注記　sel.ysha は，y-sha.com で運用するセレクター名を示し，y-sha.com. は，電子署名を行うド
　　　メイン名を示す。

図5　Y社が登録しているDKIMレコード

表2　DKIMレコード中のタグの説明（抜粋）

タグ	説明
v	バージョン番号を示す。指定する場合は "DKIM1" とする。
k	電子署名の作成の際に利用する鍵の形式を指定する。
t	DKIM の運用状態が本番運用モードの場合は "s" を指定する。
p	Base64 でエンコードした　　オ　　のデータを指定する。

　DKIMにおける送信側は，電子署名データなどを登録したDKIM-Signatureヘッダーを作成
して送信するメールに付加する処理（以下，DKIM処理という）を行う。DKIMでは，一つのド
メイン中に複数のセレクターを設定することができ，セレクターごとに異なる鍵が使用できる。
セレクターは，DNSサーバに登録されたDKIMレコードを識別するためのキーとして利用さ
れる。
　DKIM-Signatureヘッダー中のタグの説明を表3に示す。ここで，DKIM-Signatureヘッダー
の構成図は省略する。

表3　DKIM-Signatureヘッダー中のタグの説明（抜粋）

タグ	説明
b	Base64 でエンコードした電子署名データ
d	電子署名を行ったドメイン名
s	複数の DKIM レコードの中から鍵を取得する際に，検索キーとして利用するセレクター名

付録

　Y社は，顧客宛てのサポートメールに対するDKIM処理を，メール中継サーバY1及びY2で行っ
ている。Y社では，ドメイン名がy-sha.comでセレクター名がsel.yshaのセレクターを設定して
いる。Y社が送信するメールのDKIM-Signatureヘッダー中のsタグには，図5中に示したセレ
クター名の sel.ysha が登録されている。

　Y社が導入しているDKIMによる送信ドメイン認証の流れを次に示す。
（ⅰ）　サポート担当者は，送信元メールアドレスが support@y-sha.com にセットされたサポー
　　　トメールを，顧客宛てに送信する。
（ⅱ）　サポートメールは，社内メールサーバYからメール中継サーバY1又はY2を経由して，
　　　顧客のメールサーバに転送される。
（ⅲ）　メール中継サーバY1又はY2は，サポートメールに付加するDKIM-Signatureヘッダー
　　　中に電子署名データなどを登録して，顧客のメールサーバに転送する。
（ⅳ）　顧客のメールサーバは，DKIM-Signatureヘッダー中のdタグに登録されたドメイン名で

あるy-sha.comとsタグに登録されたセレクター名を基に，DNSを利用して，当該ドメイン
のゾーン情報を管理する外部DNSサーバYに登録されているDKIMレコードを取得する。
(ⅴ) 顧客のメールサーバは，⑤取得したDKIMレコードに登録された情報を基に，電子署名
の真正性を検査する。
(ⅵ) 正当なメールサーバから送信されたメールなので，なりすましメールではないと判断し
てメールを受信する。なお，正当でないメールサーバから送信されたメールは，なりすま
しメールと判断して，受信したメールの隔離又は廃棄などを行う。

〔Z社に委託するメールの運用方法の検討〕
　まず，X主任は，自社のメールシステムのセキュリティ運用規程に，次の規定があることを確
認した。
(あ) 社内メールサーバYには，Y社に勤務する従業員以外のメールボックスは設定しない
こと
(い) 社内のPCによるメール送受信は，社内メールサーバYを介して行うこと
(う) メール中継サーバY1及びY2にはメールボックスは設定せず，社内メールサーバYから
社外宛て，及び社外から社内メールサーバY宛てのメールだけを中継すること
(え) Y社のドメインを利用するメールには，なりすまし防止などの情報セキュリティ対策を講
じること

　次に，メールの運用方法の検討に当たって，X主任は，Z社のネットワーク構成とサポート体
制を調査した。
　Z社のネットワーク構成を図6に，外部DNSサーバZが管理するゾーン情報を図7に示す。

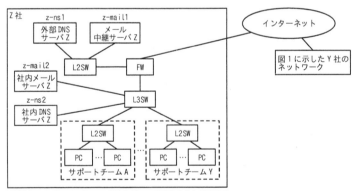

注記1　z-ns1，z-ns2，z-mail1及びz-mail2はホスト名である。
注記2　サポートチームAは，A社向けのサポート業務を行い，サポートチームYは，Y社向けの
　　　　サポート業務を行うチームである。

図6　Z社のネットワーク構成（抜粋）

```
z-sha.co.jp.              IN    MX    10    z-mail1.z-sha.co.jp.
z-mail1.z-sha.co.jp.      IN    A           222.c.d.1
```
注記　222.c.d.1 はグローバル IP アドレスである。

図7　外部DNSサーバZが管理するゾーン情報（抜粋）

　Z社は，複数の企業から受託したメールを用いたサポート業務を，チームを編成して対応している。

　X主任は，Z社のネットワーク構成，サポート体制及びY社のメールシステムのセキュリティ運用規程を基に，Z社に委託するメールによるサポート方法を，次のようにまとめた。

・Z社のサポートチームYのサポート担当者は，現在使用している問合せ窓口のメールアドレス support@y-sha.com でサポート業務を行う。
・support@y-sha.com 宛てのメール中から，Z社に委託した製品のサポート依頼メール及びサポート途中のメールが抽出されて，Z社のサポートチームYのグループアドレス宛てに転送されるようにする。
・サポートチームYのサポート担当者は，送信元メールアドレスが support@y-sha.com にセットされたサポートメールを，社内メールサーバZを使用してY社の顧客宛てに送信する。

　次に，セキュリティ運用規程の（え）に対応するために，Z社に委託するサポートメールへのSPFとDKIMの導入方法を検討した。

　SPFには，⑥DNSサーバにSPFで利用する情報を登録することで対応できると考えた。

　DKIMには，図6中のメール中継サーバZで，送信元メールアドレスが support@y-sha.com のメールに対してDKIM処理を行うことで対応できると考えた。このとき，顧客のメールサーバが，外部DNSサーバYを使用してDKIMの検査を行うことができるように，DKIM-Signatureヘッダー中のdタグで指定するドメイン名には　　ｊ　　を登録し，⑦sタグで指定するセレクター名はsel.zshaとして，Y社と異なる鍵を電子署名に利用できるようにする。また，外部DNSサーバYに，sel.zshaセレクター用のDKIMレコードを追加登録する。

　委託時のメールの運用方法がまとまったので，検討結果を上司のW課長に説明したところ，⑧"Z社のサポートチームY以外の部署の従業員が，送信元メールアドレスに support@y-sha.com をセットしてサポート担当者になりすました場合，顧客のメールサーバでは，なりすましを検知できない"，との指摘を受けた。そこで，X主任は，追加で実施する対策について調査した結果，S/MIME（Secure/MIME）の導入が有効であることが分かった。

〔S/MIMEの調査と実施策〕

　S/MIMEでは，受信者のMUA（Mail User Agent）によるメールに付与された電子署名の真正性の検証で，なりすましやメール内容の改ざんが検知できる。

　MUAによる電子署名の付与及び電子署名の検証の手順を表4に示す。

表4　MUAによる電子署名の付与及び電子署名の検証の手順

処理 MUA	手順	処理内容
送信者の MUA	1	ハッシュ関数 h によってメール内容のハッシュ値 a を生成する。
	2	⑨ハッシュ値 a を基に，電子署名データを作成する。
	3	送信者の電子証明書と電子署名付きのメールを送信する。
受信者の MUA	4	⑩受信したメール中の電子署名データからハッシュ値 a を取り出す。
	5	ハッシュ関数 h によってメール内容のハッシュ値 b を生成する。
	6	⑪ハッシュ値を比較する。

　X主任は，S/MIME導入に当たってY社とZ社が実施すべき事項について検討し，次の四つの実施事項をまとめた。

・Y社のホームページ上で，サポートメールへのS/MIMEの導入をアナウンスし，なりすまし防止対策を強化することを顧客に周知する。

・取得した電子証明書は，Z社にも秘密鍵と併せて提供する。

・Y社のサポート担当者及びZ社のサポートチームYのサポート担当者は，自身のPCに電子証明書と秘密鍵をインストールする。

・Y社及びZ社のサポート担当者は，送信するメールに電子署名を付与する。

　X主任は，サポートメールにSPFとDKIMだけでなく新たにS/MIMEも導入したメールの運用方法と，サポート委託を開始するまでにY社及びZ社で実施すべき事項をW課長に報告した。報告内容が承認されたので，X主任は，委託時のメールの運用を開始するまでの手順書の作成，及びZ社の窓口担当者との調整に取り掛かった。

設問1　〔Y社のネットワーク構成とセキュリティ対策の背景〕について答えよ。

　(1)　本文中の下線①について，転送先のメール中継サーバのFQDNを答えよ。

　(2)　本文中の下線②について，社内メールサーバYからメール中継サーバY1又はY2へのメール転送時に，振分けの偏りを小さくするために実施している方策を，25字以内で答えよ。

　(3)　本文中の　　a　　～　　c　　に入れる適切な字句を答えよ。

　(4)　表1中の　　ア　　，　　イ　　に入れる適切なIPアドレスを答えよ。

　(5)　本文中の下線③について，攻撃者がPTRレコードに対して行う不正な操作の内容を，次に示す図8を参照して45字以内で答えよ。

ホストのIPアドレス	IN	PTR	ホストのFQDN

図8　PTRレコードの形式（抜粋）

設問2　〔Y社が導入しているSPFの概要〕について答えよ。

　(1)　図4中の　　ウ　　，　　エ　　に入れる適切なIPアドレスを答えよ。

　(2)　本文中の　　d　　～　　f　　に入れる適切な字句を答えよ。

　(3)　本文中の下線④について，正当性の確認方法を，50字以内で答えよ。

設問3 〔Y社が導入しているDKIMの概要〕について答えよ。

(1) 本文中の　　g　　～　　i　　に入れる適切な字句又は数値を答えよ。

(2) 図5のDKIMレコードで指定されている暗号化方式のアルゴリズム名，及び表2中の　　オ　　に入れる適切な鍵名を答えよ。

(3) 本文中の下線⑤について，電子署名の真正性の検査によって送信者がなりすまされていないことが分かる理由を，50字以内で答えよ。

設問4 〔Z社に委託するメールの運用方法の検討〕について答えよ。

(1) 本文中の下線⑥について，登録するDNSサーバ名及びDNSサーバに登録する情報を，それぞれ，図1又は図6中の字句を用いて答えよ。

(2) 本文中の　　j　　に入れる適切な字句を答えよ。

(3) 本文中の下線⑦について，異なる鍵を利用することによる，Y社におけるセキュリティ面の利点を，50字以内で答えよ。

(4) 本文中の下線⑧について，顧客のメールサーバでは，なりすましを検知できない理由を，40字以内で答えよ。

設問5 〔S/MIMEの調査と実施策〕について答えよ。

(1) 表4中の下線⑨の電子署名データの作成方法を，25字以内で答えよ。

(2) 表4中の下線⑩のハッシュ値aを取り出す方法を，20字以内で答えよ。

(3) 表4中の下線⑪について，どのような状態になれば改ざんされていないと判断できるかを，25字以内で答えよ。

A 午後Ⅱ 解答と解説

問1 データセンターのネットワークの検討

≪出題趣旨≫

データセンター事業者や通信事業者のように大規模なネットワークを運用する企業では，ネットワークの拡張性やマルチテナントへの対応は重要な課題である。このような課題に対応するために，VXLAN及びEVPNを利用する企業は少なくない。

VXLAN及びEVPNを利用したネットワークの導入や運用には，レイヤー2及びレイヤー3のネットワーク技術について正しく理解することが重要である。

本問では，VXLANを利用して構成されたネットワークにEVPNを適用する事例を通じて，VXLAN及びEVPNを解説した。データセンターのネットワークに利用されるVXLAN及びEVPNの検討を題材として，受験者が修得した技術と経験が，実務で活用できる水準かどうかを問う。

≪解答例≫

設問1

(1) a 24   b 3   c UDP

(2) ① イーサネットフレーム

② VXLANヘッダー

③ IPv4ヘッダー

(3) 同じレイヤー2のネットワークをもつ全てのリモートVTEPに転送するため （35字）

設問2

(1) d LSDB   e 最短経路

(2) OSPFが動作する各L3SW （14字）

(3) 複数ある経路のそれぞれの経路について，コストの合計値を同じ値にする。 （34字）

(4) 一つの物理インタフェースに障害があってもVTEPとして動作できるから （34字）

(5) ア ×   イ ×   ウ ×
エ ×   オ ○   カ ×

設問3

(1)　239.0.0.1

(2)　| V | M | 1 | 1 | の | M | A | C | ア | ド | レ | ス | ， | V | N | I | 及 | び | L | 3 | S | W | 1 | 1 | の | V | T |
　　| E | P | の | I | P | ア | ド | レ | ス | （36字）

(3)　キ　10010　　　　ク　10.0.0.31
　　ケ　10010　　　　コ　10.0.0.11

設問4

(1)　利点　| i | B | G | P | ピ | ア | の | 数 | を | 減 | ら | す | こ | と | が | で | き | る | 。 | （19字）

　　　名称　クラスターID

(2)　f　Unknown Unicast　　　　g　ESI

(3)　| 二 | つ | の | 回 | 線 | の | 帯 | 域 | を | 有 | 効 | に | 利 | 用 | で | き | る | 。 | （18字）

(4)　| M | P | － | B | G | P | を | 用 | い | て | 学 | 習 | す | る | 。 | （15字）

(5)　| V | L | A | N | 　 | I | D | に | 対 | 応 | す | る | V | N | I | を | も | つ | 全 | て | の | リ | モ | ー | ト | V | T |
　　| E | P | （29字）

≪採点講評≫

　問1では，データセンターのネットワークの検討を題材に，VXLANの概要とVTEPで行われる処理，VXLANでカプセル化されたIPパケットの転送方式，及びEVPNの概要と特徴について出題した。全体として正答率は平均的であった。

　設問1では，(1) cの正答率が低かった。VXLANはデータセンターのネットワークなどに採用される事例が少なくない。また，VXLANのカプセル化は，VXLANを理解する上で重要な技術の一つである。是非知っておいてもらいたい。

　設問2では，(1) e，(2)の正答率が低かった。OSPFは多くのネットワーク技術者にとって設計，構築及び運用など，様々な場面で必要とされる技術である。OSPFの仕組みや仕様を正しく理解してほしい。

　設問3では，(3)ク，コの正答率がやや低かった。クとコの解答が逆であったり，VMのIPアドレスにしていたりする誤った解答が散見された。L3SW11及びL3SW31で行われる処理自体は複雑ではないので，本文をよく読んで正答を導き出すよう心掛けてもらいたい。

　設問4では，(1)の正答率が低かった。設問2のOSPFと同様に，BGPも様々な場面で利用されている重要なネットワーク技術である。BGPについても理解を深めてほしい。

≪解説≫

データセンターのネットワークの検討に関する問題です。この問では，データセンターのネットワークに利用されるVXLAN及びEVPNの検討を題材として，受験者が修得した技術と経験が，実務で活用できる水準かどうかを問われています。

この問は，以下の段落で構成されています。

段落	出題される設問
〔VXLANの概要〕	設問1
〔現行の検証ネットワーク〕	設問2
〔現行の検証NWにおけるVTEPの動作〕	設問3
〔EVPNの概要〕	
〔新検証NWの設計〕	設問4

VXLANだけでなく，OSPFやMP-BGPの設定，リンクアグリゲーションなどの冗長化の手法など，様々な観点から幅広く問われています。VXLANやEVPNについては問題文に説明があるので，読み解いていけば知識がなくてもある程度の問題を解くことができます。

設問1

〔VXLANの概要〕に関する問題です。VXLANの規定に対する知識や，設定されるヘッダの内容，及びIPマルチキャストを使用する目的などが問われています。

(1)

本文，図1及び図2中の空欄穴埋め問題です。RFC 7348で規定されたVXLANについて，適切な字句又は数値を答えていきます。

空欄a

VXLANヘッダー内のVNI（VXLAN Network Identifier）のビット数を答えます。

RFC 7348では，VXLANヘッダーのVNIは24ビットと定義されています。したがって解答は，**24**です。

空欄b

レイヤー2のオーバーレイネットワークを構成することができるレイヤーを答えます。

RFC 7348 は，"Virtual eXtensible Local Area Network（VXLAN）：A Framework for Overlaying Virtualized Layer 2 Networks over Layer 3 Networks"という表題です。VXLANは，レイヤー3のネットワーク内にレイヤー2のオーバーレイネットワークを構成する方法として記述されています。したがって解答は，**3**です。

空欄c

VTEP（VXLAN Tunnel End Point）のIPパケットに追加するヘッダーを答えます。

VTEPでは，IPヘッダーに加えてUDP（User Datagram Protocol）ヘッダーを利用します。したがって解答は，**UDP**です。

(2)

本文中の下線①～③について，それぞれの情報が図2中のどのヘッダー又はイーサネットフレームに含まれるかを，図2中の字句を用いて答えていきます。

下線①

本文中の下線①「リモートVTEPに接続されたサーバのMACアドレス」情報について，図2中で含まれる場所を答えます。

接続されたサーバのMACアドレスはVXLANでカプセル化される前の元のイーサネットフレームに含まれており，VTEPでヘッダーを負荷して転送します。したがって解答は，**イーサネットフレーム**です。

下線②

本文中の下線②「VXLANトンネルのVNI」情報について，図2中で含まれる場所を答えます。

VXLANトンネルのVNIは，VTEPで負荷される情報で，VXLANヘッダー内に設定されます。したがって解答は，**VXLANヘッダー**です。

下線③

本文中の下線③「リモートVTEPのIPアドレス」情報について，図2中で含まれる場所を答えます。

VTEPはVXLANトンネルの端点で，外部IPヘッダーとなるIPv4ヘッダーに宛先のVTEP（リモートVTEP）が設定されます。したがって解答は，**IPv4ヘッダー**です。

(3)

本文中の下線④「イーサネットフレームが，BUM（Broadcast, Unknown Unicast, Multicast）フレームの場合には，図2中のIPv4ヘッダーの宛先IPアドレスに，IPマルチキャストのグループアドレスをセットして転送する」について，宛先IPアドレスをIPマルチキャストのグループアドレスにして転送する目的を，45字以内で答えます。

BUMフレームの場合，MACアドレスでフィルタリングせず，同じネットワークアドレスの全ての機器に対して送られる必要があります。宛先IPアドレスをIPマルチキャストのグループアドレスにして転送することで，同じレイヤー2のネットワークをもつ全てのリモートVTEPに転送することが可能になります。したがって解答は，**同じレイヤー2のネットワークをもつ全てのリモートVTEPに転送するため**，です。

設問2

〔現行の検証ネットワーク〕に関する問題です。図3の現行の検証NWについて，OSPFの仕組みや設定，VXLANトンネルの設定内容，及びVMの通信可否について問われています。

(1)

本文中の空欄穴埋め問題です。図3の現行の検証NWについて，適切な字句を答えていきます。

空欄d

L3SWが，OSPFで交換するLSA（Link State Advertisement）の情報から作成するデータベースの名称を答えます。

OSPFルータは，LSAによってネットワーク内のリンク情報を集め，LSDB（Link State

DataBase)という名のデータベースを構築します。したがって解答は，**LSDB**です。

空欄e

　LSDBを基に作成する，それぞれのL3SWを根とするツリーについて答えます。

　OSPFでは，LSDBを基に，ダイクストラの最短経路探索アルゴリズム（SPFアルゴリズム）を用いて最短経路を探索します。このとき，それぞれのL3SWを根とするツリーのことを最短経路木（または最短経路ツリー，SPFツリー）といいます。したがって解答は，**最短経路**です。

(2)

　本文中の下線⑤「LSAに含まれるルータID」について，K社においてのルータIDが，OSPFのネットワーク内で識別するものを，20字以内で答えます。

　〔現行の検証ネットワーク〕にはルータIDに，「それぞれのL3SWのループバックインタフェースに割り当てたIPアドレスを使用している」とあります。ループバックインタフェースに割り当てるIPアドレスは，各L3SW（ルータ）ごとに一つであり，OSPFが動作する各L3SWを識別するのに使用できます。したがって解答は，**OSPFが動作する各L3SW**です。

(3)

　本文中の下線⑥「OSPFのECMP（Equal-Cost Multipath)によって，トラフィックを負荷分散している」について，ECMPを用いるために必要となる設計を，"経路"と"コスト"という字句を用いて45字以内で答えます。

　OSPFのECMPは，最小のコストの経路が複数ある場合に，複数の経路に分散させることができる機能です。ECMPを用いるためには，複数ある経路のそれぞれの経路について，コストの合計値を同じ値になるようにし，最小のコストの経路が複数になるように設計する必要があります。したがって解答は，**複数ある経路のそれぞれの経路について，コストの合計値を同じ値にする**，です。

(4)

　本文中の下線⑦「VTEPのIPアドレスには，それぞれのL3SWのループバックインタフェースに割り当てたIPアドレスを使用している」について，VTEPのIPアドレスに物理インタフェースのIPアドレスではなく，ループバックインタフェースのIPアドレスを使用する理由を，45字以内で答えます。

　設問2 (2)で答えたように，ループバックインタフェースのIPアドレスは各L3SWに一つで，L3SWを識別するのに使用します。物理インタフェースは指定されていないので，複数のインタフェースがあるL3SWでは，どのインタフェースでも通信可能です。そのため，VTEPのIPアドレスをループバックインタフェースのものにすることで，一つの物理インタフェースに障害があった場合にも，VTEPとして動作を継続させることがかのうになります。したがって解答は，**一つの物理インタフェースに障害があってもVTEPとして動作できるから**，です。

(5)

　表1中の空欄穴埋め問題です。レイヤー2のネットワークにおけるVM11及びVM23と各VMの通信可否について，適切な通信可否を，表1の凡例に倣い"○"又は"×"で答えていきます。

空欄ア

通信元がVM23，通信先がVM11の場合の通信可否を考えます。

図4のVMのIPアドレスとVLAN IDより，VM23のIPアドレス／プレフィックス長は192.168.1.2/24，VLAN IDは230です。VXLANのカプセル化に用いる対応表によると，L3SW21に接続されているVLAN IDが230のときのVNIは10040で，グループアドレスは239.0.0.4です。

同様に，VM11のIPアドレス／プレフィックス長は192.168.1.1/24，VLAN IDは110で，対応するVNIは10010，グループアドレスは239.0.0.1です。VNIもグループアドレスも異なるので，通信は許可されないと考えられます。したがって解答は，×です。

空欄イ

通信元がVM23，通信先がVM12の場合の通信可否を考えます。

図4より，VM12のIPアドレス／プレフィックス長は192.168.1.1/24，VLAN IDは120で，対応するVNIは10020，グループアドレスは239.0.0.2です。空欄アと同様に，VM23とはVNIもグループアドレスも異なるので，通信は許可されないと考えられます。したがって解答は，×です。

空欄ウ

通信元がVM23，通信先がVM13の場合の通信可否を考えます。

図4より，VM13のIPアドレス／プレフィックス長は192.168.1.1/24，VLAN IDは130で，対応するVNIは10030，グループアドレスは239.0.0.3です。空欄アと同様に，VM23とはVNIもグループアドレスも異なるので，通信は許可されないと考えられます。したがって解答は，×です。

空欄エ

通信元がVM23，通信先がVM31の場合の通信可否を考えます。

図4より，VM31のIPアドレス／プレフィックス長は192.168.1.3/24，VLAN IDは310で，対応するVNIは10010，グループアドレスは239.0.0.1です。空欄アと同様に，VM23とはVNIもグループアドレスも異なるので，通信は許可されないと考えられます。したがって解答は，×です。

空欄オ

通信元がVM23，通信先がVM32の場合の通信可否を考えます。

図4より，VM32のIPアドレス／プレフィックス長は192.168.1.3/24，VLAN IDは320で，対応するVNIは10040，グループアドレスは239.0.0.4です。VM23もVNIが10040，グループアドレスが239.0.0.4と一致するため，IPマルチキャストで通信が行われると考えられます。したがって解答は，○です。

空欄カ

通信元がVM23，通信先がVM33の場合の通信可否を考えます。

図4より，VM12のIPアドレス／プレフィックス長は192.168.1.3/24，VLAN IDは330で，対応するVNIは10030，グループアドレスは239.0.0.3です。空欄アと同様に，VM23とはVNIもグループアドレスも異なるので，通信は許可されないと考えられます。したがって解答は，×です。

設問3

〔現行の検証NWにおけるVTEPの動作〕に関する問題です。VXLANの宛先IPアドレスや学習する情報，具体的なVNIやIPアドレスについて考えていきます。

(1)

本文中の下線⑧「VM11から受信したVM31のMACアドレスを問い合わせるARP要求フレームに対してVXLANのカプセル化を行い，IPマルチキャストのグループアドレスを宛先にして，グループに参加する全てのリモートVTEPに転送する」について，VXLANパケットの宛先IPアドレスを答えます。

VM11から受信したVM31のMACアドレスを問い合わせるARP要求フレームは，送信元IPアドレスがVM11，探索するIPアドレスがVM31だと考えられます。図4より，VM11のVLAN ID 110とVM31のVLAN ID 310はともに，VNIが10010で，グループアドレスは239.0.0.1です。IPマルチキャストのグループアドレスを宛先にしてVXLANのカプセル化を行うので，宛先IPアドレスは239.0.0.1になると考えられます。したがって解答は，**239.0.0.1**です。

(2)

本文中の下線⑨「VM31から受信したARP応答フレームに対して，VXLANのカプセル化を行い，L3SW11のVTEP宛てに転送する」動作について，L3SW31がL3SW11のVTEP宛てに転送するために，L3SW11からARP要求フレームを含むVXLANパケットを受信したときに学習する情報を，45字以内で答えます。

〔VXLANの概要〕に，「VTEPは，イーサネットフレームの宛先に応じてVXLANパケットの宛先を決定するための情報として，リモートVTEPから受信したVXLANパケットから次の情報を組み合わせて学習する」とあり，次の三つの情報を学習します。

・リモートVTEPに接続されたサーバのMACアドレス
・VXLANトンネルのVNI
・リモートVTEPのIPアドレス

L3SW31のVTEPでは，ARP要求パケットの送信元がVM11なので，VM11のMACアドレスと，VNI（10010）が学習されます。また，リモートVTEPはL3SW11となるので，L3SW11のVTEPのIPアドレスが学習されます。したがって解答は，**VM11のMACアドレス，VNI 及び L3SW11のVTEPのIPアドレス**です。

(3)

表2中の空欄穴埋め問題です。L3SW11及びL3SW31が学習したVXLANについての情報について適切な字句を，図3及び図4中の字句を用いて答えていきます。

空欄キ

機器名L3SW11が学習したVNIを答えます。学習する通信相手先はVM31で，図4から，VM31のVLAN ID 310に対応するVNIは，10010となります。したがって解答は，**10010**です。

空欄ク

機器名L3SW11が学習したIPアドレスを答えます。学習するリモートVTEPのIPアドレスは，通信相手のL3SW31のIPアドレスです。L3SWの学習にはループバックアドレスを用いることになり，図3よりL3SW31のIPアドレスは10.0.0.31となります。したがって解答は，**10.0.0.31**です。

空欄ケ

機器名L3SW31が学習したVNIを答えます。学習する通信相手先はVM11で，図4から，VM31のVLAN ID 110に対応するVNIは，10010となります。したがって解答は，**10010**です。

空欄コ

機器名L3SW31が学習したIPアドレスを答えます。学習するリモートVTEPのIPアドレスは，通信相手のL3SW11のIPアドレスです。図3より，L3SW11のIPアドレスは10.0.0.11となります。したがって解答は，**10.0.0.11**です。

設問4

〔新検証NWの設計〕に関する問題です。EVPNを用いたVXLANについて，ルートリフレクタやMP-BGP，リンクアグリゲーションなどについて考えていきます。

(1)

本文中の下線⑩「L3SW01及びL3SW02をMP-BGPのルートリフレクタにして」について，ルートリフレクタを用いる利点と，ループを防止するために設定するIDの名称を答えていきます。

利点

ルートリフレクタを用いる利点を"iBGP"という字句を用いて25字以内で答えます。

iBGPには，iBGPスプリットホライズンというルールがあり，ピアから入手した経路情報を他のピアに送りません。そのため，すべてのiBGPルータ間で，フルメッシュでiBGPピアリングを行う必要があります。ルートリフレクタを設定することで，BGPスピーカは，入手したアドバタイズを他のピアへ転送することができます。そのため，フルメッシュでのiBGPピアリングの必要がなくなり，iBGPピアの数を減らすことができます。したがって解答は，**iBGPピアの数を減らすことができる**，です。

名称

図5中のL3SW01及びL3SW02をルートリフレクタとして冗長化するときに，ループを防止するために設定するIDの名称を答えます。

ルートリフレクタとクライアントの組み合わせをクラスターと呼びます。クラスターに複数のルートリフレクタを設定した場合，ルーティングループを防ぐために，クラスターIDが使われます。したがって解答は，**クラスターID**です。

(2)

本文中の空欄穴埋め問題です。EVPNの機能について，適切な字句を，本文中の字句を用いて答えていきます。

空欄f

"機能2"によってフラッディングの発生を低減できる，BUMフレームについて考えます。

〔EVPNの概要〕"機能2：リモートVTEPに接続されたサーバに関する情報の学習について"には，「EVPNを適用した場合，VTEPはMP-BGPを用いて，リモートVTEPに接続されたサーバのMACアドレス，VNI及びリモートVTEPのIPアドレスなどの情報をあらかじめ学習する」とあります。EVPNを利用すると，MACアドレスをあらかじめMACアドレステーブルに学習します。BUM（Broadcast，Unknown Unicast，Multicast）のうち，Unknown Unicastの通

付録

信は，MACアドレスをあらかじめ学習しておくと減らすことができます。したがって解答は，**Unknown Unicast**です。

空欄g

同一の物理サーバに接続する2台のL3SWに作成するリンクアグリゲーションの論理インタフェースに，同一の物理サーバに接続されていることを識別させるために設定するものを答えます。

〔EVPNの概要〕"機能3：サーバとの接続について"に，「同じESIを設定した論理インタフェースをもつ複数のVTEPは，サーバとの接続にリンクアグリゲーションを利用できる」とあります。同一の物理サーバに接続されていることを識別させるために設定する同じESIを設定することで，リンクアグリゲーションを利用できます。したがって解答は，**ESI**です。

(3)

本文中の下線⑪「EVPNの"機能3"によって，リンクアグリゲーションを用いて接続します」について，現行の検証NWと比較したときの利点を25字以内で答えます。

リンクアグリゲーション（LAG：Link Aggregation）は，スイッチングハブとホスト間，またはスイッチングハブ間などを複数の回線で接続し，それらを論理的に一つに束ねる技術です。二つの回線でリンクアグリゲーションを用いた場合，両方の回線が同時に使用されるので，二つの回線の帯域を有効に利用できます。したがって解答は，**二つの回線の帯域を有効に利用できる**，です。

(4)

本文中の下線⑫「ARP要求フレームをカプセル化した全てのVXLANパケットをキャプチャして，宛先IPアドレスを確認します」について，VTEPが宛先IPアドレスにセットするリモートVTEPのIPアドレスをどのように学習するかを，20字以内で答えます。

〔EVPNの概要〕"機能1：リモートVTEPに関する情報の学習について"に，「EVPNを適用した場合，VTEPはMP-BGPを用いてリモートVTEPのIPアドレス及びVNIなどの情報をあらかじめ学習する」とあります。そのため，リモートVTEPのIPアドレスは，あらかじめMP-BGPを用いて学習されていると考えられます。したがって解答は，**MP-BGPを用いて学習する**，です。

(5)

本文中の下線⑫「ARP要求フレームをカプセル化した全てのVXLANパケットをキャプチャして，宛先IPアドレスを確認します」について，あるVLAN IDをセットされたARP要求フレームは，VTEPによってどのようなリモートVTEPに転送されるかを，"VNI"という字句を用いて40字以内で答えます。

VNIは，レイヤー2のオーバーレイネットワークを識別するIDで，VNIが同じ場合は，同じレイヤー2ネットワークとして通信できます。図4のVLAN IDとVNIの対応表の設定があるので，あるVLAN IDをセットされたARP要求フレームは特定のVNIに対応します。ARP要求フレームを受け取ったVTEPは，VLAN IDに対応するVNIをもつ全てのリモートVTEPに転送することで，同じVNI間でのレイヤー2での通信が可能となります。したがって解答は，**VLAN IDに対応するVNIをもつ全てのリモートVTEP**，です。

問2 電子メールを用いた製品サポート

≪出題趣旨≫

特定の企業や官公庁などが保有する知財情報や個人情報などの重要な情報の窃取，改ざんなどを行う標的型メール攻撃が広がっており，攻撃手口が巧妙なことから，発見が難しく被害が増加している。

標的型メール攻撃は，なりすましメールによって行われることが多い。対策を怠ると，攻撃の被害者になるだけでなく，加害者になってしまうこともある。

このような状況を基に，本問では，メールによるサポート業務を他社に委託する場合のなりすまし防止対策を題材として，受験者が修得したネットワーク技術が，標的型メール攻撃の対策に有効な送信ドメイン認証の導入検討に活用できる水準かどうかを問う。

≪解答例≫

設問1

(1) mail.y-sha.lan

(2) ｜T｜T｜L｜を｜6｜0｜秒｜と｜短｜い｜値｜に｜し｜て｜い｜る｜。｜　(17字)

(3) **a** Preference 　**b** y-mail2 　**c** 逆引き

(4) **ア** 200.a.b.1 　**イ** 192.168.0.1

(5) ｜メ｜ー｜ル｜サ｜ー｜バ｜の｜F｜Q｜D｜N｜に｜,｜詐｜称｜し｜た｜メ｜ー｜ル｜ア｜ド｜レ｜ス｜の｜ド｜メ｜
｜イ｜ン｜名｜を｜登｜録｜す｜る｜。｜　(36字)

設問2

(1) **ウ** 200.a.b.1 　**エ** 200.a.b.2 　※順不同

(2) **d** SMTP 　**e** MAIL FROM 　**f** y-sha.com

(3) ｜送｜信｜元｜の｜メ｜ー｜ル｜サ｜ー｜バ｜の｜I｜P｜ア｜ド｜レ｜ス｜が｜,｜S｜P｜F｜レ｜コ｜ー｜ド｜の｜
｜中｜に｜登｜録｜さ｜れ｜て｜い｜る｜こ｜と｜　(38字)

設問3

(1) **g** ヘッダー 　**h** UDP 　　　**i** 512

(2) **アルゴリズム名** RSA
　　オ 公開鍵

(3) ｜受｜信｜し｜た｜メ｜ー｜ル｜が｜正｜規｜の｜メ｜ー｜ル｜サ｜ー｜バ｜か｜ら｜送｜信｜さ｜れ｜た｜も｜の｜か｜
｜ど｜う｜か｜が｜分｜か｜る｜か｜ら｜　(36字)

設問4

(1) **DNSサーバ名**　※以下のうち，いずれか一つを解答
　　・外部DNSサーバY 　　　　・y-ns1
　　登録する情報　※以下のうち，いずれか一つを解答
　　・メール中継サーバZのIPアドレス
　　・z-mail1のIPアドレス

付録

(2) j y-sha.com

(3) | メ | ー | ル | 中 | 継 | サ | ー | バ | Z | か | ら | 鍵 | が | 漏 | え | い | し | て | も | ， | Y | 社 | で | 実 | 施 | 中 | の |
| D | K | I | M | の | 処 | 理 | は | 影 | 響 | を | 受 | け | な | い | 。 | (43字) |

(4) | な | り | す | ま | し | メ | ー | ル | も | ， | メ | ー | ル | 中 | 継 | サ | ー | バ | Z | か | ら | 社 | 外 | に | 転 | 送 | さ |
| れ | る | か | ら | (31字) |

設問5
※不備により設問が成立しない。

≪採点講評≫

　問2では，電子メール（以下，メールという）を用いた製品サポートを題材に，メールによるなりすましを検知するための対策について出題した。正答率は全体として平均的であった。

　設問1では，(2)の正答率が低かった。本問の構成のように，送信元が社内メールサーバYだけの場合，振分けの偏りを小さくするには，DNSキャッシュの生存時間を短くして，社内DNSサーバYに対する名前解決要求を頻繁に発生させる必要があることを理解してほしい。

　設問3では，(3)の正答率が低かった。本問の構成では，メール中継サーバY1とY2がDKIM処理を行うことから，受信したメールに付与された電子署名が真正であれば，当該メールがY社のメールサーバから送信されたことが分かることを導き出してほしい。

　設問4では，(3)及び(4)の正答率が低かった。(3)については，鍵の漏えい時に発生する影響を基に，影響の具体的な内容を導き出してほしい。(4)については，Z社から社外に送信されるメールは，DKIM処理を行う同じメール中継サーバZから送信される構成であることを基に，正答を導き出してほしい。

≪解説≫

　電子メールを用いた製品サポートに関する問題です。この問では，メールによるサポート業務を他社に委託する場合のなりすまし防止対策を題材として，受験者が修得したネットワーク技術が，標的型メール攻撃の対策に有効な送信ドメイン認証の導入検討に活用できる水準かどうかを問われています。

　この問は，以下の段落で構成されています。

段落	出題される設問
〔Y社のネットワーク構成とセキュリティ対策の背景〕	設問1
〔Y社が導入しているSPFの概要〕	設問2
〔Y社が導入しているDKIMの概要〕	設問3
〔Z社に委託するメールの運用方法の検討〕	設問4
〔S/MIMEの調査と実施策〕	設問5

　情報処理安全確保支援士試験の午後でよく出題されているSPFやDKIMなどの送信ドメイン認証を中心とした問題です。そのため，情報セキュリティの学習を行っていた受験生には比較的易しい問題だったと考えられます。

　設問5については，現在のS/MIMEの仕様では不正確ということで，解答なしで全員正解となっています。この設問自体は，正確なことに目を向けずに答える限り，難易度自体は低いので，合否にはほぼ影響がなかったと考えられます。

設問1

　〔Y社のネットワーク構成とセキュリティ対策の背景〕に関する問題です。Y社のDNSサーバの設定をもとに，Y社のネットワーク構成の内容や，NAT変換，逆引きが不十分な点などについて問われています。

(1)

　本文中の下線①「社内メールサーバYからメール中継サーバに転送される」について，転送先のメール中継サーバのFQDNを答えます。

　図3より，社内DNSサーバYが管理するゾーン情報では，y-mail1.y-sha.lan，y-mail2.y-sha.lan，y-mail3.y-sha.lan，及びmail.y-sha.lanの四つのFQDNがあります。このうち，mail.y-sha.lanは2行あり，DNSラウンドロビンによって192.168.0.1または192.168.0.2に振り分けられる設定になっています。そのため，FQDNにはmail.y-sha.lanを設定しておき，y-mail1.y-sha.lan及びy-mail2.y-sha.lanのFQDNのサーバに振り分けていると考えられます。したがって解答は，**mail.y-sha.lan**です。

(2)

　本文中の下線②「DNSラウンドロビンによってメール中継サーバY1又はY2に振り分けられる」について，社内メールサーバYからメール中継サーバY1又はY2へのメール転送時に，振分けの偏りを小さくするために実施している方策を，25字以内で答えます。

　TTL（Time To Live）は，DNSレコードをキャッシュに保持する時間（秒）です。図3全体のTTLは，最初の行より172800［秒］＝2［日］と長く設定されています。mail.y-sha.lanの2行には60という値が設定されており，このレコードに限ったTTLとして，60［秒］＝1［分］となっています。TTLを60秒と短い値にしていることで，振分けの偏りを小さくすることができます。したがって解答は，**TTLを60秒と短い値にしている**，です。

(3)

　本文中の空欄穴埋め問題です。Y社のネットワーク構成について，適切な字句を答えていきます。

空欄a

　外部DNSサーバYに登録するMXレコードの値について答えます。

　MX（Mail eXchange）レコードは，メールサーバを指定するレコードです。Preference値（優先度）を設定でき，値が小さい方が優先されます。したがって解答は，**Preference**です。

空欄b

　平常時に選択される，メール中継サーバのホスト名を答えます。

　図2のMXレコードより，y-mail1.y-sha.comのPreference値が20，y-mail2.y-sha.comの

Preference値が1です。値が小さい方が優先され，平常時に使用されるので，ホスト名がy-mail2のメール中継サーバが選択されます。したがって解答は，**y-mail2**です。

空欄c

　DNSの名前解決で，送信元メールサーバのIPアドレスからメールサーバのFQDNを取得する方法を答えます。

　DNSでは通常，AレコードでFQDNに対応するIPアドレスを返します。逆引きとなるPTRレコードを設定することで，IPアドレスからFQDNを返します。送信元メールアドレスの詐称を確認するために，逆引きを利用することが可能です。したがって解答は，**逆引き**です。

(4)

　表1中の空欄穴埋め問題です。FWに設定されている静的NATについて，適切なIPアドレスを答えよ。

空欄ア

　y-mail1.y-sha.comに対応する宛先IPアドレスを答えます。〔Y社のネットワーク構成とセキュリティ対策の背景〕には，「FWには，インターネットからDMZのサーバ宛ての通信に対して，静的NATが設定されている」とあり，インターネットからの通信での宛先IPアドレスを考えます。

　図2のAレコードより，y-mail1.y-sha.comに対応するIPアドレスは200.a.b.1です。インターネットからの通信は外部DNSサーバYで名前解決するので，宛先IPアドレスは，200.a.b.1だと考えられます。したがって解答は，**200.a.b.1**です。

空欄イ

　y-mail1.y-sha.comに対応する変換後のIPアドレスを答えます。

　図3より，社内ではプライベートIPアドレスが使用されており，y-mail1に対応するプライベートIPアドレスは192.168.0.1です。このIPアドレスに変換することで，y-mail1に転送することができると考えられます。したがって解答は，**192.168.0.1**です。

(5)

　本文中の下線③「攻撃者は，自身が管理するDNSサーバのPTRレコードに不正な情報を登録することができる」について，攻撃者がPTRレコードに対して行う不正な操作の内容を，図8を参照して45字以内で答えます。

　PTRレコードは逆引きのためのレコードです。攻撃者は自身が管理するDNSサーバにPTRレコードが設定できます。攻撃者のIPアドレスに対し，メールサーバのFQDNに，詐称したメールアドレスのドメイン名を登録したPTRレコードを設定することで，不正なサーバでもドメイン名が一致することになります。したがって解答は，**メールサーバのFQDNに，詐称したメールアドレスのドメイン名を登録する**，です。

設問2

　〔Y社が導入しているSPFの概要〕に関する問題です。SPFレコードの設定や，確認するためのプロトコルやコマンド，及び顧客のメールサーバでの確認方法について問われています。

(1)

　図4中の空欄穴埋め問題です。Y社が登録しているSPFレコードについて，適切なIPアドレスを答えていきます。

空欄ウ，エ

　SPFレコードで，+ip4: の後に設定する二つのIPアドレスを答えていきます。

　SPFレコードでは，+ip4: の後に正規のメールサーバのIPv4アドレスを設定します。図2のMXレコードより，メールサーバはy-mail1.y-sha.com，y-mail2.y-sha.comの二つです。Aレコードより，それぞれのIPアドレスは，200.a.b.1と200.a.b.2なので，これをSPFレコードとして設定します。したがって空欄ウ，エは，**200.a.b.1**，及び，**200.a.b.2**です（順不問）。

(2)

　本文中の空欄穴埋め問題です。顧客のメールサーバでの送信ドメイン認証の流れについて，適切な字句を答えていきます。

空欄d

　メール中継サーバY1又はY2から顧客のメールサーバへの通信で使用する，メール転送プロトコルについて答えます。

　メールサーバからメールサーバへの転送では，メール転送プロトコルとしてSMTP（Simple Mail Transfer Protocol）を使用します。したがって解答は，**SMTP**です。

空欄e

　SMTPのコマンドで，メールアドレスのドメイン名が指定されるものを答えます。

　送信元メールアドレスがsupport@y-sha.comのメールが送られるときは，SMTPのコマンドでは "MAIL FROM support@y-sha.com" というかたちで送ります。このうちの@以下のy-sha.comからドメイン名が入手できます。したがって解答は，**MAIL FROM**です。

空欄f

　MAIL FROMコマンドから入手されたメールアドレスのドメイン名を答えます。

　メールアドレスのドメイン名は，メールアドレスの@以下から取得できます。support@y-sha.comの送信元メールアドレスで送られるので，ドメイン名はy-sha.comとなります。したがって解答は，**y-sha.com**です。

(3)

　本文中の下線④「取得したSPFレコードに登録された情報を基に，送信元のメールサーバの正当性を検査する」について，正当性の確認方法を，50字以内で答えます。

　設問2（2）で取得したドメイン名y-sha.comに対してのSPFレコードは，図4に設定されているとおりです。空欄ウ，エで設定されたIPアドレス200.a.b.1，200.a.b.2が，正当なメールサーバのIPアドレスです。顧客のメールサーバでは，SMTP通信から，送信元のメールサーバのIPアドレスが分かります。その送信元IPアドレスがSPFレコードの中に登録されていることを確認し，送信元のメールサーバの正当性を検査します。したがって解答は，**送信元のメールサーバのIPアドレスが，SPFレコードの中に登録されていること**，です。

付録

設問3

〔Y社が導入しているDKIMの概要〕に関する問題です。DKIMの仕組みと使用されているアルゴリズムや鍵，検証できることについて考えていきます。

(1)

本文中の空欄穴埋め問題です。DKIMとDNSパケットに関して，適切な字句又は数値を答えていきます。

空欄g

電子署名のデータを作成するときに，本文と合わせて使用するものを答えます。

DKIMは，送信側のメールサーバでメールに電子署名を付与します。このとき，メールのデータだけでなく，メールヘッダーも合わせて署名することで，送信元や宛先，件名などのヘッダーの情報が正しいことを確認できます。したがって解答は，**ヘッダー**です。

空欄h

DNSで利用するトランスポートプロトコルについて答えます。

DNSメッセージを送受信するときは通常，トランスポートプロトコルとしてUDP（User Datagram Protocol）を用います。したがって解答は，**UDP**です。

空欄i

DNSのUDPメッセージサイズの上限を答えます。

DNSでは，UDPで確実に1パケットで情報を送信するために，パケットサイズの上限が512バイトとなっています。したがって解答は，**512**です。

(2)

図5のDKIMレコードで指定されている暗号化方式のアルゴリズム名と，使用する鍵名を答えていきます。

アルゴリズム名

図5のDKIMレコードから，アルゴリズムを読み取ります。

図5には「k=rsa」という記述があり，表2から，電子署名の作成の際に利用する鍵の形式がkで指定されることが分かります。鍵の形式がrsaということは，アルゴリズムとしてRSA形式を使用しています。したがって解答は，**RSA**です。

空欄オ

表2のpタグで設定する鍵名を答えます。

DKIMレコードのpタグは，公開鍵のデータを保持するタグです。鍵データは，テキスト形式で送れるように，Base64でエンコードします。したがって解答は，**公開鍵**です。

(3)

本文中の下線⑤「取得したDKIMレコードに登録された情報を基に，電子署名の真正性を検査する」について，電子署名の真正性の検査によって送信者がなりすまされていないことが分かる理由を50字以内で答えます。

取得したDKIMレコードに登録された情報には，空欄オで考えたpタグの公開鍵があります。DKIMレコードに登録されたメールサーバの公開鍵を用いて電子署名を検証することで，対応す

る正規のメールサーバの秘密鍵で署名が行われていたことを確認できます。そのため，受信した
メールが正規のメールサーバから送信されたものかどうかが分かります。したがって解答は，**受
信したメールが正規のメールサーバから送信されたものかどうかが分かるから**，です。

設問4

〔Z社に委託するメールの運用方法の検討〕に関する問題です。Z社でY社のドメインを利用し
てメールを送信する場合の，SPFやDKIMの設定や，Z社内のなりすましを検知できない理由に
ついて問われています。

(1)

本文中の下線⑥「DNSサーバにSPFで利用する情報を登録することで対応できると考えた」に
ついて，登録するDNSサーバ名及びDNSサーバに登録する情報を，それぞれ，図1又は図6中の
字句を用いて答えていきます。

DNSサーバ名

Z社でサポート業務を行うために，SPFで利用する情報を登録するDNSサーバを答えます。
〔Z社に委託するメールの運用方法の検討〕に，「Z社のサポートチームYのサポート担当者は，
現在使用している問合せ窓口のメールアドレス support@y-sha.com でサポート業務を行う」と
あり，y-sha.comのドメイン名でメールを送ります。y-sha.comのドメインを管理するのはY社
のDNSサーバなので，図4「Y社が登録しているSPFレコード」に，メールサーバのIPアドレス
を追加する必要があります。図4は外部DNSサーバYが管理するゾーン情報で，図1のホスト
名ではy-ns1に対応します。したがって解答は，**外部DNSサーバYまたはy-ns1**です。

登録する情報

Y社のSPFに登録する情報を答えます。
〔Z社に委託するメールの運用方法の検討〕には，「サポートチームYのサポート担当者は，送
信元メールアドレスが support@y-sha.com にセットされたサポートメールを，社内メールサー
バZを使用してY社の顧客宛てに送信する」とあります。そのため，y-sha.comのドメインで，
社内メールサーバZを使用してメールを送ることになります。図7「外部DNSサーバZが管理す
るゾーン情報（抜粋）」のMXレコードなどから，外部向けのメールサーバはz-mail1.z-sha.co.jp
だということが読み取れます。図6より，ホスト名z-mail1のメールサーバはメール中継サーバ
Zです。メール中継サーバZのIPアドレスを外部DNSサーバYに登録することで，Z社から送
信したサポートメールも，正規のメールサーバからのものと認証されることになります。したがっ
て解答は，**メール中継サーバZのIPアドレスまたはz-mail1のIPアドレス**です。

(2)

本文中の空欄穴埋め問題です。登録するドメイン名について，適切な字句を答えます。

空欄j

DKIM-Signatureヘッダー中のdタグで指定するドメイン名を考えます。
表3より，dタグには，電子署名を行ったドメイン名を設定します。空欄jの前の文章に，「送
信元メールアドレスが support@y-sha.com のメールに対してDKIM処理を行う」とあるので，
電子署名を行うドメイン名は@以下のy-sha.comだと考えられます。したがって解答は，**y-sha.**

comです。

(3)

　本文中の下線⑦「sタグで指定するセレクター名はsel.zshaとして，Y社と異なる鍵を電子署名に利用できるようにする」について，異なる鍵を利用することによる，Y社におけるセキュリティ面の利点を，50字以内で答えます。

　DKIMレコードが一つの場合，電子署名に利用する秘密鍵が漏えいすると，すべてのDKIMの処理が無効になります。Y社とZ社で別々の鍵を使用することで，Z社のメール中継サーバZから鍵が漏えいしても，Y社で実施中のDKIMの処理は影響を受けないことになります。したがって解答は，**メール中継サーバZから鍵が漏えいしても，Y社で実施中のDKIMの処理は影響を受けない**，です。

(4)

　本文中の下線⑧「"Z社のサポートチームY以外の部署の従業員が，送信元メールアドレスにsupport@y-sha.comをセットしてサポート担当者になりすました場合，顧客のメールサーバでは，なりすましを検知できない"」について，なりすましを検知できない理由を，40字以内で答えます。

　送信ドメイン認証であるSPFやDKIMは，メールを送信するメールサーバを確認するものです。Z社のサポートチームY以外の部署の従業員も，Z社のメール中継サーバZを利用してメールを送ることができます。そのため，なりすましメールもメール中継サーバZから社外に転送されることになり，正規のメールと見分けがつかなくなります。したがって解答は，**なりすましメールも，メール中継サーバZから社外に転送されるから**，です。

設問5

　〔S/MIMEの調査と実施策〕に関する問題です。この問題は，不備により設問が成立しないとして，全員が正解となりました。ここでは，想定されていたと思われる解答と，それが問題である理由について解説します。

(1)

　表4中の下線⑨「ハッシュ値aを基に，電子署名データを作成する」の電子署名データの作成方法を，25字以内で答えます。

　電子署名では，署名生成アルゴリズムを使用して，電子署名データを作成します。このとき，署名の元となるハッシュ値aに加え，送信者の秘密鍵を使用して，電子署名データを生成します。ここまでの流れで，想定された解答は，**ハッシュ値aを秘密鍵で暗号化する**，というようなものだったと考えられます。

　この解答の問題は，署名生成アルゴリズムで行う内容は暗号化ではなく，アルゴリズム基づいた"署名生成"であるということです。次で説明するとおり，署名検証アルゴリズムで，復号を行うとは限らないため，不正確な解答になります。「ハッシュ値aと秘密鍵を利用して，電子署名データを作成する」であれば正しいですが，下線部の言い直しだけで，字数制限にも入らなくなってしまいます。

(2)

　表4中の下線⑩「受信したメール中の電子署名データからハッシュ値を取り出す」のハッシュ値
aを取り出す方法を，20字以内で答えます。

　署名生成アルゴリズムで暗号化を行ったと仮定する場合は，復号することでハッシュ値が取り
出されると想定されます。ここでは，想定された解答は，**電子署名データを公開鍵で復号する，**
というようなものだったと考えられます。

　しかし，この解答は二つの意味で問題があります。まず，電子署名データの確認は，復号では
なく"署名検証"であるということです。内容が戻せることではなく，改ざんされていないと確認
できればOKです。

　また，RSAの署名検証アルゴリズムでは，メッセージが復元され，ハッシュ値aとの値の一致
を確認します。しかし，RFC 8551 (Secure/Multipurpose Internet Mail Extensions (S/MIME)
Version 4.0) によると，S/MIMEの電子署名アルゴリズムには，ECDSA (Elliptic Curve Digital
Signature Algorithm) やEdDSA (Edwards-curve Digital Signature Algorithm) も使用できます。
ECDSAやEdDSAではハッシュ値の復元は行わず，署名検証アルゴリズムで検証式が成立すれ
ば"受理 (1)"を返すという仕組みです。そのため，表4の手順4のハッシュ値aの取り出し自体が
行われないことになります。したがって，この問題自体が成立しません。

(3)

　表4中の下線⑪「ハッシュ値を比較する」について，どのような状態になれば改ざんされていな
いと判断できるかを，25字以内で答えます。

　こちらは，設問5 (2)でハッシュ値aが復元できたという前提での問題です。RSA暗号では，表
4の手順4で取り出したハッシュ値aと，表4の手順5で生成したハッシュ値bの値が一致すれば，
改ざんされていないと検証できます。そのため，想定した解答は，**ハッシュ値aとハッシュ値bの**
値が一致する，というようなものだと考えられます。

　こちらも，S/MIMEの電子署名アルゴリズムのうち，RSAでだけ成立する内容なので不適切で
す。そのため，解答なしとなっています。

付録

参考文献

- 井上直也 他. マスタリング TCP/IP 入門編（第6版）. オーム社, 2019

- 服部武, 藤岡雅宣. 5G教科書 LTE/IoT から 5G まで. インプレス, 2018

- 服部武, 藤岡雅宣. 続・5G教科書 NSA/SA から 6G まで. インプレス, 2023

- シスコシステムズ合同会社 テクニカルアシスタンスセンター. ［改訂3版］ネットワークエンジニアの教科書. シーアンドアール研究所, 2023

- みやたひろし. インフラ／ネットワークエンジニアのためのネットワーク技術＆設計入門 第2版. SBクリエイティブ, 2019

- Wendell Odom. Cisco CCNA 200-301 Official Cert Guide Library. Cisco Press, 2019

- 林口裕志, 川島拓郎. CCNP Enterprise 完全合格テキスト＆問題集［対応試験］コア試験ENCOR（350-401）. 翔泳社, 2022

- 林口裕志, 川島拓郎. CCNP Enterprise 完全合格テキスト＆問題集［対応試験］コンセントレーション試験 ENARSI（300-410）. 翔泳社, 2021

- 渋川よしき. Real World HTTP 第2版. オライリー, 2020

- NRIネットコム株式会社, 佐々木拓郎, 小西秀和 他. AWS認定 高度なネットワーキング - 専門知識. マイナビ出版, 2022

- Chris Sanders. 実践 パケット解析 第2版 － Wireshark を使ったトラブルシューティング. オライリー, 2012

- 竹下恵. パケットキャプチャ実践技術 第2版. リックテレコム, 2017

- 竹下恵. パケットキャプチャ無線LAN編 第2版. リックテレコム, 2024

- 古城隆 他. 徹底解剖 TLS1.3. 翔泳社, 2022

- 徳丸浩. 体系的に学ぶ 安全な Web アプリケーションの作り方 第2版 脆弱性が生まれる原理と対策の実践. SBクリエイティブ, 2018

- IPUSIRON. 暗号技術のすべて. 翔泳社, 2017

- デイビッド・ウォン, 高橋聡. 現代暗号技術入門. 日経BP, 2022

- 阿部ひろき. ホワイトハッカー入門. インプレス, 2020

- Evan Gilman, Doug Barth. ゼロトラストネットワーク. オライリー, 2019

INDEX

索引

D

E

■著者

瀬戸 美月（せと みづき）

株式会社わくわくスタディワールド代表取締役

「わくわくする学び」をテーマに，企業研修やオープンセミナーなどで，単な
る試験対策にとどまらない学びを提供中。また，情報処理技術者試験を中心
としたIT系ブログ「わく☆すたブログ」や，ITの全般的な知識を学ぶサイト「わ
くわくアカデミー」など，様々なサイトを運営。

独立系ソフトウェア開発会社，IT系ベンチャー企業でシステム開発，Webサー
ビス立ち上げなどに従事した後独立。企業研修やセミナー，勉強会などで，
数多くの受験生を20年以上指導。

保有資格は，情報処理技術者試験全区分，狩猟免許（わな猟），データサイエ
ンス数学ストラテジスト（中級☆☆☆），統計検定データサイエンス発展，デー
タサイエンティスト検定（リテラシーレベル），Python 3 エンジニア認定デー
タ分析試験，他多数。

著書は，『徹底攻略 情報セキュリティマネジメント教科書』『徹底攻略 基本情
報技術者教科書』『徹底攻略 応用情報技術者教科書』『徹底攻略 データベー
ススペシャリスト教科書』『徹底攻略 情報処理安全確保支援士教科書』『徹底
攻略 基本情報技術者の午後対策 Python編』『徹底攻略 基本情報技術者の科
目B実践対策［プログラミング・アルゴリズム・情報セキュリティ］』（以上，
インプレス），『新 読む講義シリーズ 8 システムの構成と方式』（アイテック）
他多数。

わく☆すたAI

わくわくスタディワールド社内で開発されたAI（人工知能）。
情報処理技術者試験の問題を中心に，現在いろいろなことを学習中。今回は，
自然言語処理などのデータサイエンスの知見を利用し，出題傾向の分析，試
験問題の分類を中心に活躍。内部でGPT-4も利用。
近い将来，参考書を自分で全部書けるようになることを目標に，日々学習中。

ホームページ：https://wakuwakustudyworld.co.jp

STAFF	
編集	水橋明美（株式会社ソキウス・ジャパン）
	小田麻矢
校正協力	馬場光一
本文デザイン	株式会社トップスタジオ
表紙デザイン	小口翔平＋村上佑佳（tobufune）
表紙制作	鈴木 薫
編集長	片元 諭

本書のご感想をぜひお寄せください
https://book.impress.co.jp/books/1124101035

読者登録サービス
CLUB impress

アンケート回答者の中から、抽選で図書カード(1,000円分)などを毎月プレゼント。
当選者の発表は賞品の発送をもって代えさせていただきます。
※プレゼントの賞品は変更になる場合があります。

■商品に関する問い合わせ先

このたびは弊社商品をご購入いただきありがとうございます。本書の内容などに関するお問い合わせは、下記のURLまたは二次元バーコードにある問い合わせフォームからお送りください。

https://book.impress.co.jp/info/

上記フォームがご利用いただけない場合のメールでの問い合わせ先
info@impress.co.jp

※お問い合わせの際は、書名、ISBN、お名前、お電話番号、メールアドレス に加えて、「該当するページ」と「具体的なご質問内容」「お使いの動作環境」を必ずご明記ください。なお、本書の範囲を超えるご質問にはお答えできないのでご了承ください。

- ●電話やFAX でのご質問には対応しておりません。また、封書でのお問い合わせは回答までに日数をいただく場合があります。あらかじめご了承ください。
- ●インプレスブックスの本書情報ページ https://book.impress.co.jp/books/1124101035 では、本書のサポート情報や正誤表・訂正情報などを提供しています。あわせてご確認ください。
- ●本書の奥付に記載されている初版発行日から1年が経過した場合、もしくは本書で紹介している製品やサービスについて提供会社によるサポートが終了した場合はご質問にお答えできない場合があります。

■落丁・乱丁本などの問い合わせ先
FAX 03-6837-5023
service@impress.co.jp
※古書店で購入された商品はお取り替えできません。

徹底攻略 ネットワークスペシャリスト教科書
令和7年度

2024年9月1日　　初版発行

著　者　株式会社わくわくスタディワールド　瀬戸美月
発行人　高橋隆志
編集人　藤井貴志
発行所　株式会社インプレス
　　　　〒101-0051　東京都千代田区神田神保町一丁目105番地
　　　　ホームページ　https://book.impress.co.jp/

印刷所　日経印刷株式会社

ISBN978-4-295-01997-8 C3055
Printed in Japan